翻译卷

新青年
LA JEUNESSE

张宝明 主编　张　剑 副主编

7

新文化元典
丛书

河南文艺出版社

图书在版编目(CIP)数据

新青年. 翻译卷/张宝明主编. —郑州:河南文艺出版社,2016.5(2025.1重印)

(新文化元典丛书)

ISBN 978-7-5559-0342-0

Ⅰ.①新… Ⅱ.①张… Ⅲ.①期刊-汇编-中国-民国 Ⅳ.①Z62

中国版本图书馆 CIP 数据核字(2015)第 286619 号

总 策 划	王国钦
策 划	崔晓旭
责任编辑	崔晓旭
美术编辑	吴 月
责任校对	丁淑芳
装帧设计	张 胜

出版发行	河南文艺出版社
本社地址	郑州市郑东新区祥盛街 27 号 C 座 5 楼
承印单位	河南省四合印务有限公司
经销单位	新华书店
纸张规格	640 毫米×960 毫米 1/16
印 张	31.75
字 数	355 000
版 次	2016 年 5 月第 1 版
印 次	2025 年 1 月第 5 次印刷
定 价	57.00 元

版权所有 盗版必究

图书如有印装错误,请寄回印厂调换。

印厂地址 焦作市武陟县詹店镇詹店新区西部工业区凯雪路中段

邮政编码 454950 电话 0391-8373957

出版说明

一、为纪念《新青年》(原名《青年杂志》)创刊100周年,本社特别策划出版"新文化元典丛书"。

二、本丛书由著名学者张宝明主编并提供稿本,由本社分"平装普及"与"精装典藏"两个版本先后出版。"普及版"以大众阅读为目标,分为"政治卷""思潮卷""哲学卷""文学创作卷""文学批评卷""文字卷""翻译卷""青年妇女卷""文化教育卷""随感卷"10卷;"典藏版"以学者研究为指归,延续了本社1998年版《回眸〈新青年〉》的版本形式,分为"哲学思想卷""社会思潮卷""语言文学卷"3卷。

三、本丛书在编辑过程中,对文章内容(包括当时特殊的语言、语法使用,习惯性虚词,数字、异体字用法,对外文中人名、地名的个性化翻译等)及作者署名均以其原貌呈现。为方便今天读者阅读,本次出版对原文中的繁体字进行了简体转换,对可以确定的技术性错讹进行了订正,对个别的标点符号用法进行了相对规范。对错讹较多的英语、俄语等外文,特邀有关专家进行了认真校订。

四、"随感卷"内容选自《新青年》原版各卷中的"随感录"。因原文发表时大部分并无标题,本次专卷出版的标题为主编所加。

五、本丛书的策划出版,也是我们对2019年"五四"运动100周年的一次提前纪念。

河南文艺出版社
2016年5月

回眸:唯以深情凝望……(代序)

张宝明

  1492年10月11日,克里斯托弗·哥伦布看见海上漂来一根芦苇,欢呼雀跃地宣布了被称为"救世主"之新大陆的发现。

  1915年9月,《青年杂志》创刊。这就是那个日后易名为《新青年》的月刊,她从此成为一代又一代青年人心目中拨云见日的精神新大陆。

  饶有情趣的是,无论是彼岸还是此岸的"新大陆",其发现过程都需要有敢于冒险的勇气、勇于担当的气魄、胸怀天下的责任。500年前,哥伦布想方设法说服了西班牙女王得以扬帆;100年前,陈独秀费尽口舌让出版商动心,在那出版业凋敝、萧条的时代,主编那"让我办十年杂志,全国思想全改观"的信誓旦旦背后多少有些心酸。

  一个世纪过去了,重温百年历史记忆,翻阅那一页页泛黄的纸张时,我无法用编选或剪辑来保存这样一个精神存照。

  作为20世纪一轮最为壮丽的精神日出,《新青年》以其鲜活的时代性入世,演绎了一台精彩纷呈的思想史专场。她已经在百年的风雨沧桑中固化为一尊灵魂的雕像、一座精神的丰碑。形而下的标本馆可以被肢解、分离,甚至拆卸为齿轮和螺丝钉,可谁若是声称复制出形而上的灵魂标本馆,我们不免顿生疑窦。因为灵魂的雕像和精神的丰碑只能内化于每一个人的心底,存贮于每一个人的心灵。

　　回望百年,再也没有这样的思想演绎更值得我们咀嚼了。仿佛,她就是我那无法用肉眼观看的神经末梢。岁月陶铸了文化的沧桑,年龄剪断了思想的记忆。"剪不断,理还乱。"因此,面对沧桑的文化记忆,面对凌乱的思想线团,我们无法用具象化的"编选"或"剪辑"称谓,更无法用当年文化先驱的启蒙来"普及"当下的启蒙。这里的思想静悄悄,这里的灵魂无眠,这里精神永远……我们最好的纪念就是无言面对,默默注目,深深凝望……

　　《新青年》,已经不是当代青年心目中的"新大陆";回眸《新青年》,无非是想通过那一代知识先驱心中流淌的文字为20世纪中国做一个有血有肉的注脚。发黄的纸张、右行竖迤的文字以及远离的先驱成为朦朦胧胧的追问,我们在回眸中分明看到了自己。我们在解读自己,也在解剖自己,更是在反省着自己。有时,我们又不能不拷问何以如此失去自己。这不是多愁善感,而是因为风雨沧桑的生命之旅招惹了我们的思绪:《新青年》不是一个尘封的历史遗存,而是一个活生生的对象,一段可以触摸的历史,更是一曲跌宕的纸上声音:说你,说他,说我……

　　风流,不会像诗中说的那样总被雨打风吹去。昔日的倜傥,同样可以因我们的自觉而获得立体的再现。多年之后,长征之后落定延安的毛泽东对埃德加·斯诺吐露心声说:在1916年,我和几个朋友成立了新民学会……许多团体大半都是在陈独秀主编的《新青年》的影响下组织起来的。而我在师范学校读书时,就开始阅读这本杂志了,并且十分崇拜陈独秀和胡适所做的文章。他们成了我的模范,代替了我已经厌弃的康有为和梁启超。青年时代的毛泽东,有很长一段时间都在翻阅、谈论、"思考《新青年》所提出的问题"。1918年2月,读到《新青年》的周恩来在日记中奋笔疾书:晨起读《新青年》,晚归复读之。于其中所持排孔、独身、文学革命诸主义极端赞成。恽代英从武昌写来肺腑之言,盛赞《新青年》的思想价值:我们素来的生活,是在混沌的里面。自从看了《新青年》,渐渐地醒悟过来,真是像在黑暗的地方见了曙光一样。我们对于做《新青年》的诸位先生,实在是表不尽的感激。当时在陆军第二预备学校读书的叶挺也热情洋溢地表达过对《新青年》的仰慕和膜拜:空谷足音,遥聆若渴。明灯黑室,觉岸延丰。最后并以急不可待的心情期盼着"思想界的明星"(毛泽东语)。陈独秀指点迷津:吾辈青年,坐沉沉黑狱中,一纸天良,不绝于缕,亟待足下明灯指迷者,当大有人在也。

热血的政治青年对此刊有一种天然的偏爱,在校读书的文学青年对此更是欢喜。北大学生杨振声曾这样回忆说:像春雷初动一般,《新青年》杂志惊醒了整个时代的青年。冰心也这样评论《新青年》:"五四"运动前后,新思潮空前高涨,新出的报纸杂志像雨后春笋一样,目不暇接。我们都贪婪地争着买,争着借,彼此传阅。其中我最喜欢的是《新青年》里鲁迅先生写的小说,像《狂人日记》等篇,尖锐地抨击吃人的礼教,揭露着旧社会的黑暗和悲惨,读了让人同情而震动。凡此种种,举不胜举。

热血青年如是说,引导"新青年"的当事人更是引以为豪。胡适就曾在20世纪30年代为重印《新青年》激动不已,并挥毫题词:《新青年》是中国文学史和思想史上划分一个时代的刊物。最近二十年中的文学运动和思想改革,差不多都是从这个刊物出发的。胡适为重印《新青年》的广而告之及定位,与其在1923年写给"新青年派"高一涵、陶孟等同人的信中表述一脉相承:二十五年来,只有三个杂志可代表三个时代,可以说创造了三个新时代:一是《时务报》,一是《新民丛报》,一是《新青年》。《民报》与《甲寅》还算不上。题中之意还在于:《新青年》创造了一个崭新时代,永远不会被遗忘和尘封。鲁迅作为"新青年派"的中坚,也曾在为《中国新文学大系》所作的序言中鼓与呼:凡是关心现代中国文学的人,谁都知道《新青年》是提倡"文学改良",后来更进一步号召"文学革命"的发难者。从学术"象牙塔"走向办杂志、发议论的公共空间,从学问家到舆论家,"新青年派"知识群体经历了一个艰难的选择里程。这里,我们不难从鲁迅心灰意冷的"钞古碑"到满怀激情地"听将令"之转变窥见同人们的"一斑":但是《新青年》的编辑者,却一回一回的来催。催几回,我就做一篇。这里我必得纪念陈独秀先生,他是催我做小说最着力的一个。

....

我们知道,在世界文明史上,18世纪的法国因其启蒙运动的舆论力量留下盛名,并产生了一批以伏尔泰为精神领袖的舆论之王。当作为社会良知化身的知识分子以公共面目出现时,就获得了舆论家的声誉。胡适这位现身说法的当事人这样用英文将其正名为"Journalist"或者"Publicist",而且对"意中舆论家"有这样的诉求:有"笔力"、懂国内外"时势"、具"远识",其中"公心"和"毅力"最不可或缺——这是胡适1915年1月尚在美国留学时日记中记下的夙愿。回国任职北京大学后,学问家的身份反被舆论家的名声所掩盖,他走了一条"一发不可收"的不归路。从此,思想史上的胡适而不是学术上的胡适,成为声名鹊起的一代思想骄子。

《新青年》创刊于上海,兴隆于北京,终结于广州。在这一平台上汇聚起来的"新青年派"同人,学术凹陷,思想凸显;学问淡出,舆论立言。"五四"新文化运动的天空中,最耀眼的是那一抹以"民主""科学"为主调的绚丽彩虹。舆论的彰显与张扬,拉动着中国现代性加速转型。1905年科举的终结,让传统士人走向边缘,而舆论家的身份意识和担当情怀重新将他们推向时代的浪尖和话语的中心。这里,"新青年派"同人不再是书斋里"钻牛角"、翻故纸的学术把玩者,而是一批"执牛耳"、观天下的社会现实参与者。行走于风雨故园中的时代先驱们,可以不是理性、冷静的审慎思考者,却是理想在前、激情在身的担当者。一百年后回眸《新青年》,我们可以为他们的急不择言、话不留余的语言暴力保持一份反思的态度,但毋庸置疑的是,他们留下的文本却为我们读懂20世纪以及当下的中国提供了弥足珍贵的思想路径。从这里,走进历史现场;在这里,读懂近世中国。的确,在享受这一新文化运动元典阅读快感之际,无论如何都无法阻止我们的心跳。

这里,不但有"妙手"写下的"文章",更有"道义"担当的"铁肩"。《新青年》寻求真理、坚持真理的使命感与历史同在,历历在目;新文化运动敢于担当、勇于担当的责任感与日月同辉,常读常新。听其言——陈独秀在文学革命的战车上立下过"愿拖四十二生的大炮为之前驱"的誓言,还有那振聋发聩之守护"民主""科学"的承诺:西洋人因为拥护德、赛两先生,闹了多少事,流了多少血,德、赛两先生才渐渐从黑暗中把他们救出,引到光明世界。我们现在认定:只有这两位先生,可以救治中国政治上、道德上、学术上、思想上一切的黑暗。若因为拥护这两位先生,一切政府的压迫、社会的攻击笑骂,就是断头流血,都不推辞。信誓旦旦,掷地有声。观其行——1919年6月8日,陈独秀为声援和欢迎"五四"运动中被捕出狱的学生撰写的《研究室与监狱》就是一篇激情四溢、气势磅礴的短平快舆论:世界文明发源地有二:一是科学研究室,一是监狱。我们青年要立志出了研究室就入监狱,出了监狱就入研究室,这才是人生最高尚优美的生活。从这两处发生的文明,才是真正的文明,才是有生命有价值的文明。陈独秀雄于言、力于事的个性和品格,在舆论抛出三天之后"知行合一"。被胡适誉为"一个有主张的'不羁之才'"的陈独秀,在经过三个月的监禁后,成为中国共产党的创始人。

无独有偶,作为《新青年》主力的舆论家胡适向来以性格稳健、思想"健全"著称。即使如此,他在"新青年派"同人营造的公共空间里丝毫不减锐气,文风堪称犀利直接、所向披靡。如同我们看到的那样,当《民国日报》记者邵力子以北洋政府下令"取缔新思想"之舆情发难胡适,并"三十六计,走为上计"揣测其生病住院时,当事人严正地在《努力周报》上发布公告:我是不跑的,生平不知趋附时髦;生平也不知躲避危险。封报馆,坐监狱,在负责任的舆论家的眼里,算不得危险。然而,"跑"尤其是"跑"到租界里去唱高调:那是耻辱!那是我决不干的!这就是"新青年"那一代知识先驱的共同心声和承诺。知其言,观其行。新文化运动的舆论家就是这样直面着人生、关注着社会、履行着诺言、担当着责任。胡适很早就认识到"舆论家之重要"并"以舆论家自任"。应该说,无论是陈独秀还是胡适,尽管在北京大学地位显赫,但真正"暴得大名"并在中国政治史、思想史、文化史上留下重要的影响,依靠的不是作为学问家的"学术"志业,而是以不安本分的"舆论家"起家。在《新青年》周围,一个知识群体为国家、民族的现代性演进而不遗余力地万丈激情挥洒自如。不甘于自处出世、超然的边缘,而要走向中心,有所担当的"家国""天下"情怀体现得淋漓尽致。

百年回眸,在演出那场思想史专场的新文化思想舞台上,海归们给沉寂的中国注入了前所未有的生机。陈独秀、胡适、周作人、鲁迅、李大钊、钱玄同、刘半农、高一涵、沈尹默……"新青年派"同人扬鞭策马、奋笔疾书。本来,学术是他们的安身立命之本,学问家应该是他们原汁原味的角色担当。但是,归国后面对中国的现实,让他们有一种坐不住、不安分的冲动,携带着西方文明的种子,他们很快从一身长衫的学问家华丽转身为西装革履的舆论家,成为指点江山、激扬文字的中心人物……

百年回眸,新文化元典已经走过了一个世纪。在"知识分子到哪里去了""知识分子还能感动中国吗""人文学还有存在的必要吗"之追问不绝于耳的今天,重读《新青年》是那样的情真意切。只要启蒙还没有"普及",只要"五四"先驱设计的目标还没有抵达,只要"中国梦"还在路上,我们就不能不读《新青年》!百年回眸,那是一个渐行渐远的大时代。我们只有以这样的方式默行注目礼……

百年回眸,《新青年》同人打造的"金字招牌"历历在目。当我们手捧10卷本"普及版"的时候,其实我们是在"提高"着对自我与这个时代的认知。本来,"普及"和"提高"就是一个问题的两个方面,无法化约,采用这样的划分完全是为了阅读的需要。我们深知,其中的每一卷都是一个个精神的制高点、诗意心灵的停泊站:"政治卷""思潮卷""哲学卷""文字卷""文学创作卷""翻译卷""文学批评卷""随感卷"的单打以及"青年妇女卷""文化教育卷"

的组合,都能够给读者带来无限的遐想。一杯茶,或一杯咖啡,在原汁原味的隽永文字中咀嚼、品味、思考,唯有这样的互动才能使我们徜徉于心旷神怡的天地。或浓烈,或淡雅,或遥远,或温馨,思想的滋味本来如此……

目 录

陀思妥夫斯奇之小说 ……………………………………
……………………〔英国〕W. B. Trites 著 周作人 译 1
娜拉 …………〔挪威〕易卜生 著 罗家伦 胡 适 译 12
不自然淘汰 ………〔瑞典〕August Strindberg 著 周作人 译 99
改革 ……………〔瑞典〕August Strindberg 著 周作人 译 106
结婚论 ………………………………………… 杨昌济 译 110
协约国与普鲁士政治理想之对抗 ……………… 陈达材 译 126
小小的一个人 …………〔日本〕江马修 著 周作人 译 137
遗扇记 ………………〔英国〕王尔德 著 沈性仁 译 144
卖火柴的女儿 ……〔丹麦〕H. C. Andersen 著 周作人 译 211
铁圈 ………………〔俄国〕F. Sologub 著 周作人 译 215
灵异论 ………………〔德国〕赫克尔 著 刘叔雅 译 221
可爱的人 ………〔俄国〕Anton Tshekhov 著 周作人 译 234
近代戏剧论 ………………………………………………
………………〔美国〕高曼女士(E. Goldman) 著 震瀛 译 252
俄国革命之哲学的基础(上) ……………………………
………………〔英国〕Angelo S. Rapport 著 起 明 译 267
俄国革命之哲学的基础(下) ……………………………
………………〔英国〕Angelo S. Rapport 著 起 明 译 277

选举权理论上的根据 …………………………………〔日本〕吉野作造 著 高一涵 译	288
文艺的进化 ………〔日本〕厨川白村 著 朱希祖 译	298
精神独立宣言 ………………………… 张嵩年 译	304
诱惑 ………〔波兰〕Stefan Zeromski 著 周作人 译	326
晚间的来客 …………〔俄〕A. Kuprin 著 周作人 译	330
民主与革命 …………〔英国〕罗素 著 张崧年 译	337
游俄之感想 …………〔英国〕罗素 著 雁 冰 译	353
文学与现在的俄罗斯 …………………………………〔俄国〕高尔基（Gorky） 著 郑振铎 译	379
能够造成的世界 …………〔英国〕罗素 著 李 季 译	389
到工团主义的路 …………………………………〔英国〕哈列（J. H. Harley） 著 李 季 译	408
少年的悲哀 ………〔日本〕国木田独步 著 周作人 译	419
社会主义国家与劳动组合 …………………………………〔日本〕山川均 著 周佛海 译	428
结群性与奴隶性 …………〔英国〕戈尔敦 著 周建人 译	461
俄国的新经济政策 ……〔俄国〕布哈林 演讲 雁 冰 译	471
殖民地及半殖民地职工运动问题之题要 …………………………………………… 陈独秀 译	480
列宁论 ………… 腊狄客（Karl Radek） 著 张秋人 译	486

陀思妥夫斯奇之小说

〔英国〕W. B. Trites 著　第七一七号译《北美评论》
周作人　译

近来时常说起"俄祸"。倘使世间真有"俄祸"，可就是俄国思想。如俄国舞蹈、俄国文学皆是。我想此种思想，却正是现在世界上最美丽最要紧的思想。

试论俄国舞蹈，英法德美的舞蹈，现今已将衰败。唯有尼纯斯奇 Nizhinskij 所领的俄国舞曲十分美妙。将使舞蹈的一种艺术可以同悲剧与雕刻并列。

正如尼纯斯奇指挥世界舞蹈家一般，世界小说家亦统受陀思妥夫斯奇 Dostojevskij、果戈尔 Gogol、托尔斯多 Ljov Tolstoj、都介涅夫 Turgenjev 的指挥。《罪与罚》*Prestuplenie i Nakazanie*、《死魂灵》*Mertvago Dushi*、《战争与平和》*Vojna i Mir*、《父子》*Ottsy i Djeti* 与世界小说比较，正同俄国舞曲和平常舞蹈一样的高下。

陀思妥夫斯奇是俄国最大小说家，亦是现在议论纷纭的一个人。陀氏著作近来忽然复活。其复活的缘故，就因为有非常明显的现代性。（现代性是艺术最好的试验物，因真理永远现在故）人说他曾受迭更司 Dickens 影响，我亦时时看出痕迹。但迭更司在今日已极旧式，陀氏却终是现代的。止有约翰生博士著《沙卫具传》，可以相比。此一部深微广大的心理研究，仍然现代，宛然昨日所写。

我今论陀思妥夫斯奇止从一方面著手，就是所谓抹布的方面。要知道此句意思，先须绍介其小说《二我》*Dvojnik* 中之一节。

戈略特庚 Goljadkin 断不肯受人侮辱，被人蹈在脚下，同抹布一样。但是倘若有人要将他当作抹布，却亦不难做到，而且并无危险。(此事他时常自己承认)他那时就变成抹布。他已经不是戈略特庚，变成了一块不干净的抹布。却又非平常抹布，乃是有感情通灵性的抹布。他那湿漉漉的褶叠中，隐藏著灵妙的感情。抹布虽是抹布，那灵妙的感情，却依然与人无异。

陀氏著作，就善能写出这抹布的灵魂给我辈看。使我辈听见最下等、最秽恶、最无耻的人所发的悲痛声音。醉汉睡在烂泥中叫唤，乏人躲在漆黑地方说话，窃贼、谋杀老妪的凶手、娼妓、靠娼妓吃饭的人亦都说话。他们的声音却都极美。悲哀而且美。他们堕落的灵魂原同尔我一样。同尔我一样，他们也爱道德，也恶罪恶。他们陷在泥塘里，悲叹他们的不意的堕落，正同尔我一样的悲叹，倘尔我因不意的灾难同他们到一样堕落的时候。

陀氏专写下等堕落人的灵魂。此是陀氏著作的精义，又是他唯一的能事。伟大高贵的罪人——身穿锦绣珠玉，住在白玉宫殿里，自古以来怨艾其罪——他的心理，早已有人披露。但是醉汉(靠著他卖淫的女儿，终日吃酒)、当铺主人(他十六岁的妻子，因不愿与他共处,跳楼自尽),他们灵魂中也有可怕的美存在,陀氏就写给人看。

但空言无用。今且略译陀氏名文数节为证。可知陀氏能描出堕落人物,他们也有灵魂,其中还时时露出美与光明。

如世间有个堕落的灵魂,那便是摩拉陀夫 Marmeladhv。我今所译,便是《罪与罚》中名文,摩拉陀夫的一段说话。少年学生拉科尼科夫 Raskolnikov 走进酒店,方吸啤酒,有一人同他攀谈。年纪五十以上,身穿破衣,已经半醉,却曾受过教育。此人便是摩拉陀夫。摩拉陀夫吸著烧酒,一面谈天,店主人同酒客都在旁边听他说,有时大笑,有时问他。今但摘述摩拉陀夫之言如下。

我是一口猪。但是她(指其妻),她是贵妇人。我的身上,已有了畜生的印记。我妻加德林 Katerin Ivanona,她是文明人,是官吏的女儿。我自己承认是个流氓。但我妻却有宽大的心,微妙的感情,又有教育。阿,倘是她能够可怜我呵!……但加德林虽有伟大的灵魂,却不公平。她没有一次可怜过我。但是……我的性格如此。我是一个畜生。

……中略……

我们住在冷屋子里。今年冬天,她受了寒,咳嗽而且吐血。当初我娶她的时候,她是个寡妇,带著三个小孩。她的前夫是步兵军官,同她逃走出来的。她敬爱她的丈夫。但这男子赌博、犯法,不久也就病死。临了并且打她。……

她丈夫死后,孤零零止剩了一身,同三个小孩在一荒僻地方。我遇见她,就在那个地方。我现在也无心来描写她那时候的苦境。……少年,我告诉你,于是我——一个鳏夫,有十四岁的一个女儿——对她求婚,因为我看她苦难,十分伤心。她应许了我,哭哭啼啼,搓著两手。但她终竟应许了我,因为她更没别的地方可去。……

十足一年,我好好的尽我义务。但我后来失了地方,却并不是我的过失。从此我便吃酒。……我们应该如何过活,我已毫不明白。

当时我的女儿,渐渐长成。她的后母如何待她,我不如不说罢了。……少年,你可相信,一个正直穷苦的少年女子,真能自食其力么?她倘没有特别技能,每日可以赚到十五戈贝(一戈贝约值一分)?但便是这一点,亦……而今小孩子饿得要死。加德林在房中走来走去,搓著手无法可施。她对女儿说,懒骨头,你一点事不做,在此过活,不羞么?其时我睡在那里。老实说,我可实在醉了。……那时正是五点过。我见苏涅 Sonja(其女名为苏菲亚之昵称)立起来,戴上帽子,出门去了。

八点钟,她才回来。她一直走到加德林面前,不作一声,拿出三十银卢布放在桌上。便将那绿色大手巾(这块手巾是合家公用的什物),包在头上。上了床睡下。面孔朝着墙壁,但见她肩膀和身体,都微微地发抖。——至于我呢,仍然照旧睡着。——那时,少年,我见加德林立起,一言不发,跪在苏尼契加 Sonetchka(亦苏菲亚之昵称)的小床旁边。她跪了一晚上,在女儿脚上亲吻,不肯起来。随后她们都睡熟了。互相抱着……她们两个都……我……我却仍然如故,醉得动弹不得……

谁还可怜我,像我这样的人?先生,你现在能可怜我么?……你问,为何可怜我?是的。那是毫无理由。他们止应该钉杀我,将我挂在十字架上,不应该可怜我。……但是他,知道一切,爱怜人类的上帝,他可怜我。到了世界末日,他出来说:"那个女儿在那里呢?她为了那可恨的、肺痨病的后母,同并不是她兄弟的小孩,牺牲她的身子。那个女儿在那里呢?爱怜她的父亲,不曾嫌弃那下作的酒鬼的那女儿。"他就又说:"你来。我一切赦免你了。因为你的爱力,你的罪也一切离了你。"一切的人,统要归他裁判。他将赦免一切,善的、恶的,智的、愚的,都被赦免。他裁判已了,轮到我们。他说:"你们也来。你们酒鬼,你们乏人,你们荡子,统向我来。"我们便上前去,毫不怕惧。他又说,"你们统是猪。你们都印着畜生的印记在身上。但是一样的上来。"其时那贤人智者便问:"上帝呵,你为何容受他们呵?"他答说:"阿,你们贤人呵,你们智者呵,我容受他们,因为他们相信自己当不起我的恩惠。"于是他张了两臂向着我们,我们都奔就他,大家都哭了,明白一切了。那时人人都将明白一切。加德林,他也将明白。上帝呵,你的天国快来呵!

　　此是陀氏最有名的一段文字。你倘同俄国人谈起陀氏,他便热心问你,你记得《罪与罚》中摩拉陀夫的一段说话么。你点点头。他又问你读的是哪一国文。你说或英、或法、或德。他便叹着说:唉,这要从俄文读,才能完全赏鉴他的好处。所以我对于上面摘译,十分抱歉。但我的摘译,虽有许多漏略,十分拙滞,读者总可因此略知其中的精意。你看陀氏能够就摩拉陀夫心弦上,弹出新声,如何美丽,如何伤心而且可怕!
　　摩拉陀夫的人,不能得一般读者的同情。他并非少年,可望改良,因他已经五十多岁,又是个酒鬼。吃了烂醉,睡在家里,醒来便拿了他妻子的一双袜子,又偷偷的走到酒店里去。否则跟着他卖淫的女儿讨酒钱去吃酒。就是同拉科尼科夫谈天时所吃的半瓶酒,正用他女儿钱袋底里的三十戈贝买的,摩拉陀夫的人,实在不能求谅于世间一般的人。他简直止是一块抹布。但他自己觉得他的堕落,正同尔我一样,倘是我辈晚年遇著不幸,堕落到他的地步。

《罪与罚》一部小说,就是申明上文所说陀氏精义的书。这宏大长篇的小说,说一谋杀的案情。一个放债老妪同他姊妹,被一少年学生心想谋财,害了性命。这件谋杀,实在写得血泪模糊,恐怖悲哀,非常猛烈。试看老妪的姊妹被害光景,如何惨痛。

少年骑在她身上,手中举着斧头。那不幸妇人的唇吻间,露出那一种可哀的表情。大凡小孩受惊时,眼睛看着他所怕的东西,刚要哭出来,脸上常有这一副情形。

此后警察四面探查,犯人终于逮捕。这就是《罪与罚》结构的大略。如此案情,倘使现代小说家看见,又将如何?他们不去理它,因为太粗俗下等,看不入眼里。柯南达利 A. Conan Doyle 或来试试,将它做成一部平庸的侦探小说,亦未可知。但陀氏自出心裁,先写谋杀情形,次写侦探行动,那恐缩的犯人步步跟着他们走。如此,能够作出一种新奇的恐怖,为平庸的侦探小说中所未尝有。但却不因此新奇的恐怖,使《罪与罚》不朽。使《罪与罚》不朽者,止在书中谋财害命的犯人表示他灵魂给我们看。他的灵魂,却正同戈略特庚、摩拉陀夫一样,又正同我的或你的灵魂一样。

《克罗加耶》*Krotkaja* 是陀氏最美的一篇短篇小说。其中说一军官,因为懦怯不敢决斗,被逐出了军队,经道多年穷困耻辱之后,开了一间当铺,渐渐小康。一天有一个十六岁的美少女,来当一支不值钱的银针。她孤茕贫困，正想寻一女师的位置。当铺主人借了她几次。日日看她报上的广告，日日逐渐地绝望。（案：原书第一章述初次广告云：少年女师愿旅行，俸面议。未几改曰：少年女士，愿任女师、女伴、看护妇、缝女。末乃续其后日不需俸给，但求食宿，而位置终不可得云）末次来店时，当铺主人便向她求婚。她别无依赖，没法便应允了。

此篇结构极奇，是一篇独白 Soliloquy 的形式。当铺主人满腔悲苦，在房中且走且说，他妻子的尸首卧在两张板桌上。她因为要逃脱这不幸的婚姻，已从楼窗跳下死了。

中年的当铺主人，书中写得甚好。他对妻子的严厉，是故意的，本意却仍是为他妻子的益处。我想世界少妇，像克罗加耶一样，在老夫手中受那好意的严厉待遇者，大约不少。当铺主人实在写得甚好。但克罗加耶，又加一等，真可称得杰作！

要画少女，这笔尖须蘸著神秘、清露和朝霞。其中神秘却最要紧。伊勃生 Ibsen 六十五岁时，同十七岁少女有奇怪的恋爱事件之后，在希尔达 Hilda Wangel 身上，写出一极妙少女。所有神秘完全都在，克罗加耶亦是如此。但陀氏写克罗加耶，试了两次。所以共有两篇。第一篇在《文人日记》Dnevnjak Pisatelja 中，篇幅甚长，将那少女细细分解。少女宛然活在纸上，但那一种朦胧可爱的神秘，却是没有。所以算不得成功。

陀氏后来改作克罗加耶，将分解一切删去。写得克罗加耶沉默、美而神秘。结果乃成一完全的杰作。克罗加耶同希尔达，比街上走过的明眸巧笑的少女，更觉活现，更觉多有生气。

《加拉玛淑夫兄弟》Bratja Karamazovy 又是一部描写堕落的灵魂的小说。我以为其中最巧妙处，却是写波兰人的一节。格鲁兼加 Grutchka 为少女时，曾被一波阑人所诱。别了六七年，男子又回来访他。当初在他纯洁的眼光中，看那男子是个高尚优良的人物。即在现时，却还爱他，而且已经预备嫁他。岂料这波阑人竟是一个俗恶的骗子。他同着一个党羽回来，专来谋吞格鲁兼加的金钱。这波阑人举动，如假装财主的那拙劣计划，打瞒天诳时装出的那庄重情形，赌博作弊被人发见时那强项态度，统写得甚好。格鲁兼加知道底细，斥逐他时，他便来向他诈钱。

他写信来，口气很大，要立逼着借二千卢布。没有回信，他却并不失望，仍然屡次写信来逼。口气仍旧很大，可是银数渐渐减了。他初说一百，随后说廿五，随后说十。到临了，格鲁兼加接到一信，那两个波阑人请他借一卢布，给两人分用。

两个傲慢的冒险家，至于请求一个卢布，两人分用——这一段巧妙的描写，陀氏能够令读者发起一种思想，觉得书中人物与我们同是一样的人。这是陀氏本领，不曾失败过一次。他写出一个人物，无论如何堕落，如何无耻，但总能令读者看了叹道："他是我的兄弟。"

译者按：陀思妥夫斯奇 Fjodor Mikhajlovitch Dostojevskij （1821—1881）自幼患癫痫。二十七岁时，以革命嫌疑，判处死刑。临刑，忽有旨减等，发往西伯利亚，充苦工四年、军役六年。归后，贫病侵寻，以至没世。今举其代表著作如左（下）：

一 《苦人》*Bjednye Ljudi*。　　　　　　　一八四六年
二 《死人之家》*Zapiski iz Mertvago Doma*。　一八六一至二年

三　《罪与罚》*Prestuplenie i Nakazanie*。　　　一八六六年

四　《白痴》*Idiot*。　　　　　　　　　　　　　一八六八年

五　《加拉玛淑夫兄弟》*Bratja Kamarazovy*。一八七九至八〇年

以上五种，可以包括陀氏全体思想。其最重要者为《罪与罚》。英法德日皆有译本各数种。汉译至今未见，亦文学界之缺憾也。今吾辈方著手移译，但未知何日得成耳。

《罪与罚》记拉科尼科夫谋杀老妪前、当时及其后心理状态，至为精妙。英国培林 M. Baring 氏云："此书作时，心理小说之名，尚未发明。但以蒲尔基 Bourget 等所著，与此血泪之书相较，犹觉黯然减色矣。"然陀氏本意，犹别有在。《罪与罚》中，记拉科尼科夫跪苏涅前，曰："吾非跪汝前，但跪人类苦难之前。"陀氏所作书，皆可以此语作注释。

拉科尼科夫后以苏涅之劝，悔罪自首。判处苦工七年，流西伯利亚。苏涅偕行。拉科尼科夫向上之新生活，即始于此。原书末节云：

七年——不过七年！他们当初快乐，看这七年止如七日。他们不晓得，新生活不是可以白得的。须出重价去买，须要用忍耐、苦难、同努力，方能得来。但是现在，一部新历史已经开端。一个人逐渐地革新，缓慢而确实地上进，从这一世界入别一未知世界的变化，这可以做一部新小说的题目。但我所要说给读者听的故事，却在此处完结了。

在西伯利亚情状，陀氏本其一己之经验，记载甚备。至于七年后之新历史，则未著笔，托尔斯多氏乃完成之《复活》*Boskresenie* 所记纳赫鲁陀夫 Nekhludov 事，是也。

《克罗加耶》凡二卷十章。上卷回忆结婚缘起，以至决绝。下

卷则述改悔复和及女之自杀。其中当铺主人,虽龌龊小人,然殊爱其妻,终亦改善,将闭店散财,以别求新生活。克罗加耶亦感其意,允为夫妇如初。顾终竟不能爱之,自审难于践约,遂抱圣像坠楼而死。陀氏于此,意谓虽在鄙夫,灵魂中亦有潜伏之爱,足与为善。一面又示无爱情结婚之不幸。盖女能忍其夫之憎恶,而不能受其夫之抚爱,至以死避之。原书末章当铺主人之言曰:

我妻,你盲了,你死了,不能再听见我的说话。你不知道,我原想把你放在如何一个乐园中呵!我心中已现出一个乐园,我亦想造个乐园给你住。或者你不爱我,但此亦无妨。倘你自己愿意,我们原可以同从前一样地相处,(指决绝后别居时事)你就止同我谈天,同朋友一样。我们仍旧能够愉快,相视而笑,安乐度日。倘你或爱著别人——这恐是必然的事情——你可以去同他散步,同他谈笑。我止立在路旁看著你。阿,这也无所不可,止要你肯再开一开眼,就一刻也好呵!你可能再注目看我,像几分钟前你立在这里,对我说仍为我的诚实的妻那时候呵。阿,你止要再开一开眼,一切事情,就都可明白了。

阿,虚无呵!自然呵!止有人类住在地上,同他的一切苦难。俄国古英雄说:"这平原上还有一个活人么?"现在说这话的是我,不是个英雄。没有人来答应我的呼唤。他们说,太阳放生命入宇宙。他上来,人看见他。但他不是也是死的么。凡物都是死了,到处都是死人。止有人类在这里,顶上伏著个大大的沉默。这就是世界!"人呵,你们应该相爱。"这是谁说的?是谁的命令?时辰表的振子,还是蠢蠢地、恶狠狠地摆个不住。现在是早上两点钟了,她的小靴立在床边,好像在那里等她。唉——但是,实在,……明天他们抬她去后,我却怎么了?

其言悲凉殊甚。读《克罗加耶》者,对于当铺主人,又不能不寄以同情焉。

(第四卷第一号,一九一八年一月十五日)

娜拉

〔挪威〕易卜生　著　罗家伦　胡　适　译

《娜拉》三幕，首二幕为罗家伦君所译，略经编辑者修正。第三幕经胡适君重为移译。胡君并允于暑假内再将第一二幕重译，印成单行本，以慰海内读者。

编辑者识

剧中人物

郝尔茂(姓)滔佛(名)Torvald Helmer

娜拉 Nora(郝尔茂之妻)

南陔医生 Doctor Rank

林敦夫人 Mrs. Linden

柯乐克(姓)猊儿(名)Nils Krogstad

郝尔茂家儿女三人：意娃　宝宝　爱妹

阿奶 Auna(老乳母)

女仆爱兰 Ellen

挑夫一人

娜拉

第一幕

罗家伦　译

〔布景〕一间房子摆设得很精致，很安妥，却不很奢华。房子后壁的右边有一重门通客厅，左边有一重门通郝尔茂的书斋。二重门中间有钢琴一架。左壁之中央有门一，过门即为窗，窗前有一张圆桌椅子和一个小榻。右壁向后也有一重门。右边近舞台前面为一火炉，炉前有两个扶手椅，一个摇椅，门同火炉的中间有一张小桌。壁上悬有雕刻品。橱中有磁器同零碎小物。小书架一只，内有装订华美的书。地板上铺了毡毯。火炉的火是烧着的。正是冬天的气候。

（外厅门铃响。等一会儿听得门开了。娜拉从外走进来。口里哼哼着调子，极高兴的样子。身上穿着出门的衣服，拿了几个小包，放在右边桌上。再推开客厅的门进去了。同时大门外有一个挑夫，拿了一株圣诞树——西洋的风俗，当耶苏圣诞的第一夜，家家有二株圣诞树，树上点着灯烛。凡一家人互相馈送的东西都挂在树上，待各人亲自去拿。和一个篮儿给那开门的伊妈）

　　娜拉　伊妈！你快把这株圣诞树藏好。不到夜里点着的时候千定不要把小孩子看见。（拿出钱袋儿向着挑夫）多少？

　　挑夫　五十乌耳。（钱币名）

　　娜拉　这是一块克郎不要找了。（挑夫说过谢谢，走出去。夫人关了门

带着笑脸儿除去出门的衣服。从荷包里拿出一二块马克伦糖果吃了。再轻轻踮起脚尖儿，走过郝尔茂的书斋门口去听)

娜拉　哈。他在家呢。(口里哼哼的又唱起来走到右边的桌子旁)

郝尔茂　(在书斋里)可是我的鸦雀儿在跳呀？

娜拉　(急忙打开他的包裹)是喂！

郝尔茂　难道那又是我的松鼠儿在跳么？

娜拉　是的！

郝尔茂　我的松鼠儿什么时候回来的呀？

娜拉　就是这一会儿。(把马克伦糖藏在荷包里。抹抹他的嘴)滔佛！来哼！你看我买了什么东西在这里。

郝尔茂　不要吵我。(歇了一会儿他打开了门，向外面望一望，手上还拿着一支笔)你才将不说买了东西吗？可是这些？为什么我这小败家子又浪花起钱来呢？

娜拉　唉。滔佛，我们现在多花点儿也不要紧。这是我们第一个不拮据的圣诞节。

郝尔茂　我是没有许多钱给你花费。

娜拉　呵，是呀！滔佛，让我花费一点儿。就只这一点儿。因得你也就要赚大堆的银子了。

郝尔茂　是的。从新年初一起。但是还要三个月才有薪水拿呢。

娜拉　不管他。我们可以借的。

郝尔茂　娜拉！(走到夫人身边戏着拿手拨拨他的耳朵)你难道还是棉花脑筋一点儿也不想么！如果我去借了一千块克郎你在圣诞日子一齐买了零碎东西。等到三十夜晚屋上落一块瓦下来把我的脑子打出来！……

娜拉

娜拉　(拿着手帕儿蒙在郝尔茂的嘴上)胡说！为什么讲得这样可怕呢？

郝尔茂　倘设果是如此。——又怎么样？

娜拉　如果真有这样可怕的事出来，欠债不欠债是于我没有什么分别。

郝尔茂　但是债主怎么样呢？

娜拉　债主！什么人去管他们？他们不过是路上的人罢了。

郝尔茂　娜拉！娜拉！难怪你是这样的女子啊！我同你正经说，你应该知道我的宗旨。不欠债！不借钱！无论什么人家，借了钱，欠了债，就不能清闲自在了。我们两夫妻辛辛苦苦把门户支持了多少年，难道我们不要支持到底吗？

娜拉　(走到火炉旁边)好的，听你便罢。

郝尔茂　(跟着娜拉)来来，我的鸦雀，不要拖着翼膀垂头丧气似的。怎么样？我的松鼠儿不高兴么？(拿出一个钱袋儿来)娜拉！你看这里什么东西？

娜拉　(急忙转过来)钱！

郝尔茂　这里！(拿着一搭钞票给娜拉)我自然知道在圣诞节是有很多东西要买的。

娜拉　(数那些钞票)一十——二十——三十——四十！嗳呀！谢谢你谢谢你，这又可以用许多时候了。

郝尔茂　我也盼望如此。

娜拉　是的，一点不错，又可用得许久了！但是你看这里我买的东西呵！很便宜呢！

这套衣服和这把小宝剑是预备给意娃的。这马同铜号是给宝宝的。并且这里还有一个小傀儡和摇床儿是给爱妹的。这些东西很平常，给他撕撕却也还好。这另外还有些衣料和手帕儿是给仆人的。老阿奶处我应该给他好点儿的东西才是。

郝尔茂　那另外的包裹里是什么呢?

娜拉　(叫起来了)不要动。不到夜里你是不能看的!

郝尔茂　啊!啊!你这小败子告诉我,你自己想要什么呢?

娜拉　我自己!我是一点也不要。

郝尔茂　胡闹!告诉我你真真想要什么。

娜拉　真的我是一点也不想。你听啊,滔佛……

郝尔茂　什么!

娜拉　(低着头儿不瞧他丈夫,只是不停的玩他衣襟上的纽扣儿)如果你真要给我点东西你应该知道。——你——应该——

郝尔茂　喂!说出来呀!

娜拉　(急忙的说)滔佛,你给我钱好了。只你想可以给我的,我将来可以同他买点东西。

郝尔茂　但是……

娜拉　不必多讲。给我好了。滔佛给我!我把他用好看的金叶子包起挂在圣诞树上岂不有趣吗?

郝尔茂　你道有一个小雀儿会浪花钱的叫什么名字呢?

娜拉　叫败子。自然我是知道的。我问你要的东西你快给我呀!我将来想起来合用的。东西我就可以买。难道不对吗?(挪威有一种鸟名嬉鸟,就是睹鬼的意思)

郝尔茂　(微笑着)一定对,不过我给你的钱,你要好好留起。或者买些东西为你自己。但是你常常把它用在家务上,买些无益的东西,使我又要给一次。

娜拉　滔佛!但是……

郝尔茂　你能抵赖吗？娜拉我的爱呀！（拿他的手腕抱着夫人的颈儿）我这鸦雀儿真好阿！但是太会花钱了。别人却不知道我养你这小鸦雀花费多少钱呢。

娜拉　羞唷！你能讲这话么？哼，我能省的我却都省下了。

郝尔茂　（笑出来了）不错不错……你能省的你都省下了……但是实际上何曾有一点东西。

娜拉　（哼哼着唱，暗喜的微笑）哼！滔佛，你只知道我们小鸦雀松鼠所花费的便了。

郝尔茂　你这小娃娃真奇怪呵！你正同你爹爹一样，是钱都要。但你的漏巴掌又装他不住。钱一到手上就不见了。这也是天生得你是如此。娜拉！你这种习惯真是从你爹爹传下来的。

娜拉　我如果把我爹爹的习惯都传下来，我却也很高兴。

郝尔茂　我想你就是这样就已经好了。我娇滴滴会唱的小雀儿呀！但是我想你……你好像怎么……怎么……连我都讲不出……怎么今天可疑……

娜拉　我可疑？

郝尔茂　不错。你是的。看我脸上一看。

娜拉　（看看他的丈夫）好么？

郝尔茂　（举起手指儿吓他一吓）今天恐怕这小嘴儿又弄把戏了？

娜拉　没有。你怎么这样想！

郝尔茂　那没有到糖食店里望望么？

娜拉　没有，滔佛真……

郝尔茂　真一点糖酱也没吃么？

娜拉　没有滔佛。真没有。

郝尔茂　好好好。那我只讲笑话了。

娜拉　(走到桌子的右边)你不喜欢的事,我永不去做。

郝尔茂　没有。我也想是没有。你讲过了的……(说时走向他夫人去)好你且把这圣诞节的秘密礼物藏起来。好在夜晚总是要发表的。

娜拉　你记得去请南陔医生么?

郝尔茂　没有。这却不要紧。他自己会来的。我却要问问他今天什么时候来。我已经预备下了好酒,娜拉你知道我盼望极了今天晚上么。

娜拉　我也一样。滔佛,这些小孩子更要快乐呵!

郝尔茂　呵。我们想起将来的地位。同那种大计划岂不荣耀。那事情想起来真快乐呵?

娜拉　那真是教人快乐的不得了。

郝尔茂　你记得去年的圣诞节吗?你在三礼拜之前,就关你自己在一间房里。从傍晚起,一直做到半夜。说是做那圣诞树上各种的花和其余种种奇怪的东西,来吓我们。我却一生永没有讨过那时的烦恼。

娜拉　我自己一点也不讨烦恼。

郝尔茂　(带着笑脸儿)但是成绩在什么地方,娜拉?

娜拉　嗳唷。你又要来挑剔我了。一下不小心猫儿走进去把他撕了。我又有什么法子呢?

郝尔茂　我可怜的娜拉呀!你却是真没法子想。你费了许多功夫。目的不过为了我们的快乐。现在别的同以前倒是一样。但艰难的日子却过去了。

娜拉　这真有趣呵?

郝尔茂　到今日我也不致单单坐在家里讨烦恼。你……你也

娜拉

必劳你这娇滴滴的媚眼儿同这又细又嫩的小指尖儿去……

　　娜拉　(拍手)不要吗我不要吗。滔佛呀？嗳呀。想起来多有趣呵？(拿着他丈夫的手)我告诉你，我们怎么管这个家才是。等到过了圣诞节呵……(电铃一响)呀？电铃！(收拾房间)什么人又来了。讨厌！

　　郝尔茂　外人来找说不会客。记住了。

　　伊妈　(站在当门)一位太太来看你，奶奶。

　　娜拉　请进来。

　　伊妈　(看着滔佛)南医生将才来了。先生！

　　郝尔茂　他到我书斋里去了么？

　　伊妈　先生！他去了。(郝尔茂走进书斋里去了。伊妈请进了林敦夫人，作旅行装束，就顺手带上门出去)

　　林夫人　(现出一种困难的神色，讲话也是蹉跎的)娜拉！你好呀？

　　娜拉　(现出神色不定的像子)你好呀？

　　林夫人　我想你是不认得我了？

　　娜拉　不……不……我想……嗳呀……我想起……(吃了一惊)……怎么敦……就是你么？

　　林夫人　是呀！就是我呀！

　　娜拉　敦！你想我不认得你呵！但是我怎么会不……(声音更要娇嫩)你此刻怎么样？敦！

　　林夫人　是的。在这九年十年之内……

　　娜拉　我们难道离别了许久么？呵。是不错。前八年的事我却都还记得清清楚楚的。你现在进城来么？这样大冷天走这许多路。你很可以呵！

　　林夫人　我早上坐轮船到的。

　　娜拉　自然是过一个好圣诞节！多快乐呀！真是好节。请宽衣。你不冷么？(帮他脱衣服)那边。我们坐过那火旁边去。不，你坐这张扶手椅，我坐这张摇椅。(捉住林敦夫人的手)我们老朋友又看见了。起初一看……但是你稍为白了一点。敦……并且比先瘦了一点。

林夫人　并且我也老……老多了。

娜拉　是的。稍微老了一点儿。……还好……并不多。(忽然停住现出一种正经的样儿)唉！我真粗心！我只是琐琐碎……敦，对不起呵！

林夫人　娜拉，这是什么话呢？

娜拉　(轻轻的说)我可怜的敦。我记不清楚，你此刻守着寡呵！

林夫人　是的。他前三年不在世了。

娜拉　那我知道我知道，我看见报上的。呵！敦，那时候我总想写封信安慰你。但是永远有事，永远延迟下了。

林夫人　我却知道你的心。我的亲——娜拉！

娜拉　嗳唷！我听了都害怕。我可怜的敦，你怎么过得去呢！他留了点东西把你么？

林夫人　一点都没有。

娜拉　没有小孩子么？

林夫人　没有。

娜拉　没有。真什么也没有么？

林夫人　我此刻真是无挂无念。

娜拉　(看了林夫人现出一种将信将疑的样子)我的敦！那怎么办呢？

林夫人　(带着愁眉不展的微笑，摸摸他自己的鬓角儿)唉！这亦是常有的。

娜拉　这样孤孤单单的！真可怕呵！讲到我……我倒有三个

娜拉

最可爱的小孩子。但是他们此刻都同奶奶出去了,不能教他们就来见你。你现在要所有的事情告诉我。

林夫人　不必。我要你告诉我……

娜拉　不,你先讲起。我今天并不想我自己。今日我只有你在心里。啊!但是我必定要告你一桩事……恐……恐怕你已经知道了我们那件好运气?

林夫人　没有。什么事呀?

娜拉　你想一想!他却得了银行的总理呢!

林夫人　你的丈夫!那好极了!

娜拉　岂不是么?大律师的位置是极不一定。你知道不干净的钱,滔佛又是不要的。我的心事却也同他一样。所以境遇总不见佳。你想他明年做了总理,拿了大薪水,还有红分,我们岂有不快乐之理。那时我们过日子也要两样点儿……真的,可以稍为随便一点。有了钱,种种也不愁。真是世上顶高兴的事呵!

林夫人　是要什么,有什么,是很可乐的。

娜拉　不但是要什么就有什么,还有那一堆一堆的钱……一堆一堆呀!

林夫人　娜拉,你懂得那是什么道理么?我们同学的时候你却是小败子呢。

娜拉　(轻轻的一笑)不错。到至今滔佛说我还是的(拿起林夫人的手指尖儿)但是娜拉却不是你所想的从前那种笨了。唉。他们总说我是败子,实在我那有做败子的福气。我们夫妻还不免做工呢。

林夫人　你也要吗?

娜拉　是的。细嫩工夫。编物呀,绣花呀,都是这一号的事体。(随便的样子)却还有别种呢。你知道我同滔佛结婚以后,他就脱离了机关里的位置。他又没有旁的好机会,自然要去设法赚钱。我们结婚的第一年,他寻许多事体做,自早到晚。一会儿也没得停。操劳过度所以得了很厉害的病。医生说他一定要到南方才会好。

林夫人　我听你在意大利过了一年呵！有没有？

娜拉　是,不错的！我告诉你呵,那却很不容易办。那时我意娃将才下地,但是我不得不去呀。这一次旅行却正好把我滔佛的命都救了。敦,钱却用得吓人呵！

林夫人　我也这样想。

娜拉　一千二百块洋钱！四千八百个克郎！难道不是一大堆的钱吗？

林夫人　你有这许多钱用,真好运气。

娜拉　你要知道我是从我爹爹那里拿来的。

林夫人　阿！我明白。尊大人就是那时候去世的,是的么？

娜拉　是的,敦,正是那时候。回头一想当时我也不曾去伺候他老人家。意娃落月要生,滔佛也是病的,要人照应。我最亲爱的爹爹从此就再也见不着了！唉！这是我出嫁之后第一桩难受的事体。

林夫人　我知道你待他老人家是很好的。但是那个时候你就到意大利去了么？

娜拉　是的。等钱一到手,医生说立刻就要去。所以我们下一个月就急忙动身。

林夫人　你丈夫回来就全好了吗？

娜拉　非常之好。

林夫人　但是……这个医生呢？

娜拉

娜拉　什么？

林夫人　我想起我来的时候贵管家说是医生来了。

娜拉　啊,不错,那是南陔医生。但是他不是为得他职业上关系来的。他是我们的好朋友。没有一天不来的。滔佛自那时再起,却一点钟也不曾有病。我几个小孩子都乖,我也很好。(说到此地跳起身来拍着手)啊！敦,敦,人生在世,快快乐乐。多有趣啊！……咳！我想起来我太坏了,我现在又专是讲我自己的事了。(坐在榻板上,靠近林夫人,并且拿手放在夫人的膝头上)啊,请你不要发气啊！你何妨告诉我你可是真爱你丈夫么？当时你何以嫁给他呢？

林夫人　唉,当时我母亲是还活着你知道。病得不能起床又无依无靠,还有两个小兄弟,刻刻要我照应。我所以想我不应该拒绝他那要求。

娜拉　不止如此罢。我想他当时还是很有钱呢？

林夫人　我信他极有钱。但是他的事情却是不稳固,他临死的时候就糟了。一点东西也没留下。

娜拉　日后呢？

林夫人　日后我就开店呀,办学堂呀,我能做的事情,都去做,最后的三年,我真苦的不得了。现在苦是过去了。我可怜的母亲死了。不要我了。二个孩子们也都去学生意。能够自立。

娜拉　此刻你身体真自由呵！

林夫人　娜拉,不见得呢！现在只说是不出的空。一身一世我也不为什么人了。所以那偏僻地方,我也不愿住。我想在此地总容易找点事做……可以分分我的心。若是我真能找到点事……事务所里的事体。

娜拉　但是,敦那很辛苦呢。我看你也辛苦够了。最好是找一个海边的地方。休息休息。

　　林夫人　（走到窗子面前）我却没有爹爹给我钱呀。娜拉。

　　娜拉　（站起来）唉。不要取笑我了。

　　林夫人　娜拉,你却不要厌烦我。处我这个地位,真是容易使人尖刻。一生辛辛苦苦去做究竟为着那个呢？死又死不了。所以不免生出一种为自己的私心来。我方才听说你所交的好运。……你相信吗……我为自己高兴却比为你高兴得多呢。

　　娜拉　你是什么意思呀？啊,我猜想你要滔佛找一个位置不成。

　　林夫人　我确实这样想。

　　娜拉　他仅可以。敦,这事由我担当罢了。我要办得他好好儿并且使他高高兴兴的为你安顿一个位置。我是真心真意的要替你帮忙。

　　林夫人　你这样待我热心,真是难得。你不很知道人生艰苦的人,能够如此更是加倍的难得了。

　　娜拉　我？我不很知道……

　　林夫人　（带着笑脸儿）啊……那一点小事……娜拉那还早得很呢。

　　娜拉　（摇摇头在房里走来走去）唉,你又摆出老前辈的样子来了！

　　林夫人　并没有！

　　娜拉　你岂不是同他们一样想。我一生不曾办过一件正正经经的事体……

　　林夫人　哪里哪里——

　　娜拉　那你只以为我在世上全然无忧无虑罢了。

　　林夫人　你的忧虑你方才刚说过。

娜拉　呸,那点儿!（声音更轻轻点儿）大的事我还一点没有对你说。

林夫人　什么？大的事！

娜拉　我早料你瞧不起我。但是我以为你还够不上。你此刻的神气,也不过因为你当年替你令堂大人小小的受了一点儿辛苦。

林夫人　那却不要误会。我哪里会瞧不起你。若是我想起从先伺候先母快快乐乐的到死,我心里却有几分高兴,却不免带点儿神气。

娜拉　你想从前待你令弟的事。恐怕也带点神气。

林夫人　难道我不应该吗？

娜拉　不是不应该。但是我告诉你。敦……我也有点儿事情使我高兴得意。

林夫人　我却不疑到。你讲什么呀？

娜拉　呸,轻一点。就只这件事要瞒着滔佛！他万不要……不能知道一点儿。敦再没有别人可以知道！除了你。

林夫人　那是为什么呢？

娜拉　到这里来。（拉林夫人坐在他旁边小榻上）我……敦……我也曾经有过点又高兴又神气的事。我把滔佛的命都救了。

林夫人　怎么？救他的命？

娜拉　我不方才告诉你,我们到意大利去么。如是不去,滔佛的性命也就不保了。

林夫人　喂……那是你尊大人给你的钱。

娜拉　滔佛同他人现在还是这样想,但是……

林夫人　但是……

娜拉　爹爹连一个便士都不曾给我,去找那项用款的人还是我小区区。

林夫人　你？这多钱。

娜拉　一千二百块洋钱。四千八百个克郎。你以为何如呀？

林夫人　我亲爱的娜拉。你怎么办的呢？你难道中了发财票不成？

娜拉　（现出一种不屑的神色）中发财票？那就人人都会办了！

林夫人　你究竟从什么地方办来的呢？

娜拉　（哼着发出一种不可思议的微笑）哼哼 Ha—la—la—la。（外国音乐里的一种调子）

林夫人　你天然是借不到的。

娜拉　借不到？为何借不到？

林夫人　妻子岂可背着丈夫去借钱。

娜拉　（摇摇头）啊！如果那妻子想办件事，并且懂得如何办事，那……

林夫人　娜拉，我真不明白你……

娜拉　你不必一定要明白。我也不曾说是借过钱。我弄钱却是有我的法子。（躺在小榻上）从那一班称赞我的人那里我何尝弄不到。一个人同我这样漂亮时候是……

林夫人　娜拉你太胡闹了。

娜拉　我想你此刻奇怪得要得会死。敦……

林夫人　你听我说，娜拉你这样难道不嫌鲁莽点吗？

娜拉　（重新坐起来）救丈夫的命还是鲁莽吗？

林夫人　不同他商量。我想稍为鲁莽点……

娜拉　若是那时他知道了，就有性命关系——你懂得么？那时候他不知道他自己病到什么情形。医生私下走来对我说，他的病不免有性命之忧。如不到意大利处过冬，就是医生也束手无策。你想我那时候岂可不用点外交手段呢？我就对他说，我也同别的青年妻子一样，要想出去到外国旅行。劝他应该体贴我一点不要阻止。求了他，又对着他抹眼泪。暗暗奉劝他去借钱。敦哪知道他几乎发起气来。反讲我是轻薄，他说他做丈夫的人，不能听我有这种胡思乱想——那不过是他讲的是了。我想他命总是要救的。于是再从另外设法。

林夫人　你丈夫还不知道这款项不是从你尊大人那里拿来的吗？

娜拉　没有。永没有。爹爹正是那时候死的。我原想把这些事体和盘告诉他，并且请他老人家代守秘密。但是那时候他的病势已经万分沉重——不幸得很，那也用不着了。

林夫人　你始终没有在你丈夫面前承认吗？

娜拉　天呀！你怎样会想到这上面去？他现在已经有了一大堆的债，难道还可告诉他吗！就不是这样说——他堂堂的丈夫，一旦听说他得了我许多好处你想他多难为情呢！我们夫妻间的关系不免生出种种的枝节。我们这样和乐的家庭，也就不能同现在一样了。

林夫人　你将来永不对他说吗？

娜拉　（想了一想轻轻的一笑）将来恐怕……多少年之后……那时候我……我没有现在这种风致。你不要见笑呵……我讲等那滔佛也没有同此刻爱我的时候我的跳舞呀，衣饰呀，姿势呀，也不能够使他开心——那时候我们却要留着一点。（止住）唉胡说……胡说……我们哪里会有那日子。敦，你现在想我这件大秘密何如？我难道一钱不值吗？你要知道那件事体苦死我了。敦，一定的期限不是好玩的。商业场中的，什么限期交款呀，按季付利呀，都却很难对付。我东括一点西括一点，处处都括到了。但那一切家用，又不能省。因为滔佛总要过好点儿的日子。至于小孩子吗，我又不能使他们太穿坏了。贴得到多少钱与他们，我总用多少在他们身上。我那可爱的宝贝呵！

　　林夫人　可怜的娜拉，那你一定是拿出私房钱唷。（外国女子有一种Pocket－money都是他丈夫或者长辈给他的，同中国女太太们的私房钱一样）

　　娜拉　那自然。但一切的事，都是我管。滔佛给我做衣服的钱同其余的钱，我永不用到一半。我买的东西也是很简单很便宜的。天却可怜我，使我件件都合用。所以滔佛不生半点疑心。敦，这样办法，还要穿得漂亮，却不容易呢。我穿得漂亮不漂亮？

　　林夫人　漂亮极了。

　　娜拉　唉，除此之外，我还要想别的法子弄钱。去年冬天我运气很好，我接到一大批誊写的生意。我关了房门，每每写到半夜。呵，我真疲倦……真真疲倦。但是只要有钱赚，未始不高兴。那时候我想我宛然是一个男子。

　　林夫人　你的债已经还了多少？

　　娜拉　多少我却说不出。那种事总不易算清就是了。我只知道凡可以收括的钱，我却都付了他。有时我真不知怎么办。（轻轻的一笑）我只得常常坐在这里想有一位有钱的老年人爱我……

　　林夫人　什么？什么老年人？

　　娜拉　唉，没有人！他早死了。但是那时候打开遗嘱来看，上面写着太太的字，说"我死之后，将我所有，都付与那仙姿绰约的郝尔茂夫人"。

　　林夫人　我可爱的娜拉……你究竟是说那位呀？

娜拉　啊,我的爱呀。你还不知道？何曾有这样一个老年人。不过我一没有法弄钱的时候,做这样的梦想罢了。就是现在还有这样一个老年人也不要紧。我的难关已经过了。(跳起来)啊,敦,想起来多高兴呵！什么烦恼都没有了！自由！真自由！可以同小孩子跳呀玩呀！家里有种种滔佛所爱雅致精美的东西呀！春季同那蔚蓝的天色快到了。我们恐怕可以有个小小的假期,去海上逛逛。过快活日子,多有趣呵！(厅前的门铃响)

林夫人　(站起)现在铃响。我最好走开。

娜拉　在此地不必。没有人来。就是有人来也是找滔佛的。

伊妈　奶奶,那里有位先生,有话要同我家的先生说。

娜拉　是谁？

柯乐克　(站在当门)郝太太是我。(林夫人吃了一惊,转过窗子那面去)

娜拉　(急忙的往那客人面前去,轻轻的说着)你？为什么？有什么话同我丈夫说？

柯乐克　银行的事……多少有点。我在银行就了点小事。现在听说你丈夫是我们新总理了。

娜拉　现在为……

柯乐克　为一点小麻烦事,郝夫人,其余没有什么。

娜拉　那就请到他书房里去罢。(柯乐克去了。郝夫人随便的点了一下头,就去把大厅的门关好,走到火炉边看看火)

林夫人　娜拉,那是谁呀？

娜拉　一位柯乐克先生———一个律师。

林夫人　真是他么？

娜拉　你认得他不成？

林夫人　多少年前,我常常认得他。他就住在我们城里一个律师办公处。

娜拉　正是。

林夫人　他为什么变成现在这副神气呢！

娜拉　我想是他婚姻不能满意。

林夫人　他现在只单身一个人呵？

娜拉　还有一群小孩子。呵呵那火已经着了。(他去关了火炉门,拿那把摇椅靠近炉子)

林夫人　有人说他做事情不可靠呢？

娜拉　难道不是吗？我想说那是不成,——我却不知道。我们去管他什么事情不事情——未免太麻烦了。(南陔医生从郝尔茂房里走出来)

南医生　(还当着门)不必不必。我打搅了你。我去同你夫人谈谈。(带上门,又看见林夫人)啊,对不起。我又来打搅你了。

娜拉　不,一点都不,(介绍他们相见)南陔医生——林敦夫人。

南医生　啊,是的。我久闻林夫人的大名了。我来的时候,上那踏步,正走你身边过。

林夫人　是的,我走得很慢。上踏步都觉得非常竭力。

南医生　啊——你身体大概不见强壮？

林夫人　只是过劳。

南医生　其余没有原因！现在你一定是来城里,找处地方消遣消遣啊？

林夫人　我来找事做唷。

南医生　难道这是医辛苦病的妙药吗？

林夫人　那日子是要过的呀,南先生。

南医生　是人人都是这样想。

娜拉

　　娜拉　　喂，南先生——你也总是想活着。

　　南医生　　真真不错。无论我如何倒霉，我总想多拖一天好一天。我那里心神不定的病人，都同我是一样的意见。还有那些道德堕落的人也是一样呢。我方才尚同郝尔茂谈起这班道德上不可医救的……

　　林夫人　　(轻轻的轻声叹道)唉！

　　娜拉　　你说谁呀？

　　南医生　　啊，一个人叫柯乐克，那个人你却不知道——品行上没有一件不是坏的。但是他还要郑重宣布，说他也是要活在世上。

　　娜拉　　是真吗？他要滔佛替他做甚么？

　　南医生　　我不知道。我只在旁边听见他说银行里的事。

　　娜拉　　我不知道柯乐克——柯乐克先生同那银行有什么事？

(西洋人对于不甚亲密的朋友不能单呼其名，必须加先生二字。所以郝夫人说出"柯乐克"又改称柯乐克先生)

　　南医生　　正是他在那银行里有个位置。(向着林夫人道)我不知贵处是否有一种人，专找他人道德的病——如果他找到一种症候呀，他就一刻不停的要把那个人搬在一处好点的地方时时的监守着。那些体格单上没有病的呢，他也就毫不过问。(南先生是个医生。所以他拿"症候""体格单"等名词开在道德问题上。才活泼泼现出一个医生的口吻)

　　林夫人　　我想那品质不坚的人要多当心点才好。

　　南医生　　(耸耸肩膊)世间真有这种！照这样办法我们的社会变成一种大病院了。(西洋人每逢"不以为然"或"不知道"的时候，常常耸起肩膊。我见过几位留学过的学生们，都会做呢)

(郝夫人深深的在想，露出嫣然的一笑再拍拍手)

　　南医生　　你笑什么？你以为我们这个社会究竟何如？

　　娜拉　　我管这讨厌的社会干甚么？我笑旁的东西——那很有

趣的。南先生你告诉我现在这银行里办事的人都归滔佛管束吗！

南医生　难怪这件事使你笑啊？

娜拉　（哼的一笑）不必管不必管！（在房间里走来走去）想起来真有趣。滔佛此刻有权力管许多的人了。（从荷包里拿出一个袋子来）南先生，你拿一块马克伦糖去罢？

南医生　什么！马克伦糖！我想这东西在这里早已禁止。

娜拉　是，但这是林夫人送我的。

林夫人　什么！我……

娜拉　好了！不要怕。你不知道，滔佛怕我吃坏牙齿，所以禁止这样东西上我们的门。讨厌，这一次好了！南先生，这你的。（塞一块糖到南医生口里）这块你拿去，敦，你们剩下给我的不过一块了——一小块——最多不过两块。（又不停的走）嗳呀，我真高兴！世上我最要的就是那一件。

南医生　嗳，那一件？

娜拉　那件我要当着滔佛才说。

南医生　你为何此刻不说？

娜拉　我不敢说，太不好听了。

林夫人　不好听？

南医生　你不说也好。但是对于我们你应该——你对着郝尔茂又喜欢说什么？

娜拉　我喜欢说的是混帐！

南医生　你发疯么？

林夫人　哎呀，娜拉你……

南医生　说出来呀！他在此地！

娜拉　（立刻藏起马克伦糖）嘿吁——吁——吁！

（郝尔茂手上拿着帽子，臂上搭着大衣，从他房里走出来）

娜拉　（走到他丈夫面前）呵，滔佛你赶他走了吗？

郝尔茂　是。他去了。

娜拉　等我介绍把你——这位是林敦夫人，方才到城里来……

郝尔茂　林敦夫人？对不起，我还不知道……

娜拉　林敦夫人——就是林敦夫人呀。

郝尔茂　（向着林夫人）啊！那一定是我内人的同学了？

林夫人　是。我们做女孩子的时候就相认识。

娜拉　你想！他这远走来要同你说话。

郝尔茂　同我说话？

林夫人　却不尽然……

娜拉　你看，林敦对于一切公事都非常明白。他现在还想在那商业场中的大班手下更多学点——

郝尔茂　（向着林夫人）真聪明极了。

娜拉　他听说你得银行总理——你知道，那见电报的呀——他立刻动身就来——滔佛，看我份上，你总要帮我敦英的忙。可以吗？

郝尔茂　那没有什么难。林夫人此刻是守寡呵？

林夫人　是。

郝尔茂　你在商业中大概已有经验。

林夫人　却有不少。

郝尔茂　好。我想我总可以代你安插一个位置。

娜拉　（拍着手）对了！对了！

郝尔茂　林夫人你这次来得很凑巧。

林夫人　嗳唷，那我都不知道如何谢你才……

郝尔茂　（带着笑）用不着。（披上大衣）此刻还有事要出去。对不起……

南医生　等一会。我同你去。（拿着大衣，到火边一烘）

娜拉　滔佛快点回来呵。

郝尔茂　只一个钟头。不会再多。

娜拉　敦，你也去吗？

林夫人　（穿上出门之物件）是的。我还要去找房子。

郝尔茂　那我们可以同一道出去？

娜拉　（帮着林夫人整备一切）我心里很过不去，因为我这里不能代你收拾一间空房。那真不成……

林夫人　我也不愿来打搅你。再见，娜拉。谢谢你呵。

娜拉　再见。你们今晚都回来呵。南先生，你也要来。这么！你们衣服够了吗？够了。围紧点。（他们连谈带走的，走进大厅。外面踏步上有一群小孩子的声音）他们来了！来了！（他急忙跑去开门。阿奶同一群小孩子进了大厅）进来！（低下来，同一个一个小孩子亲嘴）啊，我的小宝宝呵！敦，你看见他们吗？他们不好玩吗？

南医生　我们不要站在风头上谈天。

郝尔茂　林夫人，我们去。只有他做娘的人是受得住这冷。

（南医生、郝尔茂、林夫人三人一同出去。阿奶同那些孩子走进房间，娜拉也走进去，关上门）

娜拉　你们多伶俐活泼呵！你们的脸儿都红了！好像苹果，又像玫瑰色。（小孩子都不停叽叽呱呱的谈话）你们有趣吗？多好！啊，真好！你让爱妹同宝宝坐了你的雪车啊！两个一回坐的！喂，意娃，你真像个大人。阿奶，把他抱来。嗳唉我小把戏啊！（从妈妈那里接过来。同他跳舞）好好。妈妈也同宝宝一道跳。你玩过雪球吗？我先该同你们一道去。不要,随他们,阿奶!等我替他们脱。等我。那真有趣。阿奶房里去。你们都冻了。到火炉上拿杯熟咖啡喝。(阿奶到左边房里去。郝夫人把小孩子身上的东西脱下,丢在满处。小孩子却还在谈天)真的!一只大狗追你们呀?但是他没有咬你?不会。那狗怎么会咬我小把戏意娃。不要去偷看那包裹。当心——会咬人的!什么?我们还要玩吗?怎么玩?"捉蒙蒙"?(迷藏)宝宝先藏。我也藏躲好。让我先藏。(郝夫人同这些小孩子在靠右的房里带笑带吵的玩耍。最后他藏在桌子底下。一群小孩子冲进来寻找。但是寻不着。听见他格——的笑一声,连忙冲到桌子前面,揎开桌布就看见了。哈哈的鼓噪起来。他爬出来,装要吓他们。又鼓噪起来。当那时候,有人敲门但是无人听见。那门半开了。柯乐克走进来。等了一会。他们又要藏)

  柯乐克　郝夫人,对不起……

  娜拉　(唷的一叫,转过身来,惊得一跳)啊!你要什么?

  柯乐克　对不起,这门是半掩的……一定,这些人忘记关了……

  娜拉　(站直来)柯先生,我丈夫不在家。

  柯乐克　我早知道。

  娜拉　那你来干什么事呢?

  柯乐克　对你讲两句话。

  娜拉　对我?(轻轻朝着小孩子说)进去。到阿奶那里去。什么?不会。这生客不会咬妈妈的。他去了,我们再玩。(他领着小孩子进左手房里去,回身关上门。现出疑惑不安的神色)你要对我讲话吗?

  柯乐克　不错。对你。

  娜拉　今天?但是今天还不到一号……

  柯乐克　不是。今天是圣诞节前一天。你是否要过一个好节期看你自己了。

　　娜拉　你要什么？我今天却没有预备……

　　柯乐克　现在不要去管那件事。我为别的事来。你此刻有闲工夫吗？

　　娜拉　啊。我大概可以有。虽然……

　　柯乐克　我先坐在对面饭馆里的时候正看见你丈夫出去……

　　娜拉　怎么？

　　柯乐克　……同着一位女太太。

　　娜拉　那又怎么？

　　柯乐克　这位女太太就是林敦夫人吗？

　　娜拉　是的。

　　柯乐克　他才进城来吗？

　　娜拉　就是今天。

　　柯乐克　我想他一定是你的好朋友。

　　娜拉　不错。但是我不明白……

　　柯乐克　我以前也认识他。

　　娜拉　我知道你认得。

　　柯乐克　啊！我想，你一概知道了。现在老实对我说，林夫人是否来接替我银行里的位置。

　　娜拉　你好大胆来质问我,柯先生——你不是我丈夫手下一个属员吗？你既来问我，我也让你知道罢了。不错，林夫人是要进银行去办事。是我介绍的，柯先生，你要知道。

　　柯乐克　我果然猜中了。

　　娜拉　（走来走去）你看一个人总可以有点势力。别人不留意只以为他是一个女子罢了……柯先生，以后做属员的人，要当心少得罪那种有……哼……

柯乐克　那有势力的人吗？

娜拉　正是。

柯乐克　（声调陡变）郝夫人,你那种势力可否为我一用？

娜拉　怎么？你怎么说？谁要你那位置？

柯乐克　唉,你不要装糊涂。我知道你朋友,对于我不怀好意！我更知道我是为了谁的缘故,被人排斥。

娜拉　但是我真对你说……

柯乐克　去,去罢,这一次好了,为时还不迟。我劝你用点势力快去挽回。

娜拉　但是,柯先生,我何曾有势力———一点没有。

柯乐克　没有！我记得你方才说的……

娜拉　那不是这意思。我！你怎么会想到我有这样势力在我丈夫身上呢？

柯乐克　唉,我在大学的时候,就同你丈夫认识。我想他不能较比别的丈夫刚直的。

娜拉　你如果糟踏我丈夫,我却对不起要请出去。

柯乐克　你胆却不小,郝夫人。

娜拉　我此刻不怕你了。新年一过,我就可完全脱离关系。

柯乐克　（强自镇摄）郝夫人,听我说。我争持到死,也要保全我在银行里的地位。

娜拉　你却像这样。

柯乐克　那却不是为薪水,薪水我却毫不介意。为了点别的事……唉,我最好只有忏悔。你也一定知道前几年我……我有点困苦。

娜拉　我想曾经过。

柯乐克　那件事虽然没有闹到法庭,但是自此以后,我也日暮途穷。无容身之地。我不得已去干了点小事。我想也不曾做错。现在我已改过自新。我儿子也快要长大。我看他们分儿上,我也不能不尽我的力量,恢复我的品行。银行的位置,就是我入世的第一步。现在我要前进,你丈夫反把我从楼梯上踢下泥坑里。

娜拉　柯先生,我真对你说,我实在没有力量帮助你。

柯乐克　你先有成见,自然不肯。但是我要强迫你。

娜拉　你难道去对我丈夫说,我借了你的钱不成?

柯乐克　哼!如果那样……

娜拉　你还不惭愧。(发出含泪的声音)我一生的高兴,一生的乐趣,都在这件秘密上。他怎么可以从粗鲁……鄙陋的你那里得着这消息,那把我一生的兴趣都送尽了……

柯乐克　单是无兴趣吗?

娜拉　(起劲的说)你去做好了。那你还要坏下去,因为我丈夫知道你究竟是个什么人,你位置也真要保不住。

柯乐克　我问你。这是否你所怕的断送家庭兴趣的事?

娜拉　如果我丈夫知道他也不过立刻送钱还你。我们对于你也就没有关系。

柯乐克　(走前一点)郝夫人听。不是你记性坏,就是商业场中的事不懂。我总要使你晓得这地位清楚点儿。

娜拉　怎么样?

柯乐克　当你丈夫病重的时候,你来问我借一千二百块洋钱。

娜拉　那时候我也并不认识别的人。

柯乐克　我答应去替你找钱……

娜拉　那你真找着了。

柯乐克　我有过几种条规,才答应代你去找。那时你为了你丈夫的病,急忙要靠着那宗款项出去旅行,所以匆匆承认,不假思索。我替你找来,立了一张借字。

娜拉　是,并且我签了名。

柯乐克　对的。但是后面我加了几句,要你尊大人担保。并且尊大人也要签名。

娜拉　一定要？他签了呀！

柯乐克　我留下日期没填。待尊大人签字的时候去填。你还记得吗？

娜拉　是,我相信……

柯乐克　当时我就把这张借字,由邮政局送去尊大人。是不是？

娜拉　是。

柯乐克　自然你立刻就去办。过了五六天,你把借字拿来我把钱付你。

娜拉　怎么？难道以后我没有按期还你么？

柯乐克　一点不差迟——是的。但是闲话少说,你那时一定是很困难,郝夫人。

娜拉　真是！

柯乐克　我想那时候尊大人的病是很重呵！

娜拉　他病得快死。

柯乐克　不久就死了呵？

娜拉　是。

柯乐克　娜拉,你还记得他死的日期吗？那个月几号？

娜拉　爹爹是九月二十九号死的。

柯乐克　丝毫不错。我也调查过了。现在来了一个显而易见的事……(拿出一张借字来)我都不知道怎么解释。

娜拉　什么显而易见的事？我不知道……

柯乐克　这一点呀,夫人,就是你尊大人死过两天之后还会签字！

娜拉　怎么！我不明白……

柯乐克　你尊大人是九月二十九不在的。你看这里：他在十月二号签这个字！郝夫人,这还不显而易见吗？(郝夫人一声不响)你能解释我听吗？(郝夫人还是不响)这里还有一点可注意的地方,就是"十月二号"同那年份都不是尊大人写的。什么人写的,我都知道。这还可以讲得过去,说尊大人忘记填日期,他死期没有宣布之先,别人替他乱填的。那也不算错。百事但靠在所签的字上。郝夫人,那是真的吗？这字究竟是否尊大人亲自签的？

娜拉　(停了一刻不做声。扭转头来,带一种侮蔑的样子,望着柯乐克)不是,我爹爹的名,是我签的。

柯乐克　啊！夫人你,知道你这样的承认,是很危险呢。

娜拉　怎么？你钱快有了。

柯乐克　我还可以再问你一个问题吗？你何以不把那借字送到尊大人那里呢？

娜拉　那怎么可以。爹爹是病的。若是我去请他签字我必定要告诉他我为什么要用这项钱。但是他的病这样重,我岂可以再对他说我丈夫的性命危险。那是一定不可以的。

柯乐克　那你不旅行好了。

娜拉　不,我又不可以。我丈夫的性命,都靠在这次旅行上。

我岂可以把他丢开。

柯乐克　你不想到你是骗我吗？

娜拉　那干我什么事。我还管你。你虽然知道我丈夫的病如何沉重，但是你给我的苦痛，我也受够了。

柯乐克　郝夫人，你还不知道你犯了什么罪。我对你说，那正是同我不见容于社会的原因，一点不多一点不少。

娜拉　你！难道你也有这胆量救了你妻子的命吗？

柯乐克　但是法律不问人心术。

娜拉　这就一定是坏法律。

柯乐克　不问他坏不坏。如果我拿到法庭上去，你就要照着法律定罪。

娜拉　我不相信。你难道说做女儿的人没有权力，可以免除将死的父亲的烦恼吗？做妻子的人没有这权力救他丈夫的性命吗？我不知道什么法律，但是我断定无论何处你总可以找到这是为法律所许可的。你还不知道——你律师！柯先生你一定是坏律师了。

柯乐克　也未可知。但是公事——我们这种公事——我却还可以知道点。你相信吗？好。听你便。我告诉你，如果我再往下讲去，你不免要陪陪我。（点首走出大厅去了）

娜拉　（站住想一想。摇摇头）胡闹！他要恐吓我。我没有这笨。（折叠小孩子的衣服，停了一口气）但是……不，那万不会！喂，我为了爱情干这事体！

小孩子　（在左边门口）妈妈，现在生客走了。

娜拉　是的，是的，我知道。不要告诉别人说有生客来了啊。听到吗？连爹爹也不要告诉。

小孩子　妈妈,不唷。你现在再同我们玩吗?

娜拉　不,不,现在不。

小孩子　妈妈玩。你答应我们的。

娜拉　是的,但是我现在不能够。你们到阿奶房里去。我有好多事要做。我小宝唷!去跑跑。好好听话。(轻轻的将他们推进里房去,关好门。坐在小榻上,挑了几针绣工。但是停了一口气)不吗?(把手工丢开,站起来。走到门口,开口叫)伊妈,把圣诞树拿来!(到左边桌子前面,打开抽屉。又停一会)不,那一定不能!

伊妈　(拿着一株圣诞树)奶奶,放在什么地方?

娜拉　那里房中间。

伊妈　还要拿别的吗?

娜拉　不要。难为你。我所要的都齐备了。(伊妈把树放好。走出去)

娜拉　(急忙把树装饰好)那里还要一支蜡烛……那里一朵花……那可怕的人啊!胡说胡说!怕他做什么。这株圣诞树一定很好看。滔佛我都是为了你。我唱歌跳舞,并且……(郝尔茂走进来,手上拿着一卷公文)

娜拉　啊!你回来了!

郝尔茂　没有人来过吗?

娜拉　这里?没有。

郝尔茂　那怪了。我看见柯乐克从这屋里出去。

娜拉　你看见?啊,不错,才将他来了一会儿。

郝尔茂　娜拉,从你神色里看出来,他在此地求你说好话。

娜拉　正是。

郝尔茂　你拿他的事当你自己的去做吗?你不告诉我他在此

娜拉

地。是他教你的吗？

娜拉　是的。滔佛但是……

郝尔茂　娜拉娜拉,你自己看得太轻了！去同这种人说话,还要答应他！并且对我说起假话来了！

娜拉　假话！

郝尔茂　你方才不说是没有人来吗？(用手指头吓他夫人一吓)我这小雀子再不能这样了！会唱的雀子必定要清清楚楚诚诚实实的唱。不能有那种假的音节。(用手围着他夫人)是的。是不是？是。我想一定不错。(放了他)现在不必再说那件事了。(坐在火炉前面)这里多舒畅多安静！(看他的公文)

娜拉　(忙着那株树,一会儿不响)滔佛！

郝尔茂　啊。

娜拉　我很注意后天施登堡的奇装跳舞会。

郝尔茂　那我一定悬念着要看你预备点什么东西来吓我。

娜拉　唉,太麻烦了。

郝尔茂　什么？

娜拉　我想没有一件东西好的。什么都是笨的,不足道的。

郝尔茂　我小娜拉今天也知道这个吗？

娜拉　(站在他椅子后面把手放在椅子背上)滔佛你很忙啊？

郝尔茂　还好……

娜拉　这是些什么纸？

郝尔茂　银行里的事件。

娜拉　已经动手了！

郝尔茂　我方从前任总理处拿来,我对于该行规则及办事人,不免要有点更动。趁这圣诞节内做好了,到新年就可以去办。

娜拉　这就是柯乐克为何什么要……

郝尔茂　哼。

娜拉　(还靠在椅子背上,用手摸摸鬓角儿)滔佛,如果你没有什么事,我要请你给我一个大大的情面。

郝尔茂　什么东西？说出来。

娜拉　世上没有男子会同你这样修饰的。我现在非常喜欢那奇装跳舞。我的爱呀,你可以帮我,替我整顿一切,代我布置衣裳吗？

郝尔茂　哈哈。我这伶俐的女子,现在也无法可想救命旗了。

娜拉　是。滔佛请你了。我没有你真不能办。

郝尔茂　好好等我去想。我们总可以想。可以想出点东西来。

娜拉　啊,你真好！(再走到树边停了一口气)这种红花多好看啊！告诉我那可怕的事情。为何柯乐克受这困难呢？

郝尔茂　假造公文完了。你知道那为什么意思？

娜拉　莫非你是不得已吗？

郝尔茂　大概是。或者同别人一样。单是因为不小心。一个人单单犯了一桩罪。我却没有这硬的心肠去罚他。

娜拉　不要。滔佛,真不要！

郝尔茂　如果他能够认罪受罚,还有许多人肯帮助他恢复人格。

娜拉　罚……

郝尔茂　但是柯乐克又不这样办。他用了种种的阴谋诡计要脱离那法律的支配。他道德上已经不可收拾了。

娜拉　你想这……

娜拉

郝尔茂　你想这种人的良心上多少欺骗、狡诈、无耻。戴着假面具,对着他接近的人——对他的老婆对他的儿女。那他儿女所受的影响——娜拉,更可怕呢。

娜拉　为何原因?

郝尔茂　因为在这欺诈的空气的中间,家庭的生命一丝一毫都是有毒的,不干净的。没有一次小孩子的呼吸不是含着毒菌。

娜拉　(紧紧靠着他)你想真的吗?

郝尔茂　我做律师看得多了。那些最先不道德的行为总要推到母亲身上去。

娜拉　怎么……母亲?

郝尔茂　大概从母亲方面来得多。但是父亲方面也有同等影响。个个律师都很知道的。这柯乐克多少年来以欺骗的生涯毒了他的小孩子——所以我说他道德上已经不可收拾了。(娜拉伸出两只手到他丈夫)所以我总教我可爱的娜拉不要替他辩护。拿手来这里。来来。这是什么?拿手把我。对呀。等我同你约好。我告诉你,我绝对不能同他在一处办事。同这种人在一处,我觉得全身都不爽快。(娜拉拿开手。移到圣诞树那边处)

娜拉　此地多热。我还有许多事要做。

郝尔茂　(站起来理好这些纸)好,我饭前一定要把这几件公文看过一道。并且我还要为你想衣服。恐怕我还可以在圣诞树的金纸上找着一点东西。(用手拍拍夫人的头)我宝贵的小雀儿呀!(他走到他自己的房里去,关上门)

娜拉　(歇了会轻轻的说)那不能够。那不会,那不会!

阿奶　(在左边门口)这几个小的讲得多好。要到妈妈这里来唷。

娜拉　不,不,不。不要让他们到我这里来。阿奶带住他们。

阿奶　奶奶,好唷!(关上门)

娜拉　(脸上吓得发白)害了我的孩子!毒了我的家庭!(停一口气,回转头来)那不会!那永——永不会!

第二幕

罗家伦　译

〔布景〕同以前一个房间。房角的风琴旁边有一株圣诞树。树上挂了许多东西,同点过的蜡烛。郝夫人出门的装饰都放在小榻上。

(娜拉只是不停的走。最后站过小榻旁边拿起大衣)

娜拉　(放下大衣)有人来呀!(走过门边去听)没有人。今天圣诞节天然没有人来。明天也不会有。但是恐怕……(开门向外一看)……没有,信箱里一点也没有空的。(走向前)胡闹!他天然不会干那事。那一定没有。万不成!喂。我还有三个小孩子。

(阿奶拿着一个大纸箱从左边进来)

阿奶　我终究在这箱子里寻着这化装的衣服。

娜拉　多谢你。把他拿出到桌上。

阿奶　(照他的话做)但是我怕已经捣乱了。

娜拉　唉,我想把他撕得粉碎倒也完事!

娜拉

阿奶　啊,不要。把他理好是很容易——只要耐点烦。

娜拉　我去请林夫人来帮我。

阿奶　还出去?这样的天气!奶奶会受寒,会生病呢。

娜拉　比那更要坏的事还要来呢。——小孩子在做什么?

阿奶　他们在玩圣诞节的礼物。那些小宝贝啊。但是……

娜拉　他们常常问着我吗?

阿奶　还好。那些孩子无论怎么都可以。

娜拉　你想他们可以?若是他母亲静静的离了他们,你想也可以吗?

阿奶　嗳呀!静静的离开?

娜拉　阿奶告诉我——我总常常想得奇怪——你何以舍得把你孩子们交给别人呢?

阿奶　我不得不来带我娜拉姑娘。

娜拉　你怎么会拿定主意干这事呢?

阿奶　当我有这好机会吗?一个可怜的女子有好机会总是不肯放过的。那个坏人又不管我。

娜拉　但是你女儿一定忘记你了。

阿奶　啊,没有奶奶,他没有。他信教的时候同出嫁的时候,都还写信寄我。

娜拉　(抱着他)我亲的老阿奶唷——我小的时候,你真好是我的好母亲。

阿奶　我可怜的小娜拉那时候没有母亲,还只有我。

娜拉　若是我的小孩子没有别人,也还有你……胡说胡说!(开箱子)到小孩子那里去。现在我一定……你能看见我明天多漂亮啊。

阿奶　我想那跳舞会里一定没有第二个人同我娜拉姑娘一样漂亮的。(他走进左边房里去)

娜拉　(在箱子内拿出衣裳又放下)啊,如果我敢出去……如果没有人来……如果这时候不发生一点事……胡闹,不会有人来。不必去想他。多娇艳的袖筒!漂亮的手套——漂亮的手套!忘记他——忘记他!一——二——三——四——五——六……(叫了一声)啊!他们来了。(走到门前。犹豫不决的站了一会)

(林夫人走进大厅,就把他出外的东西脱下)

娜拉　啊。是你,敦,没有别人吗?我很欢喜你来。

林夫人　我听说你先到宿舍访我。

娜拉　是,我才将过去。现在有点事要你帮忙。让我们坐在这小榻上……坐。明天晚上,有一个奇装跳舞会在施登堡领事的地方。滔佛要我扮个渔女,去作这泰兰梯式的跳舞。我还是在意大利的地方学的。

林夫人　啊,——很好的一套。

娜拉　是,滔佛欢喜他。看,就是这种服式,滔佛在意大利替我做的。现在这样坏了。我不知道……

林夫人　啊,那一会儿就可以整好。单是边上脱了。你有针线么啊?这里都有。

娜拉　唷,你待我真好。

林夫人　(缝衣)你明天就要穿吗,娜拉?我告诉你……你最漂亮的时候我要来看看。但是那样好的,昨天夜晚我都忘记多谢你了。

娜拉　(站起来在房里走来走去)啊,昨晚还不及以前高兴——敦,你进城迟了——滔佛真有这本事使得家庭清洁漂亮。

林夫人　你也能这样,我想,不然那你不是尊大人的女儿了。但对我说……南医生总是同昨天一样忧闷吗?

　　娜拉　不,昨天格外觉得如此。你要晓得他得了一种可怕的病。可怜呵,他有"脊骨痨"。人人都说他父亲是个可怕的人,蓄妾等等无所不为。……所以他儿子在幼稚时代就受了这病,你懂得吗?

　　林夫人　(把他的缝纫放在膝头上)喂,我可爱的娜拉,你何以知道这些事?

　　娜拉　(绕着房间走)啊,一个人有三个小孩子总要去访问那懂……懂点医道的女人。于是。他们就说这说那。

　　林夫人　(又提起缝物停一会儿)南医生天天来吗?

　　娜拉　天天来,他是滔佛小时候的好朋友,也是我的好朋友。南医生差不多同我们一家人一样。

　　林夫人　但是告诉我……他诚实吗?我说他是否会奉承人吗?

　　娜拉　不,绝对不。你何以想起这件事情?

　　林夫人　昨天你介绍我给他的时候,他说久闻我的大名。但是我想你丈夫都不知道我。怎么南医生会……

　　娜拉　敦,那是真的。你知道滔佛爱我,真是形容不出,他说他巴不得我就是他。我初嫁他的时候,我一说我在娘家的旧朋友,他就带着醋兴。所以我也就不讲。南医生都很愿意听,所以我对他时常谈起。

　　林夫人　听我娜拉!你还有很多事同小孩子一样。我年纪比你大点,经验比你多点。我告诉你罢?你应该同南医生脱离关系才是。

娜拉　脱离什么关系？

林夫人　我说一切的事。你昨天不说有一个称赞你的富翁，替你找钱……

娜拉　是的。但是倒霉。那人早不在了。现在怎么？

林夫人　南医生有钱吗？

娜拉　是。他有。

林夫人　并且他没有人要照顾吗？

娜拉　没有人。但是……

林夫人　那他天天到此地来吗？

娜拉　是的。我早告诉你了。

林夫人　我想他总不至于有什么长短。

娜拉　我全不明白你。

林夫人　娜拉，不要装糊涂。你怕我知道谁借你一千二百块钱吗？

娜拉　你疯了呵？怎么会想到这样的事上去？不过一位朋友天天来！喂，这地位我如何可以受得住。

林夫人　真不是他？

娜拉　我老实对你说，真不是的。我永没有那样……况且在那时候，他也无物可借。他的财是后来发的。

林夫人　好，娜拉，我想那是你运气好。

娜拉　真没有，我永不想到去问南医生……并是我知道。如果我这样做那……

林夫人　自然你不应该。

娜拉　自然不。但是有时候也莫名其妙的，觉得非此不可。然而我却知道，若是我去向南医生开口那……

娜拉

林夫人　瞒你丈夫吗？

娜拉　但是我必定要弄清楚那件事。那也是他不知道的。我一定要弄清楚。

林夫人　是的，是的，我昨天已经对你说过了。但是……

娜拉　(走上走下)男子办这事体总比女子好一点儿。

林夫人　自己的丈夫更是。

娜拉　胡闹！(还站着)什么付清的时候，人也就可以把那张纸拿回来。

林夫人　自然。

娜拉　那我就把他扯得粉碎，烧了讨厌的东西——龌龊的东西。

林夫人　(眼睁睁的望着他，放下手工，慢慢的站起)娜拉你此刻瞒我。

娜拉　你在我脸上看得出吗？

林夫人　从昨天早上起好像发生了一件事。娜拉，那是什么事？

娜拉　(走到他身边去)敦……！嘿嘘！听！滔佛回家来了。你肯暂行到阿奶房里去坐一会儿吗？滔佛不喜欢看人做衣服。去叫阿奶帮你。

林夫人　(把那些物件收起)很好。但是我等你那件事全告诉我之后，我才回去。(他从左边走出。滔佛从大厅进来)

娜拉　(跑去接他丈夫)滔佛，我许久就望你回来唷！

郝尔茂　这里有过裁缝……

娜拉　没有。敦，他帮我做衣服。你不久可以看见我多漂亮。

郝尔茂　是的，那就是我为你想的吗？

娜拉　真妙！我听你命去加入那泰兰梯式的跳舞，岂会不好吗？

　　郝尔茂　(拉他夫人来靠着他的下颏)乖啊,听从你丈夫吗！好好,你这小痴子,我知道你心里不是这样想。但是我也不来闹你。我敢说你还要练习呢？

　　娜拉　我想你也要来干呵？

　　郝尔茂　好。(拿一卷纸把他夫人一照)看这个。我将才从银行来……(一直向自己房里走)

　　娜拉　滔佛！

　　郝尔茂　(停住)呀？

　　娜拉　若是你的小松鼠那样娇媚的要求你一件事……

　　郝尔茂　怎么？

　　娜拉　你干不干？

　　郝尔茂　我必定先知道这是一件什么事。

　　娜拉　若是你那样好,这小松鼠就要跳来跳去替你开玩笑。

　　郝尔茂　好,说出来呀。

　　娜拉　你那小鸦雀儿从早跳到晚……

　　郝尔茂　啊,原来如此。

　　娜拉　我还会同神仙样的在月亮之下为你跳舞,滔佛。

　　郝尔茂　你岂可以想那早上流露的事吗！

　　娜拉　(走近一点)是。滔佛,我请求你。

　　郝尔茂　你还有这大胆子敢说那件事？

　　娜拉　是的,是的。为了我,你一定要保全柯乐克在银行里的位置。

　　郝尔茂　这位置就是我想安插林夫人的。

　　娜拉　是。那是你的好意。但是你不要辞柯乐克,辞别人好了。

郝尔茂　唉,为何这样固执?为了你那无意识的吹嘘,我就会……

娜拉　难道就一定不成,滔佛,还是为了你自己。这样的人呀专会到那造谣生事的报纸上去投稿,你也曾经说过的。那时他害你不知到什么地步呢。我真怕他……

郝尔茂　啊,我知道,你想起从前的事还在害怕。

娜拉　你说什么?

郝尔茂　自然,你想起了你爹爹的事。

娜拉　是的——是的,那自然。你想这般坏蛋是怎么不要廉耻的诬蔑我爹爹。若是那时候你没有出来帮助他,照应他,那他的位置是一定被他们推翻了。

郝尔茂　娜拉,我同你爹爹的情势却有不同。你爹爹不是完全没有可指摘的地方。我却是没有,我想将来也不至如此。

娜拉　那坏蛋如要害人来,谁能知道。我们能够安安静静的住在这美和乐的家庭,你我同小孩子。滔佛呀!这就是我为何求你……

郝尔茂　正是因为你求了我,所以我更不能保全他的位置。我要辞柯乐克,全银行都知道的。若是传出去说新总理听他妻子的指尖儿一拨就转过来了,那……

娜拉　那怎么?

郝尔茂　啊,若是那刚愎自用的女子可以这样……那什么也办不成!使他人说我这容易受影响,那我岂不是做人的笑柄吗?我料到我一定会有这结果。并且除开这……还有一件事使我万不能同柯乐克在一处……

娜拉　什么事？

郝尔茂　当这要紧关头，我对于他道德堕落还不这样注意……

娜拉　啊，滔佛，你不？

郝尔茂　并且我听说他办事很能干。这事体是他以前是我大学的同学……我们的友谊以前是极密……日后方才后悔。我老实承认……他还是直叫我名字。他又没有手段当大众的面也是如此。扬扬得意摆出旧相识的架子——这里也滔佛呀那里也滔佛呀？我真觉得难过。他使我在银行里位置都坐不安稳。

娜拉　滔佛，你不见有这认真？

郝尔茂　不？为何不？

娜拉　这也不过一些小事。

郝尔茂　怎么！小！你想那小吗？

娜拉　不，不是，滔佛，这正是为何……

郝尔茂　不要问他。你说我气量小，那我总是小了的。小！好罢！现在一下办完算了。（走到大厅里叫道）伊妈！

娜拉　你要什么？

郝尔茂　（在纸里找着了）这件事。（伊妈进来）这里。拿这封信去交给邮差。这是钱。

伊妈　是，先生。（拿了信走出去）

郝尔茂　（收集各纸）那里固执太太。

娜拉　（不声不气的）滔佛，那信说什么？

郝尔茂　辞退柯乐克的信。

娜拉　滔佛，叫他回来还不迟。啊，滔佛，叫他回来！为我，为你自己，为了小孩子！你听到吗，滔佛？去做！你还不知道这封信将来对于我们发生什么事呢。

郝尔茂　太迟了。

娜拉　是太迟了。

郝尔茂　娜拉虽然你得罪于我，我却不发你的气。你怕他这般无聊的写字的攻击做什么？但是我总饶恕你，因为你真是爱我。(用手抱着他夫人)这是应该的，我的亲娜拉唷！看他怎么样——就是到危险的时候，我还有我的胆量、我的能力。你看，我还这宽的肩膊担这一切的担子。

娜拉　(吃了一大惊)你说什么话？

郝尔茂　这一切的担子，我说……

娜拉　(拿定主意的说)那你永不——永不要这样做。

郝尔茂　好。那我们两夫妻分开担好了。我是这样。(拍着他夫人)你现在满意吗？来来来，不要同惊弓之鸟一样。一点事没有——呆想头——此刻你可以拿着手鼓练习泰兰梯式的跳舞去。我去里面房里，把两边门都关好，不会听到。你要闹得多响，你闹罢。(转过身到门边去)若是南陡来，你对他说我在什么地方好了。(对着夫人轻轻一点首，就拿着一卷纸向自己房里去，关好门)

娜拉　(吓得神魂不定，站在那里好像木头轻轻的说)他会干那事。真的，他会干。他世上一切不问，定会去干！——见不得永不……永不会如此！难道还有比那再坏的事！唉，有什么法子可以避得了！教我怎么办……(大厅里的门铃响)南陡医生……无论如何……无论如何，这却不成……(郝夫人拿双手蒙面不声不气的走去开门。南医披着大衣出外面。天气渐渐要黑)

娜拉　南医生，你下午好。我一听铃就知道是你来了。你此刻不必到滔佛那里去。我知道他很忙。

南医生　你怎么？（进来把门关了）

娜拉　你知道的，我为了你总是有闲。

南医生　你这样待我好，我无论为你报效多久，都无不可。

娜拉　你说什么？无论多久都可以？

南医生　不错。你一听就吓倒了吗？

娜拉　我想你这话很奇怪。你发现了什么事吗？

南医生　这事我早就预备到了，但是不料来得这快。

娜拉　（把着南医生的手）你发现了什么事？南医生，你要告诉我！

南医生　（坐在火炉旁边）我真倒霉。一点帮助没有。

娜拉　（申了一口长气）是你自己……

南医生　不是我是谁？……对于自己还骗吗？郝夫人，我比我那里一切病人还要糟。近来几天我统计一生账目……已成破产了！恐怕一月之后我身子睡在教堂的葬地里腐烂呢。

娜拉　唉！说得多难听。

南医生　你看这事本来就非常不好听。但是那更不好的就是预先还要经过许多事。现在只有末次的调查，等着过了，我就明明白白的知道何时破产。我却有一件事要通知你：滔佛娇脆的天性，是经不起风波的。我一定不要他到我病房里去……

娜拉　南医生，但是……

南医生　我说无论如何我不要他去。我关门拒绝他。当我那最不好的时候决定了，我会送你一张请帖，上面画着个黑十字。那你就知道我末日到了。

娜拉　喂，我要你高兴，你何以这样没有道理。

南医生　我面上现死色吗？为了别人的罪来受苦！公理到什么地方去了？无论在哪个家庭，你总可以追溯那惨酷的报应……

娜拉　（掩了双耳）胡说，胡说！不要愁了！

南医生　呵，总而言之，诸事也只可付诸一笑。我爹爹不规矩。我可怜的背脊骨倒来替他忏悔。

娜拉　我想他太好吃龙须菜同施太堡的包子，是不是？

南医生　是，还有冬菇。

娜拉　是。一定的。冬菇。我相信还有牡蛎呢？

南医生　一点不错，牡蛎。

娜拉　并且那各种的香槟酒！那样好的东西会遗害背脊骨，真是可恼。

南医生　更可恼是这倒霉受害的背脊骨对于他们（意思是指着牡蛎香槟等物而言）并没有好处。

娜拉　啊，真坏极了。

南医生　（现出窥探的神色看着郝夫人）哼……

娜拉　（停了一会儿）你笑什么？

南医生　没有，你自己在笑。

娜拉　没有，分明你自己在笑。南医生。

南医生　（站起来）我看你比我还要想得深一点。

娜拉　我今天精神疲倦。

南医生　好像是的。

娜拉　（拿手放在南医生的肩膊上）亲……亲爱的南医生，"死"一定不会从我同滔佛这里把你拿去。

南医生　啊，我死你们是很容易丢开的。我若不来，你们也就忘了。

娜拉　（殷殷勤勤的望着他）你这样想？

南医生　每逢人一结新交那时候……

娜拉　谁结新交？

南医生　你同郝尔茂等我去后。我想你们决不会失此时机。昨天林敦夫人来是为什么？

娜拉　唉！你岂不是忌妒我可怜的敦吗？

南医生　是的。我正是。他将来在这屋里做我的替身。当我不来了这女子恐怕会……

娜拉　嘿嘘！不要这样响！他在那里。

南医生　今天也在？你看！

娜拉　他不过替我整理衣服——天呀。你何以这样不讲情理！(坐在小榻上)老老实实,南医生！明天你看我跳舞多漂亮。我心里常想要使你高兴高兴——自然滔佛也是要的。(从箱子里拿出种种东西)南医生坐在这里。我要拿点东西给你看。

南医生　(坐下)什么东西？

娜拉　看这里。看！

南医生　丝袜子。

娜拉　同肌肉一样的颜色。岂不漂亮？此刻太黑了,但明天一定……不不不。你一定要看脚底下。啊,我想你其余也要看。

南医生　哼……

娜拉　你好像要批评吗？你想这些东西于我合不合适？

南医生　我对于这事没有适当的意见。

娜拉　(看了他一会儿)不惭愧！(拿袜子轻轻的打他耳朵)拿去。(又把东西卷好)

南医生　还有什么奇怪东西拿我看？

娜拉　你一点也没得看了,你太不老实。(哼哼的在寻东西)

南医生　(停了一会不做声)我同你谈天的时候,我不想到……我

娜拉

单是不知道——若是我以前不曾到此地来,我又是怎么样。

娜拉　(轻轻的一笑)却是。你同我们在一处。也同在自己家里一样。

南医生　(声音更轻——一直对着他)现在是要离开一切……

娜拉　胡说。你怎么会离开我们。

南医生　(同以前一样声音)就离开也不能留下一点小小的感谢纪念品,却没有追悔的事……只留了一个空位置。让先来的那个人补上。

娜拉　若是我要求你为……不……

南医生　为什么?

娜拉　为你友谊上的表示。

南医生　是——是吗?

娜拉　我意思是……为了一件很……很大的事……

南医生　你这次真能使我这样高兴?

娜拉　啊,你却不知道那是什么事。

南医生　那就请告诉我。

娜拉　不,南医生我不能告诉你。那太……太离远了……不但为一件事。除此之外,还要你帮我忙,劝导我……

南医生　有这多,那更好。我却不知道你的真意何在。你难道不相信我吗?

娜拉　我不相信别人,单相信你。我知道你是我最好的朋友。好,南医生你一定要帮我拦阻一件事。你明白,滔佛爱我这般深、这般奇怪。为了我,那就要他的性命,他也立刻不辞。

南医生　(弯着身子向郝夫人)娜拉……你想单只他那一个人……

娜拉　(小小一惊)那一个人……

南医生　那一个人就拿性命托付你吗？

娜拉　唉！（带着愁音）

南医生　我料定我未去之先，你一定可以明白。我以后也不会的再有好时运。——啊，娜拉！这我却也告诉过你，况且你也知道除我以外，你也无人可托。

娜拉　（站起来，沉沉无语）请让我过去。

南医生　（让他走过去，但是依然坐着）娜拉——

娜拉　（站在门口）伊妈拿灯来！（经过火炉）啊，南医生你太不好了。

南医生　（也站起来）我爱你岂不同……同那个人一样深？怎么我还不好？

娜拉　不，你不过不应当对我如此说。是很不必……

南医生　你说什么？你知道……？（伊妈拿灯放在桌上。再走出去）

南医生　娜拉——郝夫人……我问你，你知道了吗？

娜拉　啊，我何从晓得什么知道不知道呢？我真说不出……南医生，喂，何以这样笨？也罢！

南医生　喂，无论如何你要知道，我的性命、我的灵魂都愿为你报效。现在好说出来呀。

娜拉　说出来……现在？（看着他）

南医生　你说你要什么。

娜拉　现在我无可告诉你。

南医生　呀……呀！你不能这样苦我。是男儿能做到的事，让我为你做罢。

娜拉　你现今对我无可为力。——况且我也无须你帮忙。你要觉得那无非是我一种幻想。是，一定对。那天然是的！（坐在摇椅

娜拉

（上含笑着看他）南医生,你真好人！对着桌上品灯,也不惭愧吗？

南医生　不见得！但是怕我要永远分别了。

娜拉　不,你千万不能。你还是要照常来往的。你知道滔佛没有你一定不成。

南医生　是,但是你呢？

娜拉　你知道我是很高兴你到此地来。

南医生　正是。因此我就离弃正路。你把我迷住了。我几乎觉得我也同郝尔茂一样。

娜拉　是。你不见得吗？有种人是人心爱的,有种人不过是人高兴同他谈天的。

南医生　是。却也有点道理。

娜拉　我做女孩子的时候,自然我是爱我爹爹。但是我总欢喜到仆人房里去。一则因为他们永不来教训我。二则听他们谈话,很有趣味。

南医生　我岂不处于女仆地位吗？

娜拉　（跳起来跑到他前面去）啊,我亲热的南医生,我不是这样说。但是你知道,我待滔佛却同爹爹一样……

（伊妈从大厅里进来）

伊妈　请奶奶……（对郝夫人轻轻耳语并且给夫人一个名片）

娜拉　（一看名片）唉！（拿他放在荷包里）

南医生　有什么事不对？

娜拉　不,不,一点没有。单是……是我的衣服……

南医生　你的衣服！怎么在那里。

娜拉　啊,那一套是。但这是另外一套……我定的……一定不能让滔佛知道……

南医生　啊哈！原来这样的大秘密。

娜拉　自然。请你到他那里去，他在里面房间里。守住他，当我……

南医生　不要怕，他一定不能逃出来。(走进郝尔茂房里去了)

娜拉　(对着伊妈)他在厨房里等候吗？

伊妈　是。他到后面楼上去……

娜拉　你告诉他我有事吗？

伊妈　是。但是没有用。

娜拉　他还没有去？

伊妈　奶奶，没有。他不同你说话，他不肯去。

娜拉　那让他来罢，但是轻一点。并且伊妈……不要常说这件事，我丈夫听了，要吓倒的。

伊妈　啊，奶奶，是，我知道了。(他走出去)

娜拉　来了！这可怕的东西终究来了。不不不，永不会，那一定不会！(走去插好郝尔茂的书斋的门闩。伊妈开了大厅的门，延进柯乐克之后，就把门关上。柯乐克穿着出行大衣、长靴并且戴上皮帽)

娜拉　(走到他前里去)轻点说，我丈夫在家。

柯乐克　对，那于我有何关系。

娜拉　你要做什么？

柯乐克　一点小小的通告。

娜拉　快。是什么？

柯乐克　你知道辞我的信我已经得到了。

娜拉　我无法阻止他，柯先生。我为你争持到底，但是没有用。

柯乐克　你丈夫看你这样轻？他知道我能对付你，但是他还

娜拉

敢……

娜拉　你怎么会想我能告诉他呢？

柯乐克　啊，就以事实论，我也不作此想。但是我的朋友滔佛岂有这样胆量……

娜拉　柯先生，请敬重点谈论我丈夫。

柯乐克　自然，能敬重的都会敬重。但是自从你保守秘密起，我想你现在对于你所作所为应该比昨天明白一点儿。

娜拉　比你以前能教我的总更明白。

柯乐克　就是同我这样坏律师……

娜拉　你到底要什么？

柯乐克　单要看你如何过去，郝夫人。我全天的想着你。就是那放利的市侩，那无聊的记者，那……总之，就是同我那样的动物……也有一点什么叫感情。

娜拉　那就表现出来，为我小孩子计。

柯乐克　你丈夫何以不为我的小孩子计？这也管不得了。我单告诉你不必过于郑重其事。我现在却还不报告出来。

娜拉　不要，千万不要。我早知道你不会。

柯乐克　这事我们可以平安了结。没有人知道。除了我们三个人。

娜拉　我丈夫一定不能知道。

柯乐克　你怎么可以阻得了。其余款项你就能付清吗？

娜拉　不，此刻不能。

柯乐克　或是数日之内你有什么方法可以将款项如数凑好。

娜拉　没有——那我日内还要钱用。

柯乐克　就是你有，也对你无益了。设如你真能凑齐，也不能拿回这借据。

娜拉　告诉我你要他做什么用？

柯乐克　我单要藏好他——藏在我这里。外面没有人可以知道。所以就是你有最悚的手段也……

娜拉　若是我有又怎么样？

柯乐克　倘若你想离夫别子……

娜拉　那又怎么样？

柯乐克　或则你更要想到那……那再坏的事……

娜拉　你怎么知道？

柯乐克　你不要问他。

娜拉　你何以知道我心里的事呢？

柯乐克　人人都作此想。我也如此想，但是我没有这胆量……

娜拉　(几至无声)我也没有。

柯乐克　(欠伸)没有，没有人有。你也两种都没有，你有吗？

娜拉　我没有，我没有。

柯乐克　除此不论。这真笨极了。——不过起一次家庭的风潮，什么事都完了。我荷包里有封信致你丈夫。

娜拉　一切事都告诉他？

柯乐克　尽我的力量为你开脱。

娜拉　(急忙说)他千万不能看。撕去罢。无论如何我都去预备款项……

柯乐克　对不起，郝夫人，我相信我已对你说过……

娜拉　我却并非对你说我欠款的事。我问你究竟要求我丈夫什么事……等我去办呀。

柯乐克　我也并不问你丈夫要钱。

娜拉　那你要什么呢？

柯乐克　我对你说。我还要在世上占点位置。我正要向上，你丈夫非帮助我不可。最近一年半里头我不曾做一点错事。我穷得不得了。但是我总一步一步的挣扎。现在我又被推下来了。就是再恢复原位我却不能满意。我对你说我要向上。我必定要回到银行里得一个比先好一点的位置。你丈夫应当为我添设一个位置才是……

娜拉　他永远办不到。

柯乐克　我办得到，我知道他……他没有奋斗的胆量！你快看见他与我同在一处！一年之后我是总理的大帮手了。管理银行的不是郝尔茂却是柯乐克。

娜拉　那一定不成。

柯乐克　恐怕你将来……

娜拉　现在我有胆量对付。

柯乐克　啊，你不要恐吓我！同你这样玲珑娇小的东西……

娜拉　你可以看见，你可以看见！

柯乐克　恐怕在那水底下罢？在那冰冷墨黑的水底下罢？明年春天浮起来。怪像秃头，认不清楚……

娜拉　你吓我不倒。

柯乐克　你也不能吓倒我。郝夫人，人人都不这样做。就是这样做又有什么用呢？不论如何，你丈夫已经在我荷包里。

娜拉　以后怎么？若是我不在……

柯乐克　你忘记了你名誉还在我手里！（郝夫人一声不响。望着他）好，你现在预备好。不要糊涂。等滔佛一接到信，我就要望他回

音。记牢你丈夫逼我到这地步我一定不饶过他。郝夫人再见。（走出大厅。郝夫人匆匆走到门口开一门缝听）

娜拉　他去了。他不曾丢信到信箱里。不不,那一定不会!（慢慢的开门）怎么,他还在那里。没有下踏步。他念头转了吗? 他是……（一封信丢进信箱。听到柯乐克的脚步声下那踏步。郝夫人隐隐叫苦,冲到小茶几前面停了一刻不做声）在信箱里!（萎萎缩缩的走到大厅门口）在那里。——滔佛滔佛——我们糟了!（林夫人拿着衣服从左边进来）

林夫人　一切都弄好了。我们试一试罢?

娜拉　（带着又沙又软的声音）敦,此地来。

林夫人　（把衣服丢在小榻上）什么事? 你好像魂不附体。

娜拉　你看见那封信吗? 看那里……从这信箱的玻璃望过去。

林夫人　是,是,我看见了。

娜拉　那信是从柯乐克……

林夫人　娜拉……借你钱的就是柯乐克吗?

娜拉　是的,现在滔佛什么事也要知道了!

林夫人　娜拉,我相信这事对于你们两人都很好。

娜拉　你不全知道。我签了假字——

林夫人　天呀!

娜拉　现在听我说,敦,你一定要为我做见证——

林夫人　什么见证? 我做什么——

娜拉　若是我疯狂了……那也好办——

林夫人　娜拉!

娜拉　若是真遇着什么事……那我也不能在此地——

林夫人　娜拉! 娜拉你真疯了!

娜拉　当一个男子要出来担当……一切的罪过……你知道……

林夫人　是,是,但是你何以想到……

娜拉　敦,你一定要为我证明那事不是真的。我一点也不疯。我所说的,我都知道得很清楚。我对你说没有人知道这样事。一切事只是我一个人做的。记好。

林夫人　记得。但是我不懂你其意何居……

娜拉　啊,你知道又怎么样,你"玄机"(miracle)一到就解决了。

林夫人　"玄机"!

娜拉　是"玄机",但是这件事如此可怕。敦,世上永不能有这种的事。

林夫人　我一直到柯乐克那里去,对他说罢了。

娜拉　不要,他会不利于你。

林夫人　以先无论什么事他都要为我做。

娜拉　他?

林夫人　他住在什么地方?

娜拉　啊,我怎么能告诉你……是……(摸着他的荷包)他的名片在此地。但是那信……那信……

郝尔茂　(在外敲门)娜拉。

娜拉　(吓得一叫)啊什么事呀?你要什么?

郝尔茂　好,好,不要怕。我们不进来,你把门都闩了。你此刻在穿新衣服吗?

娜拉　是的,是的,我正正穿上。滔佛,很合身材唷。

林夫人　(看过名片)喂,他住在此地相近。

娜拉　不错,但是此刻无济于事。我们糟了。信已在箱子里。

林夫人　你丈夫带着钥匙吗？

娜拉　一刻不离。

林夫人　柯乐克一定能把这信于未读之先索回。他一定能找着借口……

娜拉　但正当这时候,滔佛常常……

林夫人　阻住他。使他没有空闲。我去并且赶快回来。(他匆匆走出大厅)

娜拉　(开郝尔茂的房门朝里看)滔佛!

郝尔茂　终究一个人能够回自己房里去吗？来,南陔,我们来看看……(走到门口)这为什么？

娜拉　什么,滔佛？

郝尔茂　南陔对我说了一件大变故。

南医生　(正当门口)我以为是如此,恐怕错了。

娜拉　不到明天没有人可以看我穿这漂亮的衣服。

郝尔茂　喂。娜拉!你好像疲倦。莫非你练习太辛苦吗？

娜拉　没有。我丝毫不曾练习。

郝尔茂　但是你必须要……

娜拉　啊,是的,我一定要,一定要!但是滔佛,没有你的帮助我真完全办不下地。我件件都忘了。

郝尔茂　啊,我们再从新来过。

娜拉　是,滔佛,你帮我忙。你一定要答应我……啊,我对于这件事是如此慌张。在大庭广众之间……今天晚上你一身都要为我。你一点事也不能做,你也不能提笔。滔佛,你答应我!

郝尔茂　我答应你。今晚我做了你的奴隶罢!无用的小东西……但是还有一件事,此刻我正要……(走到大厅门口)

娜拉　你要到那里去做什么？

郝尔茂　去看有信没有。

娜拉　不，不，不要干那件事，滔佛。

郝尔茂　为何不要？

娜拉　滔佛，我求你不要。那里并没有。

郝尔茂　待我看。（正要去）

（郝夫人在风琴旁边按泰兰梯式跳舞第一个调子）

郝尔茂　（正到门口停住）啊哈！

娜拉　若是你不帮我预先排演，我明天一回也不能跳舞。

郝尔茂　娜拉，你真这样慌张吗？

娜拉　啊，慌张死了！让我立刻排演。我们快吃饭了。啊，坐下来为我踏琴。滔佛，同往日一样指导我。

郝尔茂　你既然想如此，我一身都爽快极了。（坐在风琴旁边。郝夫人从箱子里拿出手鼓，急忙覆上五彩的披纱，并且手中拿了一束东西立在房中）

拉娜　此刻为我踏呀！我要跳了！（郝尔茂踏琴，郝夫人跳舞，南医生站在风琴旁边看）

郝尔茂　（正踏着琴）慢点！慢点！

娜拉　那一点也不能慢！

郝尔茂　娜拉不要这激烈。

娜拉　我一定要！我一定要！

郝尔茂　（止住琴）不，不，不不——这却不成呢。

娜拉　（摇着手鼓哈哈的笑）我难道没有对你说过吗？

南医生　让我来帮他踏琴。

郝尔茂　（站起身）好。你去踏罢——我可以指导他好一点。（南医生坐下踏琴，郝夫人渐渐作不合规则的跳舞。郝尔茂站在火炉旁边指导他，但是夫人只当不听到。夫人的头发也散了披在满肩。但他只是跳舞也不问。林夫人进来站在门

口,看得莫名其妙)

南医生　啊……

娜拉　敦,我们多有趣!

郝尔茂　喂,娜拉,你这样跳舞仿佛拼命似的。

娜拉　正是。

郝尔茂　南陔,停住。这岂不全是发疯。喂,停住。(南医生停止踏琴,郝夫人站住不动)

郝尔茂　我不信有这事。我教你的你难道完全忘了。

娜拉　(丢开手鼓)问你自己好了。

郝尔茂　你真要受过训练才好。

娜拉　是。你看训练多要紧。你非同我练习到最后五分钟不可。滔佛,你能允许我吗?

郝尔茂　一定,一定。

娜拉　无论今天明天,除了我,你一点别的也不能想。你不能拆一封信。——不能看那信箱。

郝尔茂　啊,你还怕那个人……

娜拉　啊,是的,是的,我正是。

郝尔茂　娜拉,我从你脸上看出来——他定有一封信在箱子里。

娜拉　我不知道,我想是如此。但是你此刻一点东西不能看,就是有坏事到我们中间,我也等诸事了后再说。

南医生　(轻轻的对着郝尔茂说)你不要违背他。

郝尔茂　(拿手抱住他夫人)这小孩子专是随自己的意。但是明天晚上,跳舞过了的时候……

娜拉　那你可以自由了。

娜拉

(伊妈站在右边门口)

伊妈　饭开在桌上,奶奶。

娜拉　我们要喝点香槟酒,伊妈。

伊妈　是,奶奶。

郝尔茂　嗳呀!真好花球。

娜拉　是,我们还要留点到明天早晨。(叫)拿马克伦糖来——伊妈——拿很多来——就只这一次了。

郝尔茂　(捉住他夫人的手)来来,不要这样发狂!还做我的小鸦雀儿罢。

娜拉　啊,是的,我会。但是此刻到饭厅里去。南医生你也去。敦,你来帮我理好头发。

南医生　(他们去的时候轻轻说道)不要有点故事吗?没有……我想……

郝尔茂　啊,没有这回事。我对你说过这是他小孩子脾气。

(他们从右边走出)

娜拉　怎么?

林夫人　他出去了。

娜拉　我早已从你脸上看出来。

林夫人　他明天晚间会回来。我留了一个条子给他。

娜拉　你不应该如此。凡事听其自然罢。末了坐候"玄机"却也不错。

林夫人　你候什么?

娜拉　你不知道的。到饭厅里罢。我一会儿就来。

(林夫人走进饭厅。郝夫人站了一刻似乎收集杂念,然后看他自己的表)

娜拉　七点钟到夜半。二十四点钟到明天的夜半。那时候泰

兰梯式的跳舞也过了。二十四同七吗?还有三十一点钟好活。(郝尔茂跳在右边门口)

郝尔茂　我小鸦雀儿此刻干什么?

娜拉　(张开两手跑到他前面)来了!

第三幕

胡　适　译

〔布景〕同前。桌子摆在中间,四周都是椅子。桌子点着灯。通外厅的门正开着。楼上跳舞的音乐正闹热。林敦夫人坐在桌边,手里翻一本书的页子,却没有心读书。他时时到大门边去留心细听。

林敦夫人　(看他的表)还没有来,——时候要到了。若是他老是不……(再听)哦,他来了。(走进外厅,轻轻的把大门开了。门外阶级上有轻轻的脚步声。林敦夫人低声说)进来,此地没有别人。

柯乐克　我回家看见你的条子。这是怎么一回事?

林　我们两人万不能不谈一谈。

柯　当真?一定要在这屋里谈吗?

林　我不能请你到我住的地方去,我那边进出不方便。你进来罢。这里没有别人。女底下人已睡了,郝尔茂一家都在楼上跳舞。

柯　(走进房)郝尔茂的一家今晚还在跳舞吗？

林　是的。有什么不可？

柯　是呵，有什么不可？

林　猊儿(柯乐克之名)，现在我们可以谈谈。

柯　我们两人还有话谈吗？

林　话多呢。

柯　我可没有想到。

林　这是因为你总不曾真真知道我。

柯　有什么我不知道？那是世上最容易懂得的事：——一个没有心肝的女子，有了婚姻的机会，便把原有的人丢了。

林　你当真以为我没有心肝吗？你以为我那时心里好过吗？

柯　有什么不好过。

林　你当真那么想吗？

柯　不然，你当时为什么写那封信给我？

林　那是不得不如此。我那时不能不同你决绝，只好写那封信打断你的念头。

柯　(绞自己的手)原来如此。总总——都为钱罢了！

林　你不要忘了我那时有一个无依靠的母亲和两个小兄弟。猊儿，我们那时实在不能等你，你那时的光景也很困难。

柯　即使是那样，你总不该为了别人把我丢了。

林　连我自己也不知道。我常常问我自己该不该那样办。

柯　(软了一点)自从你丢了我，好像我站的地面都陷了下去。你看如今的我，竟成了一个翻了船抓住一块破船板的人了。

林　救星就来了。

柯　救星却真来了,又被你挡住了。

林　那是无心的。猊儿,我到今天才知道我在银行里的事就是顶你的缺。

柯　我相信你这话。但是你如今知道了,难道你还让给我吗？

林　不。我就让还你,于你也无益。

柯　有益,有益,——无论如何,我总得要干的。

林　你如今知道凡事要慎重,这都是一生的艰苦阅历教训我的。

柯　我的一生阅历也教我不要相信一切好听的话。

林　要是果然如此,也不枉了一生阅历。但是你虽不信好话,你总该信实事。

柯　你这话是什么意思？

林　你说你是一个翻了船抓住一块破船板的人。

柯　我该说那话。

林　我也是一个翻了船抓住一块破船板的人,也不记念谁,也不用照应谁。

柯　那是你自己拣中的。

林　我当时何尝有什么别的可拣。

柯　现在又怎样呢？

林　猊儿,若是我们两个翻了船的人能互相帮衬,你看怎样？

柯　你说什么？

林　两个人在一块,总比一人抱着一片船板要好一点。

柯　姬婷！

林　你想我为了什么事到城里来？

柯　难道你还想着我吗？

林　我不做工，便觉得没有生趣。我做了一生的工，觉得做工是我最大的乐趣。现在我孤孤单单的一个人，觉得什么都是空荡荡的，无味得很。一个人替自己做活总没有乐趣。猊儿，给我一个人，给我一点东西，使我有个生活的目的。

柯　我不相信。这不过是妇人家的慷慨心太重了，使你情愿牺牲自己。

林　你觉得我是那样的人吗？

柯　你当真肯那样做吗？你可知道我从前所做种种坏事？

林　知道。

柯　你可知道旁人怎样看待我？

林　你刚才好像说，若是你当初有了我，决不会弄到这步田地。

柯　那是一定的。

林　难道现在已太迟了吗？

柯　姬婷，你说这话，可曾预先筹划过？——我看你的神气，我该知道你果然决意要这样做。你真有这个胆量？

林　我爱照应小孩子，你的孩子们也要一个母亲。你正缺少一个我，我也正缺少一个你。猊儿，我相信你本来的人格。有了我们俩儿在一块，我什么事都敢做。

柯　(紧捻着林敦夫人的手)多谢你，姬婷，多谢你！我现在要努力做人，好教旁人也能这样看待我。哦，我忘记了……

林　(细听楼上的音乐)不要响！他们在那里跳"泰兰梯拉"了！你去罢！

柯　怎么？什么事？

林　你听！他们跳了这一种，就完事了，他们就要回来了。

柯　是的,是的,我就去。但是已经不能挽回了。你自然不知道我对付郝尔茂夫妻的手段。

林　我全知道。

柯　你知道了还敢……？

林　我知道像你这样的人到了失望的时候,会做到什么地步的。

柯　我但愿能挽回这件事。

林　你还可以挽回。你的信还在那信箱里面。

柯　真的吗？

林　真的。但是……

柯　（仔细观察林敦夫人）原来有这个道理。你无论如何总想救你的朋友。你老实说,是不是这个意思？

林　猊儿,一个妇人曾经卖了自己去救人,再不会卖第二次了。

柯　我想把那封信要回来。

林　不要,不要。

柯　我一定要讨回那封信。我要在这里等郝尔茂回来,要他把信还我。我只说那信说的是辞退我的事,我如今不要他看了……

林　猊儿,你千万不要讨回那封信。

柯　你老实告诉我,你不是为了这件事才叫我来这里吗？

林　我起初害怕的时候,确有这个意思。但是这事已经过了二十四点钟,我这一天在这家里,很看出了许多万想不到的事。郝尔茂应该知道这桩秘密借款。他们夫妻两人应该完全开诚相待。这样支支吾吾,决没有开诚相待的日子。

娜拉

柯　也罢,只要你肯担这干系。但是我若是可以帮忙,我立刻就做去。

林　(细听)赶快走罢。跳舞完了。再停一刻,我们都有不便之处。

柯　我在对面街上等你。

林　好的,你须要送我回家。

柯　我一生从来不曾有过这样的快乐!(从大门出去。房里通外厅的门还是开着)

林　(收拾房间,把自己的帽子和大衣检好)变得这样快!变得这样快!可以为人做事,可以为人生活,可以替一个不幸的人家造点幸福。是的,我一定那样做。他们怎么还不回来。(细听)哦,他们回来了。我且把东西穿好。(戴上帽子,披上大衣,听得外面郝尔茂与娜拉的声音。门上锁一转,郝尔茂拖着娜拉进到外面厅上。娜拉扮作意大利的装束,披着黑色的围巾。郝尔茂穿着晚间礼服,披着一副揭开的黑色罩衣)

娜拉　(在门口站住,和他丈夫挣扎)不,不,不!——我不进去。我还要上楼去,我不愿意这么早就歇了。

郝尔茂　但是,我的最亲爱的娜拉……

娜　亲爱的滔佛,我求你,我哀求你,——再跳一点钟。

郝　一分钟也不能添了。好娜拉,你知道我们先讲好了的。进房来罢,站在外面怕受风。(娜拉虽不愿意,却被他丈夫轻轻的拉进房来)

林敦夫人　你们晚上好呵。

娜　姬婷!

郝　什么!林敦夫人,这个时候你还在这里吗?

林　是的,你不要见怪,我总想看看娜拉穿了那套衣服是个什么样子。

娜　你坐在这里等了我这许久吗？

林　是的,我来得迟了,你们两位先上楼去了,我没有看见你,总舍不得回去。

郝　(把娜拉的围巾取下)你来仔细赏鉴。我想他是很值得看的。林敦夫人,你看他多标致!

林　是的,他真标致。

郝　他可不是非常可爱吗？跳舞的时候,人人都这样说。但是这个小宝贝固执得很,有什么法可以收拾他？你不知道我几乎须用强迫手段才把他拉出来。

娜　滔佛,你这一次不让我多跳舞半点钟,将来你一定要后悔。

郝　林敦夫人,你听他说!他刚跳完了那"太兰梯拉",跳得真好——稍有一点太过火了——但是那是小节,不要管他。总而言之,他这一次算是大大的成功,满堂的人没一个不拍手称赞。你想我如何肯让他再等在那里？极盛之后,他要再耽搁一会,便减少他的魔力了! 我一定不干那样蠢事,所以我挽着我的意大利美人——我的怪俏皮的意大利美人,手挽手的,忽忽的兜一个圈子,四面对大家行一礼,谢谢他们,好像小说书上说的,一个转身,那可爱的花妖便不见了! 这样的下场,魔力最大。只可惜娜拉不懂得这个诀窍! ——该死,这房间热得狠。(把罩衣抛在椅子上,把他内室的房门打开)怎么没有点灯？ 是了,——少陪。(他进房去,把蜡烛点上)

娜　(赶快低声问)那事怎样了？

林　(低声答)我同他答过了。

娜　是了,他……

林　娜拉,你应该一五一十的都对你丈夫说。

娜　(有意无意的)我知道了。

林　你不用害怕柯乐克,但是你总得老实告诉你丈夫。

娜　我不告诉他。

林　那么,那封信会告诉他。

娜　姬婷,多谢你。我知道我该怎样办了。不要响!

郝　(从房里出来)林敦夫人,你可曾仔细赏鉴?

林　我已经赏鉴了,明天再见罢。

郝　你就要走了吗?这块编织是你的吗?

林　是的,多谢你,我几乎忘了。

郝　原来你做编织吗?

林　是的。

郝　你不该做编织,该做挑花。

林　为什么呢?

郝　因为挑花的姿态好看些。我做个样子给你看。你把左手拿着挑花品,右手拿着针,这样挑来挑去,很好看的。你说对不对?

林　是的,我也这样想。

郝　但是编织便不同了。编织总不好看。你看,两只手腕差不多摆在一块,编织的针走上走下,很像中国人的神气,怪难看的。……他们今晚给我们喝的香槟酒真好得很!(这一节极无意识的话,是写郝尔茂喝多了酒,有点醉了,故说话没有条理。看末句可见)

林　明天再见,娜拉,你不要再固执了。

郝　说得好。

林　郝尔茂先生,明天会。

郝　(送他到门口)明天会,明天会。我本该送你回去,……但是你也没有多少路走。明天会,明天会。(林敦夫人走了。郝尔茂关上大门,回进房来)好了,好容易把他弄走,讨厌得很。

　　娜　滔佛,你疲倦了吗?

　　郝　我一点也不倦。

　　娜　不瞌睡吗?

　　郝　一点不瞌睡。我反觉得精神很好。你呢?你很像又倦又瞌睡了。

　　娜　是的,我很倦了。我巴不得立刻就去睡了。

　　郝　你看,我不许你再跳舞了,原来是不错的。

　　娜　你做的事总是不错的。

　　郝　(亲他的额角)我的小鸟儿这回说话才有点道理。你可看见南陔今晚那么高兴?

　　娜　真的吗?他居然那么高兴吗?我今晚不曾同他说过话。

　　郝　我同他也不过说了几句话。但是我好久不曾见他有这样兴致了。(对着娜拉细看,走近他身边)我们回家来,我同你坐一块,——你这迷人的东西!——可不好吗?

　　娜　不要那样对我看。

　　郝　难道我不该看我最亲爱的小宝贝吗?不该看我自己的,我一个人独占的好宝贝吗?

　　娜　(走到桌子那边去)你今晚不要对我说这种话。

　　郝　(跟过来)我看你血管里还带着那"太兰梯拉",所以你今晚格外可爱,格外动人。你听,楼上的客也都要散了。(低声说)再过一会,这屋里便都安静了。

　　娜　我巴望如此。

　　郝　可不是吗?我的娜拉。你知道我同你出去赴宴会的时候,我总不大同你说话,往往故意避开你,只不过偶尔偷看你一

娜拉

眼——你知道我为什么要这样？我心里总想我们好像还不过是暗地里相爱,好像我们还不过暗地里许了婚姻,好像人家都不知道我们有什么亲密的关系。

娜　是的,是的。我知道你的心思时时刻刻都在我身上。

郝　每到了要回来的时候,我把你的围巾披在你那可爱的肩上,——披在你那可爱的颈儿上,——我每想你好像还是我的新娘子,好像我们刚行了婚礼,第一次带你回家,——第一次和你独自在一块,——第一次和我的含羞的小宝贝在一块！即如今晚,我心里不想别的,只想你一个人。当我望着你飘来飘去跳那"太兰梯拉"时,我的心也飘飘荡荡的,我的血都滚了,我再忍不住了,所以我那么早就拉你回来。

娜　走开,滔佛！你不要来缠我。不要……

郝　什么话？我的小娜拉,你当真同我闹玩笑？你不要？你不要？难道我不是你的丈夫吗？(外面有人敲门)

娜　(一惊)你听见吗？

郝　(走到外厅)谁？

南陔医生　(在门外)是我。我可以进来坐一会吗？

郝　(嘴里咕噜说)讨厌,他这时候来干什么？(高声)等一等。(开门)进来,你真要好,总不肯过门不入。

南陔　我走过这里,好像听见你的声音,很想进来望一望。(四面一望)这个房间和我亲热极了。你们俩儿在这里很快活,很清静。

郝　但是你在楼上也很高兴了一番。

南　快活极了！我为什么不高兴高兴呢？人生在世,有得受用时,为什么不受用呢？人生能受用多少,就该受用多少；能快活几时,就该快活几时。今晚的酒真好！

郝　那香槟酒更好。

南　你也这么说吗？我几乎不相信就会喝了那么多。

娜　滔佛今晚喝的香槟酒也就不少。

南　他也喝了许多吗？

娜　是的，他喝了酒之后，总是很高兴的。

南　一个人整整的忙了一天，到了晚上应该高兴高兴才好。

郝　整整的忙了一天？我可不配说这话。

南　（拍郝尔茂的背上）我倒可以说这话。

娜　南陔先生，你今天一定是做了一天科学的研究了。

南　正是如此。

郝　你听我的小娜拉居然谈起科学的研究来了！

娜　我可以恭喜你研究的结果吗？

南　可以。

娜　结果很好吗？

南　好极了。于病人也好，于医生也好。我得的结果是"一定无疑"四个字。

娜　（接着追问）"一定无疑"？

南　绝对的"一定无疑"。你想我得了这样结果，还不该高兴一晚吗？

娜　你正该高兴一晚。

郝　只要你明天不用还快活账。

南　那是没有的事。人生在世那一件是可以受用了不还账的？

娜　南陔先生，我知道你很欢喜奇装跳舞。

南　是的，只要有许多有趣的奇装的人。

娜　我问你！我们两人下一次去奇装跳舞会时,应该扮做什么？(此时娜拉有死志,故说"我们两人")

郝　你这小孩子,早又想到第二次跳舞了。

南　你说我们两人吗？我告诉你：你可扮一个仙女。

郝　很好,但是扮仙女该穿什么衣服呢？

南　不用别的,他只穿家常衣服就是了。(南陔本爱娜拉,故说娜拉穿家常衣服,即是仙女。深赞其美也)

郝　你真会说。但是你不曾说你自己扮做什么。

南　我吗？我早已打定主意了。

郝　什么？

南　下一次奇装跳舞,我来的时候,你们都瞧不见我。

郝　这个主意倒很好玩的。

南　我要戴上一顶黑的大帽子,——你们不知道有一种黑帽子戴上了可使人看不见吗？

(西洋人画死神,作髑髅像,戴黑色大帽)

郝　(忍住笑)是的,不错的。

南　呵,我几乎忘了我进来干什么。郝尔茂,请你给我一支雪茄烟,要那种黑色的哈巴纳。(哈巴纳是古巴京城。其地出雪茄亦名此)

郝　请请。(把雪茄烟盒递给他)

南　(拿了一支,割去一头)谢谢。

娜　(替他擦一支火柴)让我给你一个火。

南　多谢多谢。(娜拉拿火柴,南陔点着雪茄)现在我要同你们告别了。

郝　明天见。

娜　南陔先生,我望你安睡。

南　多谢你的好意。

娜　你也该那样回敬我。

南　你？也好，你要我说，我只好说。我望你安睡。（娜拉知南陕将死，故祝其安睡。又以自己亦有死志，故欲南陕反祝之也）多谢你替我点火。（点点头，他走了）

郝　他喝得太醉了。

娜　（有意无意的）想必是的。（郝尔茂袋里摸出一串钥匙，走进外厅）滔佛！你去干什么？

郝　我把信箱子倒出来。这箱子都满了，明天的报纸要放不下了。

娜　你今晚还办事吗？

郝　你知道我今晚是不办事的。——什么？有人弄过这把锁。

娜　弄过这把锁？

郝　是的，这是什么道理？我想不到这女底下人……原来是一根断了的头发簪。娜拉，这是你的簪。

娜　（忙答）那一定是小孩子们……

郝　你该不许他们做这种事。好了，居然弄开了。（把信件拿出，厨房边喊道）爱兰，爱兰，把门口的灯吹了。（进房来，把通外厅的门关了。手里拿一大堆信）你看，这样一大堆！（把信翻过来）这是什么东西？

娜　（站在窗边）是信吗！滔佛，不要看！不要看！

郝　是南陕的两张名片。

娜　南陕医生的吗？

郝　（读名片）"南陕医生"，这两张名片在顶上，一定是刚才他出去时丢下去的。

娜　上面可写了什么？

郝　名字上有一个黑十字。你看,这不是吉兆,他好像是替自己报死信。

娜　正是这个意思。

郝　什么？你知道这事吗？他对你说过吗？

娜　是的。他对我说,他的名片来时,那就是他和我们告别了。他要关了门去死。

郝　可怜的人儿！我早知道他活不长久了。想不到这样快！他竟这样躲起来,像受了伤的野兽带伤进洞去。

娜　一个人要死的时候,还是不声不响的死得好。你说对不对？

郝　（走来走去）他竟成了我们生活的一部分。我真不信他会这样死了。他一生的寂寞苦恼,比起我们家庭的快乐,就像日光衬着黑云,觉得苦乐格外分明。——也罢,这是无可如何的事。在他自己看来,或者还是这样好。（忽然站住）于我们两人也未必不好。娜拉,我和你如今少了一个好朋友,更亲密了。（抱住他）我的爱妻,我心里总觉得不知怎样才可紧紧留住你。娜拉,你可知道我常常希望你有一天遇着一点大危险,好让我拚着性命抛了一切来替你出力。

娜　（推开他,斩钉截铁的说道）滔佛,你现在可以看你的信了。

郝　不,不,今晚不看了。我的好宝贝,我要陪你。

娜　你难道不想着我们那位临死的朋友吗？

郝　不错。他这个消息扫兴的很。我们心里想着死的可怕,便没有兴致了,我们总得把这种念头排解开去。这个时候,我们只好暂时分开来住。

娜　(抱住他丈夫的头颈)滔佛,明天见!明天见!

郝　(亲他的额)明天见,我的黄莺儿。你好好的去耍罢。我睡去看我的信了。(他拿了信,走进他自己的房)

娜　(睁着眼,摸来摸去,拿起郝尔茂的罩衣,披在身上,嘴里断断续续的自言自语道)再见不着他了。永不见了,永不再见了。(把他自己的围巾围在头上)永不再见我的孩儿们了。永不再见了!永不再见了!啊,那乌黑冰冷的水!——那无底的河!——我巴望什么事都完了!——他拿到了那封信,他正在看咧。——哦,还没有!——滔佛,告别了!——我的孩子们,告别了!……(他正往外厅跑,忽然郝尔茂用力把房门推开,站在门口,手里拿着一封拆开的信)

郝　娜拉!

娜　啊!……

郝　这是怎么一回事?你知道这信里说的什么?

娜　我知道。你让我走,让我过去。(娜拉欲投水死)

郝　(拉他回来)你到那里去?

娜　(用力想摆脱他丈夫的手)我不要你救我,滔佛。

郝　(退一步)当真的吗?他说的都是真的吗?没有的事,这断不会是真的。

娜　全是真的。我只知道爱你,别的什么都不顾了。

郝　呸,不要把这种蠢话来推托!

娜　(走近他丈夫一步)滔佛……

郝　你这混账的妇人,干得好事!

娜　让我去——我不要你救我!我不要你把这桩罪名担在你身上!

郝　不要装腔做戏给我看。(把房门锁了)我要你站在这里老实招来。你知道你干的什么事？你说！你自己明白不明白？

娜　（睁着眼望他丈夫，冷冷的答道）我现在方才完全明白了。

郝　（走来走去）哼！可怕！到这时候我才睡醒！过了八个足年，——我最疼的，最宠爱的人，——原来是一个骗子，——比骗子还要更坏，还要更坏，——原来是一个犯了罪的罪人。唉，说不尽的丑！——呸！呸！

（娜拉不开口，只眼睁睁的望着他）

郝　我该早知道了。我该早料到有这一天。你父亲种种不规矩，——（娜拉正要开口）不许开口！——你父亲种种的不规矩，都传给你了，——没有宗教，没有道德，没有责任心。我当初替他遮盖，如今我来受这种报应！我当时帮他的忙，为的全是你。如今你这样报答我。

娜　正是。——这样报答你。

郝　你断送了我的终身幸福。你断送了我的前程。哼，想起来真可怕！我现在被你送到那个光棍的手里，由他摆布，由他勒索，由他指挥，我只好件件依他。——种种的祸事，全都因为一个不懂事的妇人！

娜　我死了，你就没有事了。

郝　哼，你倒说得好听。你真像你父亲，他到处把许多好话挂在嘴上。你说你"死了"，死了你于我有什么好处？一点好处都没有。他还可以把这件事传扬出去，人家免不得疑心我和你同谋，人家或者竟会疑心是我出的主意，把你哄出来干这事。——总总一切，总算我承你的好意，蒙你这样照应我，总算我疼了你这几年！你如今明白了你替我干的什么事？

娜　（镇定冷淡的答道）我明白了。

郝　这件事真是梦想不到,我竟摸不着头脑。但是我们总得商量一个办法。把你的围巾脱下来。脱下来,你不听见吗?我必须想个法子安慰他,这件事无论如何不可叫外面知道。——至于我和你两个人,我们外面还照常做夫妻,——外面还照常,你要知道。你自然仍旧住在这里。但是我不许你看管这些小孩。我不敢把他们付托给你了。唉,我真想不到要对你说这种话,——对我心上从前爱过,现在还……但是爱情是已往的事。从今以后,不能讲什么快乐不快乐了,只好补救补救装个面子,免得出丑……(门铃响,郝尔茂吃一惊)什么事?这时候!难道这事已经到了那步田地?难道他……娜拉,快躲起来,你说病了。(娜拉不动身。郝尔茂把房门开了)

爱兰女仆　(披着衣服,在外厅上)奶奶,有一封信是给你的。

郝　拿来给我。(抢过信,关上门)果然是他的信。我不给你看,让我看。

娜　你看!

郝　(走到灯光下)我几乎不敢拆这信。恐怕我和你两个人都断送了。——也罢,我总得知道。(撕开信封,看了几行,又看了信里夹的一张纸,大喜喊道)娜拉!

(娜拉不明白,只对他望)

郝　娜拉!且慢,等我再读一遍。——不错的,不错的。我有救了!娜拉,我有救了!

娜　我呢?

郝　自然你也有救了,我们两人都没事了。你看,他把你的借据送来还你。他说他对不住得很,很抱歉的。他说他现在转了好运,……啊,管他说的什么,我们没事了就是了。现在没人能害你了。啊,娜拉,娜拉,——且慢,先把这件可恶的东西毁了。等我看看；——(看借据)——我看他做什么？好像做了一个梦。(把柯乐克的两封信和借据都撕成几片，抛在火炉里，对着烧了)完了！——他说从圣诞节的头一晚起，——啊，娜拉，你这几天一定很难受。

娜　我这三天真不容易过。

郝　你烦恼的时候，想来想去，想不出别的法子，只有……那样可怕的事，现在且不要去想。我们正该高高兴兴的唱道，"完了，没有事了！"娜拉，你听见吗？怎么你好像不大明白，现在已没事了？你为什么这样板板的放下脸来？哦，我懂得了，你疑心我还不曾恕你的罪吗？娜拉，我可以发誓，我一点都不怪你了。我知道你干的那事全因为你爱我。

娜　那是真的。

郝　你那样爱我，正是做妻子的应该爱他丈夫的道理。不过你缺少阅历，用错了方法。但是你当真想我因为你不会做自己担干系的事，就不爱你了吗？千万不要那么乱想。你只要一心一意靠着我，我自然会教导你，指点你。若是你这样无能无用的女孩儿相还不能使我加倍疼爱你，我还算什么男子汉？刚才我一时气急了，觉得好像天翻地覆一般，不免说了几句气话，你可不要记在心上。我已经恕了你的罪，娜拉，我可以发誓说我已经饶恕了你。

娜　多谢你饶恕了我。(向右边出去)

郝　不要去！(向门里看)你去干什么？

娜　(在里面说)我去把奇装跳舞的衣服脱了。

郝　(在门边说)不错，去脱了。我那受了惊骇的黄莺儿，你且安静一会，定一定心。你不用害怕。凡事有我咧。我的翅膀大，可以保护你。(在门边踱来踱去)娜拉，我们的家庭何等安逸！何等可爱！在这家里，你不用怕什么。我可以保护你，如同保护我从鹰爪里救出来的鸽子一样。等一会我就要把你那拍拍跳的心定下来。到了明天，什么事都忘记了，还照从前一样。我不用再说我饶恕你了，你心里自然会知道我这话是真的。难道我会有那样狠心肠要赶你出去吗？不要说赶了，我舍得责怪你吗？娜拉，你真不懂得男子的心肠。一个男子饶恕了他妻子的错处，真真实实的饶恕了他，从心窝里饶恕了他，——这里面有一种说不出的畅快。从此他妻子便加倍成了他的私产了。做妻子的受了他丈夫这样恩典，就像死了重生一般；不但做他的妻子，竟成了他的孩儿了。我的好孩子从今以后，你也该这样待我。娜拉，什么事都不用烦恼。你只要坦坦白白的待我，我自然可以做你的志向，又可以做你的良心。……（娜拉换了家常衣服，走进来）怎么，你还不去睡吗？你换了衣服吗？

娜　是的，滔佛，我把衣服换了。

郝　这时候换他做什么？

娜　今晚我不睡了。

郝　但是，我的亲娜拉……

娜　（看他的表）此刻还早。滔佛，坐下来，你和我有许多话要谈谈。（他自己坐在桌子的一边）

郝　娜拉，这是什么意思？你这冷冰冰的脸儿……

娜　坐下来。话长呢？

郝　（坐在桌子那一边）娜拉，你来吓我。我不懂你。

娜　正是如此，你不懂我。我也不曾懂得你，——直到今天晚上。你不要打岔，你听我说。我们不能不算一算账。

郝　这话怎么讲？

娜　（略停一会）我们两人坐在这里，你觉得有什么感触吗？

郝　有什么感触？

娜　我们结婚了足足八年,今天刚是第一次我同你两个人正正经经的开谈。

郝　正正经经的!什么叫做"正正经经的"?

娜　这八年之中,——还不止八年呢——自从我们初次认得,我们两从不曾谈了一句正经话,从不曾谈到一件正经事。

郝　我怎肯把那些你管不了的事来麻烦你。

娜　我不说那些家庭的困难。我说的是,我你从不曾好好的坐下来切切实实的谈过什么事。

郝　但是,我的娜拉,谈了于你有什么益处?

娜　正是如此,你从来不曾懂得我。我一生吃了大亏,先吃我爸爸的亏,后吃了你的亏。

郝　什么话?世上谁能像我同你爸爸那样爱你?你还说吃了我们两人的亏!

娜　(摇摇头)你何尝爱我?你不过觉得恋爱着我是很好玩的。

郝　你说的这是什么话?

娜　这是千真万真的话。我跟着爸爸的时候,他怎么说,我也怎么想;他怎么想,我也怎么想。有时候,我的意思与他不同,我也不教他知道。为什么呢?因为他不愿意我有别样的意见。他叫我做"玩意儿的孩子",他把我做玩意儿,正像我玩我的玩意儿一样——后来我到你家来和你同住……

郝　"到我家来和我同住?"你说的是我们的结婚吗?

娜　(不睬他)我说我那时不过是从爸爸手里换到你手里。你样样事都安排得如你自己的意。你爱什么,我也爱什么——或是我故意爱什么——我究竟不明白还是真同你一样嗜好,还是有意如此——大概是有时是真的,有时是故意的。我如今回想起来,简直像一个叫花子,讨在手里,吃到肚里。滔佛,我在这里只不过是玩把戏给你开心。都只为你要我这样做。你同爸爸害得我不浅。我现在一无所能,都是你们两人的罪过。

郝　你真不讲道理,真忘恩负义,娜拉!你在这里,难道不曾快活过。

娜　我不曾快活过。我那时以为我很快活,其实不曾。

郝　不曾快活过?

娜　不曾,不过高兴高兴罢了。你并不曾待差了我。但是我们的家庭实在不过是一座戏台。我是你的"玩意儿的妻子",正如我在家时,是我爸爸的"玩意儿的孩子",我的孩子们又是我的"玩意儿"。你同我玩,我觉得很好玩。正如我同他们玩,他们也觉得很好玩。滔佛,这就是我们的结婚生活。

郝　你这番话虽然有点太过分了,但是里面却也有点道理。这都是过去的事,将来便不同了。玩的时候过了,如今该是教育的时候了。

娜　谁的教育?是我的还是孩子们的?

郝　两边都有,娜拉。

娜　只可惜,滔佛,你不配把我教育成你的好妻子。

郝　你又配说这话吗?

娜　我也不配教育小孩子们。

郝　娜拉!

娜　刚才不是你自己说,你不敢把小孩子们交给我吗?

郝　那是气头上的话,记着他做什么?

娜　其实你那话真不错。我不配干那事。我还有我自己的事要做。我总得设法教育我自己。——你不配教育我。我须要自己教自己。因此我现在要离开你这里了。

郝　(跳起来)你说什么？

娜　我如果想要懂得我自己和我自己的事，非得独居不可。因为这个缘故，我一定不能同你住下去了。

郝　娜拉，娜拉！

娜　我立刻就要走了。我想姬婷总可以留我住一夜。

郝　你疯了！我不许你走！我禁止你走！

娜　你现在禁止我也不中用。我只带我自己的东西。无论现在将来，你的东西我一点也不要。

郝　你怎么疯到这样！

娜　明天我要回家去，——回到我的老家去。我想那里总该可以找点事体做。

郝　你一点阅历都没有。

娜　我没有阅历，应该去得一点。

郝　你就这样丢了你的家，你的丈夫，你的儿女了吗？你不想想旁人要说什么！

娜　我也不管旁人说什么。我只知道我该这样做。

郝　这真是岂有此理！你就可以这样抛弃你那些神圣的责任吗？

娜　你以为我的神圣的责任是什么？

郝　还用我说吗？可不是你对于你的丈夫和对于你的儿女的责任吗？

娜　我还有别的责任，同这些一样的神圣。

郝　没有的。你说那些是什么？

娜　我对于我自己的责任。

郝　第一要紧的,你是人家的妻子,又是人家的母亲。

娜　这种话我如今都不信了。我相信第一要紧的我是一个人,同你是一样的人。无论如何,我总得努力做一个人。我知道多数人都同你一样说法,我知道书上也是那样说。但是从今以后,我不能信服多数人的话。也不能信服书上的话。一切的事我总得自己想想,总得我自己明白懂得。

郝　你自己明白懂得你在家的地位吗?这种问题,你难道没有靠得住的指导吗?你难道没有宗教吗?

娜　滔佛,我实在不知道宗教究竟是什么东西。

郝　你这话怎么讲?

娜　我只知道我进教的时候我们的牧师对我怎么说。他说宗教是这个,是那个;是这样,是那样。等我离了此地,一个人慢慢的去想想看。我要看看那牧师说的话是不是真的,至少我总得看看他的话我自己身上是不是真的。

郝　我从来不曾听过一个年轻妇人会说这种话?宗教不能引你向善,我且提醒你的良心,——你总该有一点道德观念?难道你连这个都没有吗?

娜　滔佛,这话不容易回答。这些事我真不懂得。我只知道我的意见和你全不相同。我听说国家的法律同我心里想的全不相同,但我总觉得那些法律是不对的。法律说一个妇人不该免了他临死的父亲烦恼,也不该救他丈夫的性命。这种法律我不相信。

郝　你说话真像小孩子。你不懂得你现在住的是一种什么世界。

娜　我真不懂得。但是我要去学习学习。我要看看究竟是我错了,还是世界错了。

娜拉

郝　娜拉,你病了,你说的都是害热病的话。我几乎当你有点疯了。

娜　我一生从来不曾有今夜这种明白清爽。

郝　你难道明明白白清清楚楚的把你的丈夫儿女都丢了?

娜　正是。

郝　这样看来,只有一个解说。

娜　什么解说?

郝　你如今不爱我了。

娜　一点都不错。

郝　娜拉,你当真肯说这话吗?

娜　我说这话,滔佛,我心里也不好过,因为你待我很好。但我也不能不说。我如今不爱你了。

郝　(勉强镇住自己)这也是你明白清楚的话吗?

娜　是的,非常明白,非常清楚。因为如此,所以我不能再住在你这里。

郝　你可以告诉我,为了什么事你不爱我了?

娜　可以。就是今晚。我盼望一件"奇事"出现,却没有出现,我才知道你不是我这几年来理想中的你。

郝　这话我不懂。

娜　我眼巴巴的望了八年,我也知道那种"奇事"不是天天有的。后来这件祸事发生,我心里想那件奇事不能不出现了。当柯乐克的信还在那信箱里的时候,我万想不到你会遵依他要求的条件。我以为你一定会对他说,"你尽管发表这事。"发表之后……

郝　发表之后,我把我妻子的名誉体面一齐丢了,又怎样呢?

娜　发表之后,我以为你一定会挺身出来,把一切罪名都担在你自己身上,说,"这事是我做的。"

郝　娜拉!

娜　你的意思以为我一定不肯让你为了我去牺牲自己吗?我自然不肯。但是我说的话哪有你的话能使人相信?——这就是我又巴望又害怕的"奇事",因为我想阻住他,所以我自己去寻死。

郝　我日夜替你做事,忍穷忍苦,我都愿意。但是世上没有一个男子肯为了他所爱的妇人牺牲自己的名誉。

娜　几十万的妇人都肯为了他们的情人牺牲名誉。

郝　你所想的所说的都像一个蠢孩子。

娜　你所想的所说的也不像我愿意嫁的男子。后来你的惊吓过去了,——你害怕的,并不是为我,全是为你自己,——后来事体完结了,你自己一方面还只当没有这回事,我仍旧是你的小雀儿,你的玩意儿,仍旧那样不中用,要你加倍的保护。——(站起来)——滔佛,就在那时候,我忽然大觉大悟,我这八年原来只是同一个陌生人住在这里,替他生了三个小孩子。——唉,我想起来真难过!我恨不得把自己扯得粉碎!

郝　(带悲容)原来如此,原来如此。我们两人中间今隔开了一条无底的界河。娜拉,这条界河还可以填得满吗?

娜　现在的我已不是你的妻子了。

郝　我还可以做一个完全改变的人。

娜　只要把你的"玩意儿"去了,你或者可以改变。

郝　当真和你分开吗?不行,不行,娜拉,我不懂你这个意思。

娜　(从右边出去)你不懂我们更该分开。(他又回来,着大衣,帽子,一个小包裹,都放在桌边椅子上)

郝　娜拉,娜拉,现在不要去!等到明天罢。

娜　(穿上大衣)我不能在陌生人房里过夜。

郝　我们不可以当哥哥妹子那样住下去吗?

娜　(戴上帽子)你知道那样办法是不会长久的。(披上围巾)滔佛,再会了。我也不去看小孩子们了。我知道有比我好的人照管他们。我现在这个样子,他们也用不着我了。

郝　将来总有一天,娜拉,我们……

娜　那个我不知道。我自己也不知道我将来如何。

郝　无论怎样,你还是我的妻子。

娜　你听我说。我听人说一个妇人像我这样离开他丈夫的家,他丈夫对他可以完全不管了。无论那话确不确,我把你对于我的一切责任一齐取消。我对你,你对我,如今全不相干。两边都有完全自由。拿去,这是你的戒指。把我的还我。

郝　连那个都要吗?

娜　也要。

郝　拿去。

娜　好的。现在什么事都完了。我把这些钥匙都放在这里。这屋里的事,这些女人比我还熟的多。明天我动身之后,姬婷会来拿我从家里带来的那些东西。我要他随后寄来。

郝　都完了! 都完了! ——娜拉,你还会想着我吗?

娜　我知道我总要常常想着你,和小孩子们,和这所房子。

郝　我可以写信给你吗?

娜　千万不要写。

郝　至少我可以寄点……

娜　什么都不要。

郝　你如果到了困难的日子,可以让我帮衬你一点。

娜　不要。我不能受陌生人的帮衬。

郝　难道我于你只不过是一个陌生人吗？

娜　(提了包裹)滔佛,那须要等"奇事中的奇事"发生。

郝　你告诉我什么叫做"奇事中的奇事"？

娜　你和我都要改变到……滔佛,我如今不信世上真有"奇事"出现了。

郝　你不信,我却要信。你告诉我,我们应该变到怎样？

娜　须要变到那步田地,要使我们同居的生活,可以算得真正夫妻。——再会了。(他从外厅上走出去了)

郝　(倒在门边一张椅子上,坐下,双手蒙着脸)娜拉,娜拉！(抬头四望,站起来)没有人了,他去了！(忽起作希望之心)"奇事中的奇事？"(外面大门关闭的声音)

(第四卷第六号,一九一八年六月十五日)

不自然淘汰

〔瑞典〕August Strindberg　著　周作人　译

A. Strindberg(1849—1912年)为瑞典近代最大文人。又多所学问，凡天文、矿物、植物、化学、经济、历史、伦理、哲学、美学，皆有著作。文章一类，则有戏曲五十六种，小说三十种，其精力盖非常人所及。尝为Stockholm图书馆员，有中国文书未编目，乃习华文定订之。又研究十八世纪中瑞典与中国之交际，作文发表，得俄国地学会赏。其博学多能，盖除Goethe外，世间文人，莫能比类也。

A. Strindberg于一八七九年作《赤屋》(*Röda rummet*)，仿Dickens体，写社会恶浊情状而更精善，遂有名。及短篇集《结婚》(*Giftas*)出，世论哗然。其书言结婚生活，述理想与现实之冲突，语极真实，不流于玩世，而反对者乃假宗教问题罗织成狱，然卒无罪。又作自叙体小说九部。《婢之子》(*Tjänstekvinnans son*)、《痴人之忏悔》(*Die Beichte eines Thoren*，原书为本国所禁，故以德语刊行)、《地狱》(*Inferno*)等最有名。

A. Strindberg著作中，戏曲尤为世间所知，与诺威之H. Ibsen并称，如《Julie姬》(*Fröken Julie*)、《父》(*Fadren*)、《伴侣》(*Kamraterna*)皆是。其艺术以求诚为归，故所有自白，皆抒写本心，毫不粉饰，甚似Tolstoy。对于世间，揭发隐伏，亦无讳忌。又缘本身经历，于爱恋深感幻灭之悲哀,故非议女子亦最力,遂得 Misogynistes(厌恶女性者)之称。然其本原,固仍出于求诚也。《Julie 姬》剧自序有云:"人皆责吾剧为太悲,意似谓世间有欢愉之悲剧也者。世人喜言人生之悦乐。剧场所需,亦唯诙谐俗曲。一若人生悦乐,即在愚蠢中间。剧中人物皆患舞蹈病(chorea),或悉白痴也。吾则以为人生悦乐,乃在人生酷烈战斗之中。吾能于此中寻求而有所得,斯即吾之悦乐也。"此一节,足为 Strindberg 艺术之正解,即其行事思想,亦可因是解悟,无余蕴矣。

(以上是译者从前所编《欧洲文学史》的一段。因为可供读者参考,所以抄在前面。以下所译,便是《结婚》中的一篇,原题是《不自然淘汰》,一名《种族之起原》。)

男爵读过《人生的奴隶》(译者按:这是指诺威人 Jonas Lie 做的 Livsslaven),听说贵族的孩子,倘不是吃下等社会的乳,就要灭亡,很是憎恶愤怒。他又读过《达尔文》,极相信这学说的精义是说:贵族的小孩子,因为历代淘汰的关系,是"人"类的最完善的代表。但又看了遗传说,他对于雇用乳母这件事,最为反对,因为一用乳母,那一种下等思想和欲望,岂不也要跟了下等社会的血,一起混入贵族的里面么?他所以决定他的夫人应该自己哺养孩子,倘若不能,便用牛乳瓶。他对于牛乳,有十足的权利,因为牛吃他的草。要是不给草,牛便要饿,而且甚或至于不能生存。

孩子生了。是一个男孩!他的父亲,在男爵夫人怀孕确定以前,很觉忧虑。因为他是穷人,他的妻子却极有钱。要不是结婚后生下一个合法的嗣子,他不能得他妻子的财产。——依嗣续法○

○章○○节——所以他现在的喜欢,大而且真。这孩子是一个透明的纯种,黄蜡色的皮底下,隐出蓝色静脉,他的血可是太少了。他母亲身段极好,同天使一样;吃的是顶好的食物,着的是最厚的皮,都从异域各地运来。她的脸上,有一种贵族的苍白色,表明她是高贵出身的妇人。

她自己哺养孩子。这样做去,他们生长在这世界上,便毫不受农妇的恩惠。男爵从前所读的,都是诳话罢了。孩子吃了乳,又只是叫喊,约略有两个礼拜。但是凡有孩子,都是要叫喊的,这也算不了什么。可是这孩子渐渐瘦了,瘦得很可怕,于是请了一个医生来。他同父亲暗地里说,如果男爵夫人自己哺养下去,这孩子一定要死,因为男爵夫人一则神经过敏,次则没有什么可以养育孩子。他将母乳行了定量分析,用"方程式"证明,倘若不改哺养的方法,这孩子只好挨饿。

这怎么好呢?孩子是死不得的。牛乳呢?乳母呢?乳母这件事,不必提了。现在只好姑且试用牛乳罢了。但是这医生的方子,是只用乳母一味药。

最好的荷兰牛,曾在本县领过金赏牌的牛,隔离起来,用上上的干草去饲它。医生将牛乳分析过了,一切都好。这方法简易极了。从前未曾想到,真真奇极!这样子,人都不必雇乳母了。乳母是个暴君,人不敢违拗它,又是个游惰的人,要人去养活它,更不必说有传染病了。

然而小孩还是瘦,又还是叫喊。他连日连夜地叫。这一定是生了胆汁病了。于是又养了一只母牛,重新分析过了。牛乳中间,又和了 Karlsbad(译者按:这是地名,有著名的温泉)的泉水,真正的 Strudel(译者按:字书说是一种饼饵,又有旋涡发泡及喷出的几个意义,所以疑他又是一种汽水),然而孩子还是叫个不住。

医生说:"除了雇乳母,没有别的法子了。"

男爵说:"啊!除了这一件,别的都可以。人不愿强夺别家的孩子,因为这事违反自然;而且遗传又怎么样呢?"

男爵正讲自然不自然的时候,医生告诉他说,倘使自然得势,贵族就要灭亡,财产全归公家。这正是自然的智慧,人类文明不过是一种愚蠢的争斗,同自然反抗,人类毕竟要被克服。男爵的种族,是一定灭亡的了,他的妻子不能养育他的种子便是证据。只有或买或偷了别人的乳吃,才能够活着。所以这种族的生存,全靠强夺,下至最小的事情,也是如此。

甲 "买乳能说是强夺么?这是买呢!"

乙 "是的。因为买的钱,是工作得来的。谁的工作?平民的工作!贵族是不能工作的。"

甲 "医生是个社会党!"

乙 "不然,是个达尔文派。但是叫他社会党,也不介意。这于他毫无关系。"

甲 "然而购买究竟不是强夺。这句话太重了。"

乙 "用钱购买,便不是他自己挣来的。"

甲 "这是说用两手工作挣来的么?"

乙 "对了。"

甲 "照这样说,那医生也是强盗了。"

乙 "正是,但是他终不肯埋没真理。男爵不记得那悔悟的贼,说出这样真话的故事么?"

这谈论中途打断,男爵请了一位有名的大学教授来了。大学教授一到,便立刻叫他是杀人犯,因为他没有早雇乳母。

男爵此时须得劝服他的夫人，将他从前的议论，完全取消。特别注重申说一件事情，就是——依嗣续法的规定——对于他孩子的爱。

但是乳母从哪里来呢？市内是不必去寻了，因为市内的人，全是腐败的。只可寻一个乡下女子罢了。然而男爵夫人很是反对，以为有了小孩的女子，一定是不道德的人，她的儿子，将来也怕染了习气。

医生回答说，所有乳母，大抵是未嫁的女子。倘若小男爵传染了爱异性的习气，长成起来，可以成一个好人物。这类倾向，很应该奖励。至于农妇，未必肯就乳母的位置；因为有田地的农夫，总愿意和妻子一处生活，不肯分离的。

甲　"假如他们将一个女子，和一个农家长工结了婚，怎么样呢？"

乙　"这么办，须有九个月的迟延。"

甲　"又如他们替那有了小孩的女子，寻一个丈夫，怎样呢？"

乙　"这却是条好计。"

男爵认识一个女人，三月以前，生过一个孩子。男爵认识她，只是有点太熟了。他订婚过了三年，这其间因"医生的命令"，便瞒过约婚的新妇，有了不义的事。如今他便到这女人那里，对她说，她如果肯嫁给农家长工 Anders，随后到府里做了小男爵的乳母，可以得一所庄园。这样办法，她不但免了耻辱，还可得到利益，自然便应允了。于是约定礼拜这一日，将第一次、第二次、第三次的结婚通告，接连宣布。随后 Anders 便回到村里，两个月没有出来。

男爵看那女人的孩子，很觉羡慕。他是个大而且强壮的孩子。他并不美丽，但看他相貌，很可保得几代的繁盛。这孩子生下来，是打算来活的，可是他命运决定，不能达他的目的。

　　Anna眼见她的小孩，拿到育婴堂去的时候，哭了一场，后来得了府里的好食物——她的食物是从食堂里分出来给她的，又有黑麦酒、葡萄酒，可以尽量地喝——也就安慰了。她又可以坐大车出门，有一个仆役和车夫，排着坐在前面。她又读《一千零一夜》（译者按：*Alf Laylah wa Laylah*，是十三世纪时编成的阿拉伯传说集，俗称《天方夜谭》），她一生，从来没有经过这样的好日子。

　　Anders去了两月，又回来了。她在家里一事不做，只是吃喝睡觉。他收了庄园，却又要他的Anna。她不能时时回家，看她的丈夫么？这却不能，男爵夫人决不答应。决不能有这种糊涂事！

　　Anna瘦了，小男爵又只是叫喊。医生又请了来，他说："让她回去，看她丈夫。"

　　男爵说："假使于孩子有害，怎样呢？"

　　医生说："不会。"

　　但是Anders又须得先经"分析"（译者按：这"分析"二字，承上文分析乳汁而来，然在此处，只是检查的意思），Anders不肯。后来受了男爵送的几只胡羊，也就"分析"过了。

　　小男爵也不叫喊了。

　　此时育婴堂里来了通知，说Anna的孩子，因为白喉死了。

　　Anna整日焦急，小男爵比以前叫得更响。Anna就解雇，送她回到Anders家里，府中别雇了新乳母了。

　　Anders得他妻子回来，同在一处，很是喜欢，只是Anna却染了奢华的习惯，譬如咖啡茶，她不能喝巴西的，须得爪哇的才好。她的身体，不能许她一礼拜里吃六回鱼，又不能在田间做工（译者按：北欧滨海多鱼，所以鱼是贱品，不能多吃），所以庄里的食物，渐渐缺乏了。

十二个月之后，Anders本该将庄园交出，但男爵对他很有感情，许他仍旧住在里面，算作佃户。

Anna仍然日日进府做事，时常看见小男爵。他可是已经不认识了。这也是极好的事。然而他从前，终竟是在她怀里睡过的。Anna又牺牲了亲生的孩子，救了他性命。Anna却善于生育，生了许多儿子，长大起来，都成了工人和铁路小工，其中一人，是个罪犯。

老男爵眼巴巴的，只望着有一日，他的儿子也娶了妻子，生下儿女，可是他不甚强壮。假使将那死在育婴堂里的小男爵当了嗣子，这希望还可较为确实。男爵第二次读《人生的奴隶》时，他也只得承认：上等社会全仗下等社会的慈悲，才能存活。他再读《达尔文》时，他也不能否认：现在的自然淘汰，是全不自然。但事实终是事实，纵使医生和社会党竭力反对，也毕竟不能更改。

（第五卷第二号，一九一八年八月十五日）

改革

〔瑞典〕August Strindberg　著　周作人　译

　　这也是短篇集《结婚》里的一篇。从前读日本田村俊子著的《彼女之生活》,也感到同一的印象。但田村是"新妇人",将此事说得很痛切;Strindberg 是一个 Misogynistes 自然,别有一种气味。现在翻译这一篇,并非附和著者的态度,也不是因为他比田村有名,不过这篇较短。可是其中的问题,原是一样,很可研究,所以便译了这一篇。

　　中国第三人称代名词没有性的分别,很觉不便。半农想造一个"她"字,和"他"字并用,这原是极好。日本用"彼女"[Kanojo]与"彼"[Kare]对待,也是近来新造。起初也觉生硬,用惯了就没有什么了。现在只怕"女"旁一个"也"字,印刷所里没有,新铸许多也为难,所以不能决心用他。姑且用杜撰的法子,在"他"字下注一个"女"字来代。这事还得从长计议才好。

　　她看见世上女子,养大了,专给未来的男子做管家婆,心里很是气愤。所以她学了一种职业,终身可以自立。她是专做人工花卉的。

　　他看见世上女子专等嫁一个丈夫,好养活她,心里很是惋惜。

他决心要娶一个独立自由的女人，能够自己生活，是他平等的人，是他一生的同伴，却不是管家婆。

命运断定，他们两个人，终于会见。他是个美术家；她呢，我已经说过，是做人工花卉的。他们都住在巴黎，同时怀着这样思想。

他们结婚，很是新式。他们在 Passy 租了三间房：中间是画室，右边是他的房，左边是她的。这样就废去了那一房两榻的制度——这可厌的事，不合自然，又是放纵亵渎的根源；而且也就废去了在一个房间里脱衣穿衣的不便。现在各人各有一间房子，画室当作中立的公共会场，便好得多了。

他们不用使女，自己烹调，单雇一个做短工的老妇人，早晚来做杂事。这法子想得极好，而且理论上也很对。

怀疑派便问："假如你们有了孩子，怎样呢？"

"说哪里话！不会有这等事。"

诸事进行顺当。早上他出市去，买办食物，再调咖啡。她叠被褥，收拾房间。随后两人坐下，各自工作。他们工作倦时，随便谈天，互相忠告，笑着，很是欢乐。

到十二时，他生起灶火，她便去做菜。他煮牛肉，她跑到街上，到杂货店去；以后是她摆食桌，他将菜盛起来。

他们自然也相爱，同平常夫妻一样。他们各道晚安，走进自己房里，但门上没有锁，他敲门时，原可进来。可是房间狭小，到了早上，他们仍然各在自己房里。他就叩壁说："小姑娘，早上好，你今天好么？"答道："很好。你呢？"

他们早饭时的会见，像是一件新鲜经验，永远不会陈旧的。

他们晚上一同出门，时常和本国人相见。她并不反对烟草的烟，也不妨碍别人。人人都说是理想结婚，比他们尤为幸福的夫妇,还没有见过。

　　但是新妇的父母,住在远处,时常写了信来,发各种不雅的问:他们很望得一个外孙。Louisa 应该记得,结婚制度之设,是为子孙利益计,不是为父母的。Louisa 说,这意见是旧式。阿母问她,可曾想到,新思想的结果,不就是人类的全灭么？Louisa 没有从这方面想过,而且对于这问题也无趣味。她和她丈夫,都很幸福。幸福夫妇的榜样,已经宣布给世间看,世间却很妒忌他们。

　　生活很是愉快。两个人谁也不是谁的主人,费用是共同负担。有时他赚得多,有时她多,但算起来,他们寄附的资本,到底同一数目。

　　她的生日到了！早上醒时,做短工的老妇人拿了一球花进来,附着一封信,信笺上都画(着)花卉,上面写道:

　　花蕊:呈夫人,拙画工上。祝夫人长寿,并请即赴早餐为幸。

　　她敲他的门——"进来！"于是他们早膳,坐在他的床边。这一日,特留短工老妇人,做一日事。这真是很可喜的一个生日！

　　他们的幸福,永远无缺。这样计有两年之久。所有预言者的话,都是假的了。

　　这真是模范的结婚！

　　但两年过去,新妇生病了。她说是中了糊壁纸的毒,他猜是一种微生物。是的,确是微生物,但事情有点不妙。应该有的事,却没有了。她想必受了寒了。然而又壮了起来。莫非患了肿瘤么？是的,他们怕她正是这病。

　　她去请医生看——哭了回来。这真是一种萌芽,但这件东西,总有一日须见阳光,开花,而且结果。

丈夫晓得了,欢喜得不知怎样才好。他跑到俱乐部,说大话给朋友知道,但他的夫人仍是啼哭。如今她的地位,将怎么样呢?她将不能工作赚钱,只好靠他生活。他们以后又不能不雇一个使女了。唉,那些使女呵!

所有从前的小心谨慎,撞着这不可避的岩石上,都已粉碎了。

但是丈母却写了很高兴的信来,反复申说,结婚制度,是神为保护孩子起见而设的,父母的快乐,算不得什么。

Hugo 求她不要因为将来不能赚钱,心里懊恼。她哺养小孩,岂不是已尽了她的工作么?这岂非同钱一样好么?钱这件事,正当说起来,无非也是工作,所以她的一份,也已经完全付清了。

她想现在自己要他养活了,过了许多日子,总是忘不了。但是小孩生了下来,她一切都已忘记了。她仍旧与他做妻室,做同伴,和从前一样,却又添了一件——做他小孩的母亲:这一件事,他觉比一切尤其可贵。

(第五卷第二号,一九一八年八月十五日)

结婚论

（译自威斯达马克氏《道德观念之起源与发展》）
杨昌济　译

自男女之关系，生种种之行为，遂至生道德之判断。吾是以有结婚之论。

考人类之历史，几无不结婚之时。此盖起源于猿人时代。故吾人可视结婚为两性动物同居稍久之关系。然自社会之组织观之，则更有特殊之意义。盖此乃风俗、法律所规定之结合也。社会定择配之法与结婚之形式及其同居之期限，此等规则，固道德、感情之表示也。

自其最初言之，则有某范围以内之人不许结婚之例。盖人类几无不恶亲属相奸，其有反此者，不过为少数之例外。唯亲属之不许结婚，其程度亦自有异。父子之间不结婚，乃极普通之事。同父同母之兄弟姊妹结婚，人皆以为大恶。然唯皇室间有之，因其血统太尊，不欲与臣下为偶也。有少数种人，有此不合法之结婚，或因离隔太甚，或因不正之冲动。或谓锡兰之威达种人，以与妹结婚，为正当之配偶。其实，此种不合法之配偶，从不为社会所容许。彼等谓同产相奸，其恶甚于杀人。有一流传之故事，谓威达人有因其妹诱奸而立杀其妹者，亦可见其反对此事之烈矣。此因不识威达人之习俗，故致有此误。彼等可与舅父之女或姑母之女结婚。彼等称表妹为妹。假如问威达人曰："汝与妹结婚否？"彼将曰："然。"若问曰："汝与汝亲生之妹结婚乎？"则必盛怒而斥之，以问者为侮辱之也。同姓不婚，乃此种人之习俗。无论若何疏远，决不为之。如此之结婚，乃亲属相奸也，犯者必死。

此类之禁制，未开化之民，较已开化之民更为繁重。有禁与全族为婚者，有犯此者，则视为大罪。

中国亦痛恶亲族相奸。若女子与堂伯叔或兄弟或侄有奸，则处以死刑。若男子与从母结婚，则处以绞罪。若男子与同姓之女子结婚，则杖以六十。古代亚利安种人，亦深恶此事。有一种人严禁母子、父女、翁媳之通奸，有犯者，则焚之。

关于近亲不许结婚一事，有种种之解说。以吾之所见，人类生而不喜与自幼同居之人结婚，而自幼同居者，多系骨肉之亲。此种厌恶之情现为风俗，成为法律，遂有不许近亲结婚之事。有多数人类学上之事实，可以证明此禁，不纯起于血统之关系，而由于亲密之同居。多数之种人有异族结婚之制，此不关于族谊之有无，但因其地方之关系。一群集或一村落之人，虽并无族谊，而亦不许结婚。此禁止之程度，各种人互异其风俗与法律。然通观之，则其禁止结婚之范围，似以亲密之同居而定。且亲属相奸之禁，往往偏于一方，或宽于母党而严于父党，或宽于父党而严于母党。此事又由其世代承继之为男系与女系而定。世代之承继既不能离地方之关系，故吾人可以推想，地方之关系，大有影响于禁止结婚之范围。但在多数事情之下，禁止结婚，唯间接关系于亲密之同居而已。其初固因厌恶与亲密同居之人结婚，而制定此法律，其后乃因同姓之故，而认为禁止结婚之关系。此制度势不得不偏于一方，或男系，或女系。唯其一方可以有详审之记载，而不能二者皆记之。其一方未经记载者，虽仍认为有亲谊，必渐怠而忘之，于是禁止结婚之事，于一方则甚严，或且及于全族，而于他方则否。又有一事当注意者，在原始人民之思想，以为姓乃同姓之人神秘之连锁。南生博士曰："格林兰地方之人及各处之人，皆以姓为非常重要者。彼等以为两人同姓，则姓为此两人精灵之和合。"普通言之，据观念联合之法则，两人以同姓之故，觉其有亲密之关系，遂至以同姓为婚为亲属相奸。于是联宗者与抚异姓为子者，亦皆在禁止结婚之例。而罗马教与希腊教之禁止同姓为居，亦以精灵之关系为理由焉。

然则人何故厌恶与自幼同居之人结婚，或为两姓之接触乎？此或由天择之结果。达尔文研究植物之同花受精作用与异花受精作用，又就鼠、兔等动物为种种之试验，乃知植物之同花受精与动物之亲密孳乳，有害于其种。因其两性之作用，不甚相异也。生物学上之法则，可应用之于动物与植物者，即可应用之于人类。唯欲举近亲结婚有害之直接的实例，则亦非易易。近亲结婚，并无显然有害之实例。即父女、母子、兄弟姊妹不正之关系，其有害之结果，亦非必即刻可知。从父兄弟姊妹与从母兄弟姊妹之结婚，虽与吾人以可研究之机会，然据以前之观察，则其结论尚未判然。唯古今论及此事者，其中有多数之能人，无不谓此种结婚，为不利于生育，而吾人至今尚未见反对此说之科学的论证。从父兄弟姊妹结婚之有害，于野蛮之人种较为显著，因其竞争甚为激烈也。至文明社会中家资充裕之人，则其害不若斯之著。而此种结婚，多出于此阶级之人，此吾人所当记忆者也。

由以上所言，吾颇信近亲结婚为多少有害于种族。于是，人类之厌恶亲属相奸，可以说明之矣。人类非必常觉近亲结婚之恶影响，然天择之法则，必有作用行于其间。吾人类之祖先，亦如他种动物，必有无问亲疏互相婚配之时，然其间必有互异之情事。而两性之冲动，尤因人而不同。或与亲者为婚，或与疏者为婚，有生存而传种者，有数传而衰亡者。于是，厌恶不正结合之感情，以渐而强。此不以厌恶近亲结婚而现，而以厌恶自与幼同居之人结婚而现。而自幼同居者，常为骨肉之亲。此适者生存之结果。此冲动起于未有人类以前或起于既有人类以后，此则吾人之所不能臆断，然此必起于夫妇同居而子女生长于其膝下之时。而异族结婚，为此情之自然开展，又必起于众家族合为一部落之时，则可无疑也。

有反对余说者曰："若亲密之同居，引起亲属相奸之厌恶，则夫妇亦亲密同居，何以不生厌恶之心乎？"然此两者，实不能视为同一。余所言者，乃人厌恶与自幼同居之人结婚也。自幼同居，其初并无情欲之感。夫妇则不然，其情欲不以同居而减，且有以同居而增者。然夫妇之间，亦非无经永久之同居，而毫不起情欲且厌恶情欲之事。有人谓亲属相奸，全赖法律禁止之力，乃不知分别者也。法律但能禁止亲属之结婚，不能禁止其相恋之情欲。柏拉图曰："一不成文之法律，足以禁父女、母子、兄弟姊妹间之相奸而有余，盖无人发生如此之思想也。"因男女之欲于人为最强，故间有例外之事。然以其例外之少，足以证此种厌恶之情，确为人类之公性矣。

又有反对余说者曰："人厌恶与自幼同居之人结婚，其说若确，则非亲而自幼同居者，亦同此例。何以前者视为相奸，而后者则否耶？"此当视其亲密之度若何。若如论者所言，引法人多与自幼同嬉游之女友结婚为例，尚不甚合。以余之所信，则义兄弟姊妹之结婚，其厌恶亦与亲生者无异。多数之人种不以如此之结合为然，且有实行禁止者。即同校之男女学生，亦有不愿互相结婚之事。芬兰某女校长，从事教育者多年，其所言甚有趣味。一青年曾向之言曰，彼与彼之同学，无人愿与同校之女学生结婚。余亦曾闻一少年言，彼分别同校之少女与他处之少女，谓后者乃真少女也。义兄弟姊妹结婚之不自然，既若此矣，然同产之结婚，实尤为使人厌恶之事。故此事之禁止，自昔已然，习俗斥之，法律禁之，宗教戒之。而义兄弟姊妹之结婚，则不甚为人所注意。厌恶亲属相奸之情，更有神道之思想寓于其中。关于生育之事，昔人视为神秘。古代有一种人，以亲属相奸为大罪，谓如此则将生一畸形之怪物。又有一种人，亦有同一之思想，谓此乃祖先之罚也。苏门答腊有一种人，谓久旱为从兄弟姊妹相奸之所致。又有一种人，谓亲属相奸，常引起可惊之灾变，如地震、海啸、火山爆裂等是也。世界宗教，无不禁止亲属相奸。而在基督教国，则此等案件，归于宗教裁判。

不仅在一小范围之内不许互相结婚而已，此外更有一大范围，不许结婚者。此范围之广狭，亦以种族而异。无论何人，不愿其部中之男子或女子与他部之人结婚。若他部之程度较低，则此情尤甚。罗马人不与野蛮人结婚，曾有因此而处以死刑之事。今日欧洲之女子，若与澳洲之土人结婚，必见弃于其族类。多数之种人，唯于其部族之内结婚，于印度可多见此例。古代之秘鲁异郡异村之人，不许结婚。与外国女人结婚，为雅典人及斯巴达人之所不许。罗马人若与无罗马公民之资格者结婚，则其婚约为无约，其所生子女，但可认为私生。

禁止结婚之事，又行于同社会中殊异之阶级。试举数例以证明之。布拉济尔之野人，以自由人与奴隶结婚为非常可耻之事。在达希弟若有身家之女子，择一下贱之人为夫，则杀其所生之子女。在马来亚欺配拉果异阶级间之结婚，为社会之所不许，或为法律之所禁。在印度喀私德相异之人互相结婚，昔日事属可行，今则全然禁止。在罗马铺勒彼安人与拍特立先人初不得互相结婚；直至纪元四百四十五年始解除此禁。拍特立先人与克林特人亦不得相互结婚。昔瑟洛亦不以因子努易人与自由人结婚为然。在昔时条顿民族之中，如自由人与奴隶结婚，则其人亦变为奴隶。在十三世纪之时，日耳曼女子若嫁一农仆，则已亦失其自由。在德意志与瑞典、挪威、丹麦等国，贵族高出于平民之上。若贵族与平民结婚，则视为不正之结合。照今日德国之民法，若贵族与平民之女结婚，其妻不得有其夫之爵位，且其妻与其子女，无完全承袭财产之权。虽此种类之结婚，不必有法律之禁止，然风俗习惯自然避忌之。结婚之范围，多以时尚及偏见而定。此事在英国但有细微之痕迹，然亦非全不可寻。在美国则尤为显著，因有白种与黑种之界限也。在德国则如上所述，有因此种结婚而丧失一部分之权利者。法国宪法，虽以平等为主义，然亦有自然之阶级，属于不同之阶级而互相结婚者，虽非无之，然亦甚少也。

宗教亦每为通婚之障碍。在回教之国，不许教内之女子与信奉基督教之男子结婚。教内之男子，则可与信奉基督教与犹太教之女子结婚，而不可与此二教以外之人结婚。此等结婚，必须其人对于所欲结婚之母子有强烈之爱情，又于其教内无他途可以得妻之时始为社会之所许。信奉犹太教之人，不许与教外之人结婚。在中世纪，基督教亦禁止教内之人与信奉犹太教者结婚。保罗曾言，耶教徒无许与异端结婚。达透廉谓如此之结合为奸淫。在四世纪，爱尔威拉议会禁止为父母者嫁女于异教徒，即属于基督教中之各派者，亦不许通婚。旧教新教，皆曾有此禁令。在今日则此种通婚，无论新教之国与旧教之国，皆不为民法所禁。唯希腊教国，则仍有此种教宗上之禁令，而国家亦认此禁令为有效。

同部族结婚之规则，起于人有轻视异种、异国、异阶级、异宗教之人之心。人若犯此规则，则伤其部族以内之人之感情。彼不独自贱其身而已，其所蒙之耻辱，乃累及于全部。与异部族之人通奸，其罪较轻，而与异部族之人结婚，其罪尤重，因其以平等相待也。一旅行之人言曰，在第吉达地方，淫风流行。然其地之女人，宁受欧洲人或突厥人之金而失其身，而决不肯与之结婚。盖彼等视如此之结婚为非常之耻辱也。在罗马，自由人与奴隶可以同居，但不能结婚。即在欧美今日之社会，若一贵族蓄一品格低微之人为外妇，而不以之为妻，则人亦不甚恶之也。

现今之治化，使人类之隔阂，渐以消除。种族、国籍、阶级、宗教之殊异，不复如前日之妨碍亲交。同部族结婚之规则，非如前日之严重矣。不许结婚之范围，日益缩小；可以结婚之范围，日益扩张。此事于人类之历史，有极重要之关系。禁止异部族间之结婚，本起于藐视异部族之感情，而因有此禁止之故，此藐视之情乃益增长。反而观之，此种禁止之捐除，其有益于人类相互之感情，可断言也。

非特择配之标准而已，即结婚之方法，亦遭遇不断之变化。今日世界之一部分，犹存掳妻之习。即文明社会结婚之仪式，犹有掳妻遗迹之可寻。可知太古之时，此事必尤为多见。此事之起源，一则因厌恶与亲近之人结婚。一则未开化之人，非用强力，不易有获妻之机会也。此事当起于已有家族之结合而尚无交易之习惯之时，唯吾人以为无论何时，此必非唯一获妻之方法。谓人类有一时代，家族之间，全不知商量嫁娶之事，此则吾人所不能信者。男子

结婚论

入赘妻家,今为多数野蛮人种之俗,此事固起于甚早之时代也。

现在,许多浅化人种之中,娶妻之时多备赔偿。其最简单之法,则以己家之一女子,易他家之一女子是也。此事盛行于澳洲土人之中。又有一法则,以人工易之。男子先服役于女父之家,以一定时为限。然最普通之法,则纳一定之财礼于女子之父,或并及其伯叔与他近亲。以交易或买卖而结婚,不仅行于程度低下之民族而已,即文化已开之民族,亦尚行之,或曾行之。如中亚美利加与秘鲁、中国、日本、塞米第克种族及古代之亚利安种族,皆可发现此事实。吾人尚无此事为人类进化必经过之阶级之证据。吾人于所熟知今日尚存程度最低之种族中,未见此俗之存在。然吾人可言以捕虏而得妻与以买卖交易而得妻,乃人类历史中所经过之一阶级。虽然两种获妻之法,或同用于一时,而前者必较先于后者,亦犹交易之必后于劫掠也。由掳妻而进于买妻,其间亦经几回之变化。其初则为诱逃,或惧女家之报复,而以财物偿之。其后乃先进财礼而后娶妻,其财礼则所以偿其父养育此女之费。昔人视己女为其财产,若未得所有者之承诺而娶去之,则等于盗窃。故嫁女而索赔偿,乃父之权利也,抑父之义务也。哥伦比亚之西印度人,以无偿而给女于人为莫大之耻辱。加利福尼亚有数种人,以未得财礼而嫁之女人所生之子女为无异私生,其一家皆为众所不齿。

及治化之进,买妻之习遂以捐除,至视为极不名誉之事。富家开其先,贫人踵其迹。印度古时,买妻之事行于两喀私德之中。其后,上等之两喀私德禁止之,然犹行于下等之两喀私德中。至其后,则法律全然禁之。其法律之文曰:"守法之父,不得因嫁女而取丝毫之财礼。若有人因贪而取财礼,是自卖其骨肉也。"希腊人至有史时代,已弃去买妻之习。罗马人亦自最早之时代,捐除此俗。

日耳曼民族自信奉基督教以来，始无复买妻之事。中国人娶妻，亦有聘礼。此固无异买妻，然彼等决不肯承认聘礼为卖女之价值，是亦以卖女为可耻之事也。

买妻之习，其变也出于二途。其一则唯寓买卖之意于结婚仪式之中，或为礼物之交换。其二则买妻之价，变为给予新妇之资，或由其夫给之，或由其父给之。此种给予，含有种种之目的。盖妇亦如其夫，有供给一家费用之必要，且宜预储一定之资，以备万一有夫死或离婚之不幸。在人类文化进步之历史，奁资实为一重要之作用。人类不仅有掳妻、买妻之时期，且有一时期，为父母者负给其女以奁资之义务。在犹太教与回教，以给予奁资为为父母者宗教上之义务。在希腊，则以有奁资与否为妻与妾之区别。以撒乌斯曰："有礼之人，必给其适正之女以其资产十分之一。"在亚里士多德时代，斯巴达土地五分之二属于女人，以当日嫁资甚厚也。罗马较希腊尤甚，非有奁资者，不得为法律上之妻。其后，就斯第严虽谓给予奁资仅为有爵位者之义务，然古来之习惯犹存。普鲁士田地法，载为父者、为母者，宜预备嫁资，使新夫妇得以维持生活。而照拿破仑之法典，则为父母者无必与其女以嫁资之义务。此主义乃今世文明各国之所采也。在近日诸拉丁民族之国家，虽仍有厚给嫁资之倾向，然反对此事之学说，亦渐有势力。在现今之社会，法律上唯许一夫一妻。长成之女子，多于长成之男子。男子多不愿结婚，而结婚之女子，多喜为怠惰之生活。处于如此之社会，嫁资乃父母为女购买一夫必不可少者。一如昔日之社会，男子以资买一妻于其父之手也。然婚姻之事，而以资财之计算杂于其间，无论得资者为何方面，皆为不雅之事，此决非情操发达之人之所好。故在程度高尚之社会，嫁资亦渐以捐除，亦如买妻之值，渐不用于开化之民族也。

多数之下等动物，恒以一雄一雌或一雄众雌为其配合之原则。至人类则有种种不同之结婚形式，有一夫而配一妻者，有一夫而配多妻者，有一妻而配多夫者，更有多夫而配多妻者，此则极少之例外而已。

诸种结婚形式之起源，男与女人数多少之比例有密接之关系。一妻多夫，必起于男子之数多于女子之时，又必其他之情形，有足以助成此俗者。盖必其男子妒忌之情甚弱，此要为普通人类之所不常有。马克连南氏谓此事流行于幼稚之时代，然无确实之证据，且似必稍经开化，始能有此，于最低之野蛮民族中，尚未得有可信之实例。在一妻多夫之家族，其为夫者多为兄弟，其长兄往往有优先之权。此事似起于长兄友爱之情与诸弟切迫之求，因女人难得，舍此法将以独身终也。若此后再得一妻，彼等自然视为公共之所有。托塔式之集合结婚，盖始于此。一夫多妻，亦与男女人数之多寡有关系。在印度各地方，一妻多夫，多行于女少男多之地。一夫多妻，则行于男少女多之地。凡未受基督教影响之地方，若男少女多，恒有一夫多妻之俗。但此亦不过其多数原因之一耳。

人之乐有多妻也，有种种之理由。在一夫一妻之制，其夫不免时有绝欲之事，非仅月有定期而已，即怀妊之时，乳哺之时，有因习俗而须异寝者。且妇人得其夫之怜爱，恒在年少貌美之时，而野蛮社会之女子，较文明社会之女子尤为易老。不独此也，男子之于女色，又有厌常喜新之情，亦如人之频食一物而生厌。又人无不欲其子孙之众，财产之殖，权力之强。妻之无子，为另择一妻极普通之理由。古代印度有多妻之俗，实由于其人有乏嗣之忧。即今日在极东，犹以愿望多子之故，有多妻之俗。多妻则子众，子众则势强。

在昔日之社会往往唯恃己之眷属为己之援助。若其社会无奴仆之存在，则可为己之奴仆者，妻以外唯子而已。且财产之殖，有赖于多妻者甚重，非徒为其能生育，抑亦为其能工作也。若不有奴仆，又难得雇工，则人之欲多得仆者，唯有多得妻之一法而已。

然人虽愿有多妻，而有多数之社会，实行禁止此事。即在可以多妻之社会，能有多妻者，亦限于少数之一阶级。此固与男女人数之多寡有关系，此外更有其他重要之理由。若女子之工作有限，而男子之资产无多，则势不能供给多妻之费用。若女子之工作颇贵，则购之之价亦增，非富有者不能任之。此外更有生理上之理由，若娶妻专取美色，爱情固难于久长。若相互之间有同情，则色衰而爱不必弛。且爱情贵于专一，不欲他人分之，此人类之公性，虽野蛮人亦有此倾向。且尊敬妇女之情，尤足为多妻之梗。女子每多妒忌，恒愿独为一家之主妇。若女子能有权力及于其夫，或男子有仁爱之德，不忍伤弱者之感情，势必为一夫一妻之制矣。

一夫多妻，不多见于极低之野蛮社会。在如斯社会之中，虽有战斗，而男女之人数不甚相差。其时之生活，多资狩猎。女子之工作，无甚价值。财富之增殖，亦不甚巨，且无阶级之区别。此其所以多妻者少也。稍进步之野蛮社会，则较多一夫多妻之事，然多采严密之一夫一妻制。布拉济尔林中之种族，多仅娶一妻，加利福尼亚多数之种族亦然。此乃世界最低之种族也。在威达人种之中，与安达曼岛人之中，守一夫一妻之制甚严，无异于欧洲之人。卞尼可巴之土人，唯有一妻，视不贞为莫大之罪。苦去斯之种人，多妻、多纳妾，皆所不许。印度中多数种人，虽不明禁多妻，然舆论不许之。哀马在地方之卡伦人，在印度支那之种人，在马来半岛，在印度亚欺配拉果，一夫多妻，或为犯禁，或乃未闻。山中之第亚克种人，只许一妻。其酋长若犯此禁，即失其所有之权力。在澳大利亚洲，亦有纯然一夫一妻之种人。试举一例，如哀利亚种人，多妻为法律所禁。此禁起于白人未到以前。一夫一妻，似为吾人类祖先之公例，即近人之猿亦然。达尔文谓果利拉以一牡而配众牝。然多数之学说，则反对之。哈特曼博士曰，"据极可信据之学说，果利拉常一牡一牝同居，附以年齿不齐之幼者。"及社会之文明，达一定之程度，始有一夫多妻之事。及其再进步，乃复为一夫一妻之制。在进步之种族，战争大减，男子之死者不多，男女之数，相去不远，又无妇人怀妊与乳哺之时不便同居之迷信，及牛乳用为饮料，而哺乳之时期愈短。有修养之人，不以年少貌美为唯一之好尚，而因文化进步之故，貌之美又可久延。多子之欲望，亦不如前日之甚。子孙众多，不足为生存竞争之助，反为不可堪之负担。人不念倚其亲属为助，其财富与权力并不赖其妻与其子人数之多。妻不复为劳作者，多数之工作，以牛马或器具代之。且男女之爱情益进于纯洁，而钟爱于一人，更为可贵。女子之感情，愈为男子之所尊重。女子得受良善之教育，彼不借丈夫之助，亦可以自由生活。

当论各种结婚形式之价值，吾人有不可不注意者，即在一夫多妻或一妻多夫盛行之种族，亦有一夫一妻之事，为习惯或法律之所许。不过或以财产之计算，谓一夫一妻者为卑贱而谓一夫多妻者为可羡而已。有谓一夫一妻为唯一之正当结婚形式，其余皆为不道德者。此观念或全由习惯之势力，或因有人拥有多妻，遂使他人难于得妻，或因一夫多妻，有害女子之感情，或以为此乃好淫也。至基督教以一夫一妻为应守之义务，则因此教初行之诸民族，一夫一妻，乃社会所认可唯一之结婚形式。又因此教蔑视两性之冲动，而以奸淫为大罪之故也。观昔日之教会，不尊重女子，而大忌邪淫,可以思其故矣。

　　澳大利亚居民结婚之习惯,又有当费数言者。在多年之前,于南澳大利亚有一事,引起世人之注意。彼地卡密拉落伊诸种人分为四阶级,各阶级中,男女又各为一团。一阶级中之男女,不得互相结婚,而限定与其他一阶级之人结婚。甲阶级中之男,必配乙阶级中之女,丙阶级中之男,必配丁阶级中之女。以此类推。尚有一说,谓某阶级中之男子,视某阶级中之女子,无论何人,皆为其妻。此非由于个人之契约,乃法律之组织也。如甲阶级之男子遇一属乙阶级未曾谋面之女子,彼等相呼以配偶。又如甲阶级之男子遇一乙阶级之女子,虽此女属于他种,彼得视之为妻,而此权利当然为此女种之人所公认。一群之男子,以一群之女子为妻,如此之组织,菲孙氏谓之集合结婚。彼谓在南澳地方,此种结婚之制,近已渐变为个人结婚,唯理论上仍以结婚为公共之事。盖一种中一群之男子,应与其种中一群之女子之同世代者结婚,此立说之根据也。菲孙氏所据以证其学说者,为此诸种人所用之称呼。然彼言此诸种人实际之习俗,非必恰如其称呼之名。现在之习惯,实已进于其所用之名词。此等名词,乃古俗之遗物,非现今之实事也。哈尾特氏亦同此说。虽然,吾人若因此等名词而推想最初之习俗,最易陷于误会。盖虽今日彼地属于甲团之男子呼属于乙团之女子为妻,非必昔日属于甲团之男子婚于属于乙团一切之女子而毫无分别也。盖彼等相呼为配偶,乃为表示其可以互相结婚之资格,而与其他不许互相结婚者之关系大不相同。哥林登博士述美兰西人之事,可以为此说之佐证。其言曰:"普通言之,对于一美兰西之男子,可云一切女子之属于同世代者皆其姊妹也,或其妻也。对于一美兰西之女子,可云一切男子之属于同世代者,皆其兄弟也,或其夫也。此非谓一美兰西之男子，视一切女子不属于其本团者实为其妻，或认己为对于此等未婚之女子有如此之权利。唯足以见女子之可以与彼结婚者，与女子之不能与彼结婚者，对于其人之关系大不相同而已。"

近日斯宾塞尔氏与吉伦氏，谓上文所言南澳结婚之习，今行于中澳。彼等以为此习乃真正集合结婚晚近之变形。彼等以为在于今日，妻固属于个人，然在于昔日某一定之时期，则夫妻之关系之范围遥广今。制不过为昔制之变形而已，然此法则有一例外。在乌拉奔拿种人之中，集合结婚，乃实存于今日一群之男子。在通常之情形，与一群之女子有夫妇之关系，非仅虚名，乃为实事。于此乃不见个人结婚之存在，不唯无其实，抑且无其名。虽然，即在乌拉奔拿种人之中，每一女子为一男子之洛拍（犹言正夫），而其匹朗甲洛（犹言副夫），对于彼女，不过有副贰之权利。若正夫在时，则副贰之诸夫，必得正夫之承诺，始得与彼女交际。然则乌拉奔拿如此集合结婚之俗，果为真正集合结婚之变形否乎？（此所谓真正集合结婚者，乃属于某团一切之男子，对于他团一切之女子，有同一之权利之谓也。）基于此事实而为推论，乃甚为危险之事，欲决某种习惯为古代之遗物与否，实有甚难者。吾人可于一妻多夫之制与一夫多妻之制，发现与乌拉奔拿集合结婚之制相似之变形。在一妻多夫之家，恒有一人为正夫。在一夫多妻之家族，亦恒有一人为正妻。吾人不能想象在未有此等结婚形式之前，有人人平等之事。而因正夫、正妻有优先权利之故，反可证未有此制以前必为一夫一妻之俗。乌拉奔拿之俗，亦未必不由个人结婚变化而来。其起源或由于澳洲之土人，难于获妻之故。凡人类学者所举澳人近似集合结婚之事实，其真正之意义，甚不明了，或者以为有神秘之意存于其间。然谓其为集合结婚之遗物，实不过揣测而已。

斯宾塞尔氏与吉伦氏所举之事实，与其对于我不信菲孙氏集合结婚之态度之批评，犹不能使我信南澳奇异之个人结婚形式为出于昔日多夫多妻之制。即哈尾特氏最近之论著，关于澳洲东南之土人，亦不能证明其曾有如此之发展。彼责人不信其人类学上直接之经验，然直接经验之知识，与对于此经验之解释，要非同物。即让一步谓澳洲之土人有集合结婚之事，亦不能证明人类全体皆曾有此习惯。此则余之所信也。

夫妇同居时期之久暂，亦大生差异。有时虽名为结婚，而时期甚短，几不足称为结婚者。亦有同居到老，非死不相离者。在原人时代，夫妇之关系，或至生育之后而解，而此关系或延长至数年之久。及文化愈进，而夫妇同居之时期乃愈延长。当进化之初期，妇人以能工作而益为可贵。故于幼年与美貌之外，更加一层亲密之关系。而买妻之价与陪嫁之资，又有以坚固其结合。且对于子女深切之爱情与长久之计划，尊重妇女之心与纯洁之恋爱，皆足以增长其固结，遂至于永不相离焉。但吾人不能预想后日离婚之事，较之今日欧洲诸国将愈少而愈为法律所限制。欧洲基督教国之离婚律，源于宗教之理，以施之法律，大不合于普通人民之心理。罗马旧教谓婚约为不可解者，及宗教改革，人民于此一事，始多自由之余地。而近今之法律，乃更有进于此者。在欧洲大陆诸国，离婚之条件，可适用于女子者，亦可适用于男子。唯英伦不然，男子但犯奸淫，非有他罪，则其妻不得请求离婚。在意大利、西班牙、葡萄牙，如妻犯淫，则当离婚；若夫犯淫，则必有甚可恶之情事，离婚之条件始为成立。据此等法律观之，夫妇之关系，犹非全然平等之契约，但事实虽不平等，而人类之理想，则以为当如此。若夫与妻皆愿意离婚,则母家亦不宜干涉之,唯不得令所生之子女失所而已。即为其子女计,与其长养于不和之父母之膝下,反不如归于一人之监护,较为妥适也。

(第五卷第三号,一九一八年九月十五日)

协约国与普鲁士政治理想之对抗

陈达材　译

美国韦罗贝博士在国际研究社之演说

　　此次大战争,其关系所以为非常重要者,不特以其结局为多数国家运命之所系已也,抑以此为双方政治之理想与实施互争胜负之所在。其利害得失,将遍被于人类。故其影响所及,不特交战国首先蒙受,即其他各国,或出于便宜,或迫于事势,名义上今尚守中立者,亦将不免。此次战争,诚文化兴亡之枢纽也。

　　政治之实施与理想,二者相系而不可分,因今次战争而益著。盖凡人于一己所为必力求证其所是,饰其所非,冀以慰藉己心,而求他人之尊崇,理性使然也。此于个人有然,于国民亦有然。每见国民对于其所行政策,凡苟可以资辩护证明之学说,无不力为援引,发挥而张皇之,此可证矣。

　　抑有所不幸者,则国民个人皆常为私欲所驱使,于所著述学说,辄掺以自利之私遂至前提谬误,结论之流毒无穷。今日普鲁士所自作之政治理想,正坐此也。及假其理想,发为残暴之行,乃得中欧各国民之援助。若夫土耳其、勃尔格利亚诸国政府嘉纳此种之实施，固亦无足怪也。

普鲁士之政治理想，兹限于时间，谅不能详为讲述。今将其立论之前提，与其大旨之为世界公德所不许者，说明于后。普鲁士政治理想之前提，谓古今事物有一至理之存在。即人事之发生，必有一目的或策划潜为指挥。此种目的策划，随各人观察而殊。神学家见之，则谓之为神意之实见；理学家见之，则谓为天理之发生。而其为物，与生俱生，人群所不可须臾离也。黑格尔（Hegel）倡导于前，普鲁士政治学者附和于后，谓神意天理所示之正鹄，人类固当悉力以赴之。然于此人群之中，有能有不能焉。其能者，非特有率不能者以赴之之权，且有率不能者以赴之之义。在昔希伯来、希腊、罗马尝以其一己特有之文化贡献于世界，此皆以能者率不能者以赴之之证也。至于今日此种传播文化之大任，将属于条顿民族，而普鲁士人实为其领袖。故载其一己特别文化（Kultur）播之世界，普鲁士人当自负之矣。此普鲁士之理想也。

普鲁士政治理想既如上所言，至其实施，皆委之强有力之国家机关，故其国家组织，以武力与专制为基础。国王对于王位，本于一己之权，以为承袭国王之权力。除一己所加之限制外，不受拘束。国王之行为，除对于万能之上帝外，不负责任。凡此，皆予国家机关以莫大之权，所以利其政治理想之实行也。

由此观之，此种政治理想，其前提，乃国民自傲自利之表示；其结论，为人类幸福之蟊贼；其实行，为正人君子所深恶而痛绝。自开战以来，人所共见，无待鄙人喋喋也。

夫普人自认条顿民族独为上帝所眷顾，而赋予优良美善之文化，可以强他人以接受，虽迫以武力，亦不为过。此种立论，无异将国际平等之义取消，而不认国民于国体、政体、文化三者有自行决定之权矣，夫国民自宝爱其固有之文化，不肯舍己从人，非特于理无悖，抑且有可嘉赏者。苟普人仅谓一己固有之文化胜于他人所代为移植者，所言止此，吾人诚不敢非难。盖自有民族，如可以以其特有之文化与理想生存于世，则吾人殆可证明民族各有其适宜之文化。盖一民族之理想，常与其生生之道相应；一民族之特性，常与其合理之需要相须矣。至于其民族之理想与特性，若由于社会之陶冶，与个人之鼓铸而来，而非由于少数执政诸人之制造，则其相应相须，更可决也。

夫一国对于他国固有之政治制度，与固有之风俗习惯宜令其随志所愿，以定趋向。此为吾人一般之通义，而非可为德国人言也。德人自命为真正文化之民，非他人可及，不认他国国民有自决之权。且更进而谓德国政治势力前进之际，他人有当之者，则国家主权与独立之权利可以忽视，而个人生命与财产之权利可以蹂躏也。

协约国之政治理想，大异于此。其视各国国家为法律上、道德上之人格，彼此立于平等地位，互尊重其主权，不以大小强弱有所轩轾。对于他国内政，若非有大违正义人道之事，则彼此各行其是，不相强也。虽然，此非各国宜彼此分离，休戚无关之谓也，乃彼此互助，善意相维之谓。换言之，各国宜组织一真正国际团体彼此互享其利之谓。夫唯如此，而后国际法得以存在。盖法律存在之前提，在乎彼此权利义务之与共，与利益之交享也。返观德国视国际条约如废纸，等国际法于弁髦。正义人道，乃各国所常存，彼则违背之而不顾。德人所以如此者，盖由于彼国国际法学者之学说，无有可为正义人道之援据也。要之德国之国际学说，实持国际专制主义与协约国之国际平等主义相反。其国际政策，不本于友谊，而本于武力，本于趾高气扬普鲁士之武力。

据普国政治学说所论，国际常态，非为敬重而为恐惧，非为和合而为竞争。故谓暗斗明争之可颂扬者，不特以其可使国家最高权之实见，且以其为发育个人天能之不可缺。德国学者多赉乞克（Treitschke）有曰："上帝常留意于战争之将至。"又曰："永久和平之理想，非特不根，抑且不德。"哲学家尼采（Nietzsche）有言："和平只为战争之导线。"德意志青年（Jugend Deutschland）与童子军之组织相似之机关报对于德国少年之宣言曰："人类活动最神圣最高尚之表示，莫若战争。"

由此观之，德人既自夸为文物之邦，非他国所及，因而对于因他人权利所加于己之约束，遂亦认可以自由出入。此种理想，实源于历史哲学。盖德国政治学者视国家为神奥之物，为超然之物，自有权利，自有目的，自有达其目的之手段。因而国家之权力，非吾人所言主权在法律上之绝对权与最高权，而为一种命令权。命令一发，内而本国人民，外而他国国家，不能执道德以议其后。此种解释国家之性质与根本，不外一种单纯之武力而已。德人之立论如此，盖由于执尼采为个人立言之"自强"（Will to Power）一语，以用之于国家政治也。德国著名学者多赉乞克有言，"自奋者无敌，懦弱之罪恶至危亦至可鄙，实为政治上不可逭之罪恶"是获罪于神明也。由多氏所言观之，弱小国家之权利，虽至要求强大者之矜怜，亦不能有国际上之义务。历数百年之履行，经各国之同意，又有正义人道以盾其后者，亦尽可以捐弃。而国家之言，虽严重说明，有如盟誓，而事机一至，即可反汗也。准此以谈，国家所为，若出之国家之意，虽穷凶极暴，不得谓之为非；虽于实际有损而无益，亦不得不谓之为是。然则国家之事无是非,第问何者为其所欲,何者为其所令,足矣。

关于国际方面之政治理想,德国与协约国之比较,已如前节所述。其关于国内方面者,虽属内政问题,然与他国亦有密切利害。盖德国国家先在宪法上有如此之权力,如此之组织,然后能邀国民援助,而肆其侵略政策,且德人常欲将其一己之政治理想与制度加之被屈服之外人,此非德国一国之事,较然可知矣。兹先将德国政治之优长处略述之。

普国与其他帝国联邦之各国,皆以立宪主义为治。政府之权力,为法律所规定,官吏之行为,亦严守法律之所约束,与欧美各国原无有异。人民之生命财产受法律之保护,无私人与官吏欺凌之虞,亦与各国相仿。平情言之,普国官吏违法之事,或较诸协约国中为少也。

普国行政一端,成绩甚优。关于改良人民生活与工作状况之立法,亦完善而美备。各级教育,自小学至大学,皆由国家特别培植。至于工商事业,与工业之依赖技术而后能立者,尤奖励提倡,不遗余力。凡此种种优长之处,吾人当赞颂之而不敢非难者也。至其短处,今将以其余时而略论之。盖此种短处,非仅德国之不幸,实全世界之不幸也。

德国政治,性质上虽属立宪,然其根本之旨则国王以其属人的世袭不破之权以为统治一切法律政治权力之源出自王意。关于此点,普国国法学者之意见殆同然一辞。国法学者拉般(Paul Laband)所著《德意志帝国国法学》有言:"国内之意思,无有高于国王意思者。国王意思,为宪法与法律之效力所从出也。"然则普国之宪法,非本于法定之民意,而出于王意。观其宪法绪言,可以知矣。

其绪言有云,"朕威廉以上帝之眷佑普鲁士之君主,将下列各项特公布之。"

今试观比国宪法有曰,"一切权力,本之国民。"曰"此种权力之行使,以宪法定之。"又曰,国王之行政权"须受宪法规定之限制"。中华民国临时约法亦曰,"中华民国,以中华人民组织之。"曰"中华民国之主权,本诸国民全体。"美国宪法绪言亦云"我等合众国人民制定此宪法"。而法国宪法之制定,一本之民权主义,此则与普国宪法比较,其相悬之远为何如耶!英国王位虽累世相袭,然自一六八八年以来,王位继承之权,决属于议院。换言之,即属之国民代表之意思。而宪法上之习惯,积久遂成国王服从立法之主义。国王理论上所有之权力,唯视立法机关之意思以为行使。盖此种立法机关,二百年来已认为有议决王位继承之权矣。

普国国王统治之权,虽为属人的世袭的,然若仅为理论上、法律上之意义,则无重大关系。即为实际的意义,若国王于其权力之行使允以民意为依归,而负一种道德上之责任,则亦无重大关系。顾普王之权力,于斯二者皆非其类也。普王尝言,一己以统治权,乃上帝所亲授,故唯对于上帝而负道德上之责任。又于一八九一年二月廿日在柏林宣言曰:"吾之地位与职务,乃上帝所委派。吾今奉行上帝之命令,吾且行将对之以负责任。"又于一九一〇年八月廿五日在哥尼斯堡(Königsberg)宣言曰:"吾祖曾以一己固有之权利自行加冕,并自证其冕之给予,乃本之上帝之意,故彼视一身为上帝所特选之代表。吾今亦视一身为上帝之代表,今日之公论公意如何,吾所弗恤,吾唯行吾所行而已。"

战争前,普王曾向东部军队布告有言曰:"上帝精神,今降于予身,因予为德人之皇帝也。予今为彼之代表,彼之剑,彼之代理人,凡有拒予意思，疑吾职务者，当敌视而歼灭之。呜呼！德国国民之公敌，吾务必使其澌灭以尽，此上帝之意。今托于吾言，命汝曹实行之也。"

普鲁士王对于国家政策，有绝大操纵之权，与比英意诸国国王大异。而普国视为事物之当然，不以为怪。且其宪法之制定，亦斤斤以此为主旨，既如上所述。顾何以对于帝国政治亦能操纵之耶？普鲁士兼德皇之职，以职权而论，其独立自行之权无如是之广；以身份而论，其左右政治之力无如是之宏。帝国皇权，在宪法上多属之各邦代表之参事会。然德皇所以能操纵帝国政治者，在联邦参事会之议事，普国委员实司其枢。普国委员之进退，普王实操其柄。故德皇以兼有普王权力之故，遂得操纵帝国之政实。德国人民对于德皇之言行，深怀不满，非以其展发个人之势力，乃以其假宪政轨道外之途径也。

据德国帝国宪法，帝国被他国攻伐时，德皇其自行宣战之权。若攻伐他国其宣战权唯属之联邦参事会。此次战争，德皇不提交参事会议决，即行宣战，以受他国攻伐为解。此殊与事实相背，即德亦认为舛谬。而德皇竟断然行之而不顾，实无异以一己之命令，使帝国各邦相从于空前之大战也。

在真正民主国，国民意思，借所选举之代表为表示，因而对于国家政策之决定与有大力焉。然德国之各君主国与此大异，普国尤然。其人民意思，虽可借国民议会为表示，时有几分重量，然关于国家政策之决定，则普王与其左右大臣实司最终与积极之枢。此普国执政所倡言，而其民亦安之，无异议也。普国国民对于一己之统治，操之何人，行之何若，与其政策如何采用，如何实施，固无道德的权力以为决定。即其学问甚高之人，亦不能借代表资格以操政治之中枢。由此言之,普国政治之决定与实施,与英法美诸国大有径庭矣。

吾人研究普王对于下议院之关系,而得特异之数点焉。(一)"政府"(即国王与其左右大臣,下称"政府"者准此)不特设种种方法以操纵议员之选举,且更以报酬压力诱引国会议员以拥护政府。此种举动,彼固视为正当而不以为非。(二)"政府"对于政党,常用捭阖手段时联彼制此,因而政府行事,遂得院中多数之同意。(三)英法内阁制度之最初步,所谓阁员对于国会负责之制度,普国尚未实行。德国学者论此种制度所以不见行之故,谓与王权制度不相容,可谓得其旨也。

(四)德国政府遇政策为国会阻挠之际,常不惜使用自由解散之权,以图政策之实施。乃观其改选结果,新国会常带政府之臭味。政府势力之强大如此,则王权制度为之也。昔首相比洛(Bulow)所著《帝国德意志》一书,常叹德国小党林立,眼光短小,常局于微小一隅之利益,或个人之利益,而乏宏廓之主义,因斥言德人无政治之能力。其言虽美,犹有未尽。盖德国政党所以不能发育为两三大党,而分裂为数多小党者,由于政府待遇之关系者不少。盖如社会党,专以帝国政治为务,在德国政党中可称强大。然其所以为强大者,乃人数之众,非势力之强,其在政党中,实立于特别地位,常为政府所监视。而在政府心目中,有如比洛所言为无存在权利者也。夫德国政府视社会党如仇雠,百计图谋欲拔除其会员以消灭其党者,无所不用其极。苟为事势所许出以武力,亦所不顾。(比洛之书于此次战争后再版时,已巧将此段删去。)究其所以召政府之忌,乃不在其党之法案与政府相违,而在其所持政治根本主义为德国王权制度不两立也。试细读比洛之书,则于上列数端可以释然冰解矣。

（五）德国政府,对于报纸,常严行监视。遇有攻击政府政策之论,动以侮辱皇帝之罪相加,借以钳制舆论。而政府又自行散布言论,潜移民志以制造舆论。故德国舆论几全在政府掌中,此亦王权制度特征之一也。

由此观之,普国政权,几全在国王与其左右大臣掌握,则国民议会将司何事乎？今考国民议会之职权有四:(一)报告政府。政府据其报告,可以察知国民之经济状况与其希望。(二)条陈。议员可以个人意见或团体意见资陈政府,以备采择施行。(三)评议。国会对于政府之政策与行为,得评其是非可否,以供众论。(四)否决。国会对于政府提交之法案,若根据宪法有否决权者,得以多数同意而否决之。虽然,即就此种消极之权而论,国会仅能将新法案否决,不能使已施行之法律失其效力以中断。其应需之费,倘其费原非出之国会之议决,则国王更可扩充必须款额,以利固有法律之推行。夫普国预算制度所以如此者,盖由于法律渊源出自国王意思,而国会无权以中止法律之实行也。

普国国会对于政府法案不赞成者,仅有否决之权,既如前述。至关于赞成之法案,所得参议者,亦限于实质的内容。而予此种实质的内容以精神使成为法律者,厥唯国王意思,此于法律公布以国王之名行之之一事可以见也。至于已得国会同意之法案,无论何时公布与否,当一任国王之意思,不待言也。

有一事足以使德国政治生活大异于英美法比意诸国者,则军人政治是也。德国军人,不特在社会上视为高级,且其长官于外交政策亦许其参与,甚至完全由其决定,此实颠倒军民两政之关系也。盖军备之设,原期保政策之推行。至于政策之采决,乃民政官之事，于军人无与。军队不过为政府之武器，政府之奴仆，只有服从命令，断无于国家大计得置喙也。故政治历史若不吾欺，则当武人放弃服从义务而相从干涉国政之时，其距危亡为不远矣！

普鲁士军队对于政府之命令，虽不能谓为有违抗之意，然以许其参与国政之故，遂致太阿倒持，流祸甚烈，此皆德人自取其咎也。盖德人重武功而轻文德，常视武力为国家之命。虽在平时，不惜虚糜巨费，创设大军，欲借此以行其侵略之志，遂致利令智昏，不知军备日充，适足以蹈弗戢自焚之祸也。

吾人于此，关于德国政治之性质既已述完。然则德国如此之政治，与他国有何关系乎？考之国际法，一国对于他国国体，无权干涉，此为一般原则。顾联军反要求普国政治大加改革，而自谓有合于公理者，何耶？此乃今次所讲述最终之问题，吾人所亟欲讨论者也。

德皇与其左右大臣对于所订条约，无信守之心。对于国际法所予他国之权利无尊重之意（如比利时固为永久中立，彼为达其一己之目的，乃破坏之而不恤，且加以重大损害）。妄以上帝之代理自居，一若一己所为皆合于理，借以簧惑国民而求其援助。且自视国家为超然神奥之物，以传播自有之文化为职志，而一己即为彼立法之喉舌，与执行之利器。然则普国王权制度，非仅为德国一国之事可知矣。故非将此种侵略主义与其主持此种主义之人渐为国人所鄙弃，则世界人民将无安枕之日。而联军与美国所以要求德人，于政治学说上与宪法实施上，所予现行政策种种利便之处须铲除净尽者，盖为自卫计，思患预防，不得不如此也。

协约国今次要求普国政治必须推翻者，非谓一国有权强输其政治理想于他国，即以此旨为根据也。盖恐普国专制政治不除，则国际条约将无拘束之效力，而德国国民将附和其主义与政策以妨害国际安宁，捣毁世界文化也。故联军与美国对于德国之处置，非使德国势力降至于不足以危害世界之程度，则必使此次妄用此种政治势力之人解除政柄。其所能采之途仅此二者而已。

夫协约国所要求，易词言之，皆可谓为一种民治主义之要求。盖在民治主义之下，智识发达之民，上无政府强输愚妄之思想，可以自由发表言论，以论政俗之是非，断未有能堪德国专制君主所立之政策托天命以行之者也。欲使民治主义得安存于世界，窍要在此。今日断不容此少数人眈眈势利，醉心神权，致世界汹汹，日在忧患中也。

夫普国于一己所持主义，既不惜用武力以加之人。吾人对付之道，唯有用更大之武力，使其主义尽归澌灭，勿为人患而已。此次战争告终，其疆土与国家损失之问题，姑不具论。必先于和约上使德国予受害者以相当之赔偿，且定条件，宣明德国此种主义为文明世界所不许，防其再发。对于此次战争，莫大之牺牲，相当之酬报，唯此而已。

（第五卷第五号，一九一八年十月十五日）

小小的一个人

〔日本〕江马修 著 周作人 译

这一篇从江马氏小说集《寂寞的路》(Sabishiki Mitshi, 1917) 中译出。本名 Tshijsaj Hitori，用英文译，不过是 A Little One 的意思；译作汉文，却很为难，变成了那六个生硬的字了。江马氏是新进作家，有人道主义的倾向。此外著作，有长篇小说《受难者》《暗礁》两种，又有《爱与憎》也是短篇小说集。

一日下午，工作到了两点钟，想要散步一回，便从家里走出。正在且走且想的时候，——这是我的习惯如此，——忽听得可爱的孩子声音说"再会"，随后便是得得的一阵脚步声响，一个五岁上下的小女孩子，从木槿编成的篱下走了出来。可是奇怪，我虽认不得他，他见了我，却立住了，笑迷迷地仿佛先经熟识一般，问道：

"先生，你到哪里去呢？"

我也笑着好好的答道：

"我散步呢！小姑娘，不同我去走走么？"

"一同去吧！"

我递过手去，她也欣然伸出她可爱的手来。但是这孩子怎么会同我一个面生的人，这般驯熟呢？——在儿童一面，大约也是极平常的事,不足为奇的。

正月末的道路,冰冻都融化了,泥滑滑得很是难走。孩子紧拉了我的手,才能走得路。

"姑娘叫什么名字?"

"我叫鹤儿(Tsurutan)。"

"几岁?"

"现在成了六岁了。"

"家在哪里呢?"

"就是那家!"

这人家的前面,我散步时候常常经过,曾有一两次,隔着篱听得琴声;但从来没有见过家族的影子。

"那就是鹤儿姑娘的家么? 那么,我是晓得的。"

"我也晓得先生呢!"

"晓得? 怎么晓得的?"我不觉出了惊,去看鹤儿的脸。鹤儿是一个大眼睛——几乎教人疑心她是患 Basedow 氏病的,红面庞,可爱的孩子,但一时总是想不起,曾在哪里见过。

"可不是,有一天你同一个更长大的书生,两个人都笑我么? 我还清清楚楚记着呢!"

啊! 那是了。我被她一说,才想到了。那时我同 K 君正谈欧战的事,在这街上散步,讲到战争的惨虐,不觉发了愤,我便说:

"战争的可怕,无论怎么说法,总说不尽。每天早上,翻开新闻来看,便是死伤几万几十万。你想,这样文字,亏他们还能毫不相干似的写出,印了出来。日俄战争的时候,我还在乡间,很有几次遇见这样的事,现在回想了起来。晚上家族聚在一处,都议论着,怕今夜又有号外。夜已深了,正要睡觉,远远的微微的听得铃声,叫卖号外的声音,渐渐近来了。我便走到街上,买了号外,急想看时,墨黑的一点也看不见,急忙赶到家里,家族的人也正等得焦急,把号外就灯光下一照,便突然现出一行文字:'我军大胜利,战死者几万!'那时候一种惶悚恐怖的心情,至今还不能忘却。你试想象看,眼前放着一万个战死的人,又要晓得这一个一个的人,都有精神感觉,各有完全的肉体和贵重的生命;而且各人必有父母,许多人还有几个兄弟,有妻子、本家、亲戚、朋友。你又假想,试去尝尝他们对于这不可动移的事实的心里的苦痛,正同夹在榨木里一般。或者有人说,这是极平常,又是一定的事,何必多说。但因为是极平常又是一定,这岂不更可怕么?譬如那个孩子,——我便指着前面走路的一个小女孩,接着说,那个孩子,我们不晓得她什么名字,单是才能说话的一个女儿罢了。但是人都晓得,无论活着或是死了,她总有父母,有祖父母,或有兄弟。这样牵连过去,远远近近,还有许多亲戚。如此想起来,就是我们眼前走路的那个全不相识的孩子,在人类的世界里面,实有复杂的缘,像网一样,同他系住。"

孩子回过头来,便对着我们笑,我们也便留心那边,将话打断了。我们也笑着问道:

"哪里去呢?"

"到小林先生家有事去。"

说了,孩子就跑了。一面跑着,一面还屡次回过头对我们笑。这孩子,就是我现在挽着手同走的鹤儿。我便对她说:

"鹤儿姑娘的记心真好呢!"我此时因为得了一个新的小朋友,心里十分喜欢;但我们一同走着,倘被鹤儿家里的人看见,岂不要疑我是拐子么?又不免略觉不安,因此便想到打听鹤儿家里的人的事情。

"鹤儿姑娘,家里时时在那里弹琴的,是鹤儿姑娘的母亲么?"

"是的!我母亲可是做针黹的时候多。"她忽然又说,"正儿(Matshan)现在才能放风筝了。可是要不是每天练习,也放不上,因为人还太小呢。"

"正儿是谁?"

"就是家里的正儿。"

"鹤儿姑娘的父亲每天在哪里办事呢?"

"父亲,他在美国呢!"

"阿,美国么!用功去的么?"

"到公司里去的。父亲到美国去的时候,我同母亲和正儿到横滨去送,还叫万岁呢。"

"这样说,鹤儿姑娘同母亲留在这里看家,可不冷静么?"

"祖父也在这里,没有什么冷静。"

"但是你不想同父亲见面么?怎样的人?记得么?"

"那是记得。头发分开了,戴着眼镜,很时髦呢!等我到了八岁,那时才回到家里来。"

"那么说,这几年里,鹤儿姑娘须得上学,上心用功才好呢!"

"可是,母亲寄去的信,都被美国的使女偷了,不送给父亲,所以父亲也没有一封回信,祖父同母亲正在那里生气呢。"

从天真烂漫的儿童口里,将一幅家庭悲剧,展开在我的眼前。我虽出于无心,但引逗孩子说出这样事来,自己也觉十分抱歉,仿佛做了一件恶事。我想以后不再打听她家的事了。但因此愈觉得她可怜,愿意永远做了朋友,尽力帮她。

我们走到一座土堆上,满生着枯槁的野草。我便蹲下,心里想着新相识的小朋友的事。鹤儿同我已经极熟了,就靠在背上,玩我外衣(Haori)的丝纽,又用她还未十分灵便的口舌,同我谈话。

"正月一过,我就要到别处去了。"

"哪里去呢?"

"到大阪去,随后又一直到马关。"

"母亲也一同去?以后不回东京么?"

"是的!"

我听这话,觉得非常冷静。好容易刚才认识了一个好的小朋友……

"鹤儿姑娘你高兴、愿意去么?"

"大阪我是晓得的。出了横街,不是拐角上有一间菜店么?我们的家就在那里。"

我不觉失了笑,答说:

"我可不晓得大阪呢。这样说,鹤儿姑娘可不是大阪人么?"

"是的。到大阪去,姊姊在那里,我可以和姊姊耍纸牌(Karuta)了。"

"姊姊还很小么?"

"她现在进了女学校了。"

"那么,鹤儿姑娘想必愿意早到大阪去了。马关也去过么?"

"那可没有去过!"

被弃的母亲带着这小孩,坐了长路火车,到海风猛烈的岛国尽头去,那孤寂的影子,仿佛在我眼前浮出,感着一种说不出的哀愁。而且从这样小的时候,不得不尝漂流苦味的,这孩子的运命也很是可念。

我想要回家的时候,看鹤儿意思,仿佛还要游戏,便约他到我的家里去。鹤儿也踌躇了一会,随后便一声不响,跟我走来,很有一副天真的自负的样子。似乎说：无论什么地方,我总一人去得。

回到家里,妻见我认领了一个不识的女儿回来,很为诧异。我将如何同她遇见,和她家里的事,极简的说了一遍,妻是本来喜欢孩子的,便很欢迎她。鹤儿同妻也立时熟识了。

"鹤儿姑娘的衣裳,都是母亲做的么？这针线真叫好呢！一定是个好母亲,想必是很爱鹤儿姑娘的！"妻这样问,鹤儿点点头,也不作声。此外正又要往下问,我因以前多问了几句,已极抱歉,便使个眼色,止住了妻的话。

拿出糕饼来,鹤儿很有喜欢的样子,却总不动手。妻拿了给她,就用两只小手,恭恭敬敬的接去,立刻吃了。

"现在刚才熟识了,却又要到远的地方去,真是无聊。"妻说这话,就显出真觉无聊的情状。"但如回到东京的时候,请到我们家里来玩！"

"几时回到东京来,虽然不晓得,但回来时,我一定天天到伯母家里来。"鹤儿也很伶俐地回答。鹤儿大约游戏了一小时,说要回家去了。我因为自己工作的关系,也不强留。妻将糕饼包了给她,又对她说："明天再来玩！""在这里的时候,天天都来！"鹤儿答应说,明天这时候再来。我送她到她家近旁,她并不回头看我,便急急忙忙地跑进去了。

第二天我同妻闲谈着鹤儿的事,等她再来,可是终于没有来。想必因为到了不认识的人家去玩,被母亲骂了,来不成了。第三天第四天,也没有来。那时我感了风寒,睡了十天左右。到得可以出外散步的时候,无意中走过鹤儿门口,却见那家已变了空屋,贴着招租的条子。鹤儿一家,早已出发了。

自此以后,过了两月,我仍然时时想起那孩子的事,常同妻提起她。又想象她一人的运命,和她家中不幸的情事。我同妻到街上的时候,屡次看见极像鹤儿的孩子,那不必说,原是别一个人了。可是无形之中有一枝线索牵着,我们总是忘不了溶化在人类的大海中的那小的一个人。我又时常这样想:人类中有那个孩子在内,因这一件事,也就教我不能不爱人类。我实在因为那个孩子,对于人类的问题,才比从前思索得更为深切。这绝不是夸张的话!

(第五卷第六号,一九一八年十二月十五日)

遗扇记

〔英国〕王尔德　著　沈性仁　译

序言

最初介绍王尔德给国人的是周作人先生。所译的是《安乐王子》(The Happy Prince)的短篇。(见《域外小说集》第一册)这是十年前的事了。秋桐在东京作《双枰记》,独秀作的序文曾引过王尔德的故事。以后《新青年》登过薛女士所译的《意中人》(An Ideal Husband),可惜没有登完。此外,再没有提过王尔德的名字了。

王尔德 Oscar Wilde(1856—1900 年)是爱尔兰的贵族。他的母亲也是很有文名的。他的传记在英文里有好几种,现在我也不必述他一生的事迹,料想将来一定有人替他用汉文作传的。王尔德是一个奇怪的才子,颇有一种特别审美的趣味。他曾把他的夫人用希腊的古装装扮起来,在鄂斯福大学的时候创一种审美的运动。他一生最受人家唾骂的就是因为犯了刑事罪,在雷丁 Reading 狱里监禁了两年。出狱后流落在大陆上,以后便死在巴黎,葬在那有名的 Pere Lachaise 墓地里。近几年里,法庭上还有著名的案子与王尔德有关系的。

遗扇记

　　王尔德的为人、他的癖性嗜好是另外一个问题，我们且不必讨论他。我却是极好读他的著作。我对于文学是一个门外汉。王尔德的戏曲、小说、诗歌，在英国文学史上占怎样的位置，自有文学家去批评的，但是由我"俗人"layman 的眼光看起来，价值是非常之高。他的著作里我所最喜欢的就是《遗扇记》(Lady Windermere's Fan)、《德利安格雷的画》(The Picture of Dorian Gray)、《雷丁狱中之歌》。他还著有一短篇，论社会主义，我想读过的很少，却是一篇极美的文章，以先我极爱读的。

　　《遗扇记》是他戏曲里的第一篇。在一八九二年作的，在伦敦圣哲姆斯戏馆里扮演的。据我"俗人"的眼光看起来，也算是他的戏曲里最大的杰作。那对话的巧妙伶俐，语气的庄谐并见，诡辞 parody 的蕴藏真理，真是天才的著作。我想就这三点看起来，现在只有英国的萧伯讷可以比得上他；但是萧伯讷同他却又不是一派。一般文学家批评萧伯讷说他的戏曲里的人物不是像易卜生那样专把一个人来代表易卜生的思想。萧伯讷把每一个人物多少都加上点萧伯讷的人生观 Shavian Philosophy 的话头在里头。我想王尔德戏曲里的人物也是这个样，各个人物的说话都带着点王尔德机警的气息。

　　王尔德的戏曲大部分都是用本地风光 local color 所描写的，又是极纯粹的英国上等社会，所用的话也是极纯粹的英国熟语，所以外国人不容易领会的。但是我因为这个缘故，更觉着有趣味。今年九月性仁在病院里，闷极无聊，我又没有工夫去陪伴他，乃请王尔德的《遗扇记》给他解闷。性仁喜欢这出戏里的故事，出院后就把他译出来。译笔倒没有大错误，我又替他修改了些，想还没有失掉王尔德的原意，至于那漂亮的语气，俏皮的说话，恐怕不能依样画葫芦了。

《遗扇记》日人即按原名直译。现在这个名字，是适之代拟的。应当谢谢他！

陶履恭

剧中人物

温特米尔勋爵

达林顿勋爵

阿格司脱·洛顿勋爵

西西尔格拉汉先生

丹比先生

霍泊尔先生

泊克尔　仆役总管

温特米尔勋爵夫人

勃利克公爵夫人

阿格塞女公主

普林达勋爵夫人

嘉德布勋爵夫人

斯达斐尔特勋爵夫人

克波克波夫人

尔林夫人

洛色丽　下婢

时间　现代

地方　伦敦

遗扇记

戏剧里的情节一共经过二十四点钟,自从礼拜二午后五点钟起,至次日午后一点半钟止。

第一幕

〔布景〕温特米尔爵邸之早憩室。室有二门(中左),写字台上置有书籍报纸(右),沙发一张,旁立一个小茶几(左),一窗向草地开着(左),长桌一(右)。

(温特米尔勋爵夫人立在桌前[右],两手在那里摆弄一个蓝瓷碗里的玫瑰花。)

泊克尔　(入)夫人,今天下午会客么?
温夫人　会客?谁来拜会我?
泊　达林顿勋爵,夫人。
温夫人　(踌躇了一回)请他进来!无论哪一位来拜会我都见。
泊　是了,夫人。(由中门出)
温夫人　很好!今天晚上以前能够见他,我很愿意他来了。
泊　(由中门入)达林顿勋爵到。
(达林顿勋爵入,泊克尔退出)
达　温夫人,你好呀!
温夫人　你好,达林顿勋爵!不行,我不能同你握手。我的手都被这些玫瑰花弄湿了。你看,多可爱呀?那是今早从塞尔皮(地名)送来的。
达　真好看!(看见了桌上的一把扇子)那把扇子多少好看!可以给

我看一看么？

温夫人　可不是嘛！请看罢！有我的名字和好些别的东西在上面咧，我自己也是才看见。这是我丈夫送给我的礼物，你知道吗？今天是我的生日呢。

达　不是吧？真的吗！

温夫人　当真的，今天是我成年的日子。这不是在我一生里最重要的一天吗？所以今天晚间我才开这个跳舞会咧！请坐吧！(依旧在那里装她的花)

达　(坐下了)温夫人，可惜我不能早一点知道今天是你的生日，好把你邸前的路上，满铺起花来，为你行走。那些花都是为你生的。

(半晌不语)

温夫人　达林顿勋爵，你昨夜在外交部里搅得我好难过，我怕你今天再要苦我！

达　我么？

(泊克尔和一从仆手托杯盘、茶器等由中门入)

温夫人　放在那边！泊克尔好了。(用手巾擦她的手，走到茶几前坐了)达林顿勋爵，你不到这边来么？

(泊克尔退出)

达　(拿了椅子跷过中门到茶几边)我好难过，温夫人！请你告诉我吧，到底我做了什么呢？(坐下)

温夫人　啊！昨天一整晚上，你对我拿些花言巧语来恭维我。

达　(笑)啊，我们现在都是这样穷，最讨人欢喜的礼物，还算是恭维的话咧！我们也只有这个能够送得起。

温夫人　(摇头)不要这样说，我是正正经经讲。请你不要笑，我实在不喜欢听恭维的话,并且我不知道为什么一个男子要那样想,不从他的本心随口说了一大些好话,以为是可以讨好一个女子!

达　啊,但是我是真真出于本心的!（双手接了温夫人送给他的茶杯）

温夫人　（很庄重的样子）我盼望不是!达林顿勋爵,我实在不高兴同你这样吵闹。你知道,我很欢喜你的;假使我当你和一般人一样,那我一点也不能欢喜你了。相信我,你比较一般人确是好些,有的时候我想你是假装着坏。

达　我们都有些好自炫的毛病,温夫人。

温夫人　为什么你要特别,拿那个来当作你的毛病呢?（依旧坐在茶几旁边）

达　（安坐不动)啊,现在有好些个好自炫的人在高等交际场中往往假装做好,照我看来,假装做坏在性情上比较起来,显得稍为和平谦虚一点似的。换一个说法,你要是假做好,世上人拿你看得很认真,倘使你假做坏,就不然了。

温夫人　你不要世上人看重你么,达林顿勋爵?

达　不要,不必世上人!世上人所看重的是哪一类呢?都是些笨牛可以想得出来的一般人,从大僧正一直到讨厌的东西。温夫人,我愿意你看重我,你比较旁人总得要看重我些!

温夫人　为什么——为什么我呢?

达　（稍为踌躇)因为我想我们或者可以做极好的朋友。有时候你也须用得着一个朋友。让我们来做个好朋友吧!

温夫人　为什么你要说那一种话?

达　啊!我们都有用得着朋友的时候。

温夫人　我想我们已经是很好的朋友了,达林顿勋爵。我们永远可以像这个样,只要你不……

达　不什么？

温夫人　不要拿过分的傻话来毁坏我们的交情。我想你当我是一个清净教徒吧？（译者按：清净教徒的意思并不是属于清净教派，不过保守严格的宗教道德的。凡是肉体上的快乐一概戒除的意思）不错，我是有点儿清净教徒的派头，我照那样教养成的，倒也很愿意是那个样。我的母亲死的时候我不过是一个小孩子。以后就同裘利亚夫人住在一块儿，她是我父亲的大姐，你知道的。她管得我很严厉，但是她教导我现在一般人所忘记的是非的区别。她不承认是非会有折中。我也不承认。

达　嗳唷，我的温夫人呀！

温夫人　（向后倚在沙发背上）你看我的见识好像跟不上这个时代——啊，我是的！我不愿意和现在的人有一样的见识。

达　你想现在的时代不好吗？

温夫人　是的，现在的人拿生命当作投机。生命不是投机。是一个圣礼。生命最高的理想是个爱。洁净生命的是牺牲。

达　（微笑）啊，无论哪一件事也比牺牲强！

温夫人　（向前倾）不要这样说！

达　我要这样说！我觉着这个——我知道这个。

（泊克尔入）

泊　夫人，那些工人问今天晚上草地上要铺地毡不要？

温夫人　达林顿勋爵，你想不会下雨吧？

达　在你的生日里要下雨，我不答应的！

温夫人　泊克尔，叫他们即刻铺起来吧！

（泊克尔出）

达　（照旧坐着）那么，你想——我当然是说一个比喻——你想，倘使一对少年夫妇，才结婚了两年的光景，这个丈夫忽然和一个——啊，行为极暧昧的妇人结交了，成了很亲密的朋友，常去访她，和她一块儿吃饭，或者替她还账——你想那个夫人能够安慰她自己吗？

温夫人　(皱着眉头)安慰她自己？

达　是的，我想她应该——她有这个权利。

温夫人　因为丈夫的卑鄙，做妻子的也应该卑鄙么？

达　温夫人，卑鄙两个字用得太厉害些！

温夫人　达林顿勋爵，因为这桩事情是厉害。

达　你知道么，我怕那好些人在世上做出许多罪过来！他们最大的罪过是把坏处看得太郑重。人也无所谓好的歹的，不过有漂亮的，有讨厌的。我是在漂亮的一边，温夫人，你呢？也不能不在这里的！

温夫人　哦，达林顿勋爵。(起身走到达林顿的面前)不必动，我只过去弄完了我的花。(来到桌前)

达　(起来移动他的椅子)我不能不说一句话，温夫人，你对于现在的生活责备得很厉害。我也承认有好些个可以反对的，现在许多妇人都是唯利是图的。

温夫人　不要议论这一般人！

达　啊，那么，把唯利是图的人放开在一边，他们确是可怕！你想那些妇人犯了世俗所谓的罪过，就永远不能被饶恕么？

温夫人　(站在桌旁)我想永远不能够被饶恕吧。

达　我也不能够么？你想男女应该受一样的法律么？

温夫人　当然的！

达　我想生命是一个很复杂的东西，不能用那固定的规则来判断的。

温夫人　假使我们有"这些固定的规则",我们的生命倒觉得格外简单了!

达　你不承认有例外么?

温夫人　不承认!

达　啊,温夫人,你这迷魂的清净教徒呀!

温夫人　达林顿勋爵,这个形容词倒用不着。

达　我不能不用这个字,除了引诱,我都能抵抗的!

温夫人　你也有现在一般人的毛病,假装软弱。

达　(注视温夫人)温夫人,不过是假装罢了。

(泊克尔入)

泊　勃利克公爵夫人,阿格塞女公主。(退出)

(勃夫人和阿格塞入)

勃夫人　(走近前来握手)爱的马格雷脱,我很喜欢见你!你还记得阿格塞吗?(踱过了两门)达林顿勋爵,你好呀!我不让你认识我的女儿,因为你太坏。

达　不要那样说,公爵夫人。论到坏人,我是一点也没有做到。有些人说我这一辈子从来没有真真做错了什么。他们当然是背着我说的。

勃夫人　这样厉害啊!阿格塞,这是达林顿勋爵。留心着,他说的话,你连一个字也不要信。(达林顿向右中行)不要,不要茶,谢谢你,爱的。(过去坐在沙发上)我们刚在麦克皮夫人处喝过的,又是那样坏的茶,简直是喝不得。那也没有什么奇怪,她的姑爷送给她的。马格雷脱阿格塞很盼望到你今天晚上的跳舞大会里来。

温夫人　(坐在几前)啊,公爵夫人,你不要想今天晚上是大会,不过是一个小跳舞会贺贺我的生日罢了！一个很小的并且早的。

达 （立着）公爵夫人，很小很早，并且所请的也都是特别斟酌过的？

勃夫人 （在沙发上）当然是要特别斟酌过的！马格雷脱，我们知道你的家里是那样的。这里实在是伦敦少数里头的一家，我可以领阿格塞来，并且可怜的勃利克（其夫之名）到这里也是最妥当的。我不知道这交际社会要变成个什么样子，坏的人似乎哪里都去的！他们的确到我所开的会里来——假使人家不请他们倒还要发气。实在应该有人出来矫正这个才好！

温夫人 公爵夫人，我愿意！我可以不叫一个有丑历史的到我家里来。

达 啊，温夫人，不要这样说！我永远不能进来了！（入座）

勃夫人 啊！男子不要紧，女子是不同的。我们都是好的，在我们里面至少也有几个，但是我们的确被推到角上去了。假使我们不向我们的丈夫吹毛求疵的闹着，他们竟会把我们的存在都忘记掉了。这正可以教导他们，我们是有完全依法的权利可以这样做。

达 公爵夫人，讲到婚姻这个把戏，倒是一个很巧妙的事情，——啊！这个把戏已经渐渐不流行了——这些妻子们虽然拿到了好牌，却总是输掉一副。

勃夫人 输掉的一副？就是丈夫吗，达林顿勋爵？

达 这个名字给现在的丈夫还是太好啊！

勃夫人 达林顿勋爵，你这个人坏到这个地步！

温夫人 达林顿勋爵太无聊！

达 哦，温夫人，不要这样说。

温夫人　那么,你为什么拿生命论得这样轻呢?

达　我想生命是一件太重要的事情,倒不能够看得太认真。(移至中)

勃夫人　他是什么意思?达林顿勋爵,请你原谅我的糊涂,只求你讲给我听是什么意思?

达　(走回到桌子边来)公爵夫人,我想我还是不讲好。现在说得清楚要露出马脚来了,再会!(和公爵夫人握手)(走上一步)温夫人,再会!我今晚可以来吗?让我来吧!

温夫人　(与达林顿立在上方)当然许你的!但是你不要对人家说那些傻而不诚实的话。

达　哦,你倒要来教训我!温夫人,要教训人家是一件危险的事情呢!(鞠躬而出)

勃夫人　(起身走到中间)多漂亮的一个坏东西!我很欢喜他。我愿意他走了!你的样子多可爱!你的外衣哪里做的?现在我要告诉你,爱的马格雷脱,我为你担了多少的忧愁!(移近沙发前和温夫人坐在一处)阿格塞宝贝!

阿格塞　是,母亲。(起立)

勃夫人　那边的画片帖,你不去看看吗?

阿格塞　噢,母亲。(行至桌前)

勃夫人　小宝贝!她顶喜欢看瑞士的画片,我想她的眼力真是不错!马格雷脱,我真真为你忧愁!

温夫人　(微笑)为什么呢,公爵夫人?

勃夫人　哎,都是为那个可恶的妇人。她穿得又很讲究的,正是叫她格外坏,做这种可怕的模范出来。阿格司脱——你认得我那没有出息的兄弟——真是我们大家的一个累赘——啊,阿格司脱完全是被她迷住了！实在是件可耻的事情，因为她是一个绝对不能容在交际社会里的女子。一般的女子，那不名誉的事情免是总有些免不了的，但是我听见这个妇人至少也有一打，并且和她都是合得上来的。

温夫人　公爵夫人，你到底讲的是谁？

勃夫人　讲的是尔林夫人。

温夫人　尔林夫人？我从来没有听见过，公爵夫人！并且她与我有什么干系？

勃夫人　可怜的孩子！阿格塞宝贝！

阿格塞　是，母亲。

勃夫人　你不到外面草地上去看看太阳落山吗？

阿格塞　是，母亲。（由左窗出）

勃夫人　可爱的女儿！真爱看日落！感情多少优美，是不是？没有比天然的景象再好看了吧？

温夫人　公爵夫人，到底你说的那个是什么？为什么你对我提起那个人呢？

勃夫人　你真的不知道么？我老实告诉你，我们都为这件事很担心！昨晚在方生夫人那里大家都议论着说那是一件非常的事，在伦敦这个城里那么多的男子，为什么就只温特米尔要走这条路呢？

温夫人　我的丈夫——他对于那种女子怎样呢？

勃夫人　啊，爱的，真是怎样呢？那是个要点。他时常去看这个妇人，并且每回在那里总要待好几个钟点，只要他在那里，总不招待别的客了。不大有女子去访她，都是些卑鄙的男朋友——特别的是我的兄弟，方才已经告诉你了——因此使得温特米尔格外可怕！我们总想他是一个模范的丈夫，但是这个恐怕再没有什么可疑了！我的侄女们——塞维尔家的姑娘们你不认得吗？——很好的闺女们——平庸，平庸极了，但是很好——她们常在窗口做手工，做些丑陋的东西给那些穷苦的，我想在这个可怕的倡社会主义的日子里，于她们很有用处的。那个妖精女子在克而崇街上租了一宅房子，正在她们对面——又是在这样体面的街上。我不知道我们要变成个什么样子咧！并且她们告诉我，温特米尔每礼拜总要去访她四五次——她们都看见的。她们不能看不见的——她们虽然不会诽谤人，她们——啊，当然要传给别人听的！还有不可堪的事情咧，有人告诉我说这个女子从一个人手里得了许多钱，她在六个月以前初到伦敦的时候，什么东西也没有，现在她居然在梅琲而伦敦贵族之区住起这样高雅好房子来，每天还在公园里驾了她的小马，这都是——哎！都是——自从她认识了可怜、可爱的温特米尔！

温夫人　啊，我再也不相信这个！

勃夫人　我爱，可惜这个的确是真的！全伦敦都知道了。所以我觉得还是走来告诉你好，并且要劝你快领温特米尔到霍堡温泉或是哀克司温泉去，那里很有些东西可以使他快乐的，并且在那里你可以一天到晚看着他。我爱，我告诉你，自从我初结婚之后，有好几回不得不假装着病，并且不得已喝那种极恶心的矿泉，不过是要使勃利克离开这个城市罢了！他是极容易感动的！虽然，我不得不说一句，他永远没有送给人家大宗款子过；对于那种事情他的宗旨是很高的。

温夫人　公爵夫人，公爵夫人，不会到这个地步！（起身走过台前）我们结婚了才两年的工夫，我们的孩子只有六个月大。（坐在桌[左]

前的椅子里）

勃夫人　啊,可爱的孩子！小宝贝好吗？是一个男的还是女的？我盼望是一个女孩子——啊,不是,我记得是一个男孩子吧！我很不喜欢。男孩子最坏不过,我的那个男孩子非常的坏,你再也不信他什么时候回家来。他离开奥克司福而特大学才几个月——我实在不知道他们在那里教他们些什么。

温夫人　男子都是坏的吗？

勃夫人　哎,他们都是的！我爱,没有一个例外！并且他们永远不能改好的了。男子会老,但是永远不会好！

温夫人　温特米尔和我两个人因为爱才结婚的。

勃夫人　是的,我们起初也是这样的。只因为勃利克常常拿暴烈自杀的话来威吓我,才叫我允许他。还没有到一周年他就去跟随那些形形色色各种的女子。蜜月还没有完的时候有一次被我捉到了,他在那里和我的女仆使眼色。这个女仆是很美出身也很体面的。我立刻把她辞退——不是,我记得荐给我的妹妹了。可怜爱的乔治（其妹丈之名）是近视眼,我想是不要紧的；不料又不然,真是不幸！（起立）我爱,我现在一定要走了,因为我们要到外面去吃饭。盼望你不要拿温特米尔这一点点的错处搁在心里头,只要领他到外国去,他就会回心转意来待你了。

温夫人　回心转意来待我吗？

勃夫人　真的！我爱这些坏女子夺了我们的丈夫去,但是他们总会回心转意的。稍为有点损伤,那是当然的；并且不要演出活剧了,男子恨这些个的。

温夫人　公爵夫人,你是好意来告诉我这件事情；但是我总不信我的丈夫会欺骗我的。

勃夫人　可爱的孩子！我有一次也是这样的,现在才知道男子却残忍的。(温夫人按电铃)只有一件事要做,就是把这些可怜的东西们喂得好。好本领的厨子可以显出神妙的手段来,这个我想你是有的。马格雷脱,我爱,你不是要哭吗？

温夫人　公爵夫人,你不用怕,我再也不会哭的！

勃夫人　我爱,那才对了！普通的女子借着哭躲忧愁,但是好看的女子因为哭要损颜色呢！阿格塞宝贝！

阿格塞　(进来)来了,母亲。(立在桌后)

勃夫人　来,和温夫人说一声再会,还要谢谢她！(又走下来)我应该要谢谢你送给霍泊儿先生的请帖——他就是现在大家正注意的那个从澳洲来的年轻的财主。他的父亲因为卖那圆罐头食物发了财——我相信那滋味很好的——但是我恐怕连仆人都不要吃的,但是他的儿子倒很有趣。我想他爱阿格塞讲的话聪明。我们少了阿格塞当然是很难过,但是我想做母亲的每年不能嫁出一个女儿去,反倒不是真爱她。今天晚上我们准来,我爱！(泊克尔开门)记住了我的忠告,赶快同这可怜的人离开这城里,只有这件事最要紧的。再会！阿格塞来！(公爵夫人和阿格塞出)

温夫人　这样厉害！方才达林顿勋爵说那个刚结婚了两年的夫妇的比喻,我现在才明白。啊！这个不会真的——他说送给这个妇人大宗的款子。我知道阿撒的银行簿子放在那里——在那个书桌的抽屉里,或者可以从那里找出凭据来。我一定要找它出来。(开抽屉)不对,这是弄错了。(立起来走到中间)是些瞎话,毁谤他爱我！他的确是爱我！但是我为什么不看一看呢？我是他的妻子,有权利可以看的！(重又回到书桌前,拿出账本来一张张的细看,微笑作慰藉状)我知道这个,这一番蠢话里头没有一句会真的。(把账本仍搁在抽屉里,再拿别本来看)第二本——秘密——锁上了！(要想开它,但是不能够,看见书桌上的裁纸刀,拿来把包皮切开了从第一张看去)尔林夫人——六百磅——尔林夫人——七百磅——尔林夫人——四百磅。啊！这是真的了！这是真的了！这样厉害！(把书丢在地板上)(温特米尔勋爵自中门入)

温　我爱,那把扇子送来了没有？(走近书桌前看见账本)马格雷脱你开过我的银行簿子了？你不应该做这件事体！

温夫人　你想是你被人家找出来了,是错了么？

温　我想做妻子的不应该去侦探她的丈夫！

温夫人　我没有侦探你！半点钟以前我再也不知道有这个女子,有人可怜我,一番好意来告诉我的,那件事在伦敦的地方个个人都早已知道了——你天天到克尔崇街去,你昏迷了,把大宗的金钱都浪费在这卑鄙女子的身上！(走近了书桌)

温　马格雷脱你不要讲尔林夫人是这样的一个人,你不知道多少罪过！

温夫人　你很爱惜尔林夫人的名誉,可惜你没有爱惜我的！

温　马格雷脱,你的名誉没有伤！你万不会疑惑我——(把账本搁在书桌里)

温夫人　我想你的钱用得很奇怪,不过如此罢了！啊,你不要想我计较这些钱,论到我呢,你把所有的钱都花掉也可以；但是我计较的是你,曾经爱过我的,也曾教过我爱你的。现在不受人家白给的爱,反倒要拿钱去买人家的爱！啊,可恶极了！(倒身沙发上)你是不觉得什么,我倒觉得十分羞辱！我实在觉得玷污了,实在玷污了！你看不出来我觉得这六个月里多少可怕——你每次和我亲的嘴,回想起来都是玷辱我！

温　(走近夫人前)马格雷脱不要说那些话！在这个世界上,除了你，我没有爱过第二个人。

温夫人　（起立）那么，那个女子是谁？为什么你租房子给她住呢？

温　我没有给她租房子。

温夫人　你给她钱去租，也是一样的！

温　马格雷脱，据我所知道的尔林夫人——

温夫人　有尔林先生没有——或者她是一个神吧？

温　她的丈夫死了好几年了，她在这世界上是孑然一身的。

温夫人　没有亲戚吗？（稍息）

温　没有！

温夫人　有点奇怪，是不是？

温　马格雷脱，我正要告诉你——并且要你听我——据我所知道的尔林夫人，她的行为极端正的。要是几年前——

温夫人　啊！（走近右方）我不要听你讲她的历史！

温　我并不是要告诉你她的历史，不过要告诉你这个——尔林夫人也是被人家尊敬过、恋爱过的人。她的出身很好的，也是一个有身份的——她把样样都没有了——你或者要说她是有意去掉的。所以这才更苦痛咧！灾祸，人是可以忍受的——那是从天外飞来的，偶然发生的；是假使是为自己的罪过遭难的——啊——那是一生一世的苦痛。二十年以前她也是一个小姑娘，她做了人家的妻子，比你的时候还少些。

温夫人　我对于她没有什么趣味——并且——你不该同时拿我和这个女子来议论！你这个辨别力错了！（坐在书桌边）

温　马格雷脱，你有能力救这个女子！她要回到交际社会里来，并且要你帮助她。（走近夫人前）

温夫人　我？

温　是的，你！

温夫人　她倒这样冒昧！(稍顿)

温　马格雷脱，虽然你已经发现了我送给尔林夫人的款子，我起初是决计永远不给你知道的，但是我还是要求你把今天晚上开会的请帖送给她一张。(站在他夫人的左边)

温夫人　你疯了吧！(立起来)

温　我恳求你！或者有人要议论她，那当然要议论的，但是他们都不知道她有什么错处。她到过几家——并不是你去的家里，我承认的，但是也都是现在称为交际社会的女子所去的家里。那还不能满足她的意思，她要你请她一次。

温夫人　我想那算是她的胜利吧？

温　不是！不过因为她知道你是一个好人——并且她要是到这里来了一次，就有机会使她的生命又有幸福又稳当，比较从前要强些。你肯帮助一个悔过学好的妇人吗？

温夫人　不行！假使一个妇人真真的懊悔过来，她再也不肯回到使她零落的那个交际社会里去了。

温　我总算恳求你！

温夫人　(走到门边)我要换晚装吃饭去了！今天晚上再也不要提到这个题目！(走近她丈夫的面前)阿撒你妄想着，因为我在这世上是没有父母的一个人，所以任凭你喜欢怎样就怎样待我。你错了！我有朋友的，不少的朋友咧！

温　马格雷脱，你讲的都是瞎话、糊涂话！我不要和你争论，不过今天晚上我还是主张你去请尔林夫人来。

温夫人　我不做这样的事！(走向左方)

温　你不答应吗？

温夫人　绝对！不答应！

温　啊！马格雷脱，看我的面上请她吧，这是她最后的机会了！

温夫人　这与我有什么关系呢？

温　好妇人！多少强硬！

温夫人　坏男子！多少软弱！

温　马格雷脱，我们男子里头没有一个够配得上我们所娶的女子——倒是的确的——但是你不至于想我会——咳，这个想头太坏了！

温夫人　为什么你会比别人不同呢？我听见在伦敦做丈夫的，没有一个不是因为可羞的贪恋败坏他的生命的！

温　我不是他们里面的一个！

温夫人　那我不敢定！

温　在你的心里敢定！但是不要在我们中间生层层的隔膜！天呀，方才这几分钟的时候我们两人已经成冰炭了，坐下来写请帖吧！

温夫人　全世界没有可以劝导我请她的！

温　（行近书柜前）我可以！（按电铃坐下写了请帖）

温夫人　你去请这女子吗？（行近她丈夫前）

温　是的！（稍停，泊克尔入）泊克尔！

泊　是，我主。（走下来到左方）

温　把这个条子送到克尔崇街 A 字八十四号尔林夫人家里！（走过来拿条子给泊克尔）不要回信！（泊克尔出）

温夫人　阿撒,假使这个女子到这里来,我要羞辱她!

温　马格雷脱,不要这样说!

温夫人　我要这样呢?

温　孩子,你倘使做出这样事来,怕伦敦没有一个女子不可惜你的!

温夫人　伦敦的好女子没有一个会不称赞我的!我们现在这些人也太没有检束了,我们应该做个榜样才好!我的意思就从今天晚上做起。(拿起她的扇子来)不错,你今天送我这把扇子,算是你给的生日礼物;倘是那个女子走进我的门口,我就拿来打她的脸!

温　马格雷脱,不准你干这样的事!

温夫人　你不知道我!(移向右。泊克尔入)泊克尔!

泊　是,夫人。

温夫人　我到我自己屋里去吃饭,实在我用不着晚餐,到了十点半钟件件事体都要预备好!还有,泊克尔晚上你报客人名字的时候要叫得清楚,有时候你说得太快,我常听不见。我要仔细听他们的名字,好叫我不会弄错!泊克尔,你明白吗?

泊　明白的,夫人!

温夫人　好了!(泊克尔出)(向温爵说)倘若那个女子来了——我警告你——

温　马格雷脱,你要败坏我们!

温夫人　我们!从这个时候我的生命和你的已经分开了;倘使你愿意免去在大众面前出丑,即刻写一封信给这个女子,告诉她我不准她到这里来!

温　我不干——我不能——她一定得来！

温夫人　那我就老老实实照我说的那样行去,(行至右)你不给我一条别的路！(外出)

温　(随他夫人的后面叫)马格雷脱,马格雷脱(稍停)我的天呀！叫我怎样呢？我不敢告诉她这个女子真真是谁,就怕羞死了她！(倒在一个椅子里用手遮住他的脸)

（第一幕完）

(第五卷第六号,一九一八年十二月十五日)

第二幕

〔布景〕温爵邸之客室。一门开着通至跳舞室。一班乐队正在那里演奏。众客由左门入。又一门通至照得很亮的草地上。棕榈花卉等还有很亮的灯光。屋子里拥挤了一大堆的客人。温夫人一个个地迎接他们。

勃夫人　(走到中间)很奇怪温特米尔勋爵怎么不在这里。霍泊尔先生也不早来。阿格塞你留了五次跳舞给他罢！(走下)

阿格塞　是的,母亲。

勃夫人　(坐在沙发上)给我看你的名单。(西洋跳舞的时候各人都有一个次序单,上边列着同跳的人名字)我很喜欢温夫人重新用起名单来了。做母亲的只有借着这个可以防范她的女儿。你这个可爱的傻东西！(把名单上涂去了两个名字)规矩的女子万不会同这样年轻的男子跳舞的！样子太放荡！最后的两次你一定得和霍泊尔先生到草地上去。

（丹比先生和普林达夫人一齐从跳舞室里走进来）

阿格塞　知道了，母亲。

勃夫人　（用扇子扇）那边的空气很清爽。

泊　克波克波夫人，斯达裴尔特爵夫人，哲姆斯洛斯顿先生，勃克电先生。

（报名的时候这些人就依着次序进去）

丹　斯夫人，晚间好。我想这节（伦敦的高等交际社会里每年到四五月的时光特别多开跳舞会、宴会、茶会等等，而此时期名之日节Season）里的跳舞会这回算是末一次了罢？

斯夫人　丹比先生，我想是罢。这是个快乐的季节，是不是？

丹　很快乐！公爵夫人晚间好。我想这季里的跳舞会这回算是末一次了罢？

勃夫人　丹比先生，我想是呢。真个很闷气的季节，是不是？

丹　真闷气！实在闷气！

克夫人　丹比先生，晚间好。我想这一节的跳舞会这回算是末一次了罢？

丹　哦，不是罢，大概还有两次。（转身到普夫人那边来）

泊　罗福特先生，佳德布先生，格拉汉小姐，霍泊尔先生。

（泊克尔报名，他们便都进去）

霍　温夫人好！公爵夫人好！（向阿格塞行了一礼）

勃夫人　好个霍先生，难为你来得这样早。我们都知道这些在伦敦的都想攀附你。

霍　伦敦好地方！在伦敦的不像在息特纳（澳洲的一个都会）的那样排斥外人。

勃夫人　啊！霍先生，我们知道你的尊贵，并且像你这样的人再多些，可以使生命舒服些。霍先生，你知道阿格塞跟我两个人对于澳洲的地方怎样喜欢的。那地方一定有那些小袋鼠跳来跳去的，多好看。阿格塞从地图上看见过那地形又是够奇怪的！正像一个装货的木箱子。这是个很新的地方，是不是？

霍　公爵夫人，这不是和别的地方同时生成的吗？

勃夫人　霍先生，你真聪明。你是独出心裁的。现在我不要再耽搁你了。

霍　公爵夫人，我要请阿格塞一同跳舞。

勃夫人　我想她总有空的跳舞。阿格塞你还有未定的跳舞吗？

阿格塞　有的，母亲。

霍　可以赏我这光荣吗？

（阿格塞领首）

勃夫人　霍先生你可要仔细照管我的多嘴小丫头呢。

（阿格塞和霍泊尔一同进跳舞室去）

温　马格雷脱，我有话跟你讲。

温夫人　等一会儿。

（乐止）

泊　阿格司脱·洛顿勋爵。（阿格司脱入）

阿格司脱　温夫人，晚上好。

勃夫人　佳姆斯勋爵，你陪我到跳舞室去，好不好？阿格司脱今天跟我们在一块儿吃饭。现在我实在受得他够了。（佳姆斯勋爵伸手挽了公爵夫人送她到跳舞室里去）

泊　阿撒包顿先生和夫人，丕司雷勋爵和夫人，违林顿勋爵。

（泊克尔报名他们便都进去）

阿格司脱　(走向温爵前来)好小子,我有句特别的话要跟你讲。我消损到不堪了。我知道我的外面还看不出来。男子们不容易露出他的本相来。倒也是一件好事。我问你,这女子是谁?是从哪里来的?怎么她也没有一个讨厌的亲戚?亲戚讨厌的东西!但是一个人有了亲戚,可以显得体面。

温　我想你讲的是尔林夫人罢?我在六个月前才遇见她。以前我一点也不知道有她这样的一个人。

阿格司脱　自从那时起你就常见她罢。

温　(极冷淡)是的,以后我常去看她。刚才我还见过她呢。

阿格司脱　哈哈!这些女子们都看不起她呢。今天晚上我跟阿雷白拉一块儿吃饭,啊唷!你没有听见他这样地议论尔林夫人,简直骂得她丝毫不留……勃利克跟我都说这没有什么要紧。我们议论的那女子的身段一定是很好看的。你应该看看阿雷白拉形容的样子!……但是,哎,好小子,我不知道对于尔林夫人怎样才好。唉!我或者可以娶她!她待我是没有什么亲热。她真是出奇的聪明,什么事她都会讲。啊哈!她讲你。你的事情她都讲……并且又都不一样的。

温　我跟尔林夫人的交情没有什么可讲的。

阿格司脱　哼喂,老朋友,你想她再能够到那个讨厌的交际社会里去吗?你会介绍她给你尊夫人吗?不要推托。你肯干吗?

温　今天晚上尔林夫人要到这里来的。

阿格司脱　是尊夫人给她的请帖吗?

温　她接到了一张。

阿格司脱　那么样,她就好了。好小子,你为什么不早一点告诉我,省得我难受,并且也不至于误解了。

（阿格塞和霍泊尔先生到草地上去）

泊　　西西尔格拉汉。（西西尔入）

西　（向温夫人行了礼,过去和温爵握手）阿撒晚上好。为什么你不问我好？我欢喜人家问好我。见得大家都注意我的健康。今夜我有点不大好。方才跟家里人一块儿吃饭。真奇怪,为什么家里人总是那么讨人厌的呢？晚饭之后父亲跟我们谈些道德的事情。我说他老了应该明白些。但是据我个人的经验,人一到老了应该明白的时候,反倒弄得一点也不明白了。喂,老头儿,我听见你又要结婚了罢！我想这个把戏你也干得厌烦了。

阿格司脱　　好小子,你真琐碎,太琐碎了！

西　喂,老头儿,你到底是娶两回亲离一回婚,还是离两回婚娶一回亲呢？哪一个对？我看还是离两回婚结一回亲像些。

阿格司脱　　我的记性太坏,实在不记得哪一个是对。（移向右边）

普夫人　温爵,我有点特别事情要问你。

温　我恐怕……你肯原谅我……我要看看我的夫人去。

普夫人　哼,你不要做梦。现在的时代做丈夫的在众人面前照管他的妻子是一件危险的事！因为惹人家生疑心,想他在背地里打他的妻子。这个年头,美满的婚姻,都变成了可疑的了。等吃夜饭时候再问你罢。（向跳舞室行去）

温　马格雷脱,我有话跟你讲。

温夫人　达爵,你替我拿住我的扇子,可以吗？谢谢。（走近她丈夫身旁）

温　（走近夫人身边）马格雷脱,你在饭前说的话,当然,不行的?

温夫人　今天夜里不准那个妇人来！

温　尔林夫人要来的。你倘使用种种法子羞辱她,或是伤害她,那是叫我们两个人失面子添忧愁。马格雷脱记得这个!只要信我!做妻子的应该信服她的丈夫!

温夫人　信服丈夫的妻子在伦敦多着呢。她们不高兴的样子常容易看出来的。我不做她们那样的人。(走上来)达爵,我的扇子请你还我罢。谢谢……扇子是件很有用处的东西,是不是?……达爵,今夜我用得着一个朋友了。我想不到要这样快。

温:我一定得跟她讲,我应该。倘使真做出点活剧来,多可怕。马格雷脱——

泊　尔林夫人——

(温爵露惊状。尔林夫人神气很庄严,穿得很讲究。温夫人紧紧握住了她的扇子,旋又落在地板上,冷冷地向尔林夫人点一点头。尔林夫人亲亲密密地回了一个,飘然蹩入室内)

达　温夫人,你的扇子掉了。(拾起来递给她)

尔林夫人　温爵你好呀?你可爱的夫人多漂亮!真像一张画片!

温　(低声)你来得真冒失!

尔林夫人　(微笑)这是我一生里做的一件聪明事,并且——喂,今天夜里你待我要特别殷勤才好。我怕这些女子,你也得介绍几位给我。这些男子我倒常常可以处置的。阿格司脱勋爵,你好呀?你近来跟我疏远了,自从昨天我说没有见过你。我怕你不信实因为人人都是这样说。

阿格司脱　尔林夫人,让我解说给你听罢。

尔林夫人　不要,阿爵,你什么也不能够解说。这是你的好处。

阿格司脱　啊!你要是找得出我的好处,尔林夫人……(两人谈

天的时候温爵便走开了，一个人在屋里绕行，两眼直望着尔林夫人）

达　（向温夫人）你的气色多难看！

温夫人　胆怯的人的气色总不好看的。

达　你好像要发晕了。出来到草地上去罢。

温夫人　好。（向泊克尔）泊克尔，把我的外套拿出来。

尔林夫人　（走近温夫人边）温夫人，你的草地上照耀得多好看！使我想起罗马多利亚亲王家里来了。（温夫人向她很冷淡地行了个礼，遂同达爵到外边去了）啊！格拉汉，你好呀！这位不是你的姑母佳德布爵夫人吗？我很愿意认识认识。

西　（踌躇了一回，并且很窘迫的样子。）当然的，要是你愿意。克洛林姑母，让我介绍给你这位尔林夫人。

尔林夫人　佳德布夫人，我极愿意见你。（靠近她旁边坐在沙发上）你的侄儿跟我是很好的朋友。我对于他的政治生涯很注意的，我想他一定会大大的成功。他的思想像个稳健派，而他的说话又像个急进派，现在的时代很要紧会装那个样子的。他讲话又是很漂亮。我们都知道那个他从哪一位遗传下来的。昨天在公园里阿伦台尔勋爵跟我说格拉汉先生说话的神气很像他的姑母。

佳夫人　你对我讲这些好话，真好！（尔林夫人微笑，依旧讲她的话）

丹　（向西西尔）你把尔林夫人介绍给佳夫人了吗？

西　没有法子，我的好朋友，不能不介绍的。那个女子无论要什么，她有能力叫人替她做到的。到底为什么，那我不知道。

丹　啊，我盼望她千万不要来跟我说话！（缓缓步至普夫人那里）

尔林夫人　（向佳夫人）在礼拜四？好极了。（起身微笑，和温爵讲话去）和这些老太太们周旋真讨厌。但是她们又喜欢这一套。

普夫人　（向丹比）跟温爵讲话的妇人穿得很好看的，是谁？

丹　我不知道。看她的外貌很像一部装订得很好的法国坏小说，专在英国市场上销卖的。

尔林夫人　那就是可怜的丹比和普夫人吗？我听见普夫人很嫉妒她的。今天她很像不愿意跟我讲话。我想是怕普夫人罢。这些皮肤焦黄的妇人，好大的性子。温特米尔你知道，我想先跟你跳舞。(温爵齿咬着嘴唇皮，把眉头一皱)不过阿格司脱要妒忌了！阿爵！(阿格司脱走下来)温爵的意思要我跟他先跳。这是他的家，我也不便拒绝他。你知道我是愿意跟你先跳的。

阿格司脱　(低低地行一个礼)尔林夫人，可惜我不能这样想。

尔林夫人　你很明白的。我想一个人一生一世跟你跳舞还觉得有趣的。

阿格司脱　(手插在白色的背心里)谢谢你，谢谢你。你是女子里头最可钦慕的一个！

尔林夫人　多好听的话！很简单并且极至诚，我正欢喜听这种话。喂，请你替我拿住了这个花球。(挽了温爵的臂走入跳舞室里去了)啊，丹比先生，你好呀！我很过意不去的，你三次来看我，我都不在家。星期五请你来吃午饭。

丹　很好。(冷淡的样子)

(普夫人气哄哄的样子望着丹比阿爵手里拿着花球，跟了尔林夫人和温爵从跳舞室里出来)

普夫人　(向丹比)你真是一个没良心的东西！连一个字我也不能相信你！为什么你告诉我说你不知道这个女子呢？你连去看她三次，是什么意思？你不要到那里去吃午饭，当然你明白的。

丹　我的劳拉啊，我做梦也不会去的！

普夫人　你还没有告诉我她的名字。究竟她是谁？

丹　(轻轻咳嗽了一声,抓头摸耳的)她是一位尔林夫人。

普夫人　那个妇人！

丹　是的,人家都这样称呼她的。

普夫人　这样有趣！多有趣！我一定要仔细看她一看。(走到跳舞室的门口头张望)我听人家说她很难听的事情。他们说她在那里陷害可怜的温特米尔呢,并且像温夫人那样行为端正的人倒去请她！真有趣！十分愚笨的事本来要一个好女子才做得出来。礼拜五请的午饭你去吧。

丹　为什么呢？

普夫人　因为我要你陪我的丈夫去。他近来很留心我,使得我种种不方便。像这个妇人正合他的式。假使那女子愿意,我的丈夫一定高高兴兴去侍奉她,就不来打扰我了。我告诉你,像那样的妇人倒很有用处,为得可以撮合别人的姻缘。

丹　你实在神妙！

普夫人　(注视他)可惜你不是！

丹　我是——对于我自己。在这世界上我只愿意把我自己知道详细点,但是现在还看不出机会来。

(两人走入跳舞室,温夫人和达爵从草地上进来)

温夫人　是的,她到这里来实在大不应该,我真受不了。我现在才明白白天里吃茶的时候你所说的话了。为什么你一直不告诉我呢？你应该的！

达　我不能够！一个男子不能把这种事来议论别个男子的！假使我早知道你的丈夫今夜要你请她来,我早就告诉你了。你也可以免掉这种侮辱了。

温夫人　我没有请她。我的丈夫硬要她来——不听我的恳求——不听我的命令。啊！这所房子污辱我了！当她跟我丈夫一同跳舞的时候,我觉得这里的女子个个在那里嘲笑我。我做错了什么要叫我受这样的痛苦呢？我把我的全部生命都献给我的丈夫。他既经受了——用了——又把她毁了！使我吃了这种眼前亏。我并且没有胆量——我是一个懦夫！（坐倒在沙发上）

达　如果你是我所想象的一个,我想你决计不能够和一个待你这样的男子住在一处的！你同他还会有怎样的生命呢？你会觉出他对于你没有一刻是真的了。觉出他眼睛的神色是虚假的,他的声音是虚假的,他的抚摸是虚假的,他的爱情全是虚假的。他厌烦了别个女子的时候他到你这里来！你得要安慰他。他爱上了别的女子他到你这里来！你也得要哄着他,你要做他真生命的假面具,做他的外套遮盖他的秘密。

温夫人　不错——你说得很对。但是叫我怎么样呢！你说你会做我的朋友,达爵——告诉我,叫我怎么个办法呢？你现在做我的朋友罢。

达　男女中间不能有朋友的交情。只有情、仇恨、崇拜、爱,就没有朋友的交情。我爱你——

温夫人　不,不！（起立）

达　真的,我爱你！我看这世上没有比你再好的了。你的丈夫有什么东西给你呢？一点也没有。所有的东西他都给了这个恶妇人了,又把她推进你的交际社会里来,到你的家里来,在大众面前羞辱你。我呢,愿意把我的生命都献给你——

温夫人　达林顿勋爵！

达　我的生命——我的全部生命,受了罢。你愿意怎样就把他怎样——我爱你——爱你从来没有这样爱过别人的。自从我第一次看见你就爱了你,爱得你迷糊了,发疯了!你从前不知道——现在你知道了!今天夜里就离开这所房子罢。我不能说一般的舆论没有关系,或是大众的议论或是交际社会里的批评,都很有关系的,那些关系太大了。但是有时候一个人的生命只有两条路可以选择的。一个自己的生命、满足的、纯粹的、完全的,还是拖着一个虚假的、浅的、卑贱的,是那伪善的世界所需要的生命呢?现在正当你选择的时候。选择!啊!我爱,选择!

温夫人　(慢慢地脱开了他,又做惊骇的样子,仔细注视他一回)我没有这样的胆量。

达　(随着她)有,你有这个胆量。大概有六月光景的苦痛,或者甚至于羞辱;但是到那时你不姓他的姓名而姓我的,什么事也都太平了。马格雷脱,我爱我的妻子,总会有一天——啊,是我的妻子!你知道这个!你现在算什么呢?在你权利以内的地位被那个女子占去了。啊!出去罢——快用你的胆量,昂着头笑嘻嘻地从这房子里出去罢。伦敦的人都知道你为什么要走。谁来责备你呢?没有一个。假使有,也没有什么关系。错?什么叫做错?一个男子为了一个无廉耻的女子而背弃他的妻子是错的。做妻子的和一个凌辱她的男子住在一处是错的。有一次你说过你不愿意和解事情的,现在不要和解。振作些!问你的良心!

温夫人　我就怕问我的良心——等我想一想!让我等一回!我的丈夫或者会回心转意过来的。(至沙发上坐下)

达　你还会要他!你不是我向来所想象的那样人了。你还是跟别的女子没有什么分别。什么事情你都担负得起,就怕大家的责备,但是这般人的赞美你又看不起的。我料你一星期之内要跟这个女子驾了马车一同到公园里去了。她要做你的熟客——最亲爱的朋友了。你宁可都忍受,只不要一下子断了这莫大的束缚。你想得不错。你没有胆量,没有。

温夫人　哎,给我点工夫去想一想。现在我不能回答你。(不知所措的样子。用手抚她的额)

达　一定要现在,要不然就罢了。

温夫人　(从沙发上跳起来)那么就算罢了!(半晌不语)

达　你使我的心碎了!

温夫人　我的心早也碎了。(少顷)

达　明天我就离开英国。这是最末次我能够看着你了。你也永远不能见我。有了一息工夫我们的生命相遇——我们的灵魂相接触,永远也不再相遇相接触的了。马格雷脱再会。(退出)

温夫人　我的生命多少孤苦!哎,多少孤苦!

(乐器的声音止了,勃夫人和普爵对讲对笑地进来。别的客也从跳舞室里出来)

勃夫人　马格雷脱,我刚才跟尔林夫人谈得很高兴。我很惭愧今天下午跟你讲她的话。假使是你请她来的,当然没有什么要紧。一个很惹人欢喜的女子,并且很通达世故的。她说她十分反对人家结婚几次的,所以我想阿格司脱是不要紧了。我想不出为什么人家都批评她。都是我的坏侄女们——塞维尔家的姑娘们——她们常常造人家的谣言。但是我想还是到霍堡(温泉场)去一趟好。我爱,真的应该去。她不过太讨人欢喜一点。啊呀,阿格塞哪里去了?啊,她在那边呢。(阿格塞和霍泊尔从草地里进来)霍先生,我很不愿意你领阿格塞到草地上去,她又是那样娇弱的。

霍　爵夫人,我实在过意不去得很。我们出去得没有多大工夫。后来就在一处谈天。

勃夫人　呵,我想你们谈到可爱的澳洲罢?

霍　是的。

勃夫人　爱的阿格塞！(把她招呼过去)

阿格塞　是，母亲。

勃夫人　(在旁边)霍先生曾清清楚楚的——

阿格塞　是的，母亲。

勃夫人　宝贝，你怎样回答他呢？

阿格塞　是的，母亲。

勃夫人　(很慈爱的样子)我爱的！你常常说对的事情。霍先生！哲姆士！阿格塞把样样事情都告诉我了。你们两人好聪明，保守你们的秘密。

霍　公爵夫人，那么你不怕我带阿格塞到澳洲去吗？

勃夫人　(作怒状)到澳洲去？啊，不要提起那个粗俗可怕的地方。

霍　不过她说她愿意跟我一同去。

勃夫人　(厉声说)阿格塞，你是这样说的吗？

阿格塞　是的，母亲。

勃夫人　阿格塞，你会说这样的蠢话。我想拢总看起来就是格文大院(伦敦上等人住的地方)才算是一个卫生的地方，可以住得。许多的下等人住在格文大院，但是无论怎样总没有可怕的袋鼠爬来爬去的。有话都等明天讲罢。哲姆士你可以带阿格塞下去。哲姆士，午饭你当然肯来的。改了一点半，不是两点。我知道公爵有话跟你讲。

霍　公爵夫人，我很愿意公爵跟我谈谈天。他还没有跟我说过一句话呢。

勃夫人　我想他明天要有好多话跟你讲呢。(阿格塞和霍泊尔出)

马格雷脱再会罢。我爱,我怕这还是往常的老故事罢。爱——爱,不在初见面发生,而在季末的时候发生更觉得满足。

温夫人　公爵夫人再会。

(勃夫人挽了普爵出去了)

普夫人　我爱的马格雷脱,跟你丈夫一同跳舞的女子多漂亮!我要是你,一定要生妒忌的。她是你的好朋友吗?

温夫人　不是!

普夫人　真的吗?再会,爱的。(注视丹比先生,出去了)

丹　这年轻的霍泊尔样子太难看!

西　啊!霍泊尔是自然界里边的绅士,我所见过的绅士中最坏的样子了。

丹　温夫人是一个通达世故的妇人。一般的女子一定要拒绝尔林夫人,不准她来的。但是温夫人倒有那世人所不常有的那个常识。

西　温特米尔把不应该做的事看得像没有罪一样。

丹　是的,可爱的温特米尔渐渐变成了时髦的一派了。我从前料他再也不会这样的。(向温夫人行礼而去)

佳夫人　温夫人,再会了。尔林夫人这个人真是讨人欢喜!星期四她到我家里去吃午饭。你也去吗?我盼望僧正和麦尔顿夫人都来。

温夫人　佳夫人,可惜我另外有约了。

佳夫人　很可惜。爱的,来。(佳夫人和格拉汉小姐出)

(尔林夫人和温爵入)

尔林夫人　今夜的跳舞真有趣!实在使我想起从前的景象来。(在沙发上坐下)我看见现在交际社会里讨厌的人还像从前那样多。我倒很高兴什么都没有改变！除了马格雷脱,她长得格外漂亮了。我最末次见她——二十年以前,裹在一块小绒布里的一个丑东西。真是一个丑东西,我告诉你。可爱的公爵夫人！跟那位可爱的阿格塞公主！正是我所欢喜的那种小姑娘样子！温特米尔真个我能够做公爵夫人的弟媳妇——

温　（坐在她的左边）但是你会——

（西西尔先生和好几个客都散去了。温夫人面上现出一种轻蔑、苦痛的样子,一心注意着尔林夫人跟她的丈夫。他们两个人却是一点也不知道她在那里）

尔林夫人　啊,是的！他明天十二点钟来看我。他本来今夜里就要向我求婚。实在他已经说出来了,他径自说他的。可怜的阿格司脱你知道她说了多少遍。这样的坏习气！到后来我告诉他明天给他回音。我当然允许他的。论到做妻子呢,我敢说我可以做个贤妻。阿格司脱勋爵的人很有些好处的。侥幸他都露在表面上。好品性正应该现在表面上的。这件事情你当然肯帮我的忙罢？

温　我想不是叫我去鼓励阿格司脱罢？

尔林夫人　那不是！我可以鼓励的。不过要你给我一点产业,数目要体面点。

温　这就是你今天夜里要同我讲的事情吗？

尔林夫人　是的。

温　（暴躁的样子）这个事情我不能够跟你在这里讲的。

尔林夫人　（微笑）那么,我们到草地上去讲罢。无论做什么总应该有个好看的背景。温特米尔,难道这个不要吗？女子要是有个好背景什么事也做得出来的。

温　明天讲,不好吗？

尔林夫人　不行,你知道明天我要答应他了。我想这是件好事,假使我能多告诉他那个——啊,我应该这样说——我的远房堂兄有二千镑一年给我——或者我的第二个丈夫——或者差不多像这样的一个远亲。这样更加可以引诱他。会不会? 温特米尔,你现在有个很好的机会可以恭维我。不过你对于恭维方面不大擅长。我怕马格雷脱没有鼓励这样的好习惯。这是她的错处。人要是不说漂亮的话也就没有漂亮的思想了。我们现在谈正经的罢。二千镑你以为怎么样? 我想要二千五百镑。现在的生活最要紧得宽裕才好。温特米尔,你想这世界是不是一个极快乐的地方? 我是这样想!（跟温爵到草地上去。跳舞室里的音乐又作）

温夫人　再不能在这家里滞留了。今夜那个男子爱了我并且把他的全部生命都给我。我拒绝他,真是傻子! 现在我去把我的给他罢。我一定把我的给他。我一定到他那里去!（穿了大衣,走到门口又回转来,在书桌上写了一封信,封好了,搁在台上）阿撒永远没有明白我的心,等他读了这封信才会明白。现在他愿意怎样就可以怎样了。我行我的意思那是最好的,最正当的。婚约是他破坏的——不是我。我不过脱了这个束缚罢了。（出门去了）

　　（泊克尔进来,走过跳舞室门口,尔林夫人走了进来）

尔林夫人　温夫人在跳舞室里吗?

泊　夫人刚出门。

尔林夫人　（听了一惊,吓昏了,看住了仆人）出门了?

泊　是的,夫人——夫人告诉我她有一封信在桌上留给主人的。

尔林夫人　一封信给温爵的?

泊　是的,夫人。

尔林夫人　谢谢你。(泊克尔出。跳舞室里的音乐也停了)从她的家里跑了！留一封信给她的丈夫？(走到桌前看信。拿起来又搁下,怕得浑身都发抖)不行,不行！这个万万不行的！生命不能像那样再演悲剧的！哎,为什么我有这样的幻想呢？为什么我现在又要记得那在我一生里我极愿意忘记的一个时辰呢？难道生命又要演悲剧吗？(拆开了信读了一遍,倒在椅子里,苦痛得万分)呀！真怕！跟我二十年前写给她父亲的信用的一样的话！为了这件事我受了多少刑罚苦痛！还不是,我的刑罚,我真正的刑罚是今天夜里,是现在！(动也不动)

(温爵入)

温　跟我的妻子告辞没有？

尔林夫人　(把信团在手里)说过了。

温　她在哪里？

尔林夫人　她很倦,已经去睡了。她说有点头痛。

温　我去看看她。失陪了。

尔林夫人　(急起)哦,不要,没有什么厉害,只不过很疲倦罢了。并且饭厅上还有许多客在那里。她要你去告诉他们一声,对不住。她说她不要人家去打扰她。(把封信掉下了)这都是她叫我告诉你的。

温　(把封信拾了起来)你掉了东西了。

尔林夫人　啊,是的,谢谢你,那是我的东西。(伸手来接信)

温　(仔细看这信)咦,很像我夫人的笔迹,是不是？

尔林夫人　(赶快拿了信)是的,这是——一个地名。请你叫他们配我的马车,可以不可以？

温　当然可以的。(出去了)

尔林夫人　谢谢。叫我怎么办呢？叫我怎么样呢？我觉得有个从来没有觉得过的情在我里面醒悟了。这是怎么讲呢？女儿一定不能像她的母亲——那真可怕,叫我怎样救她呢?叫我怎样救我的孩子呢?在一息工夫里可以毁坏一生。谁比我明白这个得多呢?温特米尔呢,一定得打发他出门。那是一件最要紧的事情。(走向左边)但是这件事叫我怎么办呢?无论怎么样一定得办。哎!

(阿格司脱拿了花球从外面进来)

阿格司脱　爱的夫人,我总惦念着!我的请求可以得个回音吗?

尔林夫人　阿爵,听我说,快领温爵到你们俱乐部里去,留住他,不叫他出来。你明白吗?

阿格司脱　但是你说你叫我早回家。

尔林夫人　(很着急的样子)照我说的去办。照我说的去办罢。

阿格司脱　我的酬谢呢?

尔林夫人　你的酬谢?你的酬谢?啊!明天问我好了,但是今夜不要让温特米尔离开你的左右。要是你放他跑了,我可永远不能饶赦你。永远不再和你讲一句话,也不跟你有关系了。记住了,把温特米尔留在俱乐部里,今天夜里不要让他回来。(出去了)

阿格司脱　啊,实在的,我已经可以做她的丈夫了。的确可以了。

(做出一种很迷惑的样子跟了尔林夫人出去)

(第二幕完)

(第六卷第一号,一九一九年一月十五日)

第三幕

〔布景〕达林顿勋爵的屋内,壁炉前面摆一个大沙发,台的后面一个幔帐横挂在窗上，左右两个门，右边的桌子上摆了些文房具，中间的桌上摆了些曹达水瓶、琥璃杯等等，左边桌上有个盛雪茄纸烟的盒子，电灯开着。

温夫人　（站在炉边）怎么他不来？这样等起来，要苦极了。他应该在这里的。为什么他不在这里拿热情的说话来感动我，使我的心里好火热起来呢？我冷——冷得像没有感情的东西。现在阿撒一定读过我的信了，假使他还要我的，他一定赶着我来，强迫我回去。但是他不管了，他是被这妇人缠住了——被她迷住了——被她支配了。假使一个妇人要管住一个男子，她只要利用他的坏处。我们把男子当做神圣，他们倒离弃我们。别的女子把他们当禽兽看待，他们倒很情愿很忠心奉顺他们。生命多么可怕！……啊！我到这里来简直是疯了，真真疯了。但是我还不明白到底哪一个厉害；受那爱我的男子的支配呢，还是做那在自己家里污辱我的男子的妻子呢？女子懂得什么呢？全世界上是什么样的女子能懂得呢？但是我假使把我的生命给这个男子，他会永远爱我吗？我有什么东西给他呢？失去快活声音的嘴唇，泪水泡坏的眼睛，冷的手，冷的心，我没有什么给他。我一定回去——不行；我不能够回去了，我的信使我伏在他们的权力底下——阿撒也不会叫我回去了！那封致命的信！不要紧！达林顿勋爵明天就要离开英国，我好跟他一同去——另外也没有别的办法了。（坐定了一回，又跳起来，穿上了外套）不，不！我还是回去，随便阿撒怎样待我，我不能在这里等了。我到这里来真是发疯，赶快走才好。至于达林顿勋爵——啊呀！他回来了！叫我怎么好呢？叫我跟他说什么话呢？他会放我走吗？我听见人家说，男子们都是很强暴，很可怕的……哎！（双

手捧着脸)(尔林夫人入)

尔林夫人　温夫人！(温夫人直跳起来,睁着眼看她,又缩退了几步,现出一种很轻蔑她的样子)谢谢天爷,我来得还巧。你一定得赶快回去,到你丈夫的家里。

温夫人　一定得去吗?

尔林夫人　(很威严的)是的,你一定得去！一秒钟也不能迟了。达林顿勋爵不定哪时候回来。

温夫人　不要走近我身边来！

尔林夫人　咳,你在堕落的边上了,你在可怕的悬崖上了。你一定得快快离开这里,我的马车在街头上等着。你一定得同我一直回家去。(温夫人把她的外套脱了丢在沙发上)你干什么？

温夫人　尔林夫人——你假使不来,我倒回去了。但是现在我看见了你,我觉得世界上没有可以劝我回去再跟温爵住在一所房子里的了。我见了你很害怕,你有一种势力使我心里发怒。我知道你为什么来的,我的丈夫叫你来骗我回家,好做你们两个人的屏风,遮蔽你们的关系。

尔林夫人　哎！你不要想那种——你不可以的！

温夫人　尔林夫人,你到我的丈夫那边去罢。他现在属于你,不属于我的了。我想他只怕闹出笑话来。男子实在懦弱。世上各种的法律,他们都有胆量去犯的,但是怕人家的议论,叫他小心点罢,就要弄出笑话来了。他就要出那伦敦好几年来没有听见过丑名声,快了。各种下贱的报纸上都要发他的名字,我的也要登在各种可恶的广告上。

尔林夫人　不会——不会——

温夫人　会的！他会有的。假使他自己来请我,我也肯回去,去到你跟他两人为我预备好的那个卑辱的生活里——我还可以谦就回去——但是他自己躲在家里,叫你来当他的使者——哼！真不知羞耻——不知羞耻。

尔林夫人　温夫人,你把我误会了——并且你把你的丈夫也误会了。他还以为你安安逸逸地在家里呢。他当你在你自己的屋里睡觉呢。他再没有读过你写给他的疯信！

温夫人　没有读过！

尔林夫人　没有——他一点也不知道这件事情。

温夫人　你当我的脑筋这样简单！（走上一步）你说谎话！

尔林夫人　（强制自己）我没有。我告诉你的都是真话。

温夫人　假使我的丈夫没有读过我的信,你怎么会到这里来？谁告诉你我离了像你那样不知羞耻地肯闯进去的家呢？谁告诉你我到的地方呢？全是我的丈夫告诉你的,并且叫你来骗我回家。

尔林夫人　你的丈夫没有看见你的信,我看见的；我把它拆开的,我读的。

温夫人　（转向尔林夫人）你拆看我给我丈夫的信？要你不敢！

尔林夫人　不敢！啊！只要能够把你从深渊里救出来,这世界上,还有什么事情不敢做的呢？全世界上没有什么不敢做的事。这封信在这里,你的丈夫没有读过,并且也不会再读着了。（走到壁炉边）这封信再也不应该写的。（扯碎了,信丢在火里）

温夫人　（她的眼睛里和说话的声音里,都带着十分轻蔑的）怎么叫我知道那是我的信呢？你以为想出一个极平常的计策来就可以叫我回去！

尔林夫人　哎！为什么我告诉你的话,你一点也不信！你想一想,我除了从危险里糊涂里救你出来,还打什么主意,要到这里来呢？现在烧掉的就是你的信：我可以对你起誓的！

温夫人　（慢慢地说）我还没有看之先，你就要紧把它烧了。我不能信你，你这个人一生里都是假的，哪里还会说句真话呢？（坐下）

尔林夫人　（很躁急的样子）随你怎样看我，随你欢喜说怎样的话来反对我，只要你回去，回到你爱的丈夫那里去。

温夫人　（面上很阴沉的样子）我不爱他！

尔林夫人　你爱他的，并且你也知道他爱你的。

温夫人　他不懂得什么叫做爱，他所知道的跟你差不多少——我晓得你要的是什么。把我叫回去你可以得大大的利益。天呀！以后我还有什么生命呢！一个没有慈爱怜恤的妇人，人遇见她都算不名誉的，跟她来往都算卑贱的一个恶妇人，一个离间人家夫妇的妇人，要在这样的人的手底下过生活！

尔林夫人　（作绝望状）温夫人，温夫人，不要说这些可怕的话。你自己不知道你说得太过分，多么不应该。听我，你一定要听我！只要你回到你丈夫那里去，我乞许你，以后再也不借什么名义同他往来——永远不再见他——于他或你的生命上永远不再有关系了。他从前给我的钱不是出于他的爱心，乃是出于恨；不是尊重我，乃是轻看我。我对于他拿得住的是——

温夫人　（站起来）喝！你承认你拿得住他的！

尔林夫人　是的，我告诉你是什么，就是他爱你，温夫人。

温夫人　你想我会相信那个吗？

尔林夫人　你一定得信！这是真的。因为他爱你的缘故所以使他受——啊！随你欢喜叫他什么，暴虐，威吓，随你拣选。总之，这是他爱你，他希望免你的——羞辱。是的，羞辱，丑名声。

温夫人　你说的什么意思？你太没有礼！我与你有什么相

干？

尔林夫人　（谦恭状）没有什么。我知道的——但是我告诉你，你的丈夫爱你——这一生里你不能再遇见这样爱你的人——这样的爱，你再也遇不见了——你假使背弃了他，总有一天你要想这样的爱而没有人来给你，你求爱人要拒绝你——啊！阿撒爱你！

温夫人　阿撒？你说你们两人没有关系？

尔林夫人　温夫人，你的丈夫对于你在上帝面前可告无罪的！并且我——我告诉你，我要是早想到你会有这种疑心，我死也不愿意接近你或是他——啊！死，死也情愿的！（移近沙发）

温夫人　听你的话你倒像有心肝的。凡像你这样的女子不会有心肝的，心肝不会在你这种人里面的。你是个被人家买卖的东西。

尔林夫人　（两眼直挺着，现出一种很痛苦的样子。自己勉强压制住了，走到温夫人的身边，但是不敢碰他）随便你把我当做什么，随你便罢。我不值得有一点难过。但是不要为了我的缘故把你美丽少小的年华消磨了！你还不知道你的前途要怎么样，除非你赶快离开这所房子。你还不知道掉在坑里的滋味；要受人家的轻侮嘲弄，被人家驱逐出去，冷嘲——成个无家可归的。人家要关门拒绝她，只好从可怕的小路里扒进去，心里还要时常担心事，只怕人家触破她的假面子，常常听人的笑声，听人家可怕的笑声，这种笑声比哭声还要悲惨。你不知道这是为什么，是偿她的罪孽，并且永远也偿不清，把她的全生命都赔偿掉还不够。你一定没有懂得这种事情。至于我呢，假使受苦算是赎罪，那么，无论我从前所有的罪孽怎么样，在这个时间里我就把那罪孽都赎清了。一个素来没有心的人，今天你替她造了个心。造成了，又把她毁坏了——这都不去管它罢。我宁可毁坏我自己的生命,只不要毁坏你的。你——你还是小姑娘一个,怕你要走错路了。你还没有使一个妇人回转来的脑筋。你没有这种机警,又没有胆量。你受不了这些羞辱。不行,回去,温夫人,到爱你的丈夫那边去,他就是你爱的人。你有小孩子的,温夫人。回去到你小孩子那边去。他现在或是苦痛,或是快乐,在那里叫你。(温夫人直站起来)上帝给你这个小孩子,他要你把他造成一个好生命,要你保养他。假使为了你,把他的生命毁坏了,你怎么能够回答上帝?快回到你的家里去,温夫人——你的丈夫爱你。他对于你没有一息工夫敢存一点不忠心的,就是他爱千万个别人,你也得跟你的小孩子同住。假使他待你很严厉的,你也须跟你的小孩子同住。假使他虐待你,你也得跟你的小孩子同住。假使他丢弃你。你还应该跟你的小孩子同在一处。

(温夫人听了这些话,淌出许多眼泪来,双手蒙了脸)

尔林夫人　(奔到温夫人面前)温夫人!

温夫人　(握住了尔林夫人的手,好像没有帮助的一个小孩子)带我回家,带我回家。

尔林夫人　(要去抱住她,又把自己制住了。脸上现出一种非常快活的形状)来!你的外套在哪里?(从沙发上拿起来)在这里,穿上了,赶快来!(两人同到门边)

温夫人　等一等!你没有听见声音吗?

尔林夫人　不是,不是!那里不会有人!

温夫人　是的,有的!你听!啊呀!那是我丈夫的口音!他进来了!救救我!啊这是诡计!你叫他来的!(外边杂声)

尔林夫人　不要做声!我要是能够,一定在这里救你。只怕太迟了!那边!(指窗前的慢帐)你看一有机会就溜出去!

温夫人　但是你呢？

尔林夫人　不要顾算我！我要搪着他们。（温夫人躲在幔帐后面）

阿格司脱　（在外）胡说！温特米尔，你一定不准离开我！

尔林夫人　阿爵！那是我糟糕了！（踌躇了半晌，四面望了望，见右边的门，就从那里出去）

（达爵,丹比先生,温爵和西西尔先生入）

丹　这个时候把我们赶出俱乐部，多讨厌！现在才是两点钟。（坐倒在椅子里）夜里最有趣的时候才起首呢。（闭上眼打了个呵欠）

温　达爵，你真是个好人，随便让阿爵拉我们到你这里来！但是我不能久留。

达　你要走！真可惜！抽一根雪茄罢？

温　多谢！（坐下）

阿　（向温爵）我的好小子，你不必想走了。我有好些话要跟你讲，并且是很重要的话。

（跟温爵在左桌边坐下）

西　哈！老头儿，我们都知道你的，除了尔林夫人一个人之外，没有别的话会讲了！

温　西西尔这不关你的事罢？

西　不关事！所以这才于我有趣咧。我自己的事，常常烦得我要死。我宁可管别人家的。

达　诸位，喝点水罢。西西尔你要韦司格苏打吗？

西　多谢。（和达爵同至桌前）今天夜里尔林夫人装扮得实在漂亮，你说是不是？

达　我不是仰慕她的。

西　我从前也不是，现在倒是了。她几次要我介绍她给我可怜爱的克洛林姑母。我相信她会到她那里去吃饭的。

达　(惊奇状)不会罢？

西　真的,她会去。

达　诸位,请原谅我。我明天要走,还有几封信得写。(走到写字台前坐下)

丹　尔林夫人,聪明伶俐的女子。

西　喂,丹比,我想你睡着了。

丹　我是睡,我常要睡的!

阿　一个很聪明的女子。她很知道我是笨人一个——像我知道我自己一样的明白。

(西西尔走到面前来,面上带着笑容)我的小子,随你笑罢,能够遇见一个知己的妇人,真算是大幸呢。

丹　这是件很危险的事情。结果就是一定得娶她了。

西　老头子,不过我想,你不再去见她了罢。不错!你昨天夜里在俱乐部是这样跟我说的。你说你听见了——(和他作耳语)

阿格司脱　啊,那个。她解释过了。

西　那么,韦司巴屯(德国温泉场)的事呢？

阿格司脱　那件,她也解释过了。

丹　老头儿,她的收入呢？她讲过了吗？

阿格司脱　(放重了声音)要待明天她才讲给我听。(西西尔回到中桌边)

丹　现在的女子都是金钱主义。我们的祖母辈,不管她怎么样,只把她们的帽子丢过风车就算完事了。但是现在她们的孙女们,把她们的帽子丢过风车之后立刻要使风起来才好。(英国乡间的旧迷信,把帽子掷过风车,可以使风车转。但是现在先要知道风车必转动,才肯把帽子掷

起,此言实利主义之意;恭注)

西　坏女子使人讨厌,而好女子使人腻烦,就只一点分别。

达　(手拂雪茄灰)尔林夫人的前途很远大的。

丹　尔林夫人过去的历史很多的。

阿格司脱　我宁可要一个女子有过去的历史的。同她讲话总是很有趣的。

西　老头子,那么你可以有好些个话头跟她讲咧。

阿格司脱　好小子,你真讨厌。太讨人厌了。

西　(一手搭在阿爵的肩上)喂,老头儿,你的体格损失了,你的品格丢了,可是再不要丢了好脾气。因为你只有一个脾气。

阿格司脱　好小子,假使我不算是在伦敦的最好脾气的人——

西　我们大家还应该待你恭敬些,是不是,老头子?(走开了)

丹　现在这班青年真是太随便了。他们对于年老的人,没有一点尊敬心。

(阿爵怒容向四周看)

西　尔林夫人对于老头儿很尊敬的。

丹　尔林夫人在她同类中倒可以做个榜样。现在的女子对于她丈夫以外的男子,简直不成样子了。

温　丹比,你真可笑。西西尔,你也讲起毁语来了。你不要爱尔林夫人。你真不知道她,所以常常毁谤她。

西　(走到温爵前)我爱的阿撒,我从来没有讲过毁语。我只有讲过人家的闲话。

温　毁语和闲话有什么分别?

西　啊!闲话是好听的!历史上的事都是闲话。毁语是把闲话弄得讨厌些,里边有道德的判断就是了。我向来没有讲过道德。男子讲道德的都是伪君子。女子讲道德的都是平庸的。

阿格司脱　正是我的意思,好小子,正是我的意思。

西　老头儿,我很不愿意听这话;每回人家跟我表同情我总觉得我是错的。

阿格司脱　我的好小子,当时我像你这样年岁的时候——

西　老头儿,你可从来没有像我这样的年纪过,并且也永远不会有像我这样的年纪了。(走上前)喂,达林顿我们打纸牌罢,阿撒你愿意来吗?

温　不来,谢谢你,西西尔。

丹　(叹了一口气)天呀!婚姻真是坏人的事!像纸烟一样的败坏风纪,并且格外费钱。

西　老头儿,你当然打的罢?

阿格司脱　(斟满了一杯勃兰提苏打)好朋友,我不能打。曾经允许了尔林夫人永远不再打牌喝酒了。

西　老头儿,你留心不要走错到正经路上去呢。你若是改良了,将来你一定会厌烦的。那是女子的坏处。她们常要叫人做好。若是我们好了,她们见了我们,一点也不爱了。她们第一次见我们,愿意我们是一个极坏不可救药的人。等到要撇下我们的时候,又愿意我们成一个淡而无味的大好人。

达　(从他写信的桌子起来)她们常常看见我们的坏处!

丹　我想我们都不坏。除了老头一个都是好的。

达　不对,我们都是在小沟里,但是有几个还可以看得见天上的星宿。(来到中桌边坐下)

丹　我们都在小沟里,只有几个人看得见天上的星宿吗?啊唉！你一定掉在爱情中了。哪一位姑娘？

达　我爱的是一个不自由的女子,她自己或者以为她不自由。

(说话的时间不知不觉的两个眼移到温爵身上去)

西　那是一个有丈夫的女子！世界上没有像一个有丈夫的女子那样专爱的。论到有老婆的男子对于这种爱情,是不懂的。

达　哎！她是没有爱我。她的确是一个好女子,我生平第一次碰见这样的好女子。

西　是你生平第一次见的好女子吗？

达　是的！

西　(燃着了雪茄)那是你真运气,喝！我的眼里见过了几百几百的好女子了。都是好的,没有别的。这个世界是充满了好女子。不过认识他们如同受中等社会的教育罢了。

达　这个女子真是又贞节又天真,男子所没有的,她都齐备了。

西　好朋友,我们男子又何必要贞节天真呢？只要留心去把个钮口花做得好点,比较着还有功效些。

丹　她没有真真爱你？

达　没有,她没有爱我！

丹　恭喜你好朋友。世上只有两种悲剧。一种是心里所要而得不到的,一种是得到的。第二种更可怕,并且是真真的悲剧！她不爱你,我倒很欢喜。西西尔,要是一个不爱你的女子,你能爱她多久？

西　不爱我的女子？啊,我的全生命！

丹　我也是这样。但是不容易碰见的。

达　丹比你怎么会这样自负？

丹　我所说的并不是自负,乃是悔恨。人人都爱我得了不得。我很不欢喜她们这样看待我。应酬她们很讨厌的。因为有时候我愿意留点闲工夫给我自己。

阿格司脱　（向四围看了看）我想留点工夫可以教导教导你罢。

丹　不是,留点工夫可以把我从前学过的忘记了。老头儿,你该知道这是更要紧。（阿爵坐在椅子里很不自然地移动）

达　你们这班真是滑稽家！

西　什么叫做滑稽家？（坐在沙发的后面）

达　只晓得物事的市价而不知道物事的真价的人。

西　达林顿,感情派呢是把物价看得太过分而一点不管市价的人。

达　西西尔,你常常讨我欢喜。你说的话好像你是富有经验的人。

西　我是的。（移到火炉前来）

达　你年纪还太轻！

西　这是你大大的谬见。经验是关于生命的一个本能问题。我有这个本能。老头儿是没有；老头儿之所谓经验者,就是他一生的错处。

（阿格司脱气哄哄地向四周看看）

丹　经验这个名词,个个人称它为一生里的错处。

西　（背向火炉站着）人总不该有错处。（看见在沙发上温夫人的一把扇子）

丹　没有他们,生命就没有趣味了。

西　达林顿,你对于你所爱的那个女子,那个好女子,当然是很忠心的了？

达　西西尔,假使一个人真爱一个女子,看世上别的女子都没有趣味了。爱可以改变人——我是改变了。

西　啊唷!真有趣。老头儿,我有句话对你说。

(阿爵一点也不睬他)

丹　跟老头儿讲,没有什么用处,只当对一块砖墙讲。

西　我欢喜砖墙讲——老头儿,世界上只有这个东西,从来不会反驳我的!

阿格司脱　要跟我讲什么呢?什么呢?

(起来走到西西尔这边去)

西　到这里来,我只要你。(在旁)达林顿嘴里刚讲道德,纯爱,还有这类的东西在这里,他屋子里藏的女子好久了。

阿　不会,真的!真的!

西　(低声)有的,这里有她的扇子。(指着扇子)

阿格司脱　(呵呵而笑)啊唷!啊唷!

温　(起身向门)达爵,我真要走了。很可惜你快要离开英国了,你回来的时候请来看看我们!我的夫人跟我都很想见你!

达　(站起来同温爵)我怕我出去要几年工夫罢。再会!

西　阿撒。

温　做什么?

西　等一下,我有话跟你讲。不要去,来罢!

温　我不能——我要走了!

西　这是件特别的事。于你很有趣味的。

温　(微笑)西西尔是你的糊(胡)说。

西　不是的。实在不是的!

阿格司脱　(走到温爵身边)好朋友,你现在一定不要走。我有好

遗扇记　　　　　　　　　　　　　　　　　　　　　　　195

多话要跟你讲,西西尔还有点东西给你看呢。

　　温　（走过去）是什么东西?

　　西　达林顿藏了个女子在他屋里。这里有他的扇子。是不是很有趣的?（少顿）

　　温　天呀!（握住了扇子——丹比立起身来）

　　西　什么事?

　　温　达爵!

　　达　（回头来）是!

　　温　为什么我夫人的扇子会在你屋里?西西尔放手,不要碰我。

　　达　你夫人的扇子?

　　温　是的,在这里!

　　达　（走过来）我不知道!

　　温　你一定知道。我要你解说出来。（向西西尔）可恶东西,不要捉住我。

　　达　（在旁）她毕竟在这里!

　　温　先生,说出来!怎么我夫人的扇子在这里呢?对天,回答我!我要抄你的屋子,假使我的夫人在这里,我要——（走）

　　达　你不能抄我的屋子,你没有这权柄。我不准你。

　　温　你坏小子!我不把个个角儿里寻到之先,我决不离开你的屋子!幔后动的是什么?（奔到幔前）

　　尔林夫人　（躲在右桌的后边）温爵!

　　温　尔林夫人!

（每个人都吓一跳,回转头来看。温夫人从帽后溜出,向右屋逃出）

　　尔林夫人　我怕我夜里离开你家的时候,拿错了你夫人的扇子,把他当我自己的了。(很对不起的从温爵手里拿过扇子来。温爵很轻蔑的样子看她。达爵又怒又惊奇。阿爵掉转点头。其余的都相对微笑。)

(第三幕完)

(第六卷第三号,一九一九年三月十五日)

第四幕

〔布景〕和第一幕相同。

温夫人　(躺在沙发上)我怎么能够告诉他?我不能告诉他。告诉了他会要我的命。自从我逃出那所可怕的屋子之后不知道那里怎么样了。或者她已经告诉他们她为什么到那里去的,并且把那——我那要命的扇子的实情告诉了。啊,他要知道了——叫我再有什么脸见他呢?他再也不能饶我的。(按铃)一个人好好过日子不受外物引诱,无罪无辜的,心里怎样舒服呀。不料忽然——啊!生命真可怕。生命原来是治理我们的,我们不能治理他。

(罗色丽入)

罗　夫人叫我吗?

温夫人　是的。你知道温爵夜里几时回来的?

罗　爵爷到五点钟才回来。

温夫人　五点钟!今天早起他打过我的门没有?

罗　打了,夫人——九点半的辰光。我告诉他,夫人还没有醒来。

温夫人　他说了什么话没有?

罗　　好像提起夫人的扇子。我没有听清楚主人说的话。夫人那把扇子丢了罢？我怎么找也找不着,泊克尔说那一间屋里也没有。间间屋里,都找遍了,连那台子上也看过了。

温夫人　　那没有什么要紧。告诉泊克尔不用再找了。算了罢。

（罗色丽出）

温夫人　　（起来）她一定告诉我丈夫了。我可以想象出来的,一个人做那种惊奇的事情牺牲自己,当时原很豪气的毫无踌躇的——到得后来她才觉着丧失太厉害了。为什么她宁可牺牲自己不愿我败坏呢？……真奇怪！我要在我家里当大众的面前羞辱她。她肯在别人的家里容受大众的羞辱来救我……一定有点苦痛的讥刺在里头,我们所谓好女子坏女子真是一种苦痛的讥刺。……啊,真是好教训！多么可惜,我们得到那些教训,反于我们没有用了！就是她没有告诉,我也一定要告诉的。哎！真是出丑,真是出丑。告诉一遍,就同再经过一番。行为是生命里第一种悲剧,说话还是次之。有时说话也是最可怕的,说话是不仁的……啊唷！（温爵进来把她吓了一跳）

温　　（和她亲嘴）马格雷脱你的面色多难看！

温夫人　　我睡得不甚好。

温　　（和她同在沙发上坐下了）真可怜,我回来得太迟了,那时我不敢惊动你。我爱,你哭过了。

温夫人　　是的,我哭过了,我有点事要告诉你,阿撒——

温　　我的孩子,你身上不大好罢。事情干得太多了。我们到乡下去住几天罢。到塞尔皮去,你就会好的。这季节差不多也算完了,住在这里没有什么用处。可怜的宝贝你若是高兴的话,我们

今天就走。(起身)我们很可以乘四点半的车。先打个电报给丰南去。(到书桌边写电报)

温夫人　好,我们今天走。不行,阿撒,今天我不能走。没有走之前,我还有个人一定要见她一面——那个人曾经有恩于我的。

温　(过来靠在沙发上)有恩于你的?

温夫人　比这个还重些。(起来到他身边)阿撒我告诉你,不过还要你爱我的,爱我像从前一样。

温　像从前一样?你是不是想起昨天到这里来的那个恶妇人罢?(走来坐在她右边)你不可以再在那里瞎想——不,你不能够。

温夫人　我没有,我现在明白了我是错的,糊涂了。

温　你气量真大,肯接待她——但是从今以后你再也不要见她。

温夫人　你为什么这样说?

(少顷)

温　(握住她的手)马格雷脱,以先我想尔林夫人那个人,如同俗语所说的,人家对她作孽,不是她自己作孽。还想她要学好,再回她因为一时受愚所失去的地方来从新再造一个高贵的生命。我相信她告诉我的话——哪里知道我都看错了——她还是坏的——女子可以坏的地方她都做到。

温夫人　阿撒、阿撒!随便哪一个女子你都不要议论太刻薄。我想现在一般人谁也分不出哪是好的哪是歹的来,仿佛她们是两个不同的种族,或是两个天地的。大家认她为好女子的,也许她心里头坏到不堪问的,昏乱,自骄,嫉妒,罪恶什么毛病都有。大家骂她为坏女子的,也许她心里头悲伤,懊悔,怜爱,倒肯为人家牺牲。我想尔林夫人不是一个坏女子——我知道她不是。

温　我爱的小宝贝，这个女子是不行了。无论她怎样想法伤害我们，你一定不能再见她。她这个人随便走到哪里，都不让她进去了。

温夫人　我可是要见她，我要她到这里来。

温　不能！

温夫人　她到这里来过一次是做你的客。现在我也要请她来算做我的客。那才公平。

温　她不应该再到这里来。

温夫人　（起立）阿撒，你现在说得太晚了。（走开了）

温　（起立）马格雷脱你要是知道尔林夫人昨天夜里从我们家里出去之后到哪一家去，你可再不愿意跟她同坐在一间屋子里了。做这段事情，简直一点没有羞耻的。

温夫人　阿撒，我不能再忍受了。我告诉你罢，昨天夜里——

（泊克尔入，手里托着一个盘，里面盛了温夫人的扇子，另外还有一张名片）

泊　这是尔林夫人拿来还您夫人的扇子，说是昨天夜里拿错的。尔林夫人还写了几句话在名片上。

温夫人　啊，请尔林夫人进来。（读名片）喂，告诉她，我很要见她。（泊克尔出）阿撒，她要见我。

温　（拿名片看）马格雷脱我求你不要罢，无论怎样，等我先见她。她是个极险恶的女子。我所知道的女子里头，她是最险恶的一个。你还不知道你自己做的什么。

温夫人　我应该见她，这是正当的。

温　我的孩子，你要走到苦痛的所在去了。不要见她，还是应该我先见她。

温夫人　为什么是应该的呢？

（泊克尔入）

泊　　尔林夫人。

（尔林夫人入，泊克尔出）

尔夫人　温夫人,你好呀！(向温爵)你好！温夫人,你知道么？你的扇子,实在对不起。我真想不到怎么我会弄错的。我真糊涂。方才我一路到你这里来,心里想,我应该自己送还你的东西,可以当面谢罪,并且来顺便辞行。

温夫人　辞行？(搬到沙发边去跟尔夫人一同坐下)尔林夫人,你要往别处去吗？

尔夫人　是的,我又要到外国去住。英国的天气跟我不大合适。我的——心里不安,所以我不喜欢。我宁可到南方去。温爵,伦敦地方云雾太多,还有——还有真心的人。不知道是云雾产出真心的人来,还是真心的人产出云雾来,我不明白。总而言之,使人难受的。所以我今天就乘下午的一趟俱乐部车走了。

温夫人　今天下午？不过我很要去见你。

尔夫人　你怎么这样好？但是我恐怕一定要走呢。

温夫人　尔林夫人,我永远不能再见你面了吗？

尔夫人　我怕不能,我们的生命隔得太远了。不过有一点事情要请教你做。请你给我一张你的相片,温夫人——你肯给我一张吗？你不知道我心里会怎样好过。

温夫人　那是我很愿意的。那边桌子上就有一个。我来拿给你看罢。(走到桌边)

温　(走到尔夫人身边低声说)你昨天夜里做出那种行为来,怎么还有这样胆子闯到这里来。

尔夫人　(很乐地一笑)我爱的温特米尔你先安静些,再讲道德罢!

温夫人　（转来）我怕这一张不大像——我自己没有相片上好看。（指着相片）

尔夫人　你自己比相片上好看得多咧。你跟你的孩子同照的,有没有?

温夫人　有的。你要那张吗?

尔夫人　是的。

温夫人　对不起,请坐一刻。我去拿一张给你。楼上有一张。

尔夫人　对你不起,温夫人。这样麻烦你。

温夫人　（走到门边）一点也没有什么,尔林夫人。

尔夫人　多谢。（温夫人由右门出）温特米尔今天有点发气似的。为什么这样呢? 马格雷脱跟我渐渐走得拢了。……

温　在她面前见你,我真受不了。并且你没有老实告诉我。尔林夫人。

尔夫人　你的意思是说我没有老实告诉她罢。

温　（立在中间）有时候我倒愿意你告诉她。我这六个月里的窘迫,忧虑,苦恼都可以免去了。宁可以叫我的夫人知道——她向来以为已经死去时常思念的母亲还是好好地活着——并且是一个被弃的妇人;顶了假名字在各地方混,一个极坏的妇人,欺骗人的,我现在知道你确是那样的人。我本来预备供给你的用度,一回一回替你还账,供你的浪费,以至惹起昨天那样的事情,使我第一次跟我的夫人噪闹。你不知道我那心里多少不愿意。你哪会懂得那个? 不过我要告诉你,从她可爱的嘴里吐出那难堪的说话来,都是为你。所以我见你在她的旁边,真叫我发恨。你把她的天真污灭了。（走至左旁）我总想你有这样多的罪恶,倒还是快快乐乐自以为荣耀的。

尔夫人　你为什么提那事呢？

温　因为你强迫我,问我夫人给你一张跳舞会的请帖。

尔夫人　为了是女儿的跳舞会——不错。

温　你既然来了,刚离开我家一点钟的时候,又在一个男子的屋里——你在众人面前出丑。(走上一步)

尔夫人　是的。

温　(转过身来向着她)所以我可以照你的品格看待你——一个没有人品的,不洁的妇人。我可以禁止你永远不到我家来,永远不要打算走近我夫人的身旁——

尔夫人　(冷淡的样子)你说的是我的女儿罢。

温　你没有权利可以认她为你的女儿。当时她还不过在摇篮里的一个小孩子,你就离开她,丢弃她,为了你相好的,你就不顾她了。她也报应你,丢弃你。

尔夫人　(起身)温爵,你说这话是为那男子的名誉——还是我的？

温　算那个男子的,因为现在我知道你了。

尔夫人　留神点——你得要留神点才好。

温　我不跟你讨论字眼儿,我知道你很清楚的。

尔夫人　(睁了两眼看他)我倒有点疑惑。

温　我知道你的。你二十年工夫离了你的孩子,就是想也不想着她。有一天,你看见报上载她嫁给一个富豪了,于是有了你的机会了。你料定我因为想免去她的羞辱,不叫她知道像你这样的人是她的母亲。想我样样都可以承受的,所以就实行你那欺诈的手段,取财的行为来了。

遗扇记

尔夫人　（耸肩）不要说那种难听的话,温爵。那是下贱的。说我见了我的机会这句话倒是不错。并且我赶上这机会了。

温　是的,你赶上那机会了——并且因为昨夜你被人家看出来,又把她完全毁坏了。

尔夫人　（作奇笑）你说的不错,昨天夜里我把她完全毁坏了。

温　至于你为鲁莽从这里拿错了我夫人的扇子,又丢在达林顿的屋里,这是不能饶你的。我现在看也不要看它了。永远也不叫我夫人用它了。这件东西于我已经污辱过的,你还是拿了去不应该拿回来。

尔夫人　我想拿了去好。（取了扇子）我问马格雷脱要了罢。

温　我希望我夫人肯给你。

尔夫人　那我料她一定不会答应的。

温　并且我还盼望她把那个小像也给你,那个东西她每晚为她祷告跟她亲嘴——这像是一个年轻天真的小姑娘,头上长了满头的黑发。

尔夫人　啊,不错,我想起来了。那个好像是多久了！（走到沙发边坐下）这是我出嫁以前制的。黑头发和天真的面相算是当时最流行,温特米尔。

温　今天早晨你为什么来的？你的目的是什么？（走过中间坐下）

尔夫人　（说话里带了是刺的声音）当然是跟我亲爱的女儿告别来的。（温爵一股怒气咬着下嘴唇。尔林夫人睁眼看他,声音渐渐庄重了。发音的高低里含一种极深的悲痛,一时把她的真像显露出来了）哦,你不要想在她面前演出什么悲剧来,抱住她的颈骨哭,告诉她我是谁,像这种事我都不会的,我也没有念头想做娘了。我一生里只有一次觉着有做娘的感情,就是昨天夜里。真叫我可怕——使我难堪——受的苦太厉害。

我活了二十年的光景，照你所说的，没有孩子——我还是愿意没有孩子好。(微微一笑,把她的真情隐藏起来了)并且我爱的温特米尔有这样长大的女儿，我怎么可以扮做母亲呢？马格雷脱已经二十一岁了。我向来只承认我二十九岁，至多不过三十岁。有红晕面颊的时候就算二十九，没有的时候就算三十。那么你可以看出这里头牵挂的难处了。不行，论到我呢，让你夫人，保存她那已死纯洁的母亲的记念罢。为什么我要干涉她的幻想呢？我觉得我自己很难保守的。昨天夜里我失去一个幻想，我以为我没有心，后来才觉得有的；不过这个心跟我不合式。它跟时式的衣服不配。它把人显得老相。(从桌上拿起手镜来照)并且在最要紧的关节，把人的前途耽误了。

温　你害我满心惧怕——十分惧怕。

尔夫人　(起来)温特米尔我想你愿意我隐居在修道院内，或者去做个病院里的看护妇，或者跟这相类的事情，像那种蠢笨的近代小说里的人。阿撒那是你笨了！在真生命里的人不做这种事情的——无论如何，我们只要好看不做的。不是——现在的人用什么方法可以安慰自己，并不是懊悔，乃是快乐。懊悔是完全不通行了。并且，还有，假使一个妇人真真懊悔了，她得要到一个坏女裁缝那里，不然，没有人会相信她。世上没有人可以强迫我做那样的。不行，我永远不要再跟你们两人往来了。我来是错的——昨天夜里我才发觉的。

温　一个致命的错处。

尔夫人　(微笑)差不多致命。

温　我很懊悔不把拢总的事情告诉她。

尔夫人　我懊悔我的坏行为。你懊悔你的好行为——这是我们两人不同的地方。

温　我不信服你。我要告诉我的夫人。我想要是叫她知道好,并且是从我知道的。不过告诉了她,一定使她很苦痛——并且使她大受屈辱,但是还应该使她知道好。

尔夫人　你打算告诉她吗?

温　我要告诉她的。

尔夫人　(走上他前来)你假使真要告诉她,一定弄得我的名字非常丑,使她一生没有片时的快乐了。并且会毁害她,弄得她非常苦。你倘使敢告诉她,一定使我降到极深的阶级里去,受最大的羞辱。你不要告诉她——我禁止你。

温　为什么呢?

尔夫人　(少息)假使我说因为挂念她或者爱她——你可要冷笑我罢,会不会?

温　照我看来恐怕不确罢。做母亲的爱子女是专心,不利己,情愿牺牲。你怎么会懂这些事呢?

尔夫人　你说得不错。我能懂什么呢?我们不要再讲这件事罢,什么,你要告诉我女儿,我是谁,我不能允许你。这是我的秘密,不是你的。假使我心里要告诉她,等我没有走之前,我自己会告诉的——要不然,我就永远不告诉了。

温　(有怒容)好,那么请你赶快走罢。我可以代你向马格雷脱请罪的。

(温夫人由右门进来。走到尔林夫人面前,手里拿了一张相片。温爵向后退至沙发边,当两人谈话的时候,很注意尔林夫人)

温夫人　很对不起的尔林夫人,要你等这半天。我怎么找也找不到我的相片。到后来在我丈夫的洗脸房里寻出来的——把它偷走了。

尔夫人 （从她手里接相片来看）这也难怪——这是漂亮。

（跟了温夫人走到沙发边坐在她身旁。又拿起相片来看看）这是你的孩子罢！他叫什么名字？

温夫人 叫哲拉尔，跟我父亲的名字起的。

尔夫人 （将照片搁下了）是吗？

温夫人 是的。假使他是个女孩子，我要把我母亲的名字给他。我母亲的名字跟我的一样，也叫马格雷脱。

尔夫人 我的名字也是马格雷脱。

温夫人 真的吗？

尔夫人 温夫人，你的丈夫告诉我，说你一心记念你的母亲。

温夫人 人人心中都有个理想，就是没有，也应该有的。我的理想就是我母亲。

尔夫人 理想是件靠不住的东西。实事是好些。虽然也有害处，比较着好些。

温夫人 （和她握手）我如果失了我的理想，就同把所有的东西都丢了。

尔夫人 所有的东西？

温夫人 是的。（少息）

尔夫人 你父亲常常提起你的母亲吗？

温夫人 不常讲，因为使他心里很难过。他只告诉我过，说我母亲怎样死的，自从我生了没有几个月之后。他一说起就流眼泪。所以他叫我以后再也不要在他面前提起我母亲的名字。因为使他听了太苦痛。我母亲——我父亲实在是心碎了死的。我所知道的人里头要算他的生命毁坏得最厉害。

尔夫人　（站起来）温夫人，我想要走了。

温夫人　（起立）啊，不要走。

尔夫人　我想，我还是走好。我的马车大概回来了罢。方才我叫他送张条子到佳德布夫人那里去的。

温夫人　阿撒！你肯替尔林夫人去看看她的马车回来了没有？

尔夫人　温夫人不要劳动温爵了。

温夫人　阿撒劳你走一躺罢。（温爵迟疑的样子，又向尔林夫人看看。尔林夫人只装做没有看见，他就出去了。温夫人向尔林夫人说）你昨天夜里救我，叫我怎样跟你说呢？（走近她面前）

尔夫人　哎，——不要提这事。

温夫人　我一定要说的。我不愿意安安稳稳受你这样的牺牲，我不会。这件事情太大。我要把所有的事情都告诉我的丈夫，这是我的本分。

尔夫人　这不是你的本分——除了他，你对于别人还有点本分。你不是说你还欠我点东西吗？

温夫人　我欠你样样东西。

尔夫人　那么，请你不要开口，就算偿还我，只有这个法子可以做报酬。不要向个个人告诉，以至于败坏我一生所做的只有这件好事。昨天夜里的事，只准我们两人知道，不再告诉第三个人。不要叫你的丈夫一生里受痛苦。为什么好端端要破坏他的爱情呢？你一定不要破坏他。爱情是最容易消灭的。啊，爱情这样东西真是容易消灭呀！温夫人，我一定要你答应永远不要告诉他那件事。

温夫人　（点点头）这是你的主意，不是我的。

尔夫人　不错,是我的主意。还有,永远不要忘记你的孩子——我愿意把你当着做母亲的看待,并且望你自己也记着你是个母亲。

　　温夫人　(向上看)以后我总愿意了。我一生里只有一次把我自己的母亲忘记了——就是昨天夜里。咳,假使我记着她,一定不会那样糊涂,那样坏了。

　　尔夫人　(身体微微震栗)哎,昨天夜里的事早已完了。

　　(温爵入)

　　温　尔林夫人,你的马车还没有来。

　　尔夫人　那不要紧。雇辆双轮马车罢。我想马车里头没有比雪罗公司的再体面的。温夫人,我现在真要走了。(走至中央)啊,还有一桩事体,我记起来了。不过你会想我太冒昧罢。你知道我很喜欢你的扇子,昨天夜里跳舞完了,迷迷糊糊我带了就走。我现在想问你要了去,你可允许吗?温爵说过你也许肯的。不过我知道这是他送给你的礼物。

　　温夫人　你要是欢喜,那自然可以的。但是有我的名字"马格雷脱"在上面。

　　尔夫人　好在我们两个人的名字都是一样的。

　　温夫人　不错,我忘记了。那当然可以给你了。多奇怪,我们的名字会一样的!

　　尔夫人　是奇怪的。谢谢你——我见了这个可以常常使我记得你。(与温夫人握手)

　　(泊克尔入)

　　泊　阿格司脱勋爵到。尔林夫人的马车来了。

　　(阿爵入)

遗扇记

阿　好孩子,你好呀。温夫人,你好呀。(见尔林夫人)尔林夫人!

尔夫人　阿爵,你好呀?你今朝早起来怎么样?

阿　多谢你,尔林夫人,很好。

尔夫人　阿爵,看你的气色不大好。你睡得太晚——于你很不好的。你还得格外留心你的身子才好。温爵,再会。(走向门前向阿爵一鞠躬。忽又转身向他一笑)阿爵!你可以送到我的马车里去吗?替我拿这把扇子。

温　我替你拿!

尔夫人　不必,我要阿爵,因为有点特别事体托他传给公爵夫人。阿爵,你替我拿这把扇子可以吗?

阿　尔林夫人,你当真愿意我拿,我就拿。

尔夫人　(一笑)自然真的。你要拿了真是好看。可爱的阿爵,你拿了什么东西都好看的。

(尔夫人走到门边,又回头来看温夫人,四只眼睛却好碰见。她才转身出去。阿爵在后跟着)

温夫人　阿撒,以后你不要批评尔林夫人,可以吗?

温　(庄重状)她不是像人家说得那样坏。

温夫人　她比我好。

温　(手摸着她的发笑着)孩子,你跟她两人是属于两个世界的。在你的世界上没有邪恶可以进来。

温夫人　阿撒,不要说那种话。我们拢总人都是属于一个世界上的。善的、恶的、有罪的、无罪的都是手拉手从这世界经过的。对于生命的半面闭上了眼睛,以为生命是安稳的,就好比一个人瞎了眼可以在崎岖不平的地方走来走去的。

温　(走至夫人前)宝贝,你为什么说那种话?

温夫人　(坐在沙发上)因为我,在一生里瞎了眼,走到危险边上。并且有一个使我两人分离的人——

温　我们两人没有分离过。

温夫人　我们永远不再分了。阿撒要照样爱我,我也会格外信你。我会完全信你。我们到塞尔皮去玩玩罢。塞尔皮的玫瑰花园,里边的玫瑰花有红有白的。

(阿爵入)

阿　　阿撒,她把样样事情都说得明明白白!(温夫人立刻变了色。温爵睁了眼。阿爵挽了温爵到台前)她把昨夜的事情都讲明白了。我们实在是误会了她。她到达爵屋里去都是为我——起初到俱乐部,实在是要不叫我提着心,他们说我走了,她跟了来——自然的——一美男子进门的声音,她害怕——退到旁一间屋里,——我告诉你,这回事情我心里都很满足的。我们看错了她,她做我的妇人正正合式。从头到地都很配的。她所定的条件,只有是要叫我们两人离开英国——也算一件很好的事!——混账的俱乐部,可恼的天气,惹厌的厨子,样样东西是坏的!

温夫人　(害怕的样子)尔林夫人有没有?——

阿　　(走上前来向温夫人行一礼)是的,温夫人,尔林夫人赐顾我,答应嫁我了。

温　　好。你娶着了一位聪明的妇人。

温夫人　(拿了她丈夫的手)啊!你娶着了一位贤德的妇人。

(全剧完)

(跋)这本戏另由潘家洵君译登《新潮》第一卷第三号,译名《扇误》,读者可以参看。

(记者)

(第六卷第三号,一九一九年三月十五日)

卖火柴的女儿

〔丹麦〕H. C. Andersen 著 周作人 译

天气很冷,天下雪,又快要黑了,已经是晚上——是一年最末的一晚。在这寒冷阴暗中间,一个可怜的女儿,光著头,赤著脚,在街上走。她从自己家里出来的时候原是穿着鞋,但这有什么用呢?那是很大的鞋,她的母亲一直穿到现在;鞋就有那么大。这小女儿见路上两辆马车飞奔过来,慌忙跑到对面时,鞋都失掉了。一只是再也寻不着;一个孩子抓起那一只,也拿了逃走了。他说,将来他自己有了小孩,可以当作摇篮用的。所以现在女儿只赤着脚走,那脚已经冻得全然发红发青了。在旧围巾里面,她兜着许多火柴,手里也拿着一把,整日没有一个人买过她一点东西,也没有人给她一个钱。

冻饿得索索地抖着,向前奔走,可怜的女儿! 正是一幅穷苦生活的图画。雪片落在美丽的长发——披到两肩的卷螺发上,但她并不想到它。街上窗棂里,都明晃晃地点着灯火,发出烧鹅的香味,因为今日正是大年夜了。咦,她所想的,正在这个!

两所房子前后接着,其间有一个拐角,她便在那里,屈身坐下。她将脚缩紧,可是觉得愈冷了;又不敢回家,因为她没有卖掉一把火柴,也没有一个钱拿回家去;她定要受父亲的一顿打;而且家里也冷,因为他们家里只有一个屋顶,大的裂缝虽然用了稻草破布已经塞好,风却仍然呼呼地吹进来。

她的小手,几乎冻僵了。倘从柴束里抽出一支火柴,墙上擦着,温温手,该有好处。她便抽了一支。霎的一声,火柴便爆发烧着了。这是一个温暖光明的火。她两手拢在上面,正像一支小蜡烛,而且也是一个神异的小火光!女儿此时觉得仿佛坐在一个大火炉的前面,带着亮明的铜脚炉和铜盖。这火烧得何等好!而且何等安适!但小火光熄了,火炉也不见了,只有烧剩的火柴头留在手中。

第二支又在墙上擦着。火一发,火光落在墙上,墙便仿佛变了,透明同薄幕一样,她能见屋里的事情。桌上铺着一块雪白的布,上面放着光亮的晚饭器具,烧鹅肚里满装着苹果、干枣,蓬蓬地发出热气。还有更好看的,那鹅跳下盘,在地板上摇摇摆摆的,胸前插着一把刀一把叉,向女儿走来。那时火柴熄了,只有厚实、潮湿、冰冷的墙,仍在她面前。她又烧一支火柴。这回她坐在一株美丽的圣诞节树下,这树比去年她在那富商家隔着玻璃窗望见的那一株,更加高大,更装饰得好看。一千多支蜡灯,点在绿树枝中间;许多彩色图画,同店头所有的一样,都向上看这烛光。女儿伸出两手向它们,火柴就熄了。圣诞烛渐渐地升高。她现在再看,却是天上的星。一颗星往下落,曳了一道火光。女儿心里想道:"现在有一个人将死了",因为她的祖母——世上唯一爱她的人,如今已经死了——常常告诉她说,凡是一颗星落下,就有一个灵魂升天去了。

她又在墙上划一支火柴。火发了光,在这亮光里,立着她的祖母——清净光明,和善可爱。女儿叫道:"祖母,你带我同去!我晓得火柴熄时,你就要去了。你也要同温暖的炉火、好的烧鹅、美丽的圣诞树一样,就要不见了",她忙将整把的火柴擦着,想留住她的祖母。火柴烧得很猛,比日中还光明。祖母的相貌,也很大很美丽,不同平常一样。她将女儿抱在手里,两个人在光明喜乐中,离开地面,飞得很高,到那没有寒饿忧愁的地方去——她们是同神在一处了!

但次日清早,女儿仍旧坐在拐角,靠着墙,两颊绯红,口边带着笑容——在旧年末夜冻死了。新年的太阳起来,照在一个小死尸上!这孩子坐在那里,冷而且硬,手里拿着火柴,其中一把已经烧过了,旁人说"她想自己取暖"。但没有人知道她看见怎样美景,也不知道她在怎样的灵光中,同她祖母去享新年的欢乐去了。

Hans C. Andersen(1805—1875)的著作的特色,曾在《随感录》二四中约略说过;现在所译的便是他的童话之一。他的童话全分收在全集第二十七、二十八两册中。在第二十七册卷头,有他自撰的童话年谱,今将关于这一篇的说明,抄在下面——

一八四八年童话第二集第二分出,中为《老屋》、《一滴水》、《卖火柴的女儿》、《幸福的家庭》、《母的故事》、《苎麻》六篇……《卖火柴的女儿》在 Grasteen 旧城所作;当时接到 Herr Flinch(案:此系当时出版业者)的信,嘱我为他题画,共有三张,我取了一张绘着女儿拿火柴的画,就写了这一篇。

当时所印的画,可惜现在已经没有了。但他集内丹麦人 Pedersen 的插画,有两张小图插在这故事里,也非常得神。

Andersen 这篇故事,又与平常的童话略略不同,所以别有一种特色。他写这女儿的幻觉,正与俄国平民诗人 Nekrassov 的《赤鼻霜》诗里,写农妇在林中冻死时所见过的情景相似。可以同称近世文学中描写冻死的名篇。

(第六卷第一号,一九一九年一月十五日)

铁圈

〔俄国〕F. Sologub　著　周作人　译

一

一个女人，清早晨在一条市外的冷街上散步，一个四岁的孩子同她一路走。她很年少活泼，喜滋滋地微笑。她常常极慈爱地看她儿子，那孩子的红面颊上，也仿佛映出幸福的光。他正在那里抛一个圈，一个大而且新，明晃晃的黄色圈子。他跟着圈乱闯，喜欢得了不得，大声说笑；撒开他小肥腿，膝弯下全是露着；挥他抛圈的棒。他本不必将棒举向头上，有这样高，但这有什么要紧呢？

真好快活！他从前未曾有过一个圈，这圈又跑得怎么活泼呵！

从前一切都未有过，在他看了，一切全是新的——早晨的街道，快活的太阳，市内远远的嚣尘。在孩子看了，一切都新，都快活洁净。

二

一个穿破衣的老人，两手又粗又硬，站在十字街口。他将身体贴着墙壁，让女人和孩子过去。老人用没有光泽的眼，望着孩子，很粗蠢地微笑。混乱迟钝的思想在他秃头里，挣扎出来。他对自己说,"一个小绅士!正是一个小东西。喜欢得快要炸了。看他怎样开步走呵!"

他心里不甚明白。这件事似乎有点奇怪——

这里是一个孩子——一个小东西,只配拔住头发,拖来拖去的。游戏是坏事。孩子又是专做坏事的人,大家都晓得的。

那里是一个母亲——她并不发话,也不吵闹,也不骂他。她是很活泼愉快。很容易看出,他们是惯在温和安乐中过活的人。

但在老人自己一面,他做孩子时,过的是狗的生活。便是到了现在,也并无什么好的景况,虽然可以不再挨打,也有食料吃饱了。他记起少年的时候——饿呵,冻呵,打呵。他未曾有过一个圈玩耍,也没有好人家孩子所耍的种种玩物。这样子,他在穷愁苦难中间,过了一生。他记不出一件喜欢的事。

他张着没牙齿的嘴,对孩子笑,心里很羡慕他。他又回想道,"真无聊的游戏!"

但他心里很是妒他、羡他。

他去做工——去到工厂。在这厂里他从小做起,一直到老了。他终日想那孩子。这是一个极深极固执的思想。他竟不能忘却那孩子。他心里看见他跑着,笑着,顿脚,抛圈。怎么的肥小腿,直露到膝弯……

在工厂里机轮喧闹的中间,他整日里仿佛见那小孩拿着铁圈。夜里又在梦中看见他。

三

次日早上,老人的幻想,依旧跟着他走。

机器咭咭地响。工作很是单调,又是机械般的自动的事。他的两手急急忙忙地做习惯了的工作。没牙齿的嘴上,现出微笑,心里怀着愉快的空想。空气里面,夹着许多尘埃,愈显得浓厚;承尘底下,许多皮带从无数轮子上转来转去,嗤嗤地响。略远的地方,被散出的蒸气遮住,全不能见。只见一两个人,忽隐忽现,像鬼怪一般,人的声音,因为机器的不断的响声,也一毫不能听得。

　　老人的空想,也正是热闹——他这时候变了一个小孩,他的母亲是一个上流妇人。他有他的圈和小棒,他正在那里游戏,用小棒赶那圈。他穿了一件白衣服,他的小腿很肥,一直露到膝弯上。

　　几日过去了,工作也逐渐进行,他的空想还是如此。

四

　　一日晚上,他从工厂回家,在路上见了一个木桶的圈。这是一个粗恶污秽的圈。老人见了,喜得遍身发抖,没有光泽的眼里,流出泪来。有一种突然发生的不可抗的欲望,将他制住。

　　他很小心地向四面一望,于是蹲了下去,伸出发抖的手将它拾起,又惭愧似的微笑,拿了它回家。

　　没有一个人留心他,也没有人问他。这与人有什么相干?一个穿破衣的老人,拿着一个破旧无用的圈!有谁来留心呢?

　　他偷偷地拿着走,怕人看了见笑。为什么拾了来,又为什么拿着走,连他自己也说不出,单是这很像那孩子的圈罢了。将它放在随便什么地方,也没有什么妨碍。

　　他能看这圈,也能用手抚摩这圈,还更能引起他的幻想。工厂里的呼啸喧扰声音,便觉渐渐微弱,散出的蒸气,也渐渐淡了……

这圈在老人的歪斜不正的房子里的床下，放了几日。他时时拿了出来，看它一回。这污秽灰色的圈，很能安慰老人的心，他见了圈，便使他更加想念那幸福的孩子。

五

　　一日是清明和暖的早晨，鸟在市内虚损的树上，叫得比平时尤其高兴。老人一早起身，拿了圈，走出市外。

　　他在林中，从老树和荆棘堆里，直向前走，一面咳嗽。这树上都包满了黑色干枯的开裂的树皮，老人看了，觉得很是不测，又像是板著脸不说话。林中的气味也很奇，昆虫都很怪异，羊齿植物似乎非常高大。这里并无尘埃喧闹，只有温和细密的朝雾，散布在树木后面。老人的脚，在枯叶上滑过，有时遇着趴在地上的老树根，几乎绊倒。

　　老人折了一枝枯枝，将圈挂在枝上。

　　他走到一片空地，充满着日光与寂静。无数露珠，在新刈草地的绿叶上，闪闪有光。

　　忽然老人将圈溜下树枝，他用枝打，使圈在草地上旋转。老人大笑，颜色很为喜悦。他跟着圈跑，正同那孩子一样。他踢脚，用棒打那圈子，又将棒在他头上高高举起，也同孩子一样。

　　他觉得自己还是幼小，被人所爱，又很幸福。他又觉得他的母亲正看守着他，微笑着，紧跟着他走。仿佛初次出外的孩子，他觉得与鲜明的草和闲寂的青苔接触，十分舒畅、快乐。

　　他的灰色羊髯，同他苍白的脸色恰相调和，抖个不住。他的咳嗽同笑混作一堆，奇怪的嘎声，从他没牙齿的口中发出。

六

此后,老人一天比一天更爱他早上带着圈在林中游戏的时光了。

他有时想到,怕被人发现,被人见笑——想到这里,引起一种深切的惭愧心来。这惭愧很像恐怖,他便渐渐麻木,他的膝髁几乎发软。他慌忙向四面探望。

不——四面没有一个人看得见,也没有一个人听得到。

他尽意地游戏够了,便回到市里,很温和、愉快地微笑。

七

没有一个人发现了他,也没有非常的事出现。老人平平安安地游戏了几日。一日露水很多的早上,他便受了凉。他卧倒在床上,不久死了。虽然死在工厂病院里,死在不知不识的不相关切的人的中间,他很平静地微笑。

他的空想,使他心里很得安慰。他也曾做过孩子,也曾笑着在阴暗的树木中间、在绿草上跳跃,他的亲爱的母亲,将眼紧跟着他。

Sologub 本名 Fjodor K. Teternikov(1863—)。本志四卷三号已经载过他的一篇《童子 Lin 之奇迹》,但他的杰作是长篇小说《小鬼》与短篇《迷藏》等。这一篇《铁圈》虽然并非他的一等著作,但很可看出他的根本思想,所以颇有研究的价值。

Sologub 是厌世家,又是死之赞美者(Peisithanatos)。他在《小鬼》中，表明人生的恶浊无意义；要脱离这苦，仅有死这一条路：如《迷藏》中的小女儿 Leletshka，又或如《未生者之接吻》中的胎儿，便最好了。其次要算发狂，他称为祝福的狂气。此外还有两种法门，可免人生的苦恼：第一是美，第二是空想。但无论怎样天真的美，一与人世接触，也被污染毁坏。所以诗人的空想，便是唯一的避世的所在。英人 Cournos 说，"空想是美的媒介，能令人在悲哀中求得悦乐。有空想的人，真是幸福。他在这日光所照鄙俗可厌的人世之外，别有一个世界：怪异荒唐，同童话的世界一般，也便是夜的世界"。（见一九一五年九月份两周评论中）

Sologub 的意见大略与意大利诗人 Leopardi 相似，"以为人生只有苦趣；灵智之士，苦亦益大。盖人生慰藉，实唯空虚。人有希望、空想、幻觉，乃得安住。如幻灭时，只见实在，即是悲苦。欲脱此苦，唯梦或死"。（译者所编欧洲文学史的一段）这篇小说里的老人，便只因能有了空想、幻觉，所以虽然过了一世"狗的生活"，也能很温和愉快地微笑；死在不相关切的人的中间，也能很平静地微笑。所以他可算一个"真是幸福"的人。因为他能在这不幸的真实的世界之外，别有一个空虚的世界，可以容得他安住。

但我的意见，不能全与著者相同，以为人的世界，究竟是在这真实的世界一面，须能与"小鬼"奋斗，才算是唯一的办法。所以我们从别一方面，看这抛圈的老人的生活与《卖火柴的女儿》比较观察，也是一件颇有意义的事。

七年十二月三十日

（第六卷第一号，一九一九年一月十五日）

灵异论

(节译 *Die Lebenswunder* 的第三章)

〔德国〕哲学博士、医学博士、法学博士、理学博士　赫克尔　著
刘叔雅　译

这两年，国人因为精神的不安、政治的紊乱、生事的压迫，更加上缺乏科学知识、固执陈旧思想，所以群众心理忽起变态。什么《灵学丛志》、心灵学、四秉、十六司、城隍、土地、四大元帅、玉鼎真人、盛德坛、先天道，百怪千奇，纷纷出现。科学昌明的时代，万不能容这种惑世诬民的东西来作怪害人。他们的学识，到 Karl du Prel，James，Maeterlinck 辈，还差一两千年程度，我也不肯做文章去说他们。不过我看今日中国的思想界，和欧洲的中古时代差不多，除了唯物的一元论，别无对证良药。什么 Eucken 的 *Geisteslebens*、Bergson 的 *L'Evolution Creatrice*，都谈不到。我所以发愤把 Haeckel 的 *Die Lebenswunder* 和 *Die Welträtsel* 两部书译成中国话，叫那些好学深思的青年读了，好自己建立个合理的人生观、世界观；仗着纯粹理性的光明，去求他们自己的幸福。我先把 *Die Lebenswunder* 的第三章摘出来登在《新青年》上。我译这书，但求忠于原文，绝不怕丧失了我的古文家的资格。万一有一本《新青年》落到那些灵学家、活神仙、阴差、巫、觋的手里，要是觉得这话不对，请用那"佉卢

左行之书"写几封信，做几篇文章，直接去问著者，或者能难倒他，也未可知，我却不耐烦代负责任。

叔雅记

"灵异"两个字的意义，在平常说起来，就是许多奇怪的事。我们对于一个现象，要是解释不来、不晓得它的原因，就说它是灵异、说它是不可思议。然而自然物或是艺术品，要是异常美妙动人，得未曾有，我们也说它是不可思议。我这书里所说的，却不是这相对的意义，我是说那世人认为超乎自然法范围之外、不能加合理说明的现象。照这样的意义，"灵异"两字，就和"超自然的"、"超越的"是一样。自然现象，我们可以仗着理性去解释它、去认识它。至于那些灵异，是只有靠信仰去承认它罢。

十九世纪科学进步的伟动，以及其构成合理的生命哲学的理论价值和近世文明各方面上的实际价值，都全在绝对承认一定的自然法。我们由那所谓"因果律"的事物的相互关系，可以了解说明一切的事实。我们觉得要等科学把这些原因的充足理由寻了出来，然后我们的知识欲才能满足。在无机的宇宙学全分野里，现在已经承认自然法有绝对的威权，诸如天文、地质、物理、化学等科学里，一切现象都已经归诸一定的法则，属于物质不灭、能力不灭两个大包举一切的实质法则了。（参看《宇宙之谜》第十二章）

但是在生物学等有机的宇宙学里，就不是这样了。这种科学里，还是说有那抵触实质法则的灵异和那违背自然法的超自然力。这灵异的迷信，依然是流播很广，其盛行竟出人意想之外。据我看起来，迷信和非理是人类的大敌，科学和理性是人类的挚友。所以要为人群谋幸福，见着灵异的迷信，就要攻击，这是我们的事业，也是我们的义务。我们能证明，凡是人所能达到的现象界的全境，都属于自然法的版图。只要把信仰的历史和科学的历史大概一看，就晓得科学进步，总是随着个自然法知识的增进和迷信范围的日益缩小。今日我们将各级文化的精神加了个公平的观察，确信这个道理。我因此把佛理慈修尔财（Fritz Schultze）的《野蛮人之生理学》和亚力山大兹特尔兰德（Alexander Sutherland）的《道德之起源及其发达》两部书里所说的精神发达的四大阶级举出来，一是野蛮人，二是未开化人，三是文明人，四是有教育的人。（比照第一章）

野蛮人的精神生活是和猿猴等高等哺乳动物的系统相近，比它高不了许多。他们的兴趣，只限于营养、生殖等生理的机能，或是饥食渴饮等兽欲。他们也没有一定的住处，时时要竞存争生，全靠果实草根或渔猎来的动物为生。他们的理智范围极其狭隘，他们的理性和灵巧的动物实在是不相上下。艺术科学，那是说不到的。他们想研求事物原因的心，只要见着现象表面的联络，就满足了，是不是互有密切的关联，却是不问的。他们那拜物教，就是这样兴起的。这种非理的庶物信仰，佛理慈修尔财把它归诸四种原因：第一是他们对于物体价值的误算，第二是他们对于自然的拟人思想（译者谨按，就是把自然看得和一个人一样），第三是他们观念之不完全的联络。第四是他们的希望恐怖等心情太强固。他们连喜欢的一块石头、一块骨头都以为可以发生灵异、致人祸福，所以就去尊敬它、畏惧它、崇拜它。起初还是崇拜那物件里的无形精灵，后来竟往往弄到崇拜那死物了。各种野蛮人里，这庶物崇拜，也随其理性的程度，分为几等。最下等的人种就行那最低级的庶物崇拜，像锡兰岛的吠多（vedahs）人、安达曼（Andaman）岛的土人、布西门（Bushmen）人和马来群岛里新机尼亚（New Guinea）的亚加

(Akkas)人。中等种族的就稍微高些,像澳洲的土人、他斯马尼亚(Tasmania)人、荷腾多(Hottentot)人、非吉安岛土人、Tierra de Fuegians 等种族。至于像南、北美洲的印第安人和印度的土著,那智灵的发达还要较高些。近世比较人种学、进化论和有史前的人类学的研究,证明了我们自己的远祖在一万多年以前,也和各种民族有史前的远祖一样,也是野蛮人,他们那太古的灵异信仰,也是个极陋劣的庶物崇拜。

所谓未开化的人,是介在文明、野蛮之间的人种。他们是文化初开,比野蛮人高的处所,就是有耕稼牧畜。他们会利用有机自然界的生产力,用人工产出很多的食品;食品多了,所以就有工夫用心到别的方面去。他们也有那粗浅的艺术学问。他们的宗教,起初也比拜物教高不了许多,但是随即也就达到崇拜灵精的阶级,把无生命的自然物附上个灵魂。他们已经不再崇拜石头、骨头等死物,大概都是崇拜草木鸟兽等生物,尤其崇拜人形或是兽形的神像;相信这神像是有灵魂的,以为这是些魔鬼精灵,可以左右人的命运。起初以为这灵魂是个纯物质的,身体一死,灵魂就走开到别处去了。因为看见人死了,那呼吸就止了,脉和心脏的搏动就停了,他们以为灵魂的位是在肺里、心里,或是身体的其他部分里。这灵魂不灭的信念,分作无数的样式,好像那神祇、魔鬼、精灵等灵异信仰一般。我们要是把上、中、下各等人种一比较,就晓得信仰的各种样式,也是经了极长的进化而来的。

文明人种胜似半开化人的处所,就是组织国家、盛行分业。其社会的组织,不但是更广大更有力,并且能成更多样的事业。各种国家社会里劳工的职务分别更大,又互相辅助,好似高等动物的细胞组织一般。营养物也更容易得着,更晓得考研。艺术科学也很发达。宗教也大有进步，相信许多神祇是人样的精灵，这些小神都属一个大神管的。灵异的信仰，大抵都在诗歌里，至于哲学里就很有限。灵异的事，只有一个神或是神的僧侣和通神的人能行。

据我看起来，别于旧文明的近世新文明，是到十六世纪初年才开端的。这时候，文明种族里成就了几件人类思想上的奇功伟业，扭脱了传说的桎梏，促起了后来的进步。柯卜尼加斯的太阳中心说，开拓了人心的眼界。宗教改革，解脱了教皇权的羁勒。在这些事的稍前几年，新世界的发现和世界周航，证明了大地是个圆的。地理学、博物学、医学和其余的科学受了感动，各自独立。又有印刷术、镂版术，做了传播新知识的利器。这个新刺激，哲学大得其力，虽然尚未能尽脱羁绊，已经渐渐的在那里排斥教会和迷信了。直到十九世纪，实验的科学突飞进步。其后的思想界里，物理学的世界观渐渐压倒了形而上学的世界观。根据科学的纯粹知识和宗教信仰争斗得更加猛烈。我们要照上文那样，把近世文明的发达分做三大阶级，就看得见那用科学知识渐渐摆脱迷信的状况了。

我们把文明民族的那些宗教形式只要一加比较，就看得出其中都是些同样的心情愿望、同样的思想，在哪里隐现出没，连那些灵异信仰的发达也都是一个样子。地中海沿岸三大一神教的开祖：摩西、基督、摩罕默德，都是一样的能行灵迹的先知，都能和神直接交际，把神的命令用法律的形式传达给人民。他们享有的那无上威权，使得他们所建立的宗教更加光耀。像那治愈疾病、起死回生、驱除恶鬼等事，在寻常百姓看起来，都是由于他们的那通神能力。我们要把《福音书》里所载基督的奇迹一考察，件件都是反乎自然法、不能加以合理地说明的，和印度神话里佛陀梵天的奇迹、《可兰经》里穆罕默德的灵异是一般的。就是那圣餐里面包葡萄酒奇迹的信仰，也是这样。大约二世纪里基督教会长老所起草，四五世纪里南高尔（Gaul）的教会所制定的信条，把基督教徒束缚了一千五百年，并且教会、国家两方面都认为非此不可。这个使徒的信条，连路德（Luther）的《教理问答》里都认为是基本信条，除了希腊公教之外，一切新教旧教都拿它当宗教教育的基本。

几千年来，基督教信仰和国家狼狈为奸所施于文明民族的绝大影响，只看那蚩蚩群氓的迷信，就可见了。信仰的自白，简直和新式的衣服、时兴的风俗一般，变成了极寻常的事。连许多哲学家也都随俗雅化，不能自拔。不过有几位大思想家，实在早已仗着纯粹理性，摆脱了这威权赫赫的迷信，丢开传说和僧侣，别创一种学说。但是大多数的哲学家，哪里及得上这班勇猛的自由思想家，他们还是那冬烘学究的样子，阿附权势、依傍着学校传说和教会的义理。哲学在那时候，竟成了神学和教会的婢妾了。我们要是用这种眼光去看哲学史，见这里面是两大倾向二千五百年的一场大战，一边是那多数的二元论（神学的神秘的话）、一边是那少数的一元论（合理的自然的主张）。

基督纪元前六世纪倡导一元人生观的几位古代大自由思想家，像依阿尼亚的自然哲学家塔理斯（Thales）、亚拿克西曼德尔（Anaximander）、亚拿克西门雷斯（Anaximenes）和稍后些年的海拉克莱兹斯、埃姆培德克理兹（Empedocles）、德摩克理塔斯（Democritus），这几位尤当重视。他们是最先抛却一切神话的传说、神学的独断说，要想建立个合理的世界观。这些太古的一元论，到了纪元前一世纪，大诗人哲学家刘克理提斯加尔斯（Lucretius Carus）所著的《万象自然论》说得已经很超妙了。不幸被那从柏拉图的奇怪的二元论生出来的什么灵魂不死、观念的超越世界等信仰排挤掉了。

埃理亚派(Eleatics)的巴迈尼德斯(Parmenides)、才浓(Zeno)等学者,在纪元前五世纪,早(已)经说哲学可以分做两个支派。到纪元前四世纪,卜拉图和他的弟子亚理斯多德承认他们的这个二元论,分什么形而下学,形而上学。说形而下学(物理学)专以经验去研究事物的现象,那现象背后的本体,是留待形而上学去研究的。这内面的本体,是超乎实验研究之外,或者永久观念的形而上世界,和这现实世界悬绝,它那最高的统一是神、是绝对。那灵魂,是个暂居在变灭的肉体灭的永久观念、是不灭的。卜拉图这种二元论的特色,就是说此世界和彼世界、肉体和灵魂、神和世界,是对峙的。卜拉图的弟子亚理斯多德把这些话又编到他那根据广博科学经验的实验形而上学里去,又指摘出来万物的目的观念(就是有意识的活动),加之三百年后基督教兴起来的时候,又把这种二元论欢迎了去做他那超越倾向的一个哲学上的护符,势力越发大起来了。

从四百七十六年罗马帝国覆亡,到一千四百九十二年哥仑布发现美洲,这一千多年间,史家称为"中古时代"的时候。文明民族的迷信,算是到极处了。亚理斯多德的势力,在哲学里要算至大至尊,那当权的教会利用他的话去文饰自己的教义。然而基督教的信仰,连叫做圣书的神仙传加到教理上去的那些热热闹闹的话,在实际生活上势力还更大。信仰的前面有三条形而上学的中心教理,都是卜拉图所首先倡导的,就是:(一)造物主是个有人格的上帝。(二)灵魂不灭。(三)意志自由。基督教在理论上极其注重前两条,在实际上极其注重末一条,所以形而上学的二元论,立刻就盛行到各方面。基督教最妨害科学研究的处所,就是他轻视自然,想着未来的永生、蔑弃现世的生活。哲学的批评的光一天灭了,宗教诗歌的花园里一天柳暗花明,灵异的观念也一天视为固然。这种迷信的实际结果,就是那种古时代的宗教裁判所、宗教战争、酷刑、溺巫种种惨史了。虽是时下都热心十字军和教会的艺术等中古传奇的文艺,然而那时代的黑暗惨痛,我们却真不敢恭维。

只要把十九世纪科学的大进步加以公平的研究,就晓得卜拉图所建立的那三大形而上学的中心教义,确乎是和纯粹理性不相容的。近世的学术,洞见自然界现象的整齐规律、因果关系又知道实质法则包罗宇宙间一切现象,所以绝不能信那有人格的神和灵魂不灭、意志自由。这三大迷信依然是深入人心,就连那些哲学先生们都还主张这是批评哲学的一个不可动摇的断案,这大概都是由于中了康德的毒。康德的那批评哲学,其实虽是个纯粹理性和实际迷信羼杂出来的杂种,它那势力却比一切哲学都大,所以我们不能不把它略加评论。

因为是康德首先提出这个问题,问知识是怎样得来,人都说这算是他的首功。他想把他自己的精神活动细细分拆,想用这内省法来解决这个问题;所以到后来,就主张说,一切知识中最重要、最健全的那数学知识,是由综合的先天的判断而成,纯粹科学是要脱却一切经验、绝无后天的判断,只留真正先天的观念才行。康德把这最高的精神能力视为一本来的,至于这精神能力的渐次发达、生理的机体、解剖的器官(就是头脑),他都绝未研究。当十九世纪的初年,关于头脑构造的解剖学知识那样浅薄,所以于其生理的机能也不能有正确的理解了。

康德的那最出名的《批评的知识论》,和他所说的那藏在现象背后不可知的"物如",都是一样的独断说。我们由感觉得来的知识,本是很不健全,所以他这独断说的根据倒也不差。这种知识,本是为感觉的特种能力和思想细胞约组织所限的。但是绝不能因此就说这种知识全是幻影、身外的世界,全是我们的观念。健全无病的人用他的触觉和空间觉,个个都相信他摸着的那块石头是占块空间,都相信这空间是实在有的。长双眼睛的人,个个共睹太阳天天起、天天落,这可见太阳和地球的相对运行,所以时间也是实在有的了。空间和时间,不但是人智直觉作用的必要方式,并且是独立自存、不假知识的。

随着十九世纪科学的发达,世人日益确认一定的自然法。那盲目的灵异信仰,自然一天天的缩减了。然而这种迷信何以还不能铲除呢?这其中有三个大缘故:一是那二元的形而上学的余威,二是那基督教会的权势,三是近世国家和教会混在一起的压力。迷信的这三个坚强保障,同纯粹理性及其所求的真理是深仇大敌,绝不相容,叫我们倒不能不深加注意。这是关系人群福祉的大问题。和迷信无知的奋斗,就是个为文明战争。要到真知识的光明扫清了灵异信仰和二元谬论之日,才是我们近世文明大获全胜昂首伸眉之时,也才是我们的社会生活、政治生活脱尽野蛮样子之时呢。

把那光芒万丈的十九世纪哲学史(现在虽是没有人有这样公平眼光、闳博学识把它编好)打开一读,就晓得方兴的少年科学和传说独断说在那里奋命死战。在这世纪的上半期里,生物学各科的进步,和自然哲学不生直接冲突。比较解剖学、生理学、胎生学、古生物学、细胞学、分类学等科的大进步,供给科学家这许多的材料,至于他们竟不注重那思索的形而上学了。到十九世纪的后半期,就不是这样了。不久就起了那"神灭"、"神不灭"的争论。摩理少特(Muleschott)、布希纳(Buchner)、加尔·瓦格特(Carl Vogt)等说：灵魂不过是头脑的机能。卢德夫瓦格奈尔（Rudolph Wagner）却极力维持那盛行的形而上学的见解，说灵魂是超自然的。到了达尔文一八五九年把生物学大加改革，阐明了种的自然起源，把那《创世纪》的灵迹说得半文不值。后来说和生物发生法则应用于人类，证明了人类是从别种哺乳动物进化出来，那灵魂不灭、意志自由、拟人的神种种信仰就失了最后的根据。然而那随着康德脚跟的旧哲学，对于这三个根本的教义，依旧还很欢迎的。许多大学校里的代表哲学者，都是狭隘的形而上学家和唯心派，这班人是不重感觉世界之真理，而去做那"不可知世界"的梦。他们不晓得近世生物学的大进步，进化论学更是不懂，全靠用一种淫辞诡辩去弥缝他们那超越的理想主义之罅隙。这些形而上学的争论之外，又还有个希望灵魂不灭的个人欲望藏在里面；因为这点，所以和那重新用康德学说建造的现行神学同心勠力起来了。近世心理学就是为了这种情形，弄到那样的可怜的状况的。虽然实验的脑生理学、脑病理学有了许多大发明；比较脑解剖学、脑组织学阐明了头脑的精微构造，脑个体发生学、脑种类发生学证明了头脑的自然起源；那思索派哲学却毫不理会，专想用内省法去分析头脑的机能，关于头脑本身的话一句不听的。试问要想说明一部极精细复杂机器的动作，可能绝不去留心它的构造呢。所以康德的二元论，在现代的大学校里那样昌盛，不亚于中古时代，这也就不足怪了。

　　专以研求真理和自然法为事的哲学专家，要是还忽视实验科学的进步、固执那灵异的信仰，那神学专家就更不足怪了。但是真理的感觉，提醒了许多明通公允的神学家，对于那尊严的教条取了个批评的态度，对于近世科学的光明深致钦敬，十九世纪的头三十年里，基督新教的合理派想脱却独断说的羁绊，使他那宗教的观念和纯粹理性一致。

这一派的首领柏林的希莱埃尔马赫尔（Schleiermacher）虽然是个崇信卜拉图二元哲学的人，他的话却和近世的泛神论极其相近。后起的合理派神学家，像求宾根派的巴尔（Baur）和采尔理尔（Zeller）等，致全力于《福音书》之历史的研究，考其起源发达，渐渐把基督教迷信的根盘破坏了。后来大卫佛理德莱希斯特劳斯（David Friedrich Strauss）在一八三五年又著了部《耶稣传》，把基督教全体神话性质加了些激烈的批评。这位聪明正直的神学家，一八七二年又著了部《旧信仰和新信仰》，抛弃了灵异的信仰，转向自然的知识、一元的哲学，要据批评的经验来建立个合理的人生观。后来亚尔伯尔特加尔特何夫（Albert Kalthoff）又继续这种事业，并且萨维吉（Savag'e）、尼颇尔德（Nippold）、卜夫莱德理尔（Pfleiderer）等自由派神学家，用种种的方法，想参酌进步的科学之要求，叫神学同科学调和，把灵异的信仰丢个干净。但是这根据一元论、泛神论的合理说，还是孤立无援，好像没有得什么效果，多数近世神学家，依旧还固执那教会的因袭教理，在灵异信仰里过日子。少数自由新教徒的信仰，是只限于那三大根本教义，然而大多数的还是相信《福音书》里满纸的那些神话、圣迹。这种所谓"正教"，因为近来各国政府为政治上的关系，采取那保守的反动的政策，很去保护他，所以又更得势了。

近世各国的政府想着这因袭的灵异信仰，最利于保持他自己的权势，所以都要同教会连成一气。帝位和神坛，是一定要互相保护、互相扶持的。但是这守旧的基督教政策，遇见了两个愈弄愈大的难关。一面教会时刻要想把教权加于俗界之上，把国家供他利用。一面近世的民权派又利用这个机会，主张理性的要求，反对那反动的保守。各国的元首和理务大臣们，在这竞争里很有势力的，他们大概都是帮着教会，他们并非是出于信教的真诚，不过觉着"知识会引起不安"，愚蠢的驯良百姓，比那受了教育的独立公民要容易管些罢了。所以那朝堂、宴享、教堂弥撒礼、碑碣除幕礼的演说词里，到处都听见那些很能干、很有势力的演说家在那里称扬信仰的好处。他们总想帮着信仰和知识竞争。所以弄到像普鲁士这样教育发达的国，都有那一面奖励近世科学工艺，一面又奖励他的那死对头正统教会的怪现象。那些华妙的演说里，都并没有说这贵重的信仰究竟应该信几多灵迹、信哪一种的灵迹。然而因为扩张德国里知识的反动，一切僧侣、教员、官吏，至少大概总应该要相信这三大神秘，就是上帝的三位一体、灵魂不灭、意志绝对自由。只怕连《福音书》里、圣迹里、现代宗教杂志里所说的那许多灵异，都是应该要相信的呢。

在康德的实际哲学里合成的，那种修饰过一番的灵异信仰，经他的徒弟新康德派改成许多种的样式；对于因袭的信仰，乍前乍却地有些接近。经过了许多变迁，依旧还很发达，渐渐变成了一种极陋劣的迷信；就是今日所谓心灵学，供那种所谓鬼学的去做根据。康德虽然赋有极明晰密致的批判力，却是很倾向神秘主义、独断思想，到他的晚年，那就更甚了。他服膺斯威敦堡（Swedenburg）的见解，相信另有个心灵世界，和这可知世界对立。十九世纪上半期的自然哲学家，像谢林格（Schelling）的晚年著作、秀伯尔特（Schubert）的《灵魂的历史》和《科学隐面之观察》两部书、裴尔台（Perty）的那《神秘的人类学》，都专是研究精神活动的神秘现象，想要一面把它和头脑的生理机能联合，一面和那超自然的精神作用关联。那近世的鬼魂研究，比中古时代的魔术、密教、占星术、巫术、占梦术、捉鬼术等的价值并不高些。

近世书籍里那些心灵学、鬼学，都应该列为迷信。文明国里时常总还有成千整万轻信浅识的人受了心灵学家和灵媒的诱惑，想要信这荒诞无稽的话。什么鬼敲棹子咧、仙人推磨咧、鬼写字咧、鬼出现鬼照像咧，不但是未受教育的人肯信，就连许多很有教育的人，甚至于往往很有理想力的科学家，都肯信了。许多平允的观察家实验家已经确实证明，这些鬼学家的把戏，一半是故意的诈欺，一半是人不留神的幻觉，应了那句"世人好欺"（Mandus vult decipi）的古话了。这种心灵的诈欺，要戴着科学的假面具、利用催眠术的生理现象，甚至于冒充一元论，那就尤其危险了。例如那有名的鬼学著作家加尔多卜理尔（Karldu Prel），不但著了部《神秘哲学与科学之研究》，并且一八八八年又著了部《一元心理学》，这部书从头至尾都是二元论。这等的书籍里，丰富的想象，华美的文章和批判力的欠缺、生物学知识的浅陋混合在一起（比照宇宙之谜第十六章），喜欢神秘、喜欢迷信的遗传性，好像很有教育的人，心里都不容易铲除似的。这个现象，可以用系统发生学来说明它是从有史前的野蛮人遗传而来，那野蛮人最古的宗教观念，本全是"万有皆灵论"和"拜物教"。

（第六卷第二号，一九一九年二月十五日）

可爱的人

〔俄国〕Anton Tshekhov　著　周作人　译

休职学务官 Plemjanniakov 的女儿 Olenka 坐在屋后面廊下,恍恍惚惚地尽想。天气颇热,苍蝇成群地飞着,极是恼人,但想到快要晚了,也便觉得愉快。暗黑的雨云从东方会集,空气中时常夹着湿气,一阵阵地吹来。

寄寓在家里的,露天剧场 Tivoli 的总经理 Kukin 立在园的中央,仰着头看天。他绝望地说道:"又下雨,又要下雨了!日日下雨,仿佛特地欺负我似的。我还不如自缢的好!这真是灭亡!每日的大损失!"他擎起两手对着 Olenka 说道:"Oljga Semjonovna,你看,这是我们所过的生活。这真够教人哭了。人家尽心竭力地做事,夜里不得睡觉,困倦得要不得,而且费尽心思,想顶好的方法。可是什么效验?第一,这班看客全是愚蠢粗鄙。我给他们看最好的小歌剧,风雅的假面剧,第一等的戏子,但你猜他们所要的是什么?他们不懂这些东西。他们只要小丑,要俗恶的东西。其次,又看这天气。几乎每晚下雨。这雨从五月十日下起,一直过了五月六月。这真是可怕。看客不来,可是我一样要付地租,与戏子的工钱。"

次日晚上,又上了云,Kukin 便又狂笑说道:"好,只管下雨。你淹没了园，淹死了我也好！将我现世与来世的幸运都消灭了也好！让戏子来捉了我去！送我到监狱里去——到西伯利亚——到刑场上去！哈哈哈！"

次日又是一样的事。

Olenka 不开口，很庄重地听他说话，有时眼里流下泪来。到了后来，他的不幸的事，很感动了她的心。她渐渐爱他了。他是一个瘦小的人，黄面皮，卷螺发梳下了盖在额上。他说话时，声音很低，口角扯向一边。他的面上，常带着绝望的颜色。但他却引起了她的深而且真的爱情。她平常总有所喜欢，是无爱不能生存的一个人。她最先爱她的父亲——他如今坐在暗屋子里喘气——又爱她的姑母（住在 Briansk，隔年总来一趟的）。从前在学校时候，又爱她的法文教师。她是一个温和慈善的女子，眼光很温柔，身体也很壮健。假如人见了她颜色如蔷薇花一般丰满的两颊，白嫩的头颈，生着一粒小黑子，听人家愉快的谈话时候，面上现出的和善真率的笑容。男子便心里想道："这倒很不丑。"面上也堆上笑来。若是女客，便在谈话中间，也不禁突然捏住她的手，很高兴地说道："你这可爱的人啊！"

她住的屋——她从出世以来，便住在这里，父亲写好了遗书，已将这屋传付给她——在市的尽头，去 Tivoli 不远。每晚或夜间，她能听到乐队的奏乐，花炮的爆裂声，她便仿佛觉得这正是 Kukin 在那里同运命争斗，正在炮击他敌人——便是冷淡的看客——的壕堑。她心里觉着一种愉快的震动，不想睡觉了。清早他回寓的时候，她轻轻敲着卧房的窗门，从帷后露出面孔和一个肩膀，对他温和地微笑……

他向她求婚，他们不久便结婚了。他初次走近看见她的头颈和肥白的肩膀时,他擎起两手,说道:"你这可爱的人啊!"

他很幸福。但结婚这一日,昼夜都下雨,他的面上,仍然留着绝望的颜色。

他们很顺遂地过日子。她常坐在 Kukin 的事务所,管理 Tivoli 的杂事。记账目,付工资。她的蔷薇一般的面颊,愉快真率的笑容,各处出现;忽在事务所窗口,忽在食堂里,忽在剧场的背景后面。她又常常对相识的人说,剧场是人生最重要的东西。只有从戏剧,人才能得到真正的娱乐,能够造成文明温厚的人。她又这样说:"但你想看的人懂这道理么?他们所要的只是小丑。昨天我们扮演《翻转》Faust 客座几乎都空了。但若是 Vanitshka 和我做粗俗的戏给他们看,我知道剧场一定挤满。明天 Vanitshka 和我要做《Orpheus 游地狱》了,请你务必来看。"

凡关于剧场以及戏子,Kukin 怎么说,她也一样地说。又同他一样地轻蔑看客,因为他们的无知识与对于艺术的冷淡。她参与演剧练习,矫正戏子的科白,监督后场的乐队。有时地方新闻上,略有微词,她便看了下泪,跑到主笔的事务所,将这话更正。

戏子都很喜欢她,常称她做"Vanitshka 和我"或"可爱的人"。她很怜惜他们,有时借给他们几个钱。若他们欺了她,赖了不还,她只是暗地里落几点泪,并不告诉她的丈夫。

这一冬季,他们很顺遂地过日子。他们将剧场移到市里,短期的租给一个小俄罗斯戏班,或变把戏的人,或本地的戏剧团。Olenka 愈加壮满了,又很满足地常带着喜色;Kukin 却渐渐黄瘦下去。虽然这冬季,他营业并不衰落,他却仍然总是诉说他们重大的损失。他夜里常常咳嗽,她便给他莓茶或菩提树花水喝,用 eau de Cologne 摩擦,又用她温暖的领巾,包裹着他。她用手掠他头发,十分真挚的说道："你真是好宝贝！你怎的这样可爱！"

将近四旬斋的时候，他往莫斯科，招集新班去了。她没有了他，便夜里也合不上眼，整夜的只是靠窗坐着看天上的星。她自比像那母鸡，倘若公鸡不在屋子里，便终夜不安地睡不着了。Kukin 在莫斯科因事留住了，寄信来说复活祭那日才得回家，又加上些关于 Tivoli 的指导的话。但在复活祭前的礼拜日，夜已深了，忽听得一种不吉的敲门声音，似乎一个人捶着木桶，蓬蓬蓬地响。厨房的使女睡眼蒙眬，赤着脚，跄跄跟跟踏过许多水洼去开门。外面一个人声音很粗的说道："请开门，这里有一封电报。"

Olenka 向来也曾收过几回从丈夫发来的电报，但这一回，不知什么缘由，慌得几乎发昏了。抖着两手拆开电报来读，里面写道：

Ivan Petrovitsh 今日猝故。耶覆。礼拜二葬葬。

电报内正是这般写着，"葬葬"，又这"耶"字也不可解。署名的是歌剧团的前场经理人。

Olenka 哭着说道："我可爱的人！Vanitshka，我的宝贝，我的可爱的人！我为什么遇见了你！为什么认识了你，爱了你！你的可怜的伤心的 Olenka 如今没有了你，只剩了一个人了！"

Kukin 的葬仪，礼拜二日在莫斯科举行，Olenka 于礼拜三日回家。才进屋子里，她便倒在床上，号啕大哭，连隔壁与路上都能听到。邻人听了，都画了十字说："可怜那可爱的人，可怜那 Oljga Semjonovna！现在她将怎样过日子呢！"

三个月以后，Olenka 从弥撒回家，带着重丧，很忧苦的样子。适值有一个邻人 Vassili Andrejtsh Pustovalov 也从礼拜堂回来，同她并着走。他是木商 Babakajev 栈里的经理。他戴一顶草帽，穿一件白的背心，挂着金表索，很像一个乡村绅士，不是商人的模样。他便庄重的说,声调中很带着同情,"Oljga Semjonovna,万事都由天定。譬如我们所爱的人死了,都是命所当然,因为这是上帝的意思;所以我们只应忍耐,顺受这苦难才好"。

他送 Olenka 到家,作别去了。这一日里,她耳边只响着他镇静庄重的声音,她合眼时便看见他的黑胡须。她很喜欢他。在他也显然受了一种极深的铭感,因为不久便有一个半老的妇人,与她略略相识,走来同她喝咖啡;才在桌旁坐下,便提起 Pustovalov,说他是一个极可靠的男子,无论哪一个女子都愿意嫁他的。三日以后,Pustovalov 自己走来。他也不久停,只留了十分钟,也不多说。但他走后,Olenka 便爱了他——这样爱他,她通夜醒着,像发了热一样,到早上,她叫了那半老的妇人过来。媒事立刻成就,于是便是婚礼了。

Pustovalov 同 Olenka 结婚以后,两个人很顺遂地过日子。

他大抵坐在事务所里,直到午饭时光,随后出外办事。Olenka 便代他,坐在事务所里,结算账目,登录定货的账,一直到晚。她常对客人或熟识的人说:"木材年年增价,价目已经涨了二成;你只试想我们从前单贩卖本地的木材,现在是 Vassitshka 须得到 Mogilev 贩木去了。还有那运费呵!"她用两手捧着面颊,像是惊惶的样子,又说道:"那运费啊!"

她似乎做木材生意,已经几十年了。又以为人生最重要的东西,第一便是木材。又如听到栋梁、桁柱、细柱、厚板、薄板、窗格板等字样,便只在这声音中间,也有一种极亲密的感觉。

她夜间熟睡时,常常梦见薄板厚板的山,整列的大车,运木材向远方去。她又梦见"六寸梁"有四丈高,直立着,排了队在木场空地上走;柱子梁和板,互相冲突,发出枯木相撞的声音,忽而跌倒,忽而站起，又堆在别个的上面。Olenka 在睡梦里发喊，Pustovalov 温和的对她说道："Olenka，什么事了？你快自己画十字！"

她丈夫的意见，便是她自己的意见。倘他以为这屋子里太热，或生意不旺，她也是如此想。她的丈夫不爱娱乐，礼拜日便只在家里坐，她也照样做。她的朋友对她说："你整日的在家，事务所里，你何不到剧场或马戏场去玩玩呢？"她便庄重的答道："Vassitshka 和我没有工夫到剧场去。我们没有工夫做无聊的事。那些剧场有什么用处呢！"

每逢礼拜六，Pustovalov 同她常去做晚祷，礼拜日早上去做弥撒。从礼拜堂回家时，他们并着走，面色很是和悦。他们身边有一种微香。她的绸衣，瑟瑟的响得十分好听。在家时，他们先喝茶，上等面包，各色果酱，随后再吃馒头。每日十二点钟，他们庭中，便散满了萝卜汤羊肉或鸭肉的香味，斋戒日是鱼香；走过他们门口的人，没一个不觉着肚饿的。事务所里的茶炊（Samovar），总是沸着，客人一到，便拿茶与饼干请他吃喝。一礼拜一次他们同往浴场；都红着脸，并着走回家来。

她常对相识的人说："谢上帝，我们没有什么不满足。我愿人人都像 Vassitshka 和我一样幸福地过日子。"

Pustovalov 往 Mogilev 买木材去时，她很觉寂寞，夜里醒着，只是啼哭。寄寓在他们家里的一个少年陆军兽医，姓 Smirnin 的，间或晚上起来，同她谈天，或者斗纸牌。她丈夫不在时，便专靠这等消遣。她对于兽医说他家事，又特别注意。他娶了妻，已有一个儿子，后来因他妻子不规矩，便分离了。如今他恨他的妻子，每月送四十卢布去，养他儿子。Olenka 听了，叹口气，摇她的头。她很觉得他可怜。

临走时，她拿蜡烛照他到阶下，常说："上帝保佑你。谢你来替我消遣，愿圣母保你健康。"她说话时，很是镇静庄重，很有条理，模仿她丈夫的样子。兽医走出门，她又说："Vladmir Platonitsh，我想你不如与你妻子和解的好。你应该为你儿子，饶恕了她，你该知道，这小孩子会晓得这事。"

Pustovalov 回来之后，她低声告诉他兽医的事，和他不幸的家庭生活，两人都叹气摇头。又说及他的儿子，想必为了不见他的父亲，很是悲哀。因为不可思议的思想的牵连，他们走到圣画前面，跪伏在地，求神赐给他们儿子。

这样，Pustovalov 夫妇很平安的，在爱与和合的中间，过了六年。

但是，看啊——一日冬天时候 Vassili Andrejtsh 在事务所喝过热茶，走到院子里去看发送木材，没有戴上帽子，因此受了寒，便生病了。他请了最好的医生诊治，但他渐渐沉重，四个月之后，便死了。Olenka 于是又成了寡妇了。

她丈夫葬后，她哭着说："我现在没有爱的人了。你舍了我去了。我没有了你，怎能过得这悲惨的生活呢？你们大家可怜我，我现在只是一个人在世上了。"

她穿了黑色衣服，挂着长的丧章；帽子同手套，一切不用了。她除了到礼拜堂，或到她丈夫的坟前以外，不很出门。她的生活，几乎同比丘尼一样了。六个月以后，她才脱去丧章，开了窗户。人家有时见她同了厨房的使女到市场去买食物，但家中情景如何，她怎样生活？没有人能够推测。可是人也约略猜着，见她在园中同兽医喝茶，他大声读新闻给她听；又见她在邮局遇着相识的妇人，便这样说："我们市里没有正当的牲畜检查，这便是一切传染病的原因。大家时常听到从牛乳传染了，或从牛马得了病。家畜的健康也该留心，同人类的卫生一样。"

她复述兽医的话，对于一切事情，也同他一样意见，因此可见她不能无所爱着。经过一年，已在那寓居里面，得到新幸福了。若是别人，这事便要大受非难，没有人以 Olenka 为非的，她所做的事，一切都极自然。她同兽医都未曾对着别人，说起他们关系的改变，并且反竭力隐藏似的。但终是无效，因为 Olenka 是不能守秘密的。在军队里共事的客，来访他时，她来进茶，或备晚饭；她便同他们谈起牛疫、蹄与口里的病以及市立屠杀场等事。他非常窘苦，客散之后，气愤愤地说道："我从前告诉你，请你不要多讲你所不懂的事。我们兽医自己谈天的时候，你不要来插嘴。这事真真窘极了。"她惊恐狼狈，看着他，问道："但是，Volodlshka，我说什么话才好呢？"她垂泪，拥抱他，求他不要生气。他们两人都很幸福。

但这幸福不得长久。兽医去了，永远同他军队去了。此时军队移了地方——或是到西伯利亚去了。于是 Olenka 留下，只剩了一个人了。

现在她真是只有一个人了。她的父亲早已死了，他的安乐椅放在楼上，遮满了灰尘，又断了一只脚。她渐渐瘦了，容貌也减了，人家在街上遇见她时，不似从前一样地看她，也不对她笑了。她的盛年显然已经过去，现在是一种不堪设想的新生活，正要开始了。Olenka 晚间坐在廊下，听 Tivoli 乐队的奏乐，花炮的爆裂声，但这声音，现在已不能惹起心的反响来了。她眼望着院子里，毫无关心，也无思想欲望。到夜里她上床休息，所梦见的也只是空虚的院子。她随便饮食，仿佛不愿意似的。

而且更坏的事，便是她对于万事，一毫没有意见了。她看见面前的东西，晓得这是什么，但意见却一毫没有，不知怎样说才好。

没有意见,这是如何可怕的事!譬如人看见一个瓶或是雨或是乡人赶车,但这瓶是什么用的,雨同乡人是怎么样,有什么意思,却说不出,即使赌一千卢布,也说不出。从前有 Kukin 或 Pustovalov 或兽医的时候,她能说明一切,对于万事都有意见;但现在她脑里心里,正同外面的院子里一样空虚。这味真是苦涩,有如苦艾放在嘴里。

这市镇渐渐地向四面扩张,路变成街了。剧场和木场的地方,现在是新的拐角新的房屋了。时光真过得快!Olenka 的家却渐渐暗淡,屋顶生了锈,小屋坍在一边,院子里都生满了酸模与荨麻。Olenka 也愈变老丑了。夏天她坐在廊下,她的心同从前一样,仍是空虚荒凉,充满苦味。在冬天时候她靠着窗坐,望那积雪。有时她嗅到春天的香气,或听得礼拜堂钟声,过去的记忆,蓦地上来,心里隐隐觉得痛楚,眼眶内满了眼泪,但这也只是一分钟的事,此后心里仍是空虚与人生无聊的感觉。黑毛小猫 Briska 靠着她挨擦,喉里呼卢呼卢地响,但 Olenka 对于这猫的亲昵毫无感触。她所要的,不是这些东西。她要得一个爱情,能够将她的全人格、全灵魂与理性,都吸收了去——能给她意见与人生的目的,能使她老年的血,温暖过来。她将猫从衣裾上摔开,很不高兴地说:"去,我不要你。"

这样的过日子,一日又一日,一年又一年;也无欢乐,也无意见。厨房的使女 Mavra 怎么说,她便依着做。

一日傍晚,七月很热的天气,正是赶牛回去的时光,院子里全是尘土,忽然有人在外敲门。Olenka 自去开门,向外一看,似乎发了呆:她看见兽医 Smirnin,白了头,穿了文官的服装立着。她忽然记起从前一切的事,她不禁哭了,将头倒在他怀中,说不出话;昏乱中她也不觉得他们已经走进屋内,坐下喝茶。她喜欢得发抖,说道:"Vladmir Platonitsh,你怎能到这里来?"他答说:"Oljga Semjonovna,我想在此永远定居。我已经辞了职,到这里住下,且试办点事业。而且现在也是我的小儿应该上学的时候了。他是一个大孩子。你可知道,我已同我的妻和解了。"Olenka 问:"现在她在哪里呢?""她同孩子在旅馆里,我现在寻寓所呢。""啊,寓所!你为什么不到我家里来?还与你不合适么?我也不要你房租!"Olenka 很兴奋地说,便又哭了,"你住在这里,这家里便会热闹。啊,我真欢喜啊!"

次日,屋顶都加上油漆,墙也刷白了。Olenka 两手叉着腰,在院子里走来走去地指挥。她的面上,现出从前的笑容,举止甚是活泼敏捷,仿佛正从长眠里醒过来的样子。兽医的妻到了——一个瘦小丑陋,短头发,性情躁急的妇人。同来的便是她的十岁的孩子 Sasha,照年纪看来,生得略觉矮小,却很肥壮,蓝眼睛,两颊上有个小窝。孩子一进院子,便去追那猫,屋里立刻充满了他愉快的笑声。他问 Olenka 道:"姑母,这是你的猫么?他生小猫的时候,请你给我们一只小猫,因为母亲是很怕老鼠的。"

Olenka 同他谈天,给他茶喝。她的心又温暖转来,胸中感着一种愉快的痛楚,似乎这孩子竟是她亲生的一般。晚上他坐在桌旁,温习功课;她看着他,很是可爱又是可怜,口里喃喃说道:"你可爱的人……我的宝贝……这样一个好的小东西,又这样聪明。"他高声读道:"岛是一片陆地,四面被水所环绕。"她也复述道:"岛是一片陆地。"这是她在多年沉默之后,第一次明确发表的意见了。

她现在已有了自己的意见。晚饭时候,她对 Sasha 的父母说,高等小学的功课,怎样困难,但高等小学总比商业学校好,因为受了高等小学的教育之后,可以就各种职业,如医生或工程师之类。

Sasha 上高等小学去了。他的母亲往住在 Kharkov 的妹子家去,不再回来。他的父亲每日出外检查牲口,有时接连三日不曾回家。所以 Olenka 似乎觉得 Sasha 已全然被父母所弃,家里不要他了,又或时常饿着他,便带他到自己那边去,给他一间小房子居住。

　　Sasha 同她共住了,有六个月。每日早上,她走进他的卧房,看他将手垫在颊下,静静睡着。她觉得不忍叫他醒来。她便悄悄的叫道:"Sashenka,好孩子,起来罢。上学的时候了。"他坐起身,穿上衣服,说过早祷,随后坐下用早膳,喝三杯茶,吃两个大饼干,半个牛油面卷。此时他还未十分清醒,所以稍不高兴。Olenka 望着他,仿佛他便要上远路旅行的一般,说道:"Sashenka,你还没有熟读那篇故事呢。我为了你,真不知费了多少忧虑。好孩子,你须得竭力用功,听先生的话。"Sasha 回答说,"啊,请你不要多管我!"

　　他出门上学校去,一个小小的人,戴着一顶大帽,肩头挂着一个皮包。Olenka 静静地跟了他走。她在背后叫道:"Sashenka。"将他叫住,拿一个枣子或一个糖饼,塞在他手里。到了学校那条街上,他觉得被一个又长又壮的女人跟着,很是可羞,便回过来说:"姑母,你不如回去罢。其余的路,我自己能走了。"她站着望他,一直等他进了校门,不见了才罢。

　　啊,她怎样爱他啊!她从前的爱着,没有一次是这样的深。这一次引起了她母性的本能,她将她全心都消费在这里,很自然很公正又很愉快,为从前所未曾有过。她为了这戴很大的制帽、颊上有小窝的孩子,真肯将性命舍去,而且还是欢喜感谢。为什么呢?这缘故有谁能说呢?

　　她送了 Sasha 进校,她心中充满了爱情,很满足高兴的,回家去了。她的面貌,这六个月中变了非常年少,满堆着微笑;人家遇见她很愉快地向她看,问道:"Oljga Semjonovna,早上好？可爱的人,你好么?"Olenka 便在市场上,同他们谈道:"现在高等小学的功课非常难了。那可是太过了;昨日一年级他们拿一篇寓言,教他熟读,又要做一篇拉丁翻译,一个答案。你想这在小孩子,真太难了。"她又接着说教员如何,功课与教科书如何,同 Sasha 所说的话一样。

　　下午三点钟,他们同吃中饭;晚间他们同习功课,又都哭了。她照料他睡下之后;还在他身上画十字,喃喃的祷祝,在床前停留许多时光;随后她自己睡下,想象辽远朦胧的将来;那时 Sasha 毕了业,成了医生或工程师;有自己的一所大房子,一辆车,许多匹马;娶了妻,生了子女……她一面想着,一面渐渐熟睡了,闭着的眼里,流出泪来,从颊上滚下;那黑猫伏在她的身边,喉里呼卢呼卢地响。

　　有时突然有人很响地敲门。Olenka 惊醒了,气也转换不迭,心脏跳得很猛。过了半分钟,又敲几下。她便从头到脚都发了抖,心里想,"这一定是从 Kharkov 来的电报。Sasha 的母亲,从 Kharkov 来叫他去了……啊,这怎么好呢?"她全然绝望了。她的头和手脚,都变了冰冷;她觉得自己是现在世界上最不幸的人了。但再过一二分钟,便听得人声,才知道原来是兽医从俱乐部回家来了。她想,"好了！谢上帝。"心里的重担,渐渐卸下,觉得安心了。她回到床上,心里念着 Sasha,他此时正在隔壁房中熟睡,有时从睡梦中高声喊道:"我给你！去罢！不要多说!"

Leo Tolstoy 对于《可爱的人》的批评

《民数纪略》中有一篇意思极深的故事,记摩押王(Maob)巴勒(Balak)召预言者巴兰(Balaam)(译者注译名及此后引文均依美国圣经会旧约白话译本)咒诅他境内的以色列人。巴勒允给巴兰许多报酬,巴兰受了诱惑,到巴勒那边去,同他上山,祭台上供好了公牛犊和公绵羊,预备咒诅。巴勒等候这咒诅,可是非但不咒诅,巴兰却祝福了以色列的人民。

"巴勒对巴兰说,你这是怎样待我呢?我请你来咒诅我的敌人,你反倒为他们祝福。"

"巴兰回答说,主传在我口中的话,我能不谨慎传说么?"

"巴勒说,求你同我到别处去……或者在那里你可以咒诅他们。"(《民数纪略》第二十三章第十一至十三节)

但巴兰又不咒诅,又祝福了。第三次也是如此。

"巴勒对巴兰发怒,拍手对他说,我召你来为我咒诅敌人你倒三次为他们祝福。"

"如今你快回本乡去罢。我意思要尊荣你,主却使你不得尊荣。"(同前第二十四章第十至十一节)

于是巴兰去了,没有得到报酬,因为他非但不咒诅,反祝福了巴勒的敌人。

巴兰遇见过的事情,在真的诗人与艺术家,也常常遇见。他们受了巴勒的报酬……声名……的诱惑,或为谬误的思想所迷,虽然驴子看见天使阻了他的去路(译者注:见《民数纪略》第二十二章),诗人却不见,仍要去咒诅;但是——看啊!——他却为他们祝福了。

　　真的诗人和艺术家 Chekhov，做这篇可爱的小说《可爱的人》的时候，便正遇着这样事情。

　　著者的原意，确要嘲笑这可怜的"可爱的人"——他用了他的理智，但不曾用了他的心去裁判她。她最初同着 Kukin，忧虑他的剧场；随后专心去管木材的营业；又受了兽医的感化，以为防止蹄与口里的病，是世间第一重要事情；末后又劳心去管文法问题与戴大帽的孩子的事。Kukin 这姓已是可笑（译者注：Kukin 疑是 Knkushka（鹁鸪）转变之字，所以意含滑稽）；连他的病症与报死的电报，也都可笑。那庄重的木材商，兽医，孩子，也无一不可笑。但"可爱的人"的灵魂，与她能将全生命专注在所爱的人的身上那种力量，却不可笑，却极伟大而且神圣。

　　我想，著者方做《可爱的人》的时候，他的心里，大约存着一种新妇人的影像：能同男人平等，智力发达，极有学问，能独立劳动，为社会出力，纵不胜过男子，也同男子一样有用，提倡女子问题，极力主张。他写这篇《可爱的人》便是表示一种形式，教女人不可如此。舆论的"巴勒"命令 Chekhov 咒诅那柔弱的、顺从的、智力不发达的、专心奉事男子的女人。Chekhov 走上山去，牛犊与绵羊已经供在祭台上了，但他开口说话时，他反祝福了他想要咒诅的人了。虽然篇中有许多微妙快活的诙谐，我读到几节地方，不能不流下泪来。我见篇中写她全心的爱 Kukin 和他一切的意见。爱木材商以及兽医，以致只剩一身，无人可爱时的悲哀。后来用了女性的母性的——在她一生，虽未曾经验，——感情的全力，与无限的爱，专心奉事那未来的男子，那戴大帽的孩子。我不能不非常感动。

　　著者使她爱可笑的 Kukin，无价值的木材商，讨厌的兽医，但爱是一样神圣，无论所爱的事物是一个 Kukin，一个 Spinoza，一个 Paseal，或一个 Schiller，无论所爱的事物时常变换，同"可爱的人"一样，或终生不变。

前几时我在《新时代》报上见到一篇论女子问题的好论文。著者在这文中，表示出一种关于女子的极深切聪明的意见。他说："女人正要表示她们能做一切的事，同男子一样，我并不否认。我还承认女人也能做一切男子所能的事。可是为难的是，男子不能做女人所能的事。"这话十分真实。非但在生产养育及儿童教育上如此。男人不能做那最高最善，使人与神接近的那件工作——爱的工作，对于所爱者全心的奉事；这件工作，凡女人皆能极自然地做去，过去如此，现在如此，将来也如此。倘使女人没有这种能力，或不去实行它，那时世界不知变成什么样子，我辈也不知变成什么样子呢？我们现在即使没有女医生，女电报生，女律师，女科学家，女著作家，并无什么要紧；但倘若没有母亲，友朋，帮助的慰藉的人，爱重男性，无形中助成扶持他们的发展，那时人生可真足悲伤了。这样世上将没有忠于基督的抹大拉的马利亚，没有 St Francis 的 Claire，也没有西伯利亚的十二月党（译者注：俄国革命党人于一八二五年十二月十四日起事不成，故名）的妻子了。Dukhobori（译者注：俄国新教派意云灵魂的战士）中间，也便没有那样的妻子，非但不将她们的丈夫阻止，反将奖励他们为真理受难，也便没有那些千万无名的女人——最可贵重的人，同无名的英雄一样——慰藉那懦弱的酗酒的放荡的男子。这种男子数目最多，也最要爱的慰藉。这个爱情，无论对于基督或 Kukin，便是女人的重大唯一的力。

这所谓女子问题，真是一个可惊的谬见；多数的女人，甚至有许多男人，也被这问题支配，大抵卑俗的思想，都有如此力量。

"女子想求自己发展。"——世间还有比这更正当合法的事么？

但女人的事业，从她天分上，便与男子的不同；所以女性完成的理想，也不能与男性完成的理想相同。我们承认，这女性完成的理想，不知应该怎样，但绝非便与男性完成的理想相同，可是无疑的了。但现在那里时式的妇人运动的可笑而且有害的进行，却正向着男性的理想这一方向走去。

我怕 Chekhov 做这篇《可爱的人》的时候，也很受这谬见的影响。

他像巴兰一样，本想咒诅；但诗神禁止他，命令他祝福。他祝福了，无意中将这可爱的人披上微妙的光明，使她成了女人的模范的形式：倘她要自己幸福，并使运命给她的那人幸福，她便该当如此做。

这小说很优美，因为在无意中显出他的效力的缘故。

我曾经在一个可以练得一队兵的大厅上，学坐自转车；厅的那边，有一个女人，在那里读书。我想我应当留心避开，便将眼看着她。我看着她时，无意地渐渐走近了。她觉察着危险，急忙躲避，我已到了，将她撞倒。因为我的注意力集中于她，所以我做了心里所想的反面的事。

Chekhov 也做了同样的事，不过意思相反，他想撞倒"可爱的人"，将诗人的注意力集中于她却反将她扶起了。

Anton Chekhov（1860—1904）本是医师，初作短篇两卷，很有诙谐趣味。一八八〇年后，时势改变，他的作风也变了，虽然仍带滑稽，却满篇有一种阴惨之气。其时亚力山大三世即位，听了旧党的话，大行虐政，民气颓丧，Chekhov 所写，便是此时的现象，所以有人说他著作里的人生是灰色的。他以短篇出名，与法国 Maupassant

并称，但只是技术相似，思想实不尽同。他虽悲观现世，对于将来却有希望。如剧本《樱树园》所说，十分明了。所作小说共十六册，译成汉文的有《塞外》及《戚施》两篇，载在《域外小说集》中。

这篇《可爱的人》是 Chekhov 杰作之一，很得 Tolstoy 称赞。曾有一篇批评，这批评也有名，所以一并译出，附在篇末。著者的本意，大约正如 Tolstoy 所说："表示一种形式，教女人不可如此"，他未必咒诅这"可爱的人"，唯造成这样的咒的社会，才应得咒诅。Tolstoy 是近代大思想家，他的主张，可以佩服得极多；但这篇评话，却尚有可商的余地，必须略略说明。Tolstoy 提倡人道主义，这人道里面，本只有唯一的道，不能有两性的差别。若轻轻断定女子天分上，与男子不同，便不免立出两歧的道来，不能圆满了。南非洲女著作家 O. Schreiner 做的《女子与劳动》第五章，对这问题，也已辩白。我辈虽承认女子生理、心理上与男子有多少差异，但不能因此便成别一种人，别有一种天职。爱与生殖这两件，并非专是女子的事。男子既于这两事外，还有许多做人的事业。女子也是如此。她爱男子，生育儿女，此外也还应做人。她对于丈夫儿女，是妻是母，还有对于人类是个人，对于自己是"唯一者所有"。我辈不能一笔抹杀了她的"人"，她的"我"，教她做专心奉事别人的物品。Tolstoy 说 Olenka 是柔弱的、顺从的、智力不发达的、专心奉事男子的女人。在这些德性上，译者也不觉可以赞美。她固然可爱可怜，然而世间女人，正不必如此。譬如见一小孩，走不得路，说话也未能清楚，诚然是怪可爱的，但绝不望他永远如此。愿他长成了，为人类的一员。所以译者对于这篇里"可爱的人"的态度，是与著者相同，以为她单是可爱可怜，又该哀悼，并且咒诅造成这样的人的社会。希望将来的女子不复如此，成为刚健独立，智力发达，有人格，有自我的女人;能同男子一样,做人类的事业,为自己及社会增进幸福。因为必须到这地步,才能洗净灰色的人生,真贯彻了人道主义。

(第六卷第二号,一九一九年二月十五日)

近代戏剧论

〔美国〕高曼女士(E. Goldman) 著　震　瀛　译

　　社会一小部分,久已不满意于今日之制度。压力愈重,则反抗力之兴愈速。且愚蒙之辈一旦醒悟,则举世界人之思想举动,莫不一变。社会与个人表示其生存之价值,渐次不同于往昔矣。

　　近代思想之传播,不仅一派之文字所能成功。艺术文学上所表示之人生观,范围更为广大。故近代戏剧描写社会之弱点,较之它种文字,其功用亦特大也。

　　画家美拉(Millet)之描写社会,极为淋漓尽致;唤醒社会之愚顽,其力甚伟。其形容农民之惨状,惕目惊心。对于社会缺憾之注意,尤无微不至。天然之物产本甚丰富,而农民终日劳苦,不得一饱,其惨状何可胜言?麦耶(Meunier)之理想,在描写劳动界之联合,及矿工之协助以拯救其伤亡之侣伴。麦氏以其卓越之天才,形容奴隶之社会,传播革命之精神,其文字之功甚伟。

　　近代文学之革命潮流,诚为警醒愚蒙之利器。观乎都介纳夫(Turgenev),陀思妥夫斯基(Dostoyevsky),陶斯道(Tolstoy),安特来夫(Andreyev),哥尔基(Gorky),威德曼(Whitman),爱马生(Emerson)等,可以知矣。其著作中莫不含有人道之情感,而希望社会之革新。戏曲之势力尤大,为自由思想之萌芽,传播新思潮之利器。

余之论戏曲如此重要,诚非过当。若考察世界各国之新思潮,其发达之程序,足以证明戏剧之功效。盖戏曲能使社会之真理大明,非其他各种文学之功用所能及。唯俄法两国,不在此例耳。

俄国平民,处于专制政治范围之下,晓然于社会之情感,思所以改革之;以人民智育之发达,决不容于残暴之专制政体。陶斯道契诃夫(Chekhov),哥尔基,安特夫之剧曲,大为社会所欢迎,盖以描写国民之生活与竞争,为俄人所欲闻者也。但其功效之影响于他国自由思想者,较之己国尤为重要,政治使之然也。

《黑暗之力》(*The Power of Darkness*)及《夜店》(*Night Lodging*)两曲,其影响之大,难以尽述。陶斯道诚属耶教之徒,乃其著作反足以为近代耶教组织莫大之劲敌。陶氏以其天才,描写黑暗之威力及耶教之迷信,惨无人道,莫逾于是,其效验之大,远非其他文字所能几及。无知之民,被诱而为种种罪恶,耶教之会不能辞其咎,陶氏唤醒人类之良知,及不平之气,功莫大于是矣。

哥尔基之《夜店》对于社会问题,意见与陶氏曾无少异。无知小民,被驱于忧患及罪恶,几无一线之生机。其惨无人道、流离失所之境遇,随地皆是,不仅西伯利亚一地为然也。

法兰西一国,为自由而竞争,无时或已,为近代自由思想之渊源,故不必尽赖剧曲为醒群之利器。唯佳剧亦甚伙多:如白利奥(Brieux)之《红袍》(*La Robe Rouge*),形容司法之极端腐败;而马尔堡(Mirbeau)之《物之为物》(*Les affaires sont les affaires*),描写金钱之势力,使人类之灵魂受无限之痛苦。法国研究社会问题之文字范围极广,然其中剧曲亦占其一部分。

其他如挪威、瑞典、丹麦、英、德、美诸国,虽其程度略有等差,然剧曲固属历史上传播自由思想之利器也。德国二三十年来,哲人达士，以其不朽之文字，灌输人类平等博爱之真理，使痛苦之平民猛然醒悟，即其一例。近代社会主义，为极大之革命潮流。处此惨无天理之制度之下，平民一线之希望，全在于此。而今日所谓有教育之人，反毫不动心；其对于革命潮流，不过视为平民不守本分之怨怼；以为平民因无教育而作乱，应以刑罚制止之，否则恐其足以危及社会也。

"安守本分"为"有教育者"之常语，彼辈不知何以处此物质文明之世界，不知千万之平民，仍颠连无告也。以今日之奢华，诚不信尚有其他人类之无希望无意志者，可怜无告，犬马不若。此等惨状，英法战争之后，德国尤甚。彼以其战胜之功，目空一切；以歌功颂德之文章，为忠君爱国之论调；更以其穷兵黩武之功勋，荼毒少年之心志，以演成今日战争之惨剧。

是以德国之智育，不能不借赖他国之文学为之助矣。其最著者，有易卜生（Ibsen）、左拉（Zola）、杜达（Daudet）、莫泊三（Maupassant）等，而陀思妥夫斯基、陶斯道都介纳夫之著作，尤为重要。凡国家如无文学剧曲，以描写本国之社会现状，决不足以维系教育之标准，与世界各国抗衡。于是德国之剧曲，亦渐次发达，叙述其国人之生活及竞争。

诃尔兹（Arno Holz）为德国剧曲界之先进，少年英俊，始行描写己国鄙陋之人民。《莎力克格之家庭》（Die Familie Selicke）一剧，文笔畅达，得未曾有。描写社会之迷妄，与夫人民之抵抗力，只图目前之私利，罔计日后之安宁，苟安旦夕，为进化之障碍。此等民族之心志精神，牢不可破，可忧孰甚。

此剧出世，社会大患，不言而喻。然真理终难泯灭，是以柏林顽固者流，亦以反对真理之故，为世间所唾弃也。

此种论调，早已弥漫于社会，非待诃氏始然，不过其剧曲之才技，能形容尽致，绘声绘影，非他人所能及。其影响所及，使人民觉醒，不能不考察其境遇之极为不平等也。

苏达曼（Sudermann）之《名誉》（Die Ehre），及《故乡》（Heimat），对于此种问题，更加以严重之讨论。余尝谓感情作用之爱国主义，至此已完全变易。德人之心志，足以使其名誉之概念，趋于邪僻，贻害世界。如决斗之成为风尚，牺牲无数之生命是也。著名之文人，多已大声疾呼，群起反对；而《名誉》一剧，尤为痛快，至骂之为国蠹也。

此剧不独描写决斗，且表明名誉之真义，证其非为一定不易之天赋情感。吾人于此剧中，见君，相之所谓名誉，大异于平民之所谓名誉也。

此剧之情节，写一伙伴为其主人谋利远方，生意极为发达，赢利甚巨。其主人坐享其成，富甲一方。其伙伴以远行之故，托其家人于主人；其主人以小破屋居之，而其家人乃感戴不已。及伙伴回家，睹其妹为小主人利诱，致身败名裂。世所谓家庭光荣之里面，如是而已。此伙伴所以痛骂一切也。

《故乡》一剧之精神，形容新旧思想之争竞。写一女子名玛格大（Magda）者，为一副官之女，因反对其父代为择婚之故，致犯不可赦之罪状（欧洲古例），为其亲所弃。此女以其天真烂漫自由之精神，专心致志以谋。独立十二年后，成一大音乐家，驰名社会。后至故乡往见其亲，唯其父固执"亲权"为严重之质问。其女怒不可遏，乃宣布其一生之惨状。当此女图谋经济社会上之独立，曾与一学生相识，迨怀孕后，为其所弃。此男子亦在故乡，已为议员，玛格大之父遂逼之使复认其女为妻；议员今又钦其荣誉，即允其所请，唯此时其女已不复从事歌舞事业,并置其私生子于育婴院中。此嗣续上新旧之争,毕露之于玛格大言辞中,痛骂社会之罪恶,牺牲无数女子,散布伪善,适足以增人类之羞。

《故乡》一剧布局之大概,对于新旧竞争,诚非创作;俄国大文豪都介纳夫之《父与子》(Fathers and Sons),已先此而言,描写一时代之醒悟。虽苏氏之文笔远不及都氏,唯其唤醒女子问题,诚为革命重要之利器,全因其为剧曲体裁故也。

哈德曼(Hauptmann)为一传播自由急进主义之剧曲大家。最初作一剧,名《日出前》(Vor Sonnenaufgang),德国舞台,莫肯为之排演。后得拉星(Lessing)独立舞台之允诺,开演之日,如雷电交至,社会惊骇万状,大梦骤然惊醒。

此剧描写一暴发富户之平生,粗鄙暴戾,唯以酒色为事。其工人之愚蒙,亦无殊于其主人。且叙金钱罪恶,主人工人,均蒙其害。而顽固者流,反责难著者,以为煽惑后进也。

《织工》(Die weber)一剧开演时,思想家及道德家咸哗然。彼辈之言曰:"何哉!工人固秽朽不堪之奴隶也,何以排演之于舞台之上?其疾病困穷,使人见之不欢。岂足以供茶前酒后之娱乐乎?失当之甚矣!"以饱食终日之中流社会,而参观织布工人之生活,其不乐也无疑矣!真理之传播,如暮鼓晨钟,发聋振聩,自甘暴弃之徒观之,能不恼煞!

此剧之反响,自可预料。其写人生之所以能致富者,定因刻剥工人,不顾他人之饥寒困苦。此种现象,执政者常欲为之保存。诚恐平民一旦醒悟,则知其境遇之痛苦,将有害于社会也。近代剧曲之正鹄,在乎唤醒被压制之人民。此作者之所以形容叙利西亚(Silesia)工人之景况,而表暴之于世。其叙人类以每日十八小时之工作，不能谋一温饱，破屋一椽，衣衫褴褛，加以孩童之号泣，孕妇之哀鸣，凄惨难以尽述，而耶教之恩惠固不及此辈可怜人也。人生之生机及希望，消灭净尽矣！

以作者之奇才，其剧曲之形容人生，无微不至，不仅描写金钱之罪恶，且及个人之竞争，摆脱身心上旧制度之奴隶性。故又作《沉钟》(*Die Versunkene Glocke*)一曲，叙人生之奴隶性，牢不可破。顽固之羁绊不去，则自由之幸福难臻。非有革命之精神以惊醒之，使之抵抗陋习，则个人及社会之解放，难于实现也。

哈尔培（Max Halbe）之《少年》(*Jugend*)，及卫特坚（Wedekind）之《春醒》(*Frühlings Erwachen*)，为剧曲中之别体；以他法而描写自由思想，形容孩童及庶人与夫局促之清教制度（Puritanism），已臻于醒悟之境。青年男女，为不正当之教育及伪道德所牺牲者，不知几许，遏抑青年之发育之教育，诚足以障碍社会之幸福及生机。社会上所谓慈母，对于其女之年已长成者，仍不使之有丝毫社会交际，更不知其有所谓男女问题，卒之其女不幸夭死，是无异为其母置之于死地；而社会反以为不足怪，谓其体弱而死；以为如是，始于道德，可谓完满也！

此种情节，诚为清教（Puritan）伪道之大打击；加以卫氏之雄才，尤放异彩。今日社会中无数可爱之青年男女，为情而死，其致此之由，莫不由于儿童教育之失当，无以唤起其自觉力。大抵青年男女之罪恶，多由于父母所造成，而父母自身则独莫名其妙；今日之为父母者，莫非此类也。

年来德国有思想之青年男女，从事于男女问题，为自由之讨论，视为必要。言论界中，无时或已。其剧曲影响所及，虽教育界及各学校，亦多设男女卫生一科焉。

北欧诸国，如那威、丹麦、瑞典等，亦无异于德国，文学界中之提倡此问题者，以剧曲为最早。易卜生以前，早已发表于大文豪勃尔生（Bjornson）之著作中，极力攻击世间之不平等及不公道，唯其效力，远不如易氏也。

易卜生之《白兰特》（Brand）、《娜拉》、《社会栋梁》、《群鬼》及《国民之敌》等剧，以近代人生之真义，打破往昔之迷梦。读《白兰特》一剧，而知近代宗教之概念，不过为世间之一旧理想。而宗教之原意，亦不过人类博爱之原理耳。

易卜生嫉恶为仇，对于社会一切罪恶，莫不揭破其黑幕，尤肆力攻击社会所维系之四大恶：其一，为今日人生一切之诈伪；其二，为传播道德法律，牺牲之无益；其三，为世人崇拜之物质精神；其四，为顽固之死之势力。此为易氏剧曲之主旨，而以《社会栋梁》、《娜拉》、《群鬼》及《国民之敌》四剧为最著。

《社会栋梁》乃攻击社会之组织，支持于枯朽之栋梁；其表面上金色辉煌，无丝毫之瑕疵，唯其内容则不堪问耳。此剧之情节，以一领事，而执社会经济事业之牛耳，为全城最重要之人物。人民不识其中之诈伪，反为之歌功颂德呼之为仁人；实则攘夺亲友之令名；弃己之情妇，而娶其妹，贪其财故也；假公益之名，图私利之实；终至不惜以人命为牺牲，以破底之轮船，而载客航海矣。迨夫黑幕既破，其卑劣之行为，大白于世，良知发现，忧患靡穷，往者不谏，来者可追，为后人计，为社会计，不能不为积极之忏悔也。唯真理不能以诈伪为之基础，其罪恶之身，已不能自拔。乃世人尚依然醉生梦死，为之表扬也。

《娜拉》一剧，乃易氏为妇人建设其解放之途径之作也。娜拉能醒悟己身之为他人玩偶，并悟其夫其父之待遇极为不平等。其夫罔顾人生之正鹄，而以为妇之道及社会之责望为口头禅，但娜拉已脱离其玩偶之衣裳，发表其完全觉悟之态度。彼知人生第一要义：乃对于己身之责任；知己身为人类之一，无殊于为人父，为人夫者。至于为人妻，为人母之责任，乃人生之余事耳。彼宁见弃于社会，此志终不可移。因彼对于所谓法律之正谊，及制度之意义，已怀疑义，不为所欺矣！其革命之精神，在乎反对一切社会制度。故彼果敢而言曰："吾志万无可移，试观吾与社会，孰为正谊。"

娜拉前日之所希望于其夫者，今乃终不可见，始晓然于婚姻之诈伪。其夫反谓人生不可有丝毫损坏社会之现状。其伪善有如此者！

娜拉逃脱其黄金色之藩笼，以独立之新人格，开社会广大之生机。将来男女种嗣自由之真理，发轫于此时矣。

《群鬼》一曲，对于社会之组织，从根本上推翻，不留余地，如迅雷不及掩耳。世界上之剧曲，无出其右者。

在《娜拉》剧中，论断夫妇关系不免之，陋习，其夫对于今日社会之为人夫，为人父之责任，可谓无缺，然此非所以语《群鬼》一曲也。此妇人见其夫之身心，已无可救药，若与之偕老，定无生人之乐趣。且于后嗣遗传问题，尤有危险，失望之余，唯有脱离之一法。彼因求教于一青年之伴侣，为教会之牧师，其职志乃代表天堂，为灵魂之真救主；故以为人生之知遇，各有不同，应各守其本分，乃遣其女友归于其夫家，使之含羞忍辱，以克尽其为妇为母之职。此牧师谓人生无幸福之可言，其欲求之者，乃革命精神之发现，亵渎神圣，罪莫逾于是，且其以妇人之责，只在于三从四德，他非所计也。

此妇人背负耶教之十字架，至二十六年之久！忍痛负重，无敢稍犯神威。唯对于其幼子，则百计图谋，使之脱离其万恶之家庭，因污浊之空气,大不利于血气未定之青年也。且期此子能干乃父之蛊,仍未脱前人之迷梦。迨乎醒悟,则己身已完全为其夫所牺牲,而其子亦为其父之罪所遗传矣。疾病既深,挽救乏术,噫嘻晚矣!此其所以列举今日社会之万恶制度,而痛骂之也。

易卜生此曲,为社会革命之首功。而社会之人,醉生梦死,习为诈伪,甘于暴弃;不唯不感戴易氏指导之功,而乃驱逐之,仇视之,侮谩之,不遗余力。易氏所以不能不鼓其勇气,成《国民之敌》一剧,以解答之。

易卜生于此名著中,对于今日社会腐败不堪之死制度,为之行丧葬礼,而愿其永远不复现于社会之上。处此局促社会中,而能产生此百折不挠之易卜生为革命之先导,斯诚怪事!斯铎曼博士(Dr Stockman)亦以一理想家,而爱护社会,无所不至。彼为一镇中浴池之官医,察知其水源之不洁,不唯不能使病人身体复原,且有害游客之卫生。此诚恳之博士,以己之经验与职务故,必须将此事实宣布于世,免使贻祸他人。唯社会之人,只顾一己之私,对于公理卫生,皆可置于不闻不问之列。全城固以民《声报》为改良之代表,而已发民之隐为职志者,今乃亦反对博士之举动,诋为暴躁之理想家,盖恐博士之言一出、其城之声价将减,而于己之私产有损也。

博士坚持其志,不为所动,召集市民,共计其事。其初人民非不乐为赞助,及开会,即为他人利害之说所动,乃群起而反对。曲高和寡,特立独行,且全城曾未肯借一会场为其宣布之所。今幸而得,其结果又若是。市民莫不自私自利,讥笑侮谩,无所不至,且公决其为人民之公敌。以博士之始愿,欲借助于人民,以去此恶物;今乃被逼于绝境,为民之仇。今日社会之公理,已灭绝净尽。其发现之毒菌，一经宣布恐无以广招徕，全城必至失其利益，是以官吏、公民、民党，全体禁止此真理之宣布。社会欲求全城之发达，不惜以诈伪为之基础；而博士之志，则断乎不可摇动"所谓非全有即全无"也。

博士睹兹恶浊社会，欲从根本上解决，为之完全推翻。因人民日夕呼吸此诈伪腐败之空气，必将传染此霉菌！社会之情势如此，不亡何待乎！博士以初入政途，未尝深悉政治之罪恶，彼以为自由之人，不应如狡徒之无行。唯天下之懦夫，乃以一党，一部之私利，置真理于不顾。故党章社约，仅足以窒塞真理之萌芽；政治生涯，常以颠倒黑白为事；道德正义，亦所不悉；社会所由危险矣。

易卜生四剧，描写群鬼之游荡于此社会地狱，以示今之所谓文化者，不过如是。然易氏之功，不仅此也，其破坏之中，含有建设之能力；不独去此腐败之栋梁，且建筑将来之基础；使人生各能自由独立，改革此恶社会，不致为后人累也。（以上四剧，《新青年》"易卜生号"拙著《易氏传》亦详论之。）

英国自由思想之先导，传播智育上之种子，如哥文（Godwin）、阿文（Owen）、达尔文（Darwin）、斯宾塞（Spencer）、莫理士（Morris）等辈，不胜枚举。其诗人之高唱自由歌曲者，尤为可贵。如莎里（Shelley）、拜伦（Byron）、基兹（Keats）皆是。剧曲界中之势力，亦属可观。现代作者，如萧伯讷（Bernard Shaw）、宾纳罗（Pinero）、格斯威地（Galsworthy）、坚尼地（Kennedy）等，竭力传播自由之思潮，英国历史上所未尝见者也。是以其社会之变迁，亦因之历历可考。视阿文氏之论贫，或读萧伯讷社会主义之作，如《巴巴拉少佐》（Major Barbara）一剧，则可知贫穷为耶教文化中最大之罪恶。所谓"贫穷使人为懦夫，为奴隶，且能产生疾病罪恶，卑污，刑罚等。故贫穷乃负其完全责任"。贫困既能造成世间一切罪恶,更使人倚赖性成不能自立,任他人之践踏,使社会各种恶剧制度,保存不败。萧氏此剧中之救世军,与酒魔相战,使卖糖者损害无数之金钱,亦属人间快事。萧氏结论,写少佐之父,为一制造枪弹者,其平生宗旨,乃以为火药之势力,非公理所能冀及也。其论贫之言,极为痛快。其言曰:"贫穷者,人生最大之罪恶。其他一切之罪恶,莫不有善行为之伴,而其一切之羞辱,以己身较之,亦得称为英勇焉。贫穷足以墟人之城市,置人于死地。凡略尝贫穷之滋味者,若闻其声、嗅其味、见其色,即莫能免于罪戾。精神因之而颓败,终身由是而牺牲。而人类之为罪恶者,亦莫知其故。此一暗杀,彼一窃盗,今日一争斗,明日一冲突,而人不以为怪也。此等事实,仅为人生偶然之缺憾。以伦敦之大,无五十罪有应得之犯人,然其中至有千百万之穷人贱夫,无衣无食,精神肉体,为之戕贼;社会幸福,为之摧残;吾人之自由,为之剥夺。暴虐无伦,稍一动荡,即能驱吾人于万劫不复之地。贫困与奴隶两问题,数百年来,所严重讨论者也。彼既不能以理喻,以言劝,则吾唯有利用吾之机关枪,以歼灭之耳。此乃最终之试验,信而有征,此势力足以推翻社会之恶制度。所谓选举者,儿戏耳!其所更变者,乃内阁之名号,而非内阁之实也。诸君若从军,则推倒政府,可也!破坏旧制度,可也!建其新者,以代其旧,为之创造一新纪元焉!"

世人所以不愿读萧氏社会主义之论著者,无足怪也。除剧曲一门外,萧氏不能传播历史上显明之真理,故萧氏乃利用此一道,以传播革命利器之自由思想也。

劳动界剧曲,自哈德曼之《织工》后,以格斯威地之《竞争》(Strife)为最著。此剧之内容,有两重要份子;其一为工厂之总理,苛刻残忍，固执己见，不肯称为让步。虽工人罢工数月，形势惨切，几为饿殍，彼不顾也。其它为工党之代表，与之相持不下，以其革命之精神，为劳动家谋自由幸福，有死无二。以彼二人之故，致数月未能解决，工人及其妻子，流离失所，其惨状不能尽述。

此剧中写劳动家，衣衫褴褛，知识愚陋，任人播弄，毫无定见。或赞成他人传播宗教思想，而反对革命；或驱逐其联合会代表之宣布罢工之理由者，以馁工人要求之志；亦有赞颂其代表之有毅力者。其团体之散漫，有若是之甚者。此工人所以不易有为，而任人践踏也。

无应变之才，乃今日商战时代最大之罪恶。无论其志愿如何坚决，位置如何重要，时机既至，则不能不牺牲其宗旨，任人处置。彼两人之命运固如是，其各处极端，恐终亦不能解决也。

工厂之总理，为一旧思想之人物，固足以阻碍社会之进化，非吾辈所赞同。然其宗旨始终不变，其毅力固足嘉也。较之假公益以图私利者，犹为胜之。而横征暴敛者，略解私囊，以尽公益。或对于青年女子，设一工厂为之栖留，以为蹂躏女权之预备，而他人反为之颂扬，其手段之卑劣为何如乎？唯此工厂之总理，以其堂堂正正之旗鼓，为工人之敌，而不以狡猾伎俩出之，尚不愧为有价值之敌党也。

工党之代表，以全力对付之，其理想之新颖，且以道德精神及革命精神为之副，故有"之死靡他"之概，非至完全成功不可也。

唯两方面之损失过重，难以持久，不得已而让步，使和议成立，而置彼两人之持极端者于不顾，能不为之怃然？此次工党虽未能全得胜利，然敢信将来之劳动家，必有后起者成代表之志。虽预言固非剧曲家之职志，然欲为社会之先觉，则不能不如是，故将来工人之改弦易辙,亦意中事也。

调和资本与劳动之主张,将必归于淘汰,因二者终无和协之日也。欲拯救此社会于专制魔王之手,唯革命精神是赖。将来之社会,定必光明璀璨,造成自由正当之人生,共悉生存之真义焉。

近数年来社会对于刑罚问题,为严重之研究,较之其他之社会问题为甚。舆论界以是为讨论欧美文人,亦专心研究此问题。以历史心理及社会上之观察,对于今日刑罚制度,与夫世人抗拒罪恶之方法,皆谓为倒行逆施,无益于实际,而犯人则皆由社会之罪恶以造成之。欲从根本上解决,则不能不借助于文字。今日之牢狱,尤须改革,此社会之重大谬误,乃发表于格斯威地之《裁判》(Justice)以剧曲之体裁传播之。

此剧之首幕,为一律师事务所。父子共同执业,其中并有书记数人。是时发现一伪汇单,为其一少年书记所为者;因其恋爱一妇人,而此妇人,则为其夫所虐待者也。此书记因为其主人所迫挟,不能不自白其罪,谓因欲营救其情人以脱离其夫之苛刻,乃冒险而为此,并哀求赦免。唯法律乃不近人情者,而此少年于是被逮于警察,第一幕至是止矣。

第二幕为裁判所,建筑极其宏伟。此少年今已为囚人,形容憔悴,时年仅二十三。其情人亲临旁听,尤为憔悴。少年以爱彼之故,致陷于罪戾,其痛苦何如耶?故一腔热诚,欲为之拯救。被告之律师,高谈雄辩,历言人类之良知及情感,以及奥妙之社会哲学发挥之,畅言一切,不仅为此伪单而发也,亦不仅为此被告而言也。其根据于社会之觉悟性,深得辩护之本旨,且痛论及今日社会罪恶之源流。彼谓被告不忍见其所爱之人为其夫虐待,而法律又束缚之,使之不能离婚,故不得已而至犯法,非求法官之原宥不可。

法律既背乎人情,而法官乃依据之,此少年之难逃法纲,乃意中事;于是三年之苦役,乃定谳矣。此无知之少年,日处囹圄中,乃悟其自身之为恶制度所戕贼,而法官亦知其不得已而为之,然皆无足以施其技。生今之世,天下几多无知之少年,堕入此严刑峻法中?噫!亦可怜矣。

其后少年出狱,身心上已历受荼毒,额上隐然见罪人之符号,其旧主复回其职任,是可喜也。唯恶消息同时而至,其所爱之人,已因贫而自卖其身,今为他人所有矣。

当此少年之出狱,其禁期固未满,不过其情人哀求其旧主之恩,复回其职守,使法庭行特赦之例,而彼则自愿与少年永远脱离关系。唯此少年因未娴法律上之手续,致为警察复驱于牢狱。少年绝望乃自投楼下而死,遂闭幕完场。

此剧对于社会问题,功德无量。英国牢狱之革新,诚不容缓。近代剧曲对于此问题,其力甚大,足以警醒社会之良知。然此剧乃其中最佳者也。

坚尼地(Kennedy)之《家奴》(*The Servant of the House*)一剧,尤为社会现状重大之打击。此剧之主人翁,为一下流之酒徒,而为社会所唾弃者;然不惜牺牲一己,以惠同群,犹为士流所不及。劳动为社会幸福之救世主,已为众所共认;而此狂徒,亦能明确解释劳动之特色,并大有功于社会,斯识难能可贵矣。

美国之剧曲,犹在幼稚时期,其描写人等,毫无效验。幸而文学界对于剧曲之事,极表同情,虽取材于外国者,亦重视之,其一线之希望在是矣。

美国独一无二之完美剧曲,为华尔特(Eugene Walter)之《捷径》(*The Easiest way*),此剧描写纽约城之生活,别开生面。形容社会，如一明镜，其价值特色，乃在是耳。纽约城中最流行之社会病，在乎取巧；贪目前之微利，罔顾人生之正鹄，致为真理正义之敌。此剧善能表现此种情状。其次则形容女界之醉生梦死，惨不忍闻，其针砭社会，以此两事为特色。

社会之罪恶，虚耗人类之精神；而金钱之罪恶，乃驱世间可怜之女子日夕以求夫为事，视为一生之正鹄，以家庭为生活立足地。次则又驱世间之男子甘执贱役，以谋温饱也。又有其他之恶制度，足以制女子之死命者，娼妓问题是也。女子名为人妻，实无异于娼妓，其所恃以图存者，乃为男子之玩具耳。故今日之万恶社会中之男女生活，舍盗与娼二者之外，几别无所有也。

此戕贼人生之制度，惨无人道，使女子尽为寄生，无人类之精神，其视为人生捷径者，乃为妓妾耳，而社会之心理，则又视为天经地义也。

其他剧曲之传播自由思想者，日前加增。其彰彰在人耳目者，如克黎（Charles Klein）之《第三级》（The Third Degree），巴达生（Medill Patterson）之《第四级》（The Fourth Estate），与夫克鲁遮（Crothers）之《一人世界》（A Man's World），皆足为美国剧曲界发达之表征，而为发表今日社会罪恶之利器也。

（第六卷第二号，一九一九年二月十五日）

俄国革命之哲学的基础(上)

〔英国〕Angelo S. Rapport 著
一九一七年七月 The Edinburgh Review
起 明 译

人常常说十八世纪的法国哲学者,对于法国大革命,没有什么贡献;即使 Rousseau 不曾著作,民主主义也早晚总要出现。不安不满足的精神,久已充满国内;一七五三年 Lord Chesterfield 到法国时,曾说所有政府大变革以前的征候,都已存在。所以 Voltaire, Rousseau, Condorcet, Mably, Morelli 等一群人,不过是发表这隐伏的感情,叫了出来罢了。但我想,这或者不如这样说倒较为的确:法国哲学者将新思想散布在预备好的熟地上,播了革命的种子。俄国的哲学者,对于本国也正尽了同一的义务。俄罗斯——真的俄罗斯,不是 Romanov 家的俄罗斯,——希望改革,已经长久了;俄国哲学家的功绩,便在指导他,使民众心里的茫漠的希望,渐渐成了形质。

加德林二世的时代,十八世纪的政治,社会,哲学各种思想在俄国得了许多信徒,但能完全理解 Voltaire 与百科全书派学说的人却很不多。只有结社的影响较为久远。俄国秘密结社,并不违背基督教,反以此为根据。所重在个人的完成,对于政治社会的改革,还不十分置重;但在当日政治及社会思想上,也间接造成一种影响。他们竭力反抗国民的与宗教的狂信，自然不得不指出现存的弊害，判它的罪恶。他们的事业所以也就是破坏与建设两面。德国的党会，多有神秘性质；在俄国便变了一种伦理的组织的运动。聚了许多有思想，有独立的判断力的人，使他们在民众上造成一种极大的影响。

加德林二世时，党会里面最重要的人物是 Novikov。在他的报纸 Utrenyj sujet 上，非但提倡高等的伦理思想，而且竭力功击女王的外交政策，与因此引起的战事。他说，战争这事，除了自卫之外，是应该避忌的。加德林当初也是 Voltaire 的弟子，Diderot 的朋友，所以也任凭他做这些博爱的事业。但法国革命起后，便变了心思了，伊看了社会的独立思想的发表，都认作一种政治的煽动；所以会所一律封闭，Novikov 虽然已是老年，也投入 Schlusselburg 狱中了。他的著作可以算是俄国独立思想的萌芽，希求自由的第一叫声。这思想还是蒙胧茫漠，又多偏于慈善的与伦理的一面；因为他还不敢将改造社会国家这两项，列入他的宗旨里去。但这总是一种破坏运动，在俄国造成独立的舆论，就为一切社会改革上，供给一种必须的资料。

在加德林的末年，微弱的声音，要求社会改革，渐渐起来了。俄国有智识的人，受了 Rousseau 影响，知道一切的人本来都是平等，如今看了少数的人奢华度日，多数的人饿着，觉得不甚正当。这革命思想的前驱中最有名的是 Radishtshev，曾经模仿 Sterne 的《感情旅行》，作了一部莫斯科圣彼得堡《旅行记》。他虽然反对专制，但不敢要求政治的改变；他只注重在说田村改革的必要。他并不组织什么党会，不过发表公同的意见。那时俄国有智识的人，受了西欧的哲学、政治、社会上各种主义的影响，大抵都是这样思想。

可是他却因此终于被捕，审问之后，定了死刑。加德林算是很慈仁的，将他减罪，改为西伯利亚十年的徒刑。保罗一世将他母亲所罚的人，多放免了，也将他叫了回来。亚力山大一世又召他编订法律。但 Radishtshev 觉得自己急进的意见，不能与当日的俄国相容，绝望厌世，一八〇二年九月自杀了。

俄国第一次真正的革命运动，要算是一八二五年的十二月党的起事。这是一群贵族军官所结的党会；他们在抵抗拿破仑并联军占据法国的时候，吸收了西欧自由的民主思想。这时候，他们对于亚力山大一世的希望，已经完全破灭；从前的 La Harpe（译者按：此人本瑞士人，属法国查可宾党，为亚力山大一世的师傅）的弟子，如今缔结神圣同盟，变了一个极端的顽固党了。这群军官组织了一个秘密会，希望本国改行西欧自由的民主的制度。十二月十四日——十二月党的名称，便从此出，——在伊撒街行了一个示威运动。这还未成熟的革命，终于压服，流了许多血；五个首领处了绞刑，其余的都送到矿洞里——帝制的干燥的断头台——去了。

十二月党人是俄国的革命的爱国者。他们的动机，全是对于本国的爱情，热心希望那完全的独立。他们爱俄国的过去，爱历史上自强不挠的时代，所以他们希求平民议会的复活，Novgorod 政府时代的独立强盛的再兴。十二月党虽然想采用西欧制度，但并非奴隶的模仿，原是主张依着本国情形，加以改变的。他们并不如大斯拉夫主义者一样，相信俄国有特别的使命；但对于国民的物质与精神的能力，却深信不疑。有几个主张君主立宪，有几个是纯粹的民主党人。对于当时的一派社会主义，大多数却是反对。宗教上全是自然神教的信者（Deists）。他们承认，如望在俄国建设起政治和社会的新制度，只有革命这一法。这次革命虽然很残酷的压服了，可是发生了极大的影响。正如 Herzen 说，"伊撒街的炮声惊醒了全时代的人。"因为做了一个手势，便遭流徙；为了一句话，便遭绞死；俄国少年很勇敢的与专制战斗。虽然有政府的迫害，中古式的虐待苦刑，继以黑暗的压迫时代，那十二月党的思想，终于不能灭绝。好像一颗活的种子，埋在地下，等到三十年后，克利米亚战争的时候，又开起花来。

专制政治能够钳制言论，但终不能禁止思想。俄国有智识的人，虽然嘴里不能高声说出，手里不能明写，但心里仍是想着。他们缓缓地，却又极坚定地积聚思想，又传播出去。有许多人，转入绝望，有如 Lermontov 所表示的；但也有许多人积极进行，借了批评或讽刺——这一种文学，在迫压的政治底下最容易养成发达的形式发表他们的思想。他们不能批评政府的事，又不若直说出自由思想来，所以他们便做小说及喜剧。Gogol 的《按察使》（*Revizor*），《死灵魂》（*Mertvye Dushi = Dead Souls*）；Griboyedov 的《聪明的不幸》（*Gore ot Uma = Misfortune out of Cleverness*）诸书，对于官僚政治，都加以批评嘲笑。言论虽然受了钳制，但他们也想出方法，能在夹行里寄寓一种意义。俄国人因此养成了一种技术，为西欧人所不晓得的，就是翻弄那出版检查官的手段。

其时 Hegel 的哲学，初在俄国出现，得了许多徒党。从官府一方面看来，这 Hegel 学说是一种保守派的主张，所以俄国政府也便不加禁止。于是德国的玄虚飘渺的形而上学进来，替代了法国哲学家的明白简洁的人道主义的、革命的思想。俄国社会，不准像百科全书派一样的直接议论政治问题，便从德国哲学借了抽象的言语来用。这德国哲学在俄国的影响，很是有害；因为使人只是空谈理论，不着实际。但在当时，也有益处；因为他使俄国思想家，因此能够用哲学的文句来说话，尼古拉一世的检查官，不大容易懂得。空想的社会主义，不主张革命，只想从道德与精神的复活上，求出人类的救济；这种思想，也瞒了检查官的眼，混进国内。这样俄国哲学家暂能介绍新思想与读者，又用隐藏的文句讨论宗教政治的根柢。各地方都有团体发生，讨论社会与政治各问题；Aksakov, Khomyakov, Herzen, Ogarev 诸人都在 Stankevich 家中聚会。在这样空气中，十二月党播下的种子，才生了根，证明他的精神比暴力尤为坚固强大。

克利米亚的大不幸，又使社会的不满，愈加增高。但尼古拉暴死，亚力山大二世即位，人心又略安静。政治的自由，与社会的平等诸问题公然可以讨论了。

发表这种思想最有力的人，是 Aleksandr Herzen，世间通称他为俄国的 Voltaire。他的思想，很受着 St. Simon 社会主义的影响；但关于政治的改革却多遵十二月党的意见。他又特别注意于解放农民这件事。他于俄国革命思想上造成一个深长的影响；但论他气质却是破坏的不是建设的人；是传播理想的，不是创立学说的人。他是一个艺术家，又是革命的哲学家。他想推行他的理想，用"时间"的力量，不想用凶暴的方法。因此他和他的朋友 Ogarev，都时常被人责备，说他们是消极的；不能做事，只会坐着悲叹。他们两人，曾在伦敦住过多时，发刊《北极星》与《钟》两种报章，主张各种改革，如解放农奴，废去检查官，许可言论自由等。

Herzen 的政治理想，是想合斯拉夫民族，设立一个联邦的共和国；波兰听它独立。他很赞成土地公有制；以为用了此制，将来容易改行社会主义的新制度，使俄国可以不受资本主义及中产阶级的压制。Herzen 虽不是斯拉夫国粹党，但他的意见，也以为俄国社会革命，比欧洲各国更有好的希望。因为在俄国过去的迫压，还是较少些许。别国都经了多次变革，所以个人略一行动，便被过去的遗迹纠倒，阻了上进的路；俄国的个人，便没有什么"过去"来妨碍他。

Herzen 比别人更懂得他自己国民的心理。俄国人在善恶两方面，在积极地拥护人权，与消极地顺受两方面，都是绝对的。所谓自由政治，在他们看来，不过真的民权思想的赝品。他们知道专制或民主，不知道有什么折衷，什么调和。"旧酒瓶上的新标纸"是不能使他们满足。君主的自由政治称作立宪政体，决不是俄国人所喜的。但 Herzen 反对国家，还不如无政府主义者一般，要完全将国家废去。他赞成"国民的结合"，却尚未说到"人类的结合"。据他说，国家自身本无存在的价值，不过是人民生活的有组织的机关；所以须顺应了人民生活的发达变化而改革。国家是人民的仆役，不是人民的主人，如西欧社会党所说的一样。

亚力山大二世解放农奴的宣言，很使 Herzen 喜悦，对于俄国将来大有希望。当时有名的经济学家批评家 Chernyshevsky 也抱同一的乐观。Chernyshevsky 的哲学的意见，是以 Feuerbach 的唯物论为本；他的对于将来社会的思想，则出于 St. Simon 与 Fourier 的学说。他也与 Herzen 相同，很说乡镇土地公有制的重要。他说，在俄国这种制度人人都已晓得，容易实行社会主义；若在欧洲，则土地私有制便很足为梗。所以俄国可以立时行用共产制度，即不然，也很可缩短私有制的期限。他的意见以为民众应有统辖政府的权；只因现在教育不足，所以改革只能从上而下。但要行这种改革，从下发生的一种运动，或阴谋反抗，也是必要。各国民都有自决的权，所以不但波兰应该独立，便是 Ukrain 也应听其自主。Chernyshevsky

的有名的小说《怎么好》(*Tshto – dtelatj* = *What is to be done?*)在俄国革命思想上也有实际的影响。这书是在狱中时为《现代》杂志而作，经检查官许可出版。因此可以想见书中并无明白确定的政治理论；但关于哲学、宗教、家庭生活、私有财产诸问题隐隐地含着许多破坏的议论。当初官僚以为这是一种平常小说；但俄国读者能从夹行里寻出意义，于是检查官发了慌，将这书又禁止没收了。

Tshernyshevski 的社会主义的思想和对于农民问题的解决办法，成了一八六〇年以后发起的一切革命主张的根本。俄国有知识的人，看出政府的无能，和它不肯废弃旧制度的情形；所以决心到人民中间去，寻出在这急剧改革上所必要的力量来。一八六一年 Markov 发布他对于青年的宣言书，指出推翻专制，解决土地问题的绝对的必要。一八六二年土地自由会(Zemlya i Volya)成立，这会的目的，是在求政治的自由，改造联邦，均分土地这几件事。其时波兰革命已经发生，政府有了口实，可以大行反动的新政策。但在俄国此时，已没有什么迫害方法能止住革命运动了。国内有知识的人，因为要避专制的毒害，多逃往外国，往瑞士的尤多。在那地方遇着西欧社会主义运动与文学的影响，受了一种新刺激，俄国革命运动愈加旺盛了。但他们还未得到一面旗帜，在这旗底下，大家可以聚集。——Peter Lavrov 便是为他们竖起这样一面旗帜的人。

Lavrov 是俄国哲学家中最有科学思想的人。他不像前代人物，看重神学或玄学上的思索；他以为哲学的目的，是在研究事实，与从事实得来的推论。所以他专心研究历史社会学的哲学，和社会伦理的组织。他所想要解决的重要问题之一，便是个人的人格。Marx 学说的枢轴，是经济的进化，与生产力的发达；Lavrov 学说的中心，是个人的进步与发展。照他的哲学说来，一切进步，全靠个人的物质上、知力上、道德上的发达；又因行用正当的社会组织实现信实与公道才能成就。Lavrov 所说的社会的幸福，实不过是造成这社会或这国家的个人的幸福；所以各人都有权利，可以变更现在社会的组织。有知识的精粹人民，从思想上得到确信，才真是历史的创造者。其余的因袭的奴隶，对于古来习俗传说，不加考察，一味盲从，都是历史以外的人物。他们或者也有教化，有知识；但他们只用这知识来拥护现在的制度，并不仔细批判，只以为古来传下来的，便都是好的，所以还只可称"有教化的野蛮人"或是"高等文化的野蛮人"。Lavrov 计算这种历史以外的人物，是主治的一班人；他们固执地不肯讲论法理，又竭力保守他们从历史的因袭上得来的特权。其余是穷苦的劳动者，他们为生存竞争所迫，每日仅够作工，没有工夫去思想考察。他们是文明的牺牲，是人类的"罪羊"。所以这是有思想的少数人的义务，应当去启发他们，明白他们不幸的原因；使他们能协力来改造历史，向进化的路走去，使个人的自觉与社会的共存（Solidarity），同时并进。

他在《历史论集》（*Lettres Historiques*）中说道：

"我们将到了这时期了，那时人类的理想，可以实现；个人本能的倾向，也可以使得与公众的幸福相调和。只有将人类组织成一个和合的大团体，用公益公理互相系住，这样才能造成个人的幸福。"

那时人能战胜生存竞争，战胜动物世界，能够将批判思想压服自然；这乃是真的进步的根基。但要做这事，孤立的思想家，没有什么力量；他必须依托着在那里作工受苦的民众才可。凡是有知识的少数人孤立存在的时候，文化必然消灭。试引古代文化为证，其时民众居于奴隶的地位,不懂得文化的内面的意义,所以并无要护持文化的意思;所谓超人的一个等级(译者按:谓贵族),自己掘了一道沟,同民众隔开,造成他自己的灭亡。反过来说,便是凡有关心个人的发展与公众的幸福的人,都应该从他们的 Pisgah 山顶(译者按:旧约里摩西登高望乐土的地方)下来,走进平民的大平原里,握着漂流人民的手,引导他们到乳蜜随处流着的乐土。凡是一种高等的文化,倘欲存在,必须以民治为基本;因为倘没有民众的帮助,文化必将灭亡,或遇着侵略的异族、野心的军阀,也不免立时颠覆了。

Lavrov 有名的《历史论集》在一八六八年付刊,在革命运动上,造成极大影响。这部书将从前有知识的人蒙蒙胧胧的感着的思想,总结起来;对于"怎么好"这问题下了一个极明白确实的解答。Lavrov 说,有知识的人对劳动阶级应有一种义务;因为他们全仗劳动者而生存,他们自己并不生产什么物质的财富。所以他们若仍然很傲慢高贵地同民众远隔,那时他们非但自私,在社会的意义上,简直已是无价值。他们就是自己宣告了对社会的破产,对于社会的债务无力偿还了。他们对于供给物质安乐的民众的债务,只有一法可以报答,便是投身于平民中间,顺应了他们现时的需要、永久的权利与所有的力量,去启发他们。有知识的人,不可迟疑犹豫,应该提倡民主主义,打倒那武功政治,建设起一个根据公理的新社会、新秩序。Lavrov 说,现存的社会秩序,是极端的不道德。什么是"不道德"呢? 对于这问题,Lavrov 立下明决的答语;"凡阻碍个人的物质及精神的进步的发达者"都是不道德。只有根据公理的社会,使人人为公众的幸福,进步的发达起见,通力合作,纵使不能全灭人生的不幸,也竭力设法减少;这样的社会,才是合理的、道德的。所以 Lavrov 是个人主义者，又同时是社会主义者。他的学说，可以与 Benoit Malon 所创的 Le Socialisme Intégral 相比。Lavrov 同 Malon 一样，将 Kant 的"纯粹义务"说与唯物论派的自利说，一齐打消。他完全承认 Malon 的主张，"利他主义是我们新道德的根本，这道德既非神学的，也非玄学的，只是社会的罢了。"总而言之，Lavrov 所要求的，不在部分的改良，乃是社会的急剧的变革。实行这个变革，至必要时，激烈的手段，也可以采用。

（第六卷第四号，一九一九年四月十五日）

俄国革命之哲学的基础(下)

〔英国〕Angelo S. Rapport 著 起 明 译

上回所说，是 Lavrov 从"知识阶级的破产说"引申出来的学说，他便将此来答俄国有知识的人的疑问。但对于这个"怎么好"的问题，Mikhail Bakunin 所提出的答案又是不同。Lavrov 是 Malon 派的社会主义者，Bakunin 是无政府主义者，因此两方的意见便有点差异。Bakunin 少年时候，很喜欢 Hegel 的哲学，这虽然也以自由说为根本，可是将他圈禁在精神的范围以内。在实际上，Hegel 便为了国家，将个人牺牲了，因为他是承认国家万能的。他的学说到了俄国，无异于一种辩护专利的文章。所以 Bakunin 依据了 Hegel 哲学，觉得尼古拉一世的政治还有理由。便是德国人所创的最激烈的主义，内中也终脱不了崇拜强力的气味。我们顺便说及，也是一件极有趣味的事。Bakunin 本系"北派"，就是十二月党的一派，但那时他还不十分热心这事，不很与闻，所以事发之后，他独逃脱了多数同党的"悲壮光荣的命运"。可是俄国人人心中所有的爱自由的心，终于醒了。他弃去了 Hegel 的正宗学说，加入新哲学派这派名叫"Hegel 左党"。对于祖师的专制政治与宗教的理想主义，都很反对。

这新派的首领是 Strauss，Feuerbach 及 Bruno Bauer 等。此后

Bakunin 的知力的世界，全为自由说所主宰。Hegel 从前教他到影象的国土，精神的地域，形而上的世界里去求自由；但现在 Bakunin 已经改变，不肯承认梦幻作为事实了。

那统不过是我们平常很蔑视的现实世界的，暗淡的再现和怪异的夸张罢了。我们现在懂得了。神往那虚无飘渺的境界，我们在心志精神上，不但无所得而且有损，不但无所加强而且加弱。我们方才同小儿一样，同我们的梦想充塞太虚，聊以自娱的时候，一面放弃了现实的世界与我们的全存在，交给宗教上政治上经济上种种的假先知，暴君，武功家了。我们到现实的世界以外，去求理想的自由，却将自己陷入最悲惨最可羞的奴隶境遇中了。[①]

Bakunin 相信，除这个现实世界以外，别无世界。一切超越的概念，都是虚幻；人类只要能够摆脱一切拘束，能够得到完全幸福；他又相信尽他能力所及帮助人类实现这希望，是他应尽的义务。

Bakunin 是唯物论者，所以他认定人类只是进化最高级的动物。思想这事物，不过是脑里的一种物质发生物。人与下等动物不同的缘故，便只因他有思想的能力与合群性。因了这两件事，所以人类比地球上一切动物都更高等，独有着一个"将来"。合群性与人类的共存，便是人的进步的第一原因。Rousseau 说，人孤立时，本来完全自由；等到与同类相处，不得不牺牲他的一部分的自由了。这话其实是错的。Bakunin 说，

人本来生就是一个野兽，一个奴隶。只有与同类相接触，生在群众中间，那时才成了人，得了自由，得到思想言语及意志的能力。

倘若孤立生存着,也决不能发达这些能力了。人类的所以能够发达到了现在的地位,都应感谢过去及现今的社会公众的合群的努力。

所以人类的运命,是在合群的生存,互相扶助。战胜自然,这样一个目的。须经过长的历史进化之后才能达到人类的终极目的。一方面是在服从自然的法律;这却并不由于外面的强制,有天人的规定,要个人或社会服从,实只因这法律原与人性相合的缘故。在另一方面,人又当求个人的解放?脱离一切社会上要求遵守的权威,这都是自由的紧要条件,人类的将来,也就在此。"历史的真正伟大高尚的目的,便是个人的真实完全的解放。"所以一切过去与因袭,都应尽数弃去。因为进步这事,就是指渐渐地脱去过去的错误,"我们的动物性,在我们的后面;我们的人性,是在我们前面。只有这人性,能给光明与温暖与我们。我们决不可回顾,应该单向前望。倘我们有时回顾过去,这目的只在看清我们从前如此,以后不要如此!"

Bakunin 对于中产阶级的国家与中产阶级的社会,都很激烈的非难。他说,在劳动者与中产阶级争斗的中间,国家必然成了一种迫压的机械。他的结论,与多数社会党的意见绝对相反,也与 Lavrov 不同。Lavrov 的主张,是叫有知识的精粹人民传播思想,养成民众,以供将来的革命及组织新国家的用。Bakunin 却教全世界被迫压的人民,摆脱拘束,将人类亲手制造的两个偶像——国家与中产阶级,从座上直撑下来。他以为国家只能保持从前的情状:一头是富,一头是贫,就是所谓现状(Status quo)。国家又养成人类的争胜与不和。"总而言之,国家的最上的法律,就是保持国家,一切国家自从建设之后,便为争竞战斗的根源。国家与人民的战争,各国交互的战争;因为不是邻人弱,自己便不能强有力。"所以,国家是一切内外战争的根源,其存在便是"最不合理的人性的否认"。

革命运动家的多数,都是民族主义者,如德人(Lassalle)、意大利人(Mazzini)、法人(Blangui)皆是;Bakunin 虽然是俄国人,却为人类全体尽力。在他看来,国民种族,不过人类大洋里的一个浪头罢了。他的理想,是"人类的友善",不是"国民的结合"。但在这一点上,他却仍然是完全俄国人的气质。Dostoyevsky 说:"我们俄国人至少有两个祖国,一个俄罗斯,一个欧罗巴。我们的使命,应该完全的人类的。我们努力,不仅奉事俄罗斯,也不仅斯拉夫全族,应该去奉事全人类。"

在这地方,我们可以看出 Marx 与 Bakunin 的不同。Marx 是冷静的理智家,Bakunin 虽然怀着唯物思想,却是感情家、理想家。Marx 深信公道,却不甚重自由;Bakunin 全心渴望自由。两人的气质与种性,都很有关系。Marx 虽然原是犹太人,但已完全德国化了,Bakunin 是斯拉夫人。他的性质的不同,并非由于学说的不同的缘故,其实是因为性质不同,所以学说也不同了。我们如在人类思想事业的历史上,详细考察,当能看出:许多为公众做过事业的人,都不过是理智的机械,对于个人的苦难,并不曾有什么感动。我们看出历史上几多行政家、政治家、经济学家、哲学家、宗教家,提倡各种学说方法,要为一群一族或一阶级,求物质及精神上的幸福,大抵是出于理智,不出于爱。只爱将来的世代,不爱在我们眼前活着苦着的人,不能算是真的爱;为将来的世代,未知的人民求幸福的人,他的动机或者很是崇高伟大;但正直的心理学家恐不免在他的动机中间,寻出若干野心自利或空想的分子。人心里的爱究竟是有限的，所以如将这爱分给将来无量数的人民，各个人所得的分量，便极微少了。真实的好心，真正利它的情绪，纯粹的爱，只有为个人求幸福，专心致志为一部分的人尽力，隐默无闻，不在公众与历史的面前，表白他的事业的人，他们心中才有这爱。这谦逊的真正的爱，断然不是一阶级一族一国一群的所谓救主的所能有的。这样的救主，无论他称作社会党，民族主义者，大日耳曼主义者，大斯拉夫主义者，犹太主义者，他们对于个人的受苦不甚关心，只梦想着无量数人的幸福安乐，终于不能算是博爱家、感情家、理想家。他们即使不是利己家，也不过是枯燥的理智家罢了。爱全群的一部分，是在人力以内。但爱全体而轻部分，这可能算是爱？纵说是爱，也是虚空的了。兵士在濠沟中战斗，死在战场上，是因为他爱他的故乡家庭，爱他的妻子或姊妹，爱他的母亲或儿女，并不是爱未来的子孙；人为了理想而死，从来如此，现在也还如此。但这只因为那理想已成了他的生命的一部分，他的宝贵的精神的遗传或所有品，才能如此的。

Bakunin 与 Marx，斯拉夫与条顿族的代表，正可很明了地证明上面所说的事。Bakunin 天真的心同儿童一样，对于个人怀着无限的真实的爱；Marx 是一阶级的救主，是一个精粹的理智的机械身，"科学的煽动者"，"民主的狄克推多的化身"。正如 Bakunin 所说一般。[②]关于这几方面，现在不及详说。但我们倘若公平地研究民族心理，便可证明，世间所通行对于公众的爱或恨，无一不从德国发起。如科学的社会主义，万国工人协会，反对犹太主义，与此外许多爱什么主义（Philisms），恐什么主义（Phobisms）的发源地，便都是德国。

在社会革命的实行方法上，Marx 与 Bakunin 也很不同。德国人所期望的是在受过教育,能懂得他的学说的科学的根底的人;俄国人是期望最爱自由的一般的人。Marx 相信,第一个发起社会革命的国民,当然是最进步的国家,如德国便是。(他在英国住了几时之后,似乎又改变了意见。)Bakunin 却以为最有反抗的精神与自由的本性的国民,才能够发起这革命。他不信条顿人种有自由的本性,他们都是很威严高慢的。只在腊丁与斯拉夫种中,这本性完全发达。一八七〇年普法战争的时候,Bakunin 很偏袒法国,便是这缘故,他对于万国工人协会会员,又特别对瑞士人发表一篇热烈的演说;劝他们起兵,帮助新近发布的法兰西共和国。法国在欧洲是代表自由的国,德国却是"欧洲社会党的公敌",因为他是"专制与反动的化身"。Bakunin 是自由的战士,他虽是无神论者,却独为自由建造说作曲圣堂;所以他恨德国,正与他的爱法国一样的深。A. Richard 说,"这俄国人,这无政府党与国家的仇敌,深知法国精神的历史及法国革命的时代精神。他爱法国,他于法国的所憎恶,深感同意,于法国的不幸,也深感痛苦"。[3]但 Bakunin 这样的爱法国为什么呢? 这当然不是为他的政治的势力也不是国家。不是帝党或王党的法国,而且也不是共和的法国。他所注意的只是那伟大的国民性格,法国精神,宽大勇侠的本性,敢于推倒过去历史所拥护承认的一切权威一切古偶像的革命的举动。便是这与条顿族的文物破坏(Vandalism)显然不同的法国的偶像破坏(Iconoclasm)使 Bakunin 这样佩服他。说:

倘使我们失却了那历史的伟大的国,倘使法国从世界上消灭了,倘使更不幸而至于跌入泥中做毕士马克的奴隶,那时世界将大受损失,立时将现出一个大的空虚;这不但是一国的灾祸,实是世界的大不幸。

因为那时高慢反动的德国将使欧洲都受到它的迫压。无论何地自由的萌芽都将被摧残。德国人民没有自由的本性，他们还有方法，将万国工人协会变成一个（Sozialdemocratie）"社会民主国"呢。所以凡是爱自由的，希望人道战胜兽性的，想求本国独立的人，都应该出来与闻这民治与专制的战争，这是他们的神圣的义务。

一八八四年 Plekhanov，Vera Zasulich，Deutsch，Axelrod 四个激烈派，在瑞士发起了社会民主党。他们传道的新法，是从 Marx 与 Engels 直接得来的。他们在劳动界传播 Marx 学说，预备经济的战争。从一八九一至一八九四年，在俄国中部莫斯科、圣彼得堡等处，连续举行了许多次的罢工。一八九五年在圣彼得堡 Lenin 与 Martov 为头，又起了大同盟罢工，有工人三十五万名，与闻这件事。

一九〇一年社会革命党重新改组，推 Lavrov 为首领。这里边最有势力的一个党员是《劳工之旗》的编辑者 Viktor Chernov。党员的多数都是高等职业的人，在官吏联合会，海陆军人联合会上很有影响。党里又有许多农人，俄国农人多还守着古代共产制的村会（Mir）原有社会主义的倾向；所以党里很看重这一方面，就希望立刻将土地依社会主义分配。但社会民主党却不以为然，说这古代原始的共产制，须先行消灭，改成现代的资本的生产制，以便预备实行完全的社会改造。这件事业须由徐徐地造化，才能成就的。社会革命党的主张，除了土地改革之外，又包括激烈的手段在内。

一九〇七年社会民主党在伦敦开大会，因为党员意见不合，便生了分裂。这党分作两派：一是多数派（Bolsheviki），Lenin 为头；一是少数派（Menshevik），首领是 Plekhanov，Martov，Dahn 三人。多数派不愿与开明的中产阶级联络，说他们有君主的倾向。又攻击 Plekhanov 一派，说他们对付中产阶级及贵族士官过于宽大。少数派则主张说，俄国如不先将西欧通行的政治社会制度实现，革命便不能成；在这革命运动中，开明的中产阶级，也是很有用的分子。倘将这一部分国民的同情失去，逼得他们投入反动里去，那是很危险的。这两派都各有他的主张，依了俄国人的特性，各各走往极端，至今还没有解决。

　　上边的一篇对于造成俄国革命的哲学思想的观察，非常简短。但我们看了，约略可以懂得现在新俄罗斯必须经过的困难情形了。我们要理会这事，单从表面考察，是无用的，所以必须去求更深的理由。说俄国革命党都是平和主义者，现在这已变成一个恶名，好像从前欧洲平和时候的称暴徒了，原是不对的。因为他们勇于攻击敌人，未尝退时；又为了主义，毫不恐惧的向牢狱，流放，苦工，死刑走去。总而言之，毕生是一个战士。"卖国者"也是一个不适用的丑恶名词（译者按：此当系指俄德讲和时世间对于俄人的恶骂），又没有正当的与心理上的证明。俄国革命党里有无卖国者，都不可知，须待将来由历史判断。现在的困难情形的原因，其实更为复杂。简约说便是如此。制造革命的人，无论他是哪一党，抱什么主义，对于破坏的工程，却都同心一致，至于手段方法的不同，也不关紧要。到了破坏已经成功，帝国推倒了，革命的势力里面的各分子，便又各自分散了。现在要在旧废基上，建造新房屋，那些建筑家的意见，各自分歧，不能相合了。我们现在所见的扰乱，正是感情思想的冲突纠纷。人类虽然不至如 Babel 塔下的人，各说各的言语，但各人都有各自的思想，却是确实的了。他们又时常将伦理学上的"应该"当作日常的"实是"；将梦想当作事实。俄国人是生就的理论家，专讲抽象的理想，又竭力地执着他们自己的理论。各种意见如立宪制，开明的中产阶级，社会主义，无政府主义，民族主义，帝国主义，人道主义，国际主义及此外各种主义都夹在一起，各有主张。有些俄国人单要求政治的解放便满足了；那些人却梦想"解放政治"。这一部分的人只要将新偶像代出旧偶像，或旧建筑上加点修补就满足了；那一部分却主张大扫除，要将所崇拜的偶像全数推倒，打扫出一片白地，预备重新建筑。这一部分的人以国民为重，那一部分又极尊重个人。第一派如 Lavrov 主张"国民的结合"；第二派如 Bakunin 则主张"人类的结合"；不分什么种族国家言语。在 Bakunin 同他的一派看来，个人是最重要的东西，社会只是精神理想的集合，他的共通的目的便是自由。人与人不相附属各自平等；政府便没有什么事可做。俄国革命党人有许多只期望同英国一样的君主立宪便已满足。有许多人却希望联邦的共和国，同瑞士或美国一样。还有许多人梦想正义的共和国，以 Plato 的理想国，St. Augustine 的神国，More 的乌托邦（Utopia），Harrington 的大洋国（Ocenia），Campanella 的太阳国，Fenelon 的 Salente 与 Rousseau 所想像的社会或古先知所说的天国为模范。可是他忘记了，连 Rousseau 自己也说，这样的国，只是神所居的。用现代的文句说明，便是超人的国土了。在这国里，没有人类降生，也没有活人生存。这国不过在空想的境中存在。梦想这空虚世界的人，只好为精灵立法，在云中建国罢了。

近三年来，我们熟闻这一句话说，"现在的战争是一个理想的战"。但这句话依了各人的思想，也可有几种解释。有的说理想的战，是指人用了枪炮互相杀伤，各求自己理想的胜利。有的却以为这是指纯粹用理想去克服人的战争。但这不是唯一的原因，使俄国许多革命党变成平和主义者，他们同威尔逊总统一样，将德国政府与德国人民划清界限。他们相信德国人民也能同俄国人对付 Romanov 家一样，去对付 Hohenzollern 家的。这是俄国社会民主党的意见，他们是 Marx 派，很信用德国的工人。社会革命党现在改称国民社会党，却同无政府主义者如 Kropotkin 等，对于 Marx 与德国社会党都不相信。他们同 Bakunin 一样，说将德国政府与德国人民划清界限，这假说是错误的。德国人是世界上最高慢反动的人民，缺乏自由的本性的。社会民主党说，"让我们同德国人讲理，便能胜利"。国民社会党却更明了的答道，"让我们先打胜了，然后讲理"。俄国的 Marx 派并且还想推广范围，将国民的战争变成阶级的战争。他们对于欧洲的地图的改变，毫不注意，只要他们的社会改造的理想，能够从牺牲的扰乱中间得胜成功。

俄国现在的纷扰中间，还有别一个理想从中主动，便是民治问题。民治这两个字，也可依了各人意见，寻出各种解释。这民治什么时候开端？什么时候可以全占优势呢？他们说，倘使民治是现代欧洲的口号，此次对德国军国主义的胜利，便是民治主义的胜利。那时便在战争中间，即使公理还未完全胜利的时候，也应略有民治的表示了。但是照俄国民党说，当时宣战及作战，著著进行，全没有和我们商量。我们模模糊糊地听得发表的那些规定，然而我们没有控制战争的力；我们不知道那些秘密外交与条约的内容；我们不知道政府对于国民与他的富力及未来，负着什么责任。我们听人说，此次战争是将安放了新建筑新欧洲的基础；但我们劳动者对于新建筑的意见，或未必与政府及资本家的相同。我们又听人说，此次战争是征服时代的末期了；我们却不愿它又为一个新的武功时代的开端。我们都望推倒德国的军国主义；但政府及资本家或别有意思；为利益中产阶级起见，所以如此期望。德国的中产阶级或者也受利益，只苦了我们平民。我们俄国民党所以决心继续战争，必要使民治主义即从此刻发端，直到完全胜利而后已。只有这样办法，我们才能一面推倒德国军国主义，一面保全我们工人的将来。我们只望我国资本家也同德国的一样受窘，德国的工人也同我国的一样受益，便满足了。

这是俄国革命的各种思潮。这运动中各首领的思想理论，这都从播种革命种子的俄国哲学家 Herzen，Chernyshevsky，Larvov，Bakunin 诸人的学说出来。我们恐以后还须经过多少时间，多少困难，才能望新俄罗斯的产生。

这一篇论文，原是两年前的著作。因为他说俄国革命思想的过去的历史，很觉简洁明白，在现在还有价值，所以翻译出来，介绍予大家了。至于著者的批评，译者却颇有不能同意的处所：譬如论中太重现实而轻理想，到后来理想成了事实，那批评便也难于存立。即如他以为断不会有的德国革命，现在居然实现，便正是一个极显的例了。一九一九年三月三十一日，译者附记。

（第六卷第五号，一九一九年五月）

注：①M. Nettlau, *Life of Bakunin*. London. 1896–99. P. 37.
②Preaudeaw, *Bokunine et l'Internationale*. Paris. 1911. P. 37.
③*Revue de Paris*. 1896. Sep–Oct. P. 148.

选举权理论上的根据

(摘译二月号《中央公论》"选举权扩张问题"的第二章)

〔日本〕吉野作造 著 高一涵 译

当讨论选举权的时候,第一应该弄清楚的,就是"为什么要有选举权"的一个问题。这个问题不能决定,连那关乎选举权的一切问题,都不能明白了。

从古至今,选举权理论上的根据,也不晓得有许多学说。

就是到了现在,尚且有多少人拿那最旧的学说,说过不歇。我们要想明白真正的理论根据在什么地方,顶方便的法子,就是把古来的各样学说,一齐拿来比较比较。

古来讲选举权根据的学说,粗粗地分一下,大概有两种:(一)把选举权看作国民固有的权利,(二)不把它看作国民固有的权利,单看作国家为某种目的特为把给国民的权利。

先讲不认选举权为国民固有的权利一派学说:这派学说之中,又有两种说法:第一种说,选举权是国家对于特别效劳特别贡献的国民,所馈赠的报酬。日本到了现在,还有一部分政客,说尽了服兵义务的人,可以取得选举权;就在英美,也有说妇人得到参政权,是因为她们在战争的时候,尽了很大的义务。这些主张,大概总受过这派学说的影响。近来关于选举权学理上的普通学说,老早就不承认这些话了。照现在的理论：若是国家拿选举权作效劳和贡献人的报酬，也没有仅限于尽了兵役义务人的。原来兵役，是全体国民共同担负的义务，本没有必要给他特别报酬的道理。就是把兵役看作特别的事务，也可以拿旁的方法报酬；单拿选举权报酬，总不能说是正当的。况选举权也不限定服兵役的人，把它看作对于特别事务的报酬，在现在讲起来，是很旧的学说了。

若是从议会制度沿革上讲起来，这一说也很有历史的意义。现在议会制度，本是从英国发生的，英国议会是怎样弄起来的呢？就是因为想叫老百姓担认租税，所以让他们推出代表，到中央来集会。

也不但英国是这样，古代的国家，一切费用，皆用国王的私财；到了后来，国用越多，单靠国王的收入，是不够用的，所以渐渐叫地方上有钱的人去担认新税。若是一回两回，倒也罢了，到了一而再，再而三的，那些有钱有势的人，可就不能够叫怎样便怎样了，到了这时，上下之间，也有起了冲突的。

有了这种经验，渐渐开了一个新例：凡要叫国民承认租税，事先就要叫他们的代表会议，把为什么要钱的理由，说明白给他们听听。这样一来，那担认特别钱粮的财主，就得了讨论政府财政问题的权利。想实行这种权利，所以就把自己的代表，送到中央——这就是民选议员发生的缘因。照这样看来，议员原为承认纳税选出的，选举权也不过是纳税的报酬罢了。所以不纳税的人，就没有选举权，只有纳税的人才有。日本现在的选举制度，选举权的资格，以一定的税额为限，就是根据这个意思相传下来的。但是现在理论上租税性质，已经变了，不把它看作国民的特别担负，单把它看作国民的共同担负，同那兵役一样。所以法制上要承认租税和选举权有一定的关系，实在没有什么根据。

现在若承认选举权应该受特别限制的，自然不能不按照有没有纳税，和纳税额数多少，去作有没有参政能力和参政能力高低的标准了。拿纳税多少，来作限制选举的标准，自不得不单靠财产多少，去作分别能力高低和有没有能力的独一无二的标准了。到了现在，财产的多少，实在和能力高低没有什么相干；所以现在人对于财产限制的选举制度，都大声疾呼地反对。所以反对的理由就是证明古时候把选举权看作纳税报酬的制度，到现在没有法子可以保存了。

把报酬特别的义务，看作选举权的根据，固然是完全错了。但是拿义务换来公权，很可以唤起国民的感情，叫他们欢天喜地地去尽义务，也是很有价值的政策。法国的被选资格，拿尽完兵役义务，做一个重要的条件，就是这个意思。但是现在欧洲各国，都把选举权和兵役一样看待，当做人人都应该做的事，既是人人都应该做的，实在没有交换的必要了。惟在行限制选举之国，才讨论到这个问题。

日本现在还有许多人是这样主张，所以我们应该特别留心的就是这两件事的关系，万万不可看做报酬的。况且照我们的意见，鼓动国民兵役义务的感情，不但不是什么上策，而且和扩张选举权问题，实在没有关系，又何必出力去讨论呢！若说到限制选举，把选举权给那受过一定教育的人，无论是拿利益说，是拿道理说，倒比刚才讲的问题好得多呢。

说选举权不是国民固有权利的第二种学说，就是把议会看做君主的咨询机关，说它权限有一定的限制。不过当组织议会时，想选出顶好的人，所以才承认由一部分人民选举的制度。

选举权是因为组织这种咨询机关,才由国法承认的。这派学说,把议会的权限,看做太狭,以为议会仅仅有立法权和预算议定权。又把人民所有的选举权,当做由国家命令中反射出来的。照日本宪法条文,作形式上的解释,也有一点道理。不过现在议会的权限,不仅仅有立法权和预算议定权;单看做咨询机关,同枢密院实在没有什么不同的地方。且把选举权当做选出顶好人的一种方法;试问根据什么理由,一定要用这种麻烦的法子呢？再把选举权当做由国法反射出来的人,更不明白现在所以大声疾呼,要求扩张选举权的道理。这种解说,和现在宪政运用上的实在情形,真是互相矛盾。现在一部分保守的专制政治家,只晓得守着这种解说,去解释宪法,运用宪政,实在不合现在政界的实情。我们原不必因为这种解说不合政界大势,就说他是没有用的;然费许多气力,去争辩这个无用的问题,实在可以不必。

照上头说的看起来,当讨论现在议会制度和选举制度的时候,应该把形式的法律论搁将起来,应该去研究研究政治的实质。研究现在政治的实质,开宗明义第一章,就不能不承认选举权——人民的参政权——为人民固有的权利。固有两个字,并不说是从先天得来不必根据法律的;说是由法律承认的,不是完全由法律创造的。法律不能创造新的权利,因为人民权利,在没有法律以前,老早就有了。照这样讲起来,选举权的本质,实在是人民固有的权利,一点也用不着疑惑的。不过人民拿出什么理由,可以要求那参与国政的地位,为固有的权利呢？这是顶大的一个问题。看最近思想沿革的历史,关乎这个问题,从十九世纪到现在,已经变过三次。所以论选举权根据的学说,大致也可以分作三种:

（一）天生人权说。这种学说,是把那十八世纪末了,法国人所主张的个人绝对自由和个人无上权利的各样学说，总合在一块儿的。这种思想的发生，和它在文化史上的意味，虽不必详加说明；但是他们根本的论据，说人生来就是绝对独立的，无论何人，也不能侵犯他独立自由。——这就是天生人权说的根本理由。是不能不说一说的。人类不问在什么时候，都可以自由创造国家，保全他们的生命。人类既有了国家，就不得不在自由独立之上，加了一道金箍圈，这种事实，当年的人也曾承认过的。若要想把免不了的事实，和天然生成的权利，拿来调合起来，就不能不想出一种理论；这种理论，就是他们所讲的那个"社会契约说"。他们说：要想自由独立的人，对于他人担负义务，只有一个法子，就是叫他们凭自由的意思，去立个凭据。拿古来私法生活的道理，搬到公共生活上头去；把公共的义务约束，也看做了从凭据上生出的。拿这个道理推究起来，到了末了，自然说拘束个人的国家权力，也是拿个人自由意思合拢起来的。

因为有这个理由，所以把参政权看做个人固有的、绝对的权利。照平常人所说的：个人是组成全体的有机体的一部分，所以可说个人都是有主权的人。把这个道理引申起来，凡是国内的人民，没有一个不应该参与国政的——这都是主张人民参政权的论据。这种理论，直到一七九三年才在法国宪法里面，现出来成了一种制度。那个时代的论据，大概都根据这段所说的道理。

这种天生人权论，在那个时代，不但看做选举权的论据，并且看作普通平民政治理论上的根据。所以不但争论人民参政权的人，是这样主张，就是提倡平民政治的人，也是这样主张；这是看那个时代政论的人，应该格外留心的。后来政治学理虽大大的变迁，直到现在，还有许多人死死地抱着这种理论说话，这也是我们应该格外留心的。

　　天生人权说对于扩张选举权的问题固然是很有影响的,但天生人权说可算是扩张选举权的正正当当、独一无二的根据吗？我们应该斟酌的。就是第一死抱着天生人权说的人,必定想以民主共和作顶好的国体,到了结局,自然是不承认君主政体的。第二天生人权的思想,在文化发达史上虽有许多意味,但按着现在学问说起来,这句话实在说不过去。因为我们决不是生来就独立自由的；独立自由,不过是我们将来可以做到的理想的标准。我们必须要努力修养,才能够成就独立自由的人格,不能说他们生来就是这样的。人民参政权是根据这个理由成立的,这个理由既已不可靠了,还能够拿来做人民参政权的论据吗？

　　若是人民参政权,只有天生人权的一个根据,天生人权的基础已经倒塌,人民参政权说也应该跟着倒塌了。然事实上不但不倒塌,并且主张的人日见其多,这就不能不在天生人权说之外,再找出一个根据了。

　　(二)第三阶级说。这派人说一国之中第三等的人很多,要想设个法子,去扩张他们权利,营谋他们利益,所以要给他们选举权。

　　选举权论从根据天生人权说,变到第三阶级说,中间的线索,看看历史,更觉得明白。鼓动变迁顶有力量的,第一是"最大多数的最大幸福"学说,第二是社会主义的政治组织。主张天生人权说的人,都把国家的权限,缩到不可再缩的地步；国权可以命令人民的地方,只限于谋最大多数的最大幸福一件事。本来以最大多数最大幸福作国权发动的一个标准,是很好的事。不过要成为问题的,就是谁是最大多数呢？关乎这个问题,社会主义渐渐发达,乃把第三阶级当做最大多数。英国本是"最大多数的最大幸福"学说发源的地方，反仅仅守着这种观念，不再进步；到了欧洲大陆社会主义活动起来，要求扩张工人权利的时候，两个思想才结成一块，才说国家目的，在极力要求保护第三阶级的人民。

当十九世纪开头，法国革命的时候，大陆各国，处处起了政治革命的运动；这种运动，都是得众人力量成功的。改革之后，当权的人，多是中人以上的阶级。剩下来许多劳动的人，后来也跟着文化前进，自己知道降在下层阶级，对于那种不正当的压制，起了反动，于是就大张旗鼓去要求扩张自己的权力。他们自认为第三阶级，又拿第三阶级占了国民顶大的部分为理由，要求国家以经营第三阶级福利，作重要的目的——这就是第三阶级的说法。

这种要求拿增加第三阶级福利为国家重要目的的思想，后来一变，变成要求普通选权的思想。这种变迁，全是德国社会党的功劳——拉色尔（Lasalle）的功劳尤其大。拉色尔以前，和拉色尔以外，虽也有唱这种议论的，但总要推拉色尔的功劳第一。关乎这种思想都是由他传播的。

现在没有细说德国社会主义主张的工夫，所以单说拉色尔的学说，不是从马克思出来的一件事。马克思同拉色尔的根本思想，原来一样，这固是应该留心的；但是两个人实行理想的法子可就全然不同了。马克思是讲国际社会主义的，不问是那一国的劳动家，都可以合在一块，去同资本家争斗。他说这国同那国战争，单是为贪得无厌之资本家战的，对于劳动的人，一点意味也没有。要想为劳动家作大有意味的战争，只有同心合力去打倒那些资本家。因为现在资本家自己占了便宜，把苦给劳动家去受；我们要想抵抗他，非凭藉武力，讲究顶好防备的法子不可。倘若说用武力抵抗，是破坏国家法制的纪律。要知道国家的法制，不过是帮助资本家压制劳动家的一种武器。现在俄国的列宁、楚自克所讲的就是这个道理。拉色尔不是这样,他是尊重国家的,想在法律范围以内,实行他的主义。他说这是可以做得到的,又是很合算的。他相信在现在法律范围以内,可以实行社会主义的理想,却有两个根据:(一)社会主义所注重的劳动家,现在实在占了国民的大部分;(二)自一八四九年法国采用普通选举以后,德国人民,也大声疾呼来要求这桩事,可见这种制度,是现在可以实行的。若是实行普通选举制度,让劳动家自己去选举代表,劳动党必定占了一大半议员。照宪法上议院的权限做去岂有不能实行社会主义理想的道理吗?他当一八六〇年前后,自己挺身出马,到处运动,叫劳动的人合在一块,去要求普通选举;又再三说明组织政党万不可缓的事。德国到一八六三年才组织社会主义的政党,就是他极力鼓吹的。从此以后,普通选举,就认为主张第三阶级权利的,更认为所以令国家尽那项重要任务的顶好的法子。拿这种思想来主张普通选举权的人,就在现在也是不多的。

但是这种理论,也有两个不好的所在:(一)拿选举权当做达到某种目的的手段。(二)因为要扩张第三阶级的利益,反惹起阶级的差别,令社会难得统一。最大多数的最大幸福一说,早已和最新的国家观念不能相容,这派学演的第一根据,已经没有了。就是不然,这第三阶级也只能说是人数多一点,不能说他人品好;所以第三阶级,只能代表人数,却不能代表人品。这种学说,打破少数特别阶级的权利,把参政权范围扩张许多,功劳固然不小;但拿来做解说选举权根据的理由,现在已经不行了。

(三)社会协动说。这种学说,是现在新起的。法国人所倡的(solidarity sociale)就是这个。现在选举权的论据,固然是不必为

"社会协进"说所限；但是因为有这一说，影响近来国家理论的地方很多。这种学说的大要，是说人类生在国家团体之内，才遂他生存的目的。若离开团体的生活，我们的生活就不能说了。所以我们要想使自己的生活结实，第一步就要使团体结实。因为国家和个人，是因有机的关系成立的，所以个人不能不尽心竭力的把国家弄好，国家也不得不想方设法把个人弄好。一方可见国民有分担经营国家的积极的责任，又可见我们也定要要求能尽经营国家职分的地位。这件事无论在君主国，在民主国，皆是一样，简直可说是现在国家的原理。既然如此，我们一方面为尽经营国家的积极的责任，所以有要求保护我们物质上精神上的权利；同时又可以说决定国家意志，是我们固有的权利。从国家方面说来，不但应该叫组织国家的个人，物质上精神上都要满足；并且要叫他们为国家作有意识的行动。这是顶好的事，也是顶重要的事。平民政治是根据这个上头来的，选举权也是从这个上头起的。

以上讲的选举权理论的根据，已经变过三次了。第一期随共和主义变的，第二期随社会主义变的。直到现在，看它历史上变迁的经过，或与共和主义或与社会主义有密切的关系，都是明明白白没有疑惑的。现在一般人所承认的理论，说选举权是根据国家本质来的，有国家当然就有选举权；无论什么国家，都不能不承认的。常有人说普通选举，只有共和国家可以行的；这话实在可笑。普通选举说，多是抱共和主义社会主义的人倡的，就是现在，也是这样。所以稳健的政治家说到这件事，多愁眉叹气说是过激的议论。国人对于普通选举之说，动不动就有误会，也是当然的；不过"因噎废食"，就嫌太无道理了。

如果因为把普通选举看错了，连选举权的论据也受些影响，实

在是一桩憾事,所以我们不得不拿来讨论讨论。

(第六卷第四号,一九一九年四月十五日)

文艺的进化

〔日本〕厨川白村　著　朱希祖　译

　　Taine 尝以生物进化的理法，应用到文艺变迁的历史上去；Bruntiere 亦效他的法，作《种族的进化》一种论文。他亦说，"文艺几同一种生物，由最初生出，慢慢发育成熟；到了十分完全的地位，就暂时维持它的状态；到了后来，就渐渐由衰而灭了。"——所说的灭了，自然是一种通俗的意义；实在讲起来，不过它的形变化做别种文艺，顺次向进化一方面去罢了。他的论文要点，简单说，就是这样。

　　现在虽不必一定要学 Bruntiere，然照我想起来，欧罗巴近世文学变迁的径路，大略照下文说明，亦可。

　　文艺思潮的本流，明白老实说，就是在情绪主观。这不是我一人独断，远自从前 Homer 以来，直到现在，把几千年欧洲文运流转的迹，除了偏见看起来，即明白了。虽然，文艺本流中间，常常应了它的时代，把情绪主观以外的别种性质，由旁边横流进来了。这就是时代精神的影响，而文艺之变迁及进化，全从这几种外物而生的。由卑近的例讲，在十八世纪时代，重"冷的理智"而尊"形式"，偏于这种倾向的性质横流进来，就起了那种拟古主义的文艺。到了十九世纪的初年，仍旧归到情绪主观的本流，于是乎浪漫主义就勃然而兴。到了十九世纪的中叶，更有从旁横流进来的一种科学万能说，于是重直接经验，而变为现实主义的文艺。至最近新浪漫派发生，这就是现实的自然主义重复归到本流的情绪主观罢了。总之，情绪主观是文艺的始终（alpha and omega）；此外支配于理智的科学的经验的种种文艺，实在可以当做一时变态现象看，这种都不能到底永续的，不久都归到情绪主观的本流一边；今日自然主义衰退，新浪漫派代它而起，亦是自然的势。

　　然而世或以为文艺思潮的变迁，单像走马灯一般，别无深的意义，不过将以前所有的颠倒回转，顺次返归原处；这样想的人亦不少啊。这是极大的误解哩！这些从旁横流进来与文艺本流以变化的例，如形式主义，纯理主义，客观主义，现实主义，经验主义这几类，（由它影响的结果说）都是调节情绪主观使它充实；这是引导文艺本流于完美之域所不可缺的，换句话讲，文艺常由这种外物调节刺激，所以生出拟古主义，自然主义等等变态文学的时代。通过这种变态时代，于是始有进步与发展。形式与热情，实验与冥想，主观与客观，写实与诗情，凡一看似矛盾的两种意义，好好的融合调和起来，那才有真正的大文学发生。然而文艺上有了一种主义流派，无论什么时候，总要偏到一方。不知不觉，把艺术的世界限制到了狭的一方；动辄注重人生的一方面和一局部，其他皆闲却了。这种倾向，是最容易有的。所以一种主义荣盛时代告终，到了其次时代，总要把以前主义闲却的缺陷补足，因此融合调和，方得把与前异趣的主义发现出来。所以文艺进化的历史，不外乎连结种种相反主义之变迁而已。由此，就可晓得情绪主观时代，与其它变态时代，这两方面，常互相交错而为循环的表现。假使在本流的一方，——或在变态的一方，——若只偏于一方，尽管循例进行，到后来必至弊病百出。这样的文学，自然要招衰颓自灭的结果。那反对主义，须于其次时代发生出来。以上所讲的，皆是古来文艺进化历史的明证。彼自然派的衰势，全是这个理由。

至于晚近新浪漫派，明明是复归文艺本流的倾向，然与从前的浪漫派比较起来，他的性质早已完全变化了。既已一次通过现实主义的变态，这已是内容丰富而充实的浪漫派了，——且是现实觉醒后的浪漫派了。若但闻浪漫派的名，以为就是走马灯的样子，这种人实在未曾明白思潮变迁的真相。情绪主观的本流，有从旁横流进来的现实主义与它相合，一时呈出变态。因此，那所流的质与势与量皆增大了，这才是最近文艺的思潮。虽然，同样是浪漫的水，然决不是原来旧样的水，这是不可不知道的。

译者按：厨川白村尚有《自然派与晚近新文艺比较上美丑的问题》一篇，与此篇相发明，附译于后：

自然科学的勃兴，那时的"诗美"，从地上灭掉了。而且自然主义的文艺，把世界全然丑化了。然而到了最近的时代，从更深一层的奥底观察，从前所看为丑的事物中，反有今日以前全然不知的美发现出来了。譬如那种有毒的花中，能吸出很甘的蜜来一样。单从外形物质的方面看起来，无论丑到什么地步，若把那潜在极深极奥的真精神抓住，其中必有一好的"美"感得。这就是新艺术的特色。现在姑且拿雕刻的例来说：法兰西近代巨匠 Rodin 的名作《Balzac 着寝衣的像》与《已老的兜工的像》，这两种的颜面与肌肤，若把从前的美术做标准，那就成了一种说不出的丑物与不快物了；虽然，说到那丑的姿态，未曾为前人所表现得的，却有一种说不出的美存在其内:这又是新艺术的特别面目了。所以现代的艺术,既不像从前的浪漫派,全把丑的分子除外,一切非经美化了不休;又不像拟古派的艺术,故意用人工的技巧来掩蔽那丑,补了自然的缺点,宛然把极臭的物,做了一盖,放置其上。它的手段,恰与自然派相同,既是丑的,必照它原状描出它的丑来,惟作者自己用那极锐极强的主观力,把纤细的美妙情趣表现出来;这一点,就是现代艺术的特色。从前的艺术,例如拟古派,浪漫派,一切皆彻头彻尾把美的快的描写出来;否则如自然派的样子,全把那丑的不快的描写出来,总是偏到一方面走。现代的艺术,决不如此。自然的现象,决非全是丑的,亦非全是美的。所以作者须把有生气的感受性对着它,凡自然的,就把自然的原状看,若是丑的,那么就当做丑看,更就它极微奥的地方看出它一种的美来。所谓"有生命的心中深伏一种内部的美"(the inner beauty that lies deep at the heart of life),这就是新艺术生命所存的地方了。

更就别方面想起来,从前的浪漫派但求美于天上的梦幻境;自然派又只管观察地上的现实生活,但见它的丑。晚近的新艺术,却与此相反。尝以自然科学所与之精微的观察力,和那强劲而清新的主观,把地上的现实生活,从前所视为丑的里头,仿佛可以看出新的乐园来。对于平凡的日常生活中,能开拓"诗美"的新领域来,就是他们这班人了。

又案:我们中国现代的文艺,大部分尚在拟古时代。厨川先生所谓"故意用人工的技巧来掩补那丑,补了自然的缺点,宛然把极臭的物,做了一盖,放置其上"。试读近人的诗文,其中谀死颂生的作品,照例是掩蔽丑的;其它抒情述志之作,饰辞矫说的又不知多少。我要用《史通·载文篇》的句子改了数字,以形容此类文人：——"迹实同于娼盗，言乃类于圣贤。"（原文作"迹实同于莽卓，言乃类于虞夏。"）"观其行事，则某某不如！读其诗文，则某某再出。"（原文作"观其政令，则辛癸不如；读其诏诰，则劝华再出。"）"某某"二字，无论男女，善恶两方，皆可任意填写；掩蔽的人类和方法甚多，皆可把这个公式类推。

十八世纪的时代，欧洲古典主义的作家，欢喜用修饰语法，以为典雅。若把自然的情绪露骨地描写出来，必以为下品。及至十九世纪初，浪漫主义兴，于是反对形式主义，把向来的一切因袭打破，Rousseau 归于自然的说方盛行起来了。不过浪漫派的弊病，也是把丑的分子除外，一切非经美化了不休；而且他们只求美于天上的梦幻境。我们中国元明的曲，颇有此种倾向。自唐刘知几《史通·言语篇》主张记载当世口语，以为"周秦言辞，见于魏晋之代；楚汉应对，行乎宋齐之日；而伪修混沌，失彼天然；今古以之不纯，真伪由是相乱。"于是唐宋以来渐有用白话作诗、文、词、曲者，元明的南北曲，尤觉归于自然；一切文章的因袭完全打破。不过他们抒情写志的地方，往往托之于天上神仙，所以与西洋浪漫派相似地方甚多。——有人译浪漫派为"传寄派"，大约亦是此意。他日当作文一篇，把他们来比较一番。——可惜到了清代的曲家，变亦成古典派了。

有人说，宋元以来的小说，及现在的"黑幕小说"，描写社会实在的黑暗状态，完全与西洋的自然派相同。我以为这不过描写丑的兽性相同而已。其实自然派的周围描写、个性描写和科学的制作法，他们完全未曾梦见。而且我们中国的小说，都含一种讽刺和教训，都有解决的地方。自然派则照自然的原状写出，毫无解决，所谓客观的描写而非主观的。近来吾国新进小说作家，颇有几篇近乎自然派的了。

　　吾国文艺若求进化,必先经过自然派的写实主义,注重科学的制作法,方可超到新浪漫派的境界。若不经过这个阶级,而漫然学起新浪漫派的文艺来,恐怕仍旧要退到旧浪漫派的地步。因为未讲科学而讲新神秘主义,未能写实而讲象征主义,其势不陷入于空想不止的。

　　　　　　　　　　（第六卷第六号,一九一九年十一月一日）

精神独立宣言

(Déclaration d'indépendance de l'esprit)
张嵩年　译

　　精神的劳动者诸君，五年以来被军队、被检查吏、被交战诸国的憎恶怨恨所分异离析、散遍全世界的诸同人，今当藩篱方隳、边界重开之顷，我们敢请于诸君之前，把我们亲爱的联合重新成起，但是非求赓续旧有，乃要成一个新的，比前有的更安稳、更坚固经久的联合体。

　　这一次战争把我们的侪辈既投入迷离骚乱之地。大多数的知识界的人都把他们的学、他们的术、他们的聪明才力，供他们的政府之用。我们现在并不要归罪哪一个，也非要弄些什么谴责的话。我们晓得个人精力之薄弱，伟大的集合潮流之天然力量，这一次因为未预筹有抵拒之方，顷刻间遂被他们这种潮流扫荡一空。但是无论怎样，这一次的经验，对于我们将来，至少总要使它有用。

　　第一，我们请记取这次因为全世界的智力殆完全处于退让，而且甘心屈服于忽然奔放的强力之下造成的种种不幸，种种灾祸。许多的思想家，许多艺术家，对于蚀耗欧洲肉灵的凶厄灾难，不但不去阻挡，而更加上不可计数的恶毒的仇恨。从他们知识、记忆、想象之武库，为怀恨，为结怨，找出许多旧的、新的理由，许多历史的、科学的、逻辑的、诗的理由。天天从事于毁掉互相的了解，天天从事于破坏人人间亲爱之情。他们原本是思想的代表，他们这样子作去，遂把思想大大地损坏、玷污、贬落、糟蹋了。他们把思想竟弄成了情热之器，又且（或许不自知）成了一个政治的或社会的、党派的，或一个国、一个邦、一个阶级的营私利的用具。但是如今，从打这个蛮野仓皇的乱打乱闹，一切交哄的民族，无论胜的败的，都弄得破头乱脑，穷乏困羸，狼狈逃出，而且于心底（虽然不自认），在他们的疯狂之暴发上，也不免觉着羞惭、卑贬、屈辱。就是思想，因为被他们的争逐所连累，也同他们损掉价值，堕落而出。

起！既知这样，那么我们便请把精神解脱了这些连累，脱离了这些卑辱的结合，祛除了这些隐秘的奴役。要知道精神是不为一切东西的奴仆的。为精神奴仆的就是我们。我们是除他以外，更不晓得别的主人。我们是受命去维持、去拥护他的光的，我们是受命去把迷了路途的人重聚在他的旁边。我们的职任，我们的本分，就是要保持一个定的鹄的，并当情热的旋涡中，宵夜的晦暗中，指出极星的所在。于种种不同的傲慢骄夸和互相倾轧的情热间，我们是不作简择的，我们但把他们通通斥弃。

我们尊敬的唯有真理，自由的真理，无边界，无限际，无种级族类之偏执。信然，我们不是对于人类漠不关心的。我们是正在为人类而工作，只是我们所作非人类的那一分，乃人类的全体。我们不认得这民众，那民众，种种许多的民众。我们但认唯一民众（The People）———一而普遍——就是那受苦、竞争、跌而复起，沿着浸泡在他们自己的汗血中凹凸不平的路，永远相续不断地前进的民众——就是合一切人类之民众，一切同是我们的弟兄。而且就是为的他们，同我们一样，也可以觉悟到这个弟兄之谊，我们故于他们蒙昧的争斗之上,高举"约章之匦"——高举那自由、一而多、永远长久的精神。

签名人:

(在法)Romain Rolland, Henri Barbusse, Georges Duhamel, Charles Vildrac, Emile Masson, Mathias Morhardt, Paul Signac,等。

(在英)Bertrand Russell, Israel Zangwill,等。

(在德)Professor Georg Nicolai, Heinrich Mann, Hermann Hesse,等。

(意大利)Benedetto Croce, Roberto Bracco,等。

(奥大利)Stefan Zweig,等。

(西班牙)Euganio d'Ors, M. López–Picó。

(比利时)G. Eekhout, Henry van de Velde,等。

(荷兰)Dr. Frederik van Eeden, J. C. Kapteyn, Dr. L. E. J. Brouwer,等

(瑞典)Ellen Key, Selma Lagerlöf,等。

(丹麦)Sophus Michaelis,等。

(在美)Jane Addams,等。

这个宣言是今年夏间以法文发出来的。曾载在六月二十九日的巴黎的 *Humanité* 报上。可惜我们找他这天的报没有找着,我们这译文是根据两种英译(一载七月十九日的 *Cambridge Magazine* 周刊,一载九月份的 *World Tomorrow*)译出的。巴黎通信社本曾发过一篇译稿,但他是译意,拿与英译比较很有些不甚相符,所以我们未敢从之。因为我们未得着原文,所以不得把签名的人全体举出(两英译均但举最著名的人)。现在姑就上列的人中,把我们所知道的人的著作开出几种,以便读者诸君研稽。要晓得这些人不但

在战后发出这样宣言，就在战时，就在那样发狂热的时际，他们也曾不失本色、不辞劳瘁、不避艰难、不畏强御地为精神、为真理、为人类全体，很出过力。他们发这个宣言，自然是出于不得已。战起以前，哪个学者、作家的话不是都说得很好听？可是一遭这个战争的变故，许多讲好听的话的人竟都改了色，失了节，丢人丢到那样的田地！这种的事情怎能不令心韧的人痛心呢？所以他们要宣言精神独立，要认真思想精神的地位、价值。既然从事于精神的事业，便不可再在别的东西之前屈膝，以失精神之体，而令因为自己屈辱了连累精神也陷入污泥。要而言之，这个宣言的主意不外：无论求学、求术，除了为他自己外，都是为的个人，自己和自己以外真实存在的各个体——便是全人类——绝不是为的哪一部分，绝不是为的私人徒党的营私射利。所以要望以后有学、有术、有思想、能文章的人，万不可再拿他们的文章、学术、思想供什么万恶的东西、虚伪的东西、不必需的东西作文饰、作利器。读者诸君，你们还要晓得假使世界只有武人，假使世界只有财奴，世界也还不会有恶；世界的恶业哪一回不是由有思想、有知识、能说能道的、为虎作伥的引导着、帮助着作出来的？那么有思想、有知识的人对于世界的罪过怎能不负责？人总要自反！我们不是常说什么这好、那好么？其实我们何尝愿意世界□好。我们自己理想一个好的世界还可以的，如若别人也想出一个，我们便打着徐缓、轻慢、不负责的腔调，说什么"不——能——罢！"这还是上焉者。其次便连思索也不思索，本着目空一切的习养，浮浮躁躁说些"不会，不会，那哪里能成"。真想世界好的是不是应这样子的？"我欲仁，斯仁至矣。"我们如果愿意世界好，如果虔诚切至愿意世界好，世界当下便会好。世界所以不好，全因人没有那种诚心。这个宣言上签名的一个（罗素）曾说过：

……我们必须求的世界就是一个于其中创造的精神是活泼生动的，于其中生活是一个充满愉乐和希望的冒险事业，基于去建设的冲动而非基于去保留自己所有或去攫取他人所有的欲望的世界。他必是一个于其中情感得自由活动，于其中爱情是去净了求为主宰的本能的，于其中残忍与忌妒已为幸福与一切建立生活而充以诸种精神的大欢喜的种种本能之放达不羁的、发展的、驱散的世界。这样一个世界是可能的。他只待人想要去创造他。（译《向自由去的路》结语倒第二段。）

晓得这个，第一便是要认定的鹄，便是要保住那一体多方、恒久不灭、自由超脱的精神。

以下略举我们知道的几个签名之人的著作或略历。

一、Romain Rolland 罗曼·罗兰，生一八六六年，即二十世纪开头第一部大小说之著者。他最擅长的学问还在音乐，巴黎大学（苏尔朋）曾为他创设音乐史一席。欧战起后，因为全欧洲、全人类说话不容于法人，乃躲至瑞士日内瓦，从事慈善事业（国际俘虏经理处），把所受的一九一五年份"诺贝尔"文学奖金也全用在上面（约美金四万多元）。同时并作了几种小说戏曲，又作了很多文学的、哲学的、时事的文章。一九一六年二月英译的、关于战事，很有声名的 Above the Battle（法名 Au-Dessus de la mêlée 可译《超于浑战之上》）便出于是。罗兰的人生理想受托尔斯泰的影响最巨。他是始终只认一个人类的，如 Adolphe Ferrière 说："欧人中，他是越乎一切民族主义者的精神之上，出乎一切国家主义者的精神以外，把共同祖国之精神，把超民族的文明之精神，体现得最好的。"在《超于浑战之上》以前，罗兰最得名誉的杰著自然是 Jean-Christophe，此书叙述的就是罗兰理想的一个音乐家（即书名人）之一生史。法文原版凡分十卷。（英版四册，美版三册。外更有德、意、俄、波兰、瑞典译本。）一八九七年写起，一九〇四出第一卷，一九一二乃完成。他这部书真是他心血的结晶。论质、论量，并属一时无两，所以英国有名的老批评家、文学史家 Edmund Gosse（今年七十）尝称他为"二十世纪最名贵、高尚的一部著作"。但这个书性质虽高，却是对一切人而发，为一切人而作，无阶级之分别，无生身之歧视：人人可读，人人可喻。他的主宰标识就是至诚无伪。一部小说把著者精神表得这样完备，实前所未有。解说现代生活的著作，也没有比他更翔实、更启发人的。此外，罗兰著作已译成英文的有：

Some Musicians of Former Days（法原版，一九〇八出）

Musicians of Today（法原版，同年出）

Beethoven（音乐家），Michel Angelo（雕刻家，画家）

Händel（音乐家），Tolstoy（小说家，社会改革者）

Millet（画师）等人传记。（此中后一种，原以英文著，最先出。但裴多芬、弥开安楼、托尔斯泰三传最有名。许多人讲，裴传最是他模范著作。）

由这些个书，都可看出罗兰是崇拜英雄者。但此不要误会，他的英雄是与常义不同的。如他自言："吾是不与或以无穷的思想（心力）奏凯，或以独绝的体力获胜的英雄之名的。吾所予英雄这个名的只是那以心之善成伟大的""那作其所能的"（我们给他解释可说，就是永向至善勇进的）。"开开窗！放新鲜自由空气进来！让我们呼吸英雄们之呼吸！"这便是他的英雄主义。他崇拜英雄，他自己实就是一个英雄。"英雄常食苦难与试炼之面包",也正说了他自己。

The People's Theater(法原版一九〇三出,英译去年出),此书是罗兰为建立民众戏院的计划而作。什么是民众戏院？就是属于民众的戏院,为民众而设的戏院,以民众而成的戏院:以民众为主,不以戏院为主的戏院。就是施演民主的、艺术的、应令现代社会使艺术是活的、与生活并进的戏院。民众于是娱乐,民众于是苏息,为精力源泉,为智力导光。愉乐、精力、智力,是他那基本的三需要。民众于是宣其情思,民众于是觉其美妍:于是彻感弟兄之谊。罗兰设此的计划也是受托尔斯泰——近代最懂得民众的——的感化。据托尔斯泰,凡把人分离的东西都是丑的,恶的;凡把人联合的东西都是美的,善的。此后艺术若要是真的,必须不再只为一有特权的等级所操执,必须归还于民众。罗兰这本书引论中有几句话也可译在此地,请读者诸君思索思索:"我不用告诉你国站在哪儿。就由他那界说,他是永远属于过去的。不论他所代表的生活的诸种样子怎么新,他总把他们止住、固住。但是你不能把生活只定一次就结了。可是把任凡他接触的东西都变成顽石,把生事弄得成了官僚的种种理想,这便是国之职能。"

The Fourteenth of July & Danton,这两出戏都是为民众戏院作的,同记法国大革命事。(法文原本第二种一九〇一出,第一种次年出。)

罗兰除此以外尚有以前作的十几种戏本。战时在瑞士又著两种,今年已出一种名 *Liluli*,也还无英译。他的小说著作 *Jean-Christophe* 之后,曾又作一种,在战前一月本已付印,但今年才发行,已有英译(十月九日出),这就是 *Colas Breugnon*。此书作法虽与前著不同（著者自谓此书是他对于 Jean-Christophe 之拘迫反动的结果），但以愉乐为百行首，却是在《裴多芬传》（一九〇七）已表的思想。书中主人（即书名人，著者同乡 Burgundian）生在宗教战争正酣的时代，也看打仗不但可悲，且是不能见信的蠢笨事，又说人总先是人，后属这宗那派。所以由此也可见罗兰的共同祖国、一个人类的思想是早就有的。

法文中尚有罗兰的博士论文《乐剧史》和别人作的他文章的节选等。德文中亦有他特为作的论音乐的书。

至于研究他叙述他的单行本著作，法文的有：

Paul Seippel, Romain Rolland, L'homme et l'oeuvre Henri Guilbeaux, Pour Romain Rolland 等。

英文中好的有：

Miss Winifred Stephens, French Novelists of Today, Second Series. （外有一种很不好。）

日本也有：

内藤濯，ロマン，ロオランの思想与艺术。又（中泽临川、生田长江）《近代思想十六讲》中所载。

罗兰单篇文章最近译为英文的有今年五月号 Atlantio Monthly 登的一篇。题为 Go to the Ant，是记述佛瑞（Aug Forel）的蚁的研究的，因论本能并非进化之起点，已是进化之结果，本能也是可变化的——特如战争本能——进步不是不可能的，并言"我实不确信人是如其所说，自然之王——他实以是自然之肆行蹂躏的暴君为多得多。我相信人有许多的事应从那些比人的更古的、无穷多的种类的动物社会去学"。

现在这个宣言盖也出于罗兰手笔。

二、Henri Barbusse 巴比塞，小说家，战时曾从军，与 Adolf Andreas Latzko（奥大利军官）同以军人锐烈地反抗战争，高唱"战争是地狱！"同著有极悲痛恳至、可怕可哭的名著，为战争于战事书的翘楚。拉剌古著的是 *Men in War*（笔记小说，美译，一九一八春末出），巴比塞所著就是 *Under Fire: The Story of a Squad*（Fitzwater Wray 译）。

此书法文原版是一九一六年十二月里出的（原名 *Lefeu*《火》，英译，一九一七出），受巴黎龚谷尔学会（Académie Goncourt）对于那年最好的书的奖金。他把军营生活的最凶狞、最污秽的情形，以至痛苦流离的状态，都实写出来。战争的丑恶，谁不知道？但是经巴比塞那样的活泼有力的一述，竟成了新的一样，从未想到的一样，使人怎能不感动？使人永远不能忘。巴比塞的著作新近译成英文的又有一个短篇小说集、一个小说，都在本书以前（且是战前）作的（译本去年出），都不及它，但态度却一样是悲观的。

1. *We Others*（此书分三分：第一分题 Fate. 第二分 The Madness of Loving. 第三分 Pity.）

2. *The Inferno*（地狱），此书颇写社会之虚伪，示人从墙缝里可见人生之精神的悲剧，由一个很小的隙孔见恒久不灭的东西。其中有几句话，可以译在此地：

如若我们想要治好吾们自己压制和战争的病，便有权用一切能有的手段去攻落它——一切！——遗传之原理与祖国之崇拜。

传说之精神败坏人性。

爱国心已成了一个褊狭的、攻击的情操，只当他存在，便将维持战争，空虚世界的。

三、Georges Duhamel 杜阿美，诗人，哲学家，外科医士。尝为战地军医四年，亲接战地病院中伤兵的苦况，因也不能忍地作笔记，著小说，叫《战争之侵犯人道》。其书已译英文的有三种，即：

1. *New Book of Martyrs*，去年出，九篇笔记，述战地医院中见的痛苦。

2. *Civilization*，1914－1917，E. S. Brooks 翻（译），今春出。原本曾受一九一八年的龚谷尔小说奖金。（于原著者是用假名 Denis Thévenin）此书也是笔记体，记战地医院事，亲切哀痛之至，可怕之极，足与《火之下》《战中之人》齐名。末卒题为《文明》，尽致地表其痛恨现代、痛恨现代文明之悲怀。"但是，文明，真的文明，吾是常常思想他的！……他就是一个说'彼此相爱''以善报恶'的人。文明是不在虚美的卖品的可怕的堆里的，假若他不在人之心中，好，那便他无地方在。"

3. *The Heart's Domain*，译者同上，去九月出。文集，有《幸福之希望》《贫与富》《别人有的》《发现世界》《生活之抒情诗》等章，与前书神情大异。

四、Bertrand Russell（生一八七二），罗素的生世，我已在本志的六卷三号里和他处约略说过，更详细的也当到别处去讲。于今只把他的著作略照先后说一说：

1. *German Social Democracy*，1896.

此是他于一八九六年二三月在伦敦经济政治学校讲的六个讲演。后有《论社会民主与德国的妇人问题》的附录，是他夫人作的。

2. *An Essay on the Foundations of Geometry*，1897.

此书有法译，他和他的同道库居剌修改加注本：*Essai Sur Les*

Fondements De La Geometrie, *Traduction par C. Cadenat*, *revue etannotee par lf Auteur etpar Louis Couturat*,1901.

3. *A Critical Exposition of the Philosophy of Leibniz*, *with an Appendix of Leading Passages*,1900.

此书是罗素的来本之（德国顶早的大哲学家、数学家，头一个计划数理逻辑的）研究。须知罗素的学问很受来本之的影响，和他很有些地方相似，所以人称他是二十世纪的来本之。这本书也有法文译本：Laphilosophie de Leibniz, *Trad. par J. Ray*, *Préface de L. Lévy – Bruhl*,1908.

4. *Principles of Mathematics*, vol. 1. 1903.

此书是讲数学原理很要紧，极受人称引的书。他的主旨只在证明一切数学不外以逻辑原理由逻辑原理的演绎。纯粹数学的根本不外几个逻辑的常量。"纯粹数学就是'P 含蓄 Q'形的一切辞（命题）之类，P 与 Q 是二含着相同的一或数个变量，不含逻辑常量以外的常量的辞。"逻辑论的是原，数学论的是委。

"数学与逻辑同可界说为只含变量与逻辑的常量的些辞的类。""凡数学统是记号逻辑，这桩事实实现代最大发现之一。这个事实确定了，其余的数学原理便只在记号逻辑自身之解析。""近世数学最主要的胜利的一个就在发现了数学真实是什么东西。"（即前说的界说等。）罗素便是宣扬这个最有功的。

这本书便是圆成证实这个的。但他后来看出这书还有些地方没有弄好，所以出一卷便不接续了。这一卷且早已绝版，也还未重出。不过出后次年，他的同道库居剌便在巴黎"*Revue de Métaphysiqueel et de Morale*"（一九〇四—五年份）上解说于法文，后又印为单行本（Couturat, *Les Principes des mathématiques*,1906.）并有德、俄译本,均还可得。

5. *Philosophical Essays*, 1910.

此文集共七篇,今也绝版。中载有罗素以前的伦理学说及他对于实用主义极平允切当的批评。此书有前哈佛大学哲学教授桑陀耶那(G. Santayana)的解说,见一九一一年的 *Journal of Philosophy, Psychology and Scientific Methods* (vol. 8, nos. 3, 5, 16)和其 *Winds of Doctrine*, 1913. 又日本中岛力造编的《新著梗概》第八辑里也有解说。

6. *Problems of Philosophy*, 1912.

此书是 Home University Library 丛书中的一本。虽是为通俗作的小书,颇含着许多前所未发的新理,文章又作得那样公正痛快,明澈缜密,使人诚服,召人深入。(罗素的文章从来如此,不论讲什么。"作这样散文的本领,没有一个英人能比过他的。")虽里面也有些哲学的意见著者后已改过,不可磨灭的却更多。如他说哲学的特性:"哲学的主要特性,使它成一个与科学别异的,就是批评。"但这种批评并不是绝对的批评,一切都批评,不求信,不求有立,而但批评:绝对的怀疑。这种的批评乃是代加德的"方法之疑"(Descartes' "Methodical doubt"):"疑凡像是可疑的,而迟疑于对于显然的知识的片片,自问是不是,在反省上,能觉着确是真实知道了。"一言以蔽之,哲学里"所志向的批评不是那无理由的决意排斥的,是把显然的知识片片,但照着内在的价值,去思量。这样思量,再把凡仍然像是知识的留起来的"。此书末章论"哲学之价值",对于一般读者最有价值。结论是:"哲学之所以要研究,不是为的对于他的问题的什么确定的答。因为通例,没有定答能晓得是真的,宁只为的是那问题自己。因为这些问题,扩大我们对于可能的东西的意念,丰富我们的智的想象力,而减小那使心闭拒悬想的武断的固执。尤更因为由哲学所沉想的宇宙的伟大,心也弄得伟大,并得能与宇宙成那构成其至高善的联合。"

7. *Philosophy of Bergson*, 1914.

是一个演说,批驳柏格松学。一九一二年三月在剑桥异端会所演,曾登那年七月的 *The Monist* 季刊。此单行小册中附有嘉尔(H. Wildon Carr. 在英宣传柏格松学最力者)的答词,并罗素的应答。

8. *Our Knowledge of the External World as a Field for Scientific Method in Philosophy*, 1914.

这是罗素的劳威尔讲演(Lowell Lectures)。一九一四年三、四两月在美国波斯顿城所讲。是他近来讲学的很要紧著作。也是通俗的。是一九一四年唯一的书(*The Book of the Year* 1914)。显扬一个新方法,传道一种新哲学,这种哲学就是他的逻辑(名理)原子论或叫绝对多元论,也可叫它作罗素的新实在论。这个方法就是用在哲学里的科学法,就是"逻辑——解析法"。"这个方法在像数、无穷、相续、空时,那些以老而尊的问题,已经成功。"本讲演,就是用例喻,指明哲学里的逻辑解析法之性质、能力、际限。他说用这个方法在哲学实成与奠立近世科学的伽离略用科学法于物理所成同类的进步——名理原子论便是代表这个进步的。讲演之末,罗素曾训言这个哲学方法。大意是:但用别的科学不能使哲学成为科学的。欲成一个科学的哲学家,必须一种特殊的心的练习。第一必须有求知哲学的真理的欲好,这个欲好且须非常地坚毅。又须慎防系统之爱:喜欢造立系统。其次必须如代加德一样,实习方法论的怀疑,以解心习的执著,并须培养逻辑的想象力,以得许多的假设备用,而不为常识弄得容易想到哪一个假设之奴隶。这两个程术,疑习而想象未习,实居哲学家所须的心的训养主要部分。问题选定,心养得了,要从事的方法简直是一律无二的。因为问题常复杂,所以必要解析。解析遇了阻碍,便要哲学的妙观慧悟,逻辑的想象。如是到底便只须综合,再无难了。新的事实,逻辑的方法,是今日由同时得到它们,正使哲学日成为科学的。书之最后,罗素因说到:"欲令哲学不久得一个空前的成就,必需的唯一条件就是创造一派有科学的训养和哲学的兴趣,不为过去的诸种传说的阻碍,不为把古人除其好处以外全盘抄袭来的人之诸种文学的方法所迷惑的人。"

9. *Scientific Method in Philosophy*, 1914.

小册。《罗素的斯宾塞讲演》(*The Herbert Spencer Lecture*),一九一四年十一月在牛津讲。宗旨与前书同。罗素在这个讲演里,由哲学的辞(命题),必须普遍,必须先验两个特性结拢来,为哲学下了个界说,就是:"哲学是可能的之学。"可能的是什么?可能的与普遍的在事实上是不能分别的。把这个界说详细说来,就是:哲学所论的是一切可能的东西的最普通的特性。哲学所研究绝非止于现实的。强它如是,便是减它的真值。把哲学拘在人生问题,说哲学全是人生哲学,更属违实,非科学。

10. *Justice in War-Time*, 1916.

这是罗素第一部因此次战争而作的文集。主张和平,主张不抗主义,非驳英国近年的外交政策。第一篇是《敬告欧州之知识界》,意思颇多与罗兰相同,与现在这个宣言相同。一九一七年正月份的 *Open Court* 对于本书有个很长评论,可以参阅。

11. *Principles of Social Reconstruction*, 1916.

（在美国翻印本改名：*Why Men Fight*；*A Method of Abolishing the International Duel*. 1917.）这是一部因战争而作的讲演。罗素的改造社会的原理就是尽力发展创造的冲动，尽力消灭占据的冲动。他说冲动于陶铸人的生活上，比自觉的旨趣影响大得多。而冲动泰半可分两类：占据的与创造的。占据的冲动志在把不能大家有份、不能大家同享的东西得来或留住；创造的冲动志在弄进些有价值的东西到世界里。他以为最好的生活是那最建立在创造冲动上的，最坏的生活是那最为爱占据之情所引起的。

政治制度于人之性向（气禀）上有很大的影响。应当是那样子的：就是损占据以促进创造。不论政治上的改革，经济里的改革，都应在培植外人创造的东西，铲除引动占据冲动的东西，都应该以创造之解放为原理。使得罗素作这些讲演就是这个信念。此书已出再版、三版，稍有更改的地方。

12. *Political Ideals*, 1917.

此书集的文章也是曾在杂志上登过的。主意也与前书大同。他仍告人要希望不要怕。以前和现在全坏在只怕胜了希望，恐怕与贪婪是以他们一切自由的生活统被阻遏窒塞的两个关联的情热。世界为什么不好？贫、病、罪恶、奴制压迫为什么老除不了？为什么不能充世界以美、乐、和平？只因为人太冷淡、无性情，想象力太惰、太不活动，把以前总有过的当作永远总必有，但以善意、大度、智力，这些废除贫、病、奴压，充满美乐、和平事体，都能弄出来。

13. *Mysticism and Logic, and Other Essays*, 1918.

此是战前所作，讲学或教育的十篇文集。前印在《哲学文集》内的。《数学之研究》《自由人的崇拜》两篇名文；一九〇一年所作，登在那年的《国际月报》的。《数学之哲学里新近的功业》，一篇重要文字，前举过的斯宾塞讲演，和曾登在 *Scientia* 杂志讲外界之逻辑的构作很详尽的一文，都印在里边。有一篇《论科学在普通教育上的位置》，也很重要。

14. *Roads to Freedom: Socialism, Anarchism, and Syndicalism*, 1918.

此书是罗素最近的直接关系社会问题的著书，去年十一月末在伦敦出，修改再版今年七月出。又有三月中出的在美翻印本，改名 *Proposed Roads to Freedom: Socialism, Anarchism, and Sydicalism*。这个书不但是评述这三个主义最公平、明晰，并讨论些将来的问题：工作与报酬、政府与法律、国际关系、社会主义的学术。最后第八章，题 The World as It Could Be Made，叙其理想的世界。他自标其主张是一样倾于无政府主义的行会(Guild)社会主义。他承认国暂时不可缺，但要极力消灭其权力，可以怎样消灭就怎样消灭，并要认明他仅仅的不过一个手段。他说："吾们应当服事、效力的不是国，乃是群合（公众）。一切现在、将来的人类的普盖世界的群合。"他又在开端指明："在他的意见，纯粹的无政府主义，虽应是终极的理想，社会向他应相续不断趋近，但为现在是不可能的。"他又说："无政府主义讲最强的地方就在政治家常例忽略的事件上——科学与艺术，人间关系和生活之乐。"罗素遂为这些东西主张人不论工作不工作，不论工作什么，都应与以必须的生活费。"人不论工作不工作都有得生事之资，极小量的资的权。"这也是罗曼·罗兰的主张。罗兰在他的大著第九卷尝把这个论得很痛快。这个制度实是使人真高兴工作、使人真有工作的精神、使人工作真实的工作、作出真有价值的工作品必须的条件。劳动神圣，只在实行这个制度时才会有。

15. *Introduction to Mathematical Philosophy*, 1919.

此是罗素一般最近的著作。里面所载多是未曾以普通言语公开的最新研究结果。但论的还不是数理哲学——数学之哲学——只不过向它的一个"引导"，只论的是数理逻辑之开头、主要结果。著者殷殷勤勤愿人入他的专门学，在本书结语说："因为这个科目里，有不能数的未解的问题，许多的工夫还须作，假若任何一个学者被这个小书（按原书六九半本，本文二〇八页，五号字并不小，是谦辞）引入个数理逻辑的郑重的研究，那它便遂了作它的主旨。"

以上都是罗素一人作的书（或小册），外还有他同怀惕黑博士（A. N. Whitehead）合著一部大书，即：

Principia Mathematica（卷1，1910　卷2，1912　卷3，1913）

这部书出全应有四大册，第四册今尚未出。这实是讲数学原理——数理逻辑——无比的大作。数学的崇闳的美术品——数学文艺的金字塔。拿逻辑的记号把数学的辞都一条一条敷演出来。罗素愿人入的就是入这个。虽用的是记号，但如罗素在前书又说过："因为文字是误会的，因为它用到逻辑是散漫而不精密的，逻辑的记号制对于吾们的科目任何精密或周到的叙说都是绝对必须。所以欲得精通数学原理的读者要望，不畏练达那些记号之劳——这个劳，于实，比或想的小得多多。"

除上以外，罗素还在英、法、美、意几个哲学和数学杂志作了很多讲学的文章未印单行本的。从去年末号到今年三号芝加高的 *The Monist* 季刊上登有他的名理原子论哲学的八回讲演（去年正、二、三月，入狱之前，在伦敦讲）。今年第一号 *The Journal of Philosophy*，载有他答杜威的一文，并很重要。一九一四年出的Francis Maitland 所译般迦雷的《科学与方法》（Poincare, *Science and Method*.）有他一席，也属要紧。此是学问方面。社会问题方面，今年伦敦的 The Athenaeum, The Nation 两个周刊和纽约的 The Dial 间周刊等都登有他的文章。他又在今年的 The Athenaeum, The Daily Herald, International Review（《伦敦月刊》）等处发有书评。新近又有讲"心之解析"的一个八回讲演和在英国三哲学心理学会开的联席会里读过的一个论"辞"的论文（此已印），都盼望早日公刊。

　　二十世纪以来罗素的名字在英、美、法的哲学杂志上及哲学的书上，差不多期期、本本要逢见的。至于评述罗素学的专书，去年出有诸而亶（同他研究一样的学问，也出身剑桥）的 The Philosophy of Bertrand Russell, edited by P. E. B. Jourdain，虽像诙谐之作，却实有价值，治罗素学的必不可不看。

　　五、Israel Zangwill 臧威尔，生一八六四，住在英国的犹太人。小说家，戏本作家。这几年内新出的非小说书有：

War for the World, 1916.

Principles of Nationalities, 1917.

　　此书中谓对于一民族性必不可缺的，非种族、或言语文字、或宗教、或土地、或利害、或文化、或精神的同一，只是相应于一政治事实的一心境。又谓"诸民族性之真实需要不是独立，乃是超脱压迫而得自由。"

Chosen Peoples: The Hebraic Ideal Versus the Teutonic, 1919.

　　此外有许多小说及戏本。

　　六、Dr. Georg Nicolai 尼高来，前柏林大学生理学教授。极耻德国九十三个学者、术士、文人为德谎辩的宣言（一九一四，十月发），后因于狱内，作 Die Biologie Des Krieges（英文译本去年在美、今年在英出，题 Biology of War）。

本生物学见地,极冷静毫无偏颇地指出德国的国家社会主义和德国的军国主义之愚,证明战争之可废。又说必须为将来之领率精神的乃是人性,不是动物的冲动。

七、Hermann Hesse 黑瑟,诗人,小说家。罗兰曾论此次德国的战争文学,称他道:

但是作最澄静,最崇高的话,在这个恶凶的战争当中保持个不辱哥德(Goethe)的态度的那一日耳曼诗人却是赫蛮·黑瑟。(见其《超于浑战之上》战争文学篇)

著有诗集及小说多种。

八、Heinrich Mann 门恩,小说家。

九、Benedetto Croce 克楼池,生一八六六,新黑格尔派的哲学家,艺术批评家。他对哲学最重要的贡献是其美术学说与历史哲学。他的著作译英文的已很多。欲得其学的梗概,可看:

Carr, H. W. *Philosophy of Benedetto Croce*: *The Problem of Art&History*, 1918.

由此也可晓得他的著作。嘉尔又说他与柏格松同代表哲学里的新观念论(Carr, *The New Idealist Movement in Philosophy*, 1918)。

十、Roberto Bracco 布腊古,著作家。

十一、Stefan Zweig 刺外赫,文学家。

十二、Euganaio d'Ors 戴奥,学士院员,一九一四年十一月自西班牙巴塞洛纳城发出的《欧洲德性统一同志会宣言》之领衔者。此宣言罗兰曾译登《日内瓦报》及其《超于浑战之上》内,极表钦感之忱。

十三、M. López-Picó 洛贝比高,著作家,也曾署名前宣言上。

十四、G. Eeckhout 爱孤,比利时刚城(Gand = Ghent)国立大学

法科学教授。

十五、Dr. Henry van de Velde 汪德卫尔，刚城公共及大学合立图书馆修纂。

十六、Dr. Frederik van Eeden 万爱丹，小说家，罗兰之同情者。《超于浑战之上》载有罗兰给他信一篇。

十七、Dr. J. C. Kapteyn 迦普廷，天文、物理学家。荷兰哥洛宁根（Groningen）国立大学天文及力学教授，观象台长。又美国加尼基学院附设的太阳观象台研究协理员。

十八、Dr. L. E. J. Brouwer 布鲁威，生一八八一，数学原理家，荷兰阿姆斯特丹大学的数学及力学教授。数学原理的研究素分法模（形范）主义、直观主义两派。近代法模主义派的代表有德之堪韬（G. Cantor，去年正月卒），意之帕诺（G. Peano），法之库居剌，荷兰之曼奥黎（G. Mannoury，布鲁威的同事，在阿姆斯特丹大学讲"数学之逻辑的基础""数学之所谓记号的方法之历史与应用"，一八六七年生），最著是罗素。近代直观主义派的代表就是七年前死去、大家公认为当时数学界第一人的般迦雷及今之布鲁威（一九一三年十一月的 *Bulletin of the American Mathematical Society* 曾译载布鲁威在其大学论比此两种主义的一个讲演）。

十九、Ellen Key 爱伦开女士，一八四九年生，著作家，教育家，曾为瑞典都城里的民众学院教员二十余年。现代妇人运动之领袖，今日欧洲最著名的女子。著书有（举英译。德译中 *Persönlichkeit und Schönheit* 一种，未知有无英译）：

Century of the Child.

Education of the Child.

Morality of Woman and Other Essays.

Love and Ethics.

Love and Marriage.

Women Movement.

Renaissance of Motherhood.

Younger Generation.

War, Peace, and the Future: A Consideration of Nationalism and the Internationalism, and of the Relation of Women to War, 1916.

此中末一本是关系战争的,她说:"相信吾们有一天能把战争阻止住,就同相信能使人类真实为人一样。"所以她虽晓得世界的种种罪恶、种种缺陷,但对于将来,很抱乐观。评述她的书有:

Louise Hamilton, Ellen Key: *Her Life and Her Work.* Eng. Tr. by Anna E. B. Fries. 1913.

本间久雄、エレン、ケイ《思想之真髓》。

二十、Selma Lagerlöf 拉哥乐馥女士,生一八五八年,小说家。瑞典近世浪漫派的领袖。大著 *Gösta Berling's Saga.*

英文译本今年又在美增补修正,重印出来,凡两册,并附有她的著作详目。(初译,一八九四,刊于英)此书有"最近的瑞典经典"之称。

二十一、Sophus Michaelis 弥开利斯,小说家。

二十二、Jane Addams 亚当斯女士,生一八六〇年,社会学家,著作家,慈善家,很尽力于社会事业。她在美洲与在欧洲的爱伦开与蒙台梭利实鼎足而三,大有功于人类。善哉!不嫁的女子!不嫁的人!她的著作有:

A New Conscience and an Ancient Evil.

Democracy and Social Ethics.

Newer Ideals of Peace.

Spirit of Youth, and the City Streets.

Twenty Years at Hull House.

Long Road of Woman's Memory.

(与 Emily G. Balch, Alice Hamilton, 合作) *Women at the Hague.*

(余)前未及记的 Emile Masson, Paul Signac 等均是著作家。

(第七卷第一号,一九一九年十二月一日)

诱惑

〔波兰〕Stefan Zeromski 著　周作人 译

伯爵夫人 Anna Krzywosad – NasLawska 的最小的儿子,旨经决定就"圣职"了。他从幼小的时候,就很喜欢祈祷;向来很是沉静从顺,面上显出一种诚实虔敬的表情。他在一个疏远的中表兄弟——是个主教——监督之下,在罗马受教育;刚才二十岁的时候,就在大学里优等卒了业。因为还没有到可以受圣职的年纪,所以他在离家许多年之后,初次回到故乡来,住在他母亲的家里。

他住在庄院中角上的一间屋里,又冷又潮湿,正同僧房一样。他睡在地板上,不断的斋戒,读拉丁文的书,在夜里或者还鞭打自己;在破旧的法衣底下,穿著一件毛衫。他是说不尽的和善,饶恕人的各种的损害,而且是过度的谦逊。

他坐下的时候,只坐在椅子的角上,仿佛是怕急忙起立时,法衣将要妨碍他,使他像神甫一样的动作。他踮著足趾走路,好像是有神密的脚跟保护著他,使他不沾地上的灰尘。他逃避社会,看见一个村里的少女,更喃喃的祈祷。

每日清早,他便离家往田间去。他觉得在那里更能密切的同他的创造主接触,更能明了的遇见法悦的幻景。他循了踏成的泥路,通过无数的大麦田,到得高地;在松林的影里,藏著一座半颓败的小寺。

　　一日早晨,他同平常一样的出去。山林物色还埋在夜雾的中间,但一缕紫色的曙光,已经展开在地平线上。多须的大麦,在他膝前扫过,撒下大点的露水;但小路还没有润湿,因为被垂下的饱满的穗子遮住了。那些稻在晨光中微微的照著,宛如一片波浪,沿著山坡上去;在这地方,弥漫的稻田的分界线,映著树林,显然可见。土的气息和成熟的稻的气息,充满微风的中间,令人引起健康、力气与少年的感觉。大树的顶,几乎撑破了蓝色的天空;从这阴暗的枝叶丛中,发出浓郁的潮湿的树林的气息。大学生缓缓的懒懒的走著,将手掠著大麦的顶。叫天子和冠雀在他的脚边飞起,又像石子一样的落在密生的大麦丛里。

　　现在曙光已经将蔷薇色的光,染了地平线了;他的出来像是电光的暴发,把懒懒的躺在树林上的云的裂缝与曲折,都照得通明了。生在山上的几百株红松,不意的从夜色中钻了出来,又高又大;他们的枝干靠着蓝色的透明的背景,俨然的立著,好像伸出他们的臂膊,向著那近前来的太阳。

　　忽然全世界似乎打了一个寒噤。一刹那中,一阵风——破晓的先驱——吹动松树的枝,对着树和草和稻,通告太阳的到来。

　　仿佛地正颤动著,正如伊的心跳将起来了。那时风又展开他的翅膀,飞翔到有香气的树干上、柳条和远地的稻上。接连著是死一般的沉寂的、长久而且愉快的一刹那;其次便是清晨的神秘的那一刹那,——在这时候,一切生活的植物,在他的各部分,各各发大光明,如在火焰的中间。

　　学生走著,面向著东方。祈祷的文句,从心中涌到唇边,正如春天到来,树汁上升到松树的外皮去一般。他走到小寺,开了满攒著铁钉的灰色的板门,伏在乡里人自画的粗笨的基督的像前,面贴着地,两手向前伸著。

他觉得他的灵魂似乎已从地上飞去,直到神的座前去了。这一刻中,他眼上的翳障脱落了;他正注视著永久的面了。

忽然听见很粗重的声音,唱著一支乡里的俗歌——

那个时候,我最喜欢你,Hanka,
那时你晒在田里,想晒白了自己,
在那田里,像是一只小鹅儿。

一个女人的声音作答,远远的走来——

我并不是晒自己,我是晒一件布衫;
但是你,Kaska,道我是搽了粉。

学生从地上立起,站在小寺的门口。他见一个壮健的农家的少年,穿了小衫,赤著脚,头戴草帽,背著许多桧树的柴,同驮马一样。他正在拣拾树根,将灌木带著土块一并掘起,在树枝里润湿他的两手。一个女人沿了这条路走来,背上扛著一捆杂草。伊的裙裾都折上,挟在带里;伊的宽阔的肩,被重担压着,向前俯屈,只举了裹着红巾的头,向着那少年正在工作的山上望着。伊走到十字路口的时候,他叫住了伊,曳下腰带里的裙裾,替伊将担子放在地上。伊笑着,用两手将他推开了。

学生用手遮了他的眼,但立刻便又放下。这时候又听见他们两人在路上所唱的清新的歌声了。这是很奇异的音乐。这树林像是调和的弦索,合着两人的歌声,都颤动起来了。

  花园里有一株樱桃树,
  果园里是有两株;
  我爱你,Hanus,从你小的时候,
  除了你再没有别人。

  他们从稻田中间,走下到低地来;那稻正同他们的头一样的高,相对的垂著。两个人的头,映著黑的大麦,明显的现出。那太阳的巨大的铜盾,已经从山脊上渐渐上升了。他们这样的走了多时,没有被两旁的稻,完全的遮住。
  从他的合著的眼睑底下,流出眼泪;他颤抖抖的紧握了两手。他所不曾知道的言语,所谓爱的希望与欲求的言语,不自觉的涌到他的口边来了。
  他在幻景中,见润湿的眼,和女子的长的编发,在一个海边的洞窟里,忽隐忽现。一种未知的力,说不出的甜美,不能驱逐又不能降伏的力,在他的心中觉醒,带他远远的到空间去了。他的灵魂舍去了他的镣铐,自由的冲决出去,正如小马开始了狂奔一般。……

(第七卷第三号,一九二〇年二月一日)

晚间的来客

〔俄国〕A. Kuprin　著　周作人　译

　　灯光落在我所坐的桌上，映出一个光明平正的圆圈。在这圈子以外，一切物事都暗黑、空虚，没有生气；一切都于我很生疏，都为我所忘却。全世界聚集在这小小的空间里，——每个墨水痕、刀痕，木质粗糙的处所，与我完全稔熟。我不需要别的东西了。在我面前的这张纸，白到眩目；纸的四边，在绿布上面，很分明的映出。晚上一秒一秒的时间，轻轻的缓缓的单调的过去；在这光的圈子里，一切都简单、光明、合意、亲密、稔熟，又朦胧如梦。我没有需要，不再需要别的东西了。

　　可是有人敲我的门了。一，二，三，……急迫而且杂乱的，接连起了三声沉重不安的敲声。光的圈子底梦一般的幻乐便消灭了，宛如影戏帘上的图画，忽地移去了。我又在我的房里，在市内的家里了。……人生奔向我来，正如街上的声音，从开着的窗户乱奔进来似的。

　　门外面是谁呢？不一刻，他便要走进我的房里，我将看见他的面貌，听他的声音，握他的手。我将用了我的视听，我的身体与思想，和他接触。阿，这都是很简单，但又怎样的神秘，不可思议，几乎吓人么？

因为世上没有一个现象,无论怎样微细,不在我的心上留下他的不可磨灭的踪迹。我的地板下的老鼠静悄悄的行动,死刑的执行,小孩的出产,秋天一片树叶的响,大洋上的风雨,时表的振动,所爱的女人的拥抱,一个普通的广告,——一切事物,或大或小,或有心的或无心的感到,都触著我的脑,画上不可辨别的线与曲线。我的一生的每一刻,都留下一个无心的,却是不可磨灭的印。在我的性格上,——在我的对于生活的爱或憎,我的心意,我的健康,我的记忆,我的想象,我的将来的生活,或者还在我的儿子与孙子的生活上。但我不知道事件的结果,不知道他们来的时候,也不知道他们根本的力量与隐藏的意义。

我不知道明天我将怎样。……只有那浅薄、自满、蠢笨的伪君子;或是那被选的预言者,凭著他们异常灵敏的精神,能够知道,——或者欺骗他自己和别人,相信他能知道。我不知道这一时间或一分钟间,将要遇见的事件。我像博徒一样的生活著,运命永久的推转著我的神异的轮子。

为什么赌博能使人兴奋呢?因为我们若在桃子九点上放下一注钱,我们不能预知他从落在那里:如在右边,我们输了;如在左边,我们便赢了。因为在我们的眼前,未来立刻变成过去,我们的希望与计画,变成失望或喜悦了;因为纸牌的赌博也是人生,只是更紧缩,更密集,仿佛养气瓶中的生活罢了;因为赌牌的时候,我们心里觉得在我们面前,走著一位可怕的神明,主宰一切的"或然"及"可能"。

然而平凡寻常的生活的现象,不能深切的感动我们,我们盲目的、无关心的生活在那些现象的中间。但每日每时,我们吃食,或赶去幽会,或签押商业文件,或坐在戏场上,或摸牌,或引了一个新朋友到我家里，或买或卖，或睡或醒，——实在我们不断的从人生每举步间送上来的大瓶中，拈出阄来。总之，赌牌的时候，只有两个机会：你不是赢，便是输了。生活里却有几万机会，又用几万相乘，没有一支签是空的。赌牌完了的时候，你立刻将钱付了。但在人生，却有无数支付的方法与不同的日期。有几时他付的很吝啬，像放债的人一样；有时又像暴发户的浪费；有几时公然的付出，像慈善的恩人；有时又很秘密，像圣书里的寡妇；有几时付的鹘突急速，宛然手枪的一响；有时又缓缓的，如不可救药的病……

这都是不可解，神秘，而且因为他简单，所以更是当真可怕。现在想象，假如有一个暴君，真的人间的暴君，有天才的狂人：他厌倦了他无限的权力底寻常的享乐，想出一种新方法，要在他的国内举行每年的人生的彩票。规定每日某时，兵队便赶人民都到一个广场上，中央放了一个大瓦瓶，满盛着纸牌，详细写定各人在来年应过的生活。凡是人智所能计画的一切事物，都写在这些纸牌上面：富、声名、权力、耻辱、监禁、恋爱、自杀、荣誉、流放、战争、劳工、称号、拷打、死刑。……你又试想象，假如你夹杂在这精明的暴君属下的不幸臣民的队伍中间，等候你的轮番。阿，你的面色，恐要忽然变成青白，你的两膝颤抖起来了，你被引到那运命的瓦瓶的前面的时候，你的心将怎样的跳，怀着两个正相反对却又一样有力的欲望，——想提早，或迟延你的拈阄的时间……

但是，我们实在每日拈阄，不过因为蒙昧、迷信、懦怯或平常的习惯。我们不曾注意，不愿注意，或不曾想到，也不相信，一个人说："我要把我的生活，做成这样。"别一个人说："我知道，一年、两年或十年以后，我将仍旧坐在这椅子上，在文书上签字。"又别一个人更相信他到死为止，决不出他隐居的四壁，比他生存的事实尤为确实可信。……倘若他们的信念并没有欺骗了他们,那些自足的人将对著自己或他们的子孙,或他们的朋友说:"你看,我要得这些荣誉,于是我得到了。坚忍与劳力,会使你得到所要的一切。各人都能铸造他自己的幸福。"但这话是一样的愚蠢率真,正如一个人要证明他运命的自主,说"现在我要用指头敲这桌子",便真敲了。但前者比后者的思想,尤其愚蠢,因为他的愚蠢是更为复杂错综了。

第一,一个人倘若硬化成为某种限定的终极的形式,他便已经进了死的征候的第一状态,因为生命是在于不断的流动。第二,倘若我能够将当日的他,给今日的他看了,他必将惊讶,不相信这灵魂真是他自己的;如果他相信了,他也将迷惑,不能说明那些影响与联络,使他起了这样可惊的变化。第三,这人如不认识灵魂,只认识那包围的纤维,他便不能了解:人生最重要的现象,——生产、恋爱与死,——显然使我们惊恐,也是为机会的无常所统辖的。

我们有谁知道我们入世的意义与原因呢?我们的父母,关于这件事,必然知道的最少。在小儿的受孕与生产,在他的体质与精神的构成,在他全个未来的生活的决定上,有几千种的原因,一样的占有重大的位置。日间所吃的大餐,园里的花香,自觉的记忆上的断片的印象,——这或者都是一种要因,而且此外还不知道有几千百种呢,最简单,最微细,不曾注意著,也是完全忘却了的事件,或者反是最重要有力的原因,也未可料的。

在恋爱的上面,也正是一样。谁能告诉我们在什么时候,什么地方,又怎样的,将成为这美的破坏的或可嫌的威力的奴隶呢?没有人能够预知他的妻子,或伊的情人。一个朋友绍介我到他的朋友家去,在那里我又遇见别人;因了他们,我遇见了一个向来不曾相识的女人。我被绍介于伊的时候，我不曾知道在这一刻中，我正从运命的瓶里抽了一支签，上面写著这几句话："你被判定在将来的多少年内，应该同这女人同桌吃食，睡在伊的身边，同伊生下孩子，被称作伊的丈夫。"还有这种事情，岂不也是时常发生？两个人多年希望会见的机会，却在街上对面走过，臂肘相触，不曾看见；而且这一别离以后，或者终生不再遇见！

还有那孩子们呢？我可曾以先想到他们么？我能约略知道，我的身体、心意与灵魂的那一部分，将传给他们么？这不但是我的如此，便是我的父亲、祖父与曾祖也如此。我能够预知在他们的灵魂上留下不可磨灭的痕迹的一切事件么？这在我虽然或者并未注意，但在我的孩子，却是关系他的运命的事。

所有一切的结果，终于由死拿来了，——他是真实的又最是不意的来客；我们无心的用了我们的衣与饮食，我们的家庭生活，我们的心的倾向，我们的爱与憎，预备他的到来。

不，我于人生的事情，一点都不知道，一点都不懂得。我在从顺的迟钝的恐怖之中，拈了我的阄，连上面不可辨别的刻文，也不能读。

在这晚上，听到门外有不安的敲门声的时候，感到这事，更比以前明了。我的心里想到："这是运命，带了伊的魔法轮来了。"我不得不去，拈我的阄。有谁知道，站在门外的人带来给我的，是喜或是忧，是爱或是憎呢？他的来访，将造成我的一生的转点？还是便流过去了，只留下不很可见的痕迹，我便立刻忘了，到了死时或在死后，也不再记起呢？我起了一种迷信的思想，仿佛觉得倘若我大声问道："谁呢？"便会有一个冷淡的，几乎不能听到的声音答道："运命！"

我说:"进来!"在他敲门的声音同我答应的中间,没有一秒钟的间隔。但在这短时间内,通过我的脑的许多思想,已经揭起了黑暗深渊前面的幕的一角;他们已经老了我了。我觉得那不安的敲门声,已经在门外的那个人和我的中间,牵了一条线了。

现在他开了门。再一刻,那最简单却又最不可了解的事,将要出现了。我们起首谈话,借了不同的高低强弱的声音的帮助,他将用习惯的形式表现他的思想;我接受了这声音的颤动,翻出他们所表的意义,于是别人的思想便变成了我的了。

阿,人生最平常的现象,在我们看来,怎样难解,怎样神秘,又怎样奇异呵!没有懂得他们,没有想到他们的真意义,我们将他们重重叠叠的堆起,交错了、联结了、伸展了;我们遇见人,结婚、著书、说教、组织内阁、开战、通商、发明、修史!我每想到一切人生的大交错底广大、复杂、暗黑与根本的偶然,我自己的生活便觉得仿佛只是尘土的一小粒,消失在暴风雨的中间。……

Aleksandr Kuprin(1870—)的著作,从前曾译过两篇:《皇帝之公园》(《新青年》四之四)与《圣处女的花园》(《晨报》三四四),都是一种空想的作品。他别有《马盗》等一类短篇,是强烈的写实;但最有名的《生活的河》与《泥沼》等几篇,写实里面,也都含有新理想主义的色彩:这可说是他的特色所在。

我译这一篇,除却绍介 Kuprin 的思想之外,还有别的一种意思,——就是要表明在现代文学里,有这一种形式的短篇小说。小说不仅是叙事写景,还可以抒情。因为文学的特质,是在"感情的传染",便是那纯自然派所描写,如 Zola 说,也仍然是"通过了著者的性情的自然"。所以这抒情诗的小说,虽然形式有点特别,但如果具备了文学的特质,也就是真实的小说。内容上必要有悲欢离合,结构上必要有葛藤、极点与收场,才得谓之小说:这种意见,正如十七世纪的戏曲的三一律,已经是过去的东西了。

一九二〇年二月二十九日记

(第七卷第五号,一九二〇年四月一日)

民主与革命

〔英国〕罗素　著　张崧年　译

在讨论我的名义上的题目以前，打算本着"自由所可能"的见地，先把世界现状略为考查。自由终极的可能现在实比从来都大，但危险也大，目前的将来实在困难得很。

人类名义上的信念像哪个强哪个弱已由这次战争得着一个试验。许多传袭下来的东西若不因为这次战争强使人注意的种种令人难堪之事实，大概还应保存很久。又有许多什么可以叫作上品的东西，许多因为不寻根究底，或挑动原始的情欲才能够存在的东西，也都扫除净尽。战争以来的世界实在严厉得多，不柔顺得多，凶野得多。老少之分也比常时大多了，因为年老的已成功把战争做了理想化，并且为了要这样去做，不得不比平常离实际更远；而少年人却已洞察实际为从来所未有。这个结果便是政治不再像先前的可爱，并且为领袖的政治家们就令还可以耽溺于旧的欺骗，但此欺骗已失其把持力，人们投票的动机都是很迫近实际的了。

战争之结果不但自由党，便自由派的许多理想也都受了侵蚀。他们的失败已由威尔逊总统颠覆弄得很分明。真正的自由派理想全靠着人与人之间一定程度的宽容，不愿使一切事情走到极端。宗教的宽容（即信教自由），民主政治（德谟克拉西），自由言论，自由出版及自由贸易，这些都含着"不同的团体间不同之点不是不能相容"之理想。我便是以战争之结果已从自由主义渡到社会主义的一个人，并非因为我已停止称赞许多自由派的理想，实因为我见得除非社会的经济组织完全变形以后，他们无甚活动之地。

战争已弄出一个富人政治与劳动资本主义与社会主义的对抗。社会主义已到底成了一个坚强略与资本主义相等的强力。在俄罗斯他正得势，别处也有他得势之可能。那么，这两种相反的信条须提供的是什么？

资本主义，当他与封建制度战斗的时际，原是和几个自由派的理想联合的，即：自由，民主，与和平。他和增加出产也是联合的。封建制度留下的残屑已为这次战争所扫除：宰辖东欧的三个皇帝都已去掉。在存留的王国里，也但如弥尔顿的话，"国王们瞪着狠狠的眼睛静坐着。"但是资本主义对于过去的战胜却步步都使他越发敌视将来，越发减少宽大。我听说，现在美国自由神像脚下有了一个监狱（我不知这个就是照字面所说的，还是比譬的话。——就是照字面所说的：—— The Liberator 月刊记者答）。

现在文明世界的大部都仍在恐怖的治下。布尔什维克恐怖的统治自然已常使人发抖，但他的目的是和别的不同。我所指不但像匈牙利（此地布尔什维克政制已被压倒）等地方的恐怖，剧烈稍减的同样方法已差不多遍地都有。在法，以赦放谋杀柔来（记者按 Jaurès, 1859—1914 年法社会党领袖，欧战将发时运动反抗最力，因此被害）之凶手，法庭已经使人了解暗杀社会党人不算犯法。在美，随便什么人公然宣说社会主义的意见便会被监禁或放逐，正当选出的社会党议员乃不准出席纽约邦立法院。在爱尔兰，无论何人相信小民族的权利，或自决，或随便什么别的这次战争所为的目的，都会不经审判，便受监禁。至于印度，事实已大昭著，更不须言。通全世界我们都是为赤裸裸的力之冲撞而对抗。社会主义和被压迫的民族主义结盟，被那战胜的民族主义加力的资本主义所反对很是残酷。

在这种情势之下，通资本主义的世界自由是不要想的。但民主怎么样？民主主义原是激励我们从事战争的观念之一。现在布尔什维克派告诉我们，照我们从来所了解的，民主不过是有产阶级的一个诡计。反之，资本家们就告诉我们，打算借直接行动防止复古派的国会侮弄多数意志，这是反民主的。我们试先了解民主在资本主义的社会里是包含什么而成的。从司法及民事起，两者都是富人政治的同盟。国会议员，尤其是国务员，因为他们的社会上地位及收入，遂与占有阶级成了自然的结合，这是我们晓得的事实。资本家的势力比劳动的势力更为集中、迅速而隐秘；权力之心理每致握有权力之人，对于资本家的工业机械之指挥者，比对于现时阻碍他顺利动作的人更有同情，这也是我们晓得的事实。民主国宪法权力是限于大约五年一次选举的表示，而这种选举常常是行于一班候选者之间，他们没有一个人是真实表白选举区的政见，这实因为选举费用既大，所以只有大而富的团体、或很富的个人，才能怀着点成功希望去竞争选举。在行使投票以前造成舆论的方术，在全方术中资本主义是有绝大的优势。从学校始，学校里教育是为造就承认现状而计划的，继以报纸，报纸又是资本家的投机事业，偏向资本主义的利益，例外很少。所以经此途术，儿童的心早被学校弄偏曲了；成人的心也充满了妄谬；因此遂致只有有例外的精力与思想独立之人乃能希望对于要立选举上决定的问题，得到一点近似真的见解。初期枭沁派辩护民主的人想像以为一个人现出自己的利益是容易的，又以为人应该一定照着自己的利益去投票，因此民主的结果应该是一切利益与其人数的力是成比例的公正表示。理论诚可称赞！但若他们曾经研究过，例如，耶稣会人与其影响，便该见到这个学说的谬妄。平常人的意见和他住的房屋一样是别人给他做成的。他固然能够在几个样子里边选择，但样子的范围是确乎为完全出乎他支配以外的强力所限制。诚然，在制造舆论上所能作的事那是有限制的。假若极力鼓吹的舆论引得一大部分人死于不成功的战争，又弄成妇人小儿的饥饿，那么，若干年后，这种产生舆论的常是会失败的。在这种情景，实产生革命。可是未达到这个极顶以前，所受的艰难实在是怕人。所以有产阶级的民主国里号称外数统治，其实不过是支配"制造舆论方法"——尤其是学校里和报馆里——的一班人的统治。给这样制度一种若崇拜妖魔的崇拜，或因为几年前完全为别的问题选出的政府之假设的神圣不可侵犯的权势，而把"直接行动"的武器之一切用处都以为不对，这实在是荒谬。布尔什维克派以为有产阶级的民主是一种骗局用以诱被骗者自己定自己的罪，以减小实行他所须的强力，这话真是对的。

　　当前次战争之爆发，资本主义曾错认这灾难是德皇所代表的封建制度弄出来的。现在封建制度去了，但资本主义已证明自己不能够造成一点真实的和平。就完全除去对于共产主义的俄罗斯之敌意，资本主义里固有的贸易上之对敌，已必须苛待德奥，这桩事实使任何稳固的和平都不可能。凡有思想的人必须真实了解资本制度之继续是与文明之继续不相容的。假若这种制度仍然存留，必有许多别的战争继续这次战争而起。而且那些战争将至比照着越是科学的而破坏越激烈，这实昭昭如午昼。只再有不多的几个这样冲突必把所有使欧罗巴种人见重于世界的东西全盘灭绝。

最后，资本主义已开始不配做生产之专门方法了。在生产的重要上，那种有根据而普遍的信仰已不复像从前坚执资本制度之保持了。旧的使人工作的刺激既已破坏，因为蜜蜂（忙碌的工人）已开始去想为他们的所有者作蜜是不值得的。在现刻，以战争的结果，世界方需要空前的迅速出产，但是迅速的出产若要可能，必须找些新的刺激，而这种刺激只有由工业自治才能找着。今在大不列颠给行会（Guild）观念以非常而出乎不意的强力就是这个（译者按英伦新兴的"行会社会主义"根本主张便在以行业分组织，某行工业由某行人自己管理）。曼切斯特建筑行的试验我们都正在看着，彼处，在全体资本家的机械对于处置房屋问题绝望的失败了之后，却是到行会方法实足供一个完全的解决，由出产者见地看，由消费者见地看，都是同等的完全。社会主义的出产方法之来临，现在比任何前代都是不可计算的容易，大致是因为资本主义这种技术上的溃败。在经济的公正上，无论工人决意要求什么，他们都能够得到。除了他们自己要求之缓和以外，没有东西阻挡他们。

照这样子，资本主义已把所有往时他用以求自夸于平常人的优点都失掉了。由于托拉斯（公司联合）及国的亲密联合，资本主义已成功把差不多一切自由之痕迹都破毁。由于支配学校及报纸，他已使民主成了一种滑稽。由于民族的对敌，他又使和平除非把他覆灭便不可能。因为激起工人的不满足，他已不能做一个出产的方法。这些失败中前三个都是愿望他覆灭的理由。第四个，伐幸，也是期望这个的一个理由。

资本主义已不足获得自由、真正的民主，稳固的和平或世界所需增加的出产了而且无理由去想他这些方面的失败无论如何只是暂时的。反之,这种失败由于他惹起的不足满,会生长得渐次显著。那么,社会主义须提供什么?

　　所有由这次战争发出来的新事实中,最重要的是一个实际采用社会主义的大强国之存在。社会主义以前只是一个学说,实行家轻看他是不可能而属于幻想的东西,布尔什维克派不论我们对于他的优点劣点可以怎么想,但至少总已证明社会主义是和一个强有力的成功的国相容的。

　　外受欧洲联合的敌视,内为内乱所抵抗,又方兴于前未曾有的骚乱饥荒之时,一切外边的援助都被封锁所剥夺,而他们(布尔什维克派)却击退他们的仇敌,克复旧俄罗斯帝国之大半,经过饥馑极恶的时期不为域内的革命所覆没仍然存在,又着手以惊人的强力刷新出产。自从革命时代的法兰西以来,实无可比的东西;且就我而论,我但能以为布尔什维克派人现在正在做的事,对于世界的将来,简直比雅谷班派人(译者按 Jacobins 即一七八九年在巴黎雅各班庵成立,名叫立宪同志会的极端民主主义的革命家的俱乐部人)在法国成就过的重要更大,因为他们的行动规模更大,他们的学说更基本的新。我相信通全世界的社会主义者都应该扶持他,并和他协同动作。我又以为"行会人"(按即指行会社会主义者)特别应当对于布尔什维克的组织方法大加注意,不但因为他们的强力与声势,更因为他们那"议团"(苏维埃)替代地理的基础,而部分的采用工业的基础。不过我非有意提示我们在情形和俄罗斯极不同的英国应盲然模仿布尔什维克。我与别的"行会人"一样认以职工组织的重要,但同时相信地域的议院(巴力门)仍有有用的职分要做,所以我不赞成对于我们(英人),完全压制议院以为他和"议团"的形式相反,我且坚信在社会主义上凡此邦(英)能行的,不用武装的革命就能成就。奴隶的模仿布尔什维克不是我所欲辩护的。我固心以为布尔什维克的方法大概是在俄罗斯用以成功的唯一方法,但决不因此当他也是我们(英人)的唯一或最好的方法,不过我们的境况是特殊的,若通欧洲大陆和俄国情形相同的很多,社会主义若要得势,需要相同的方法也很多。且看布尔什维克主义打退他的敌人之成功,社会主义之传布于全欧洲大陆已成了一个决不远的可能。

布尔什维克主义暂时轻侮了两个理想,这两个理想我们的大多数以前都是深信不疑的;我意即指民主与自由。我们因此就要轻视他么?我以为不然。

无产阶级专政原是自认的一个过渡的情形,一个战时的方策,但当旧有产阶级仍在奋力鼓动反革命时,是有正当的理由。列宁,照着马克思,把国家在本质上当作群合中一阶级的权势。但至共产主义把阶级的分别废除了,国家立刻便要消灭。除无产者以外更无什么阶级的时候,无产阶级的专政,在事实上便自然停止;而国家——照列宁用这个字的意思——也将不见。我们要因这个历程可以一时使少数握权的理由就反对他么?或且要因同一理由遂反对在我们国里(英)为达政治目的而用的直接行动么?列宁对于他的行动的辩护,大体不外外对共产主义必然是暂时的现象,一旦共产主义建立确定了,他定将博得普遍的扶助。这种的议论是只能拿结局来判断。如若结局证明,像俄罗斯似已证明的,反对者大致是无知识,并且新制度的经验引导民众扶助他,那便可以说使用强力的过渡时期已经证明是正当的。偏袒民主与自由的议论,可以说,是可用于平常的时候,而不可用于四方大乱和世界革命的时候。在这种可怕的时期,人必须准备助成他自己的信仰;这样子做是对是不对,只有结果能证明。我以为把平常的时候对于我们自己是很妥当的那种议论与原理应用到俄罗斯的境况上,实不免有些学究气。俄罗斯只有强固的意志可以救济,而且若没有或种形式的专政,强固的意志能不能救了他也是可疑的。不过,就令我们对于完全的社会主义之建立比现在还近得多,我并不以为这些论议应用到我们自己。英伦自从一六八八年(按是年英国之革命,历史上称为平和革命)以来,就已有一种爱温和的脾气。像布尔什维克的那些方法应为寻常英民所疏远。而英国复古派之反对,也不是充分的惨忍足以证明这种方法是正当。我们(英)劳动党的温和固常常使人激忿,但无论怎样总和他们的反对党的温和相匹配。此在铁路罢工时曾经明白表现了,阶级战争说的巨子马克思尝声言,在英伦,社会主义可以和平手段而来。马克思在许多地方已是一个真预言者,我们望他于此亦然。但在大陆,照我俄罗斯的例所指示我们的,这种希望大概是虚幻。预言自然是很靠不住的等于一种游戏,但我相信,由俄罗斯共产主义抵抗那资本主义的诸大强国联合对敌的成功看来,十来年内,社会主义在德、法、意的胜利,完全是在可能的界限以内。实在很有理由恐怕不经过我们已在俄国看见的战争和恐怖政策之同样实行(纵或是一种很较薄弱的样子),在这几国里他将不会成功。假若他在这样抗争胜利了,我实不相信他会限定他的胜利只在多数人倾向社会主义的民族,特别若社会主义的起事者请他帮助时。例如波兰便很会再属俄罗斯统治之下如俄皇当日。民族主义及宗教会要使波兰人一时敌视社会主义,却不论他是世界性的(国际的)或是复兴的俄罗斯帝国主义。如是会要必须用强力压制波兰人的独立及陷害犹太人之欲望,而且一定要用严厉管理教育手段，拿一种更严格的马克思派见解训练方兴的后辈。同样的麻烦会起于全巴尔干。国际社会主义的政制至少一世（三十年）以内在许多地方须是一种武力的政制，拿严厉管理报纸及学校为后盾。不论布尔什维克现在的目的里所有帝国主义怎样少，似若以为时候到了，他们也不会有这种行径，这样设想实无理由。他们的世界观，同初期谟哈默德教徒一样，同时是实行的又是狂信的。他们因相信马克思的不可免的经济发展之公式，遂觉着他们终极的胜利是前定的确实。他们以为最要紧的事是军器应在有阶级觉悟的无产阶级之手。这个得到了，他们确信从事宣传便能把仍然为"有产阶级的标语"——如宗教及爱国心所述的那部分无产阶级引到他们的方面去。他们的这种见解很可以证明是正当的；而且假若他们能统治欧洲几十年，其后对于他们的反对，应该不出于过去的死势力，而出于布尔什维克那时或已忘掉的那种社会主义理想起来的新运动——这也是很可以有的事。

如若我们本着布尔什维克之成功继续不辍的假定，上面说的那样一种发展者是可期，那么，我们应当求促进这些成功呢，还是因为这些成功包含着流血、恐怖和必然的冲突，至少暂时间文明受损失，便畏缩不去促进他们呢？

照我们的意见，我深信此世界中随便什么重要的进步都以国际社会主义之胜利为依据，假若为这个胜利必须出一个大代价也是值得的。我又深信非至国际社会主义已战胜，世界不会有和平，强固国际社会主义的力量而削弱反对者的力量是终止冲突最快的方法。一言以蔽之，我相信"每个新兵都有加速和平的意思"。我所说的社会主义，并非指一种水乳似的软滑制度，乃指一种全盘透彻，从根到梢的变形，如列宁所已试行的。假若他的胜利对于和平是不能缺的，我们便须容忍冲突中含带的恶，但只令冲突是资本主义强逼我们起来的。

（第八卷第二号，一九二〇年十月一日）

但有几件事是这结论的？条件应该记在心里的。

最重要的便是社会主义不应该丢了世界主义。我们想像几个强大的国，仍在国家的基础上面建设社会主义的组织，为了占领原料互相竞争，这完全是可能的。譬如高加索之油矿很可成为这种的竞争地。因为社会主义若只是国家的，那么和一种新的排外主义（Chauvinism）不是不相容的。布尔什维克派力持当革命时代不取多数统治，并且他们的信条在由少数觉悟阶级的暂时的狄克推多化导多数，明明以为为传播社会主义而战争是对的，而这种战争起于社会主义国和资本主义国之间，很容易变成国家化。社会主义目的在于废除掠夺，掠夺废除才不至再生战争；国家的掠夺要是仍旧继续，那掠夺自然不曾完全废除。所以要社会主义确立，须得把世界的原料归一个世界的政府处置。社会主义有没有力量能够把民族的利害及感情完全压平得用这种方法处置，却是个疑问，这一层如能做到，那么防止战争一定不费什么力了。（参看列宁之《民族自决》演说，*The Liberator* 记者附注）

除原料之外，还有一个问题，他足以使共产主义的国家间发生战争：这就是移民之权利问题。将来好多年之内，在澳洲和通南北美洲这问题关系恐怕很重要。

除美国外，还有一种强大的民众势力，和世界的社会主义反对，这就是民族主义之势力。民族主义的意义，就是不管人家怎样只图己国利益的一种决心，就是相信利害不同的民族本来是不相容的，或者仇怨他种民族更以为这种信念是一个合理的表示。在和约造成的各新国中，这种民族主义大概绝对占有势力。有许多国家情愿忍着饥饿去屠杀邻人，却不愿意和他们所仇视的邻国照友谊的关系过太平日子。这种心理一部分是出于本能，一部分是教育和宣传的结果，除非用强力防止争斗，鼓励贸易自由，建设一种新的教育，恐怕不能把这种心理快快铲除。国际联盟是一种战争仇怨的产物，教他去遏止民族争执，是万万不胜任的。在现在世界各种势力当中，只有世界的社会主义，才真能把人民好战的心理完全改变。我不敢说世界的社会主义能够立刻做成此事，但我敢说若是世界的社会主义握权之后，几十年内一定做得成；因为世界的社会主义必须克服本能，因袭和利己心，而另建一种普遍的理想，使最大多数民众可以得到物质的幸福。

无论社会主义实行以后必遇着何种困难引起何项问题，我总以为若是西方文化有点存留，在世界的进步上他是必须的一个阶级。我又相信社会主义能够做成的好事程度如何，要看那创造社会主义者一般的希望之程度如何。要是大家都了解由经济的掠夺流出之罪恶，大家都希望把这种罪恶完全消灭，好另建一个新世界，那时一定有一种新势力生出来，把深入人心的民族主义尽情拔去，现在欧洲及亚洲，只有那国家主义帮同资本主义作恶，一旦国家主义除去，理想和自利会同时唤起世界多数文明的人采用世界的社会主义；这种新制度一旦采用，因为他的许多便利，而且没有显然的阶级利害，所以一定很稳固，不是轻易推得翻的。

自由，民治，平和，生产效率的增加，以及经济的公平，只有从世界的社会主义才能够做到；据我所见，没有别的法子能够做到。

但社会主义虽然可以做到这些,将来究竟做得到否,却并不一定。将来做得到这些或做不到这些,却要看那先驱者之态度如何,奋斗的勇气如何,胜利者的性情如何了。

我想我国(英国)在这过渡时期内——尤其是为基尔特主义——应该有一定的贡献。我想我们能够不用暴力成就改革,我们在奋斗中比较他国更容易维持个人的自由之理想,没有这种理想,便是社会主义的社会造成之后,也是呆板的,无进步的,无生气的。自由和战争势不两立,可是扩张自由之范围,可是社会党所公认的目的之一。社会党的目的:在工作中拿工业自治来谋群合的自由;在工作外拿缩短工作时间来谋个人的自由。社会主义的形式有多种,谋达到社会主义的策略也有多种,判断他的价值,是看他能不能达到那些目的。

社会主义和资本主义同是人类发展之一个阶段,这是毫无疑义的。社会主义之后,继承的是什么,我们现在还无从推测,或者是无政府主义也未可知。若是社会主义和迁到君士坦丁以后的教会一样,把自己当做正统,束缚人类的心灵,阻止思想的发展,到千余年之久,那么对于世界未来的进步阻碍是很大了。若社会主义之胜利,是用武力经过长久的战争得来的,那么这种结局并不是不可能的。单是这个理由——不要说别的——已可见社会主义之胜利,应该用平和方法博取了。

每个人类生活上之强有力的主义,大概总要经过三个阶段。初起的时候,他总是很可亲爱,很合于人道,很能使人信服,用辩论使人信服多过用武力。到了第二阶段主义自身有了相当的势力,反对的也凶恶起来了,他便变为战争的不是可爱的了,拿信仰做战争之辩护,接着可爱的阶级,以为他的胜利可以弄来千万年的幸福。等到第三阶段主义得了权，便变为压制的及暴虐的。基督教迁到君士坦丁之前是在第一阶段；到了十字军兴起，便入第二阶段；等到后来屠戮异教徒，已是第三阶段了。资本主义也经过同样的阶段。在斯密亚丹，谷伯顿（Cobden）伯赖（Bright）时代，是他的可爱的阶段。他推翻封建制度的时候，到了战争的阶段。等到掠夺再下的阶级，施行反社会主义的恐怖政策时，便是他的第三专制阶段了。民族主义之发展虽在各国有强弱大小之分，可是也经过同一的阶段。马志尼表示可爱的阶段，毕士麦表示战争的阶段，近代帝国主义便是专制的阶段了。

自从列宁得势，社会主义已从可爱的阶段走到战争的阶段。因此他已失去许多娱悦人心之爱娇。有些人觉得现存的世界有许多恶罪，并很热切地希望另有一个脱离这些恶罪之世界，可是在排除这些罪恶之严酷的战斗中，他们畏缩着不敢出头。我对这些人却很表同情。我看不论哪种主义，在争斗之际，免不了逐渐退化的；往往一个党派用强力得胜之后，反将所以要希望得胜的那种精神，大半失去。而且暴力的争斗，尤其是长久的范围广大的争斗，往往使社会退化。我不能相信社会主义可以成就胜利于长久的及广延世界的战争之后，要是遗留些一个幸福的进步的社会所必要的性质。他的胜利后之进步差不多要靠着一班人在他的胜利的形式上反抗他，要自由增加一点，要制度的铁板减少一点，要旧的自由主义之理想再现出来——这是社会的理想，确实不是如自由竞争那样经济的理想，而智力的自由没有哪一党能够出死力竞争的。

社会主义有各种的形式，将来各国社会主义胜利之后，各采各的形式，那不是不可能的。凡社会主义的制度最主要的目的是自由，这个比秩序和增加生率能率更为重要。国家基尔特主义者比集产主义者把自由更看得着重。

　　基尔特制度主张巴力门和基尔特议会权力均衡,目的是在巩固政治的自由。基尔特制度主张工业自治,恰和国家社会主义的官办制度相反,目的是在巩固各种产业工人之自由,产业的(一般总问)归国家的基尔特,地方上能够决定的问题归地方的基尔特,基尔特的移转制度办法都是一样(System of devolution)不单是以地理为本位,而且是以产业为本位的,对于创造自由之意识,个人创意权的可能性,有益的试验之机会,这几点更是极重要的。

　　工作中的自治制是人类所争的一切自由当中最重要的,因为和人关系最切的便是工作,而且这是引起政治自觉之最好的方法。工作的自由本是工团主义之主要目的,也就是基尔特社会主义之目的。我相信用国家基尔特之方法比用别种生产之经济组织更稳固。我相信用了工作自治制,使劳动者可以独立,可以自己管理,那么一定能把平常劳动者对于工作之观念完全改变,而且一定能够激发生产能力比旧时资本家单用恐怖政策鞭策劳动者,自然要好得多。

　　除工作中的自由之外,自然也应该有工作外的自由,就是休息时的自由。要求得这种自由,须把劳动时间减少,因此效率方法增大将来是能够做到的。在现在采用效率较大的工作方法,不过使资本家得利益罢了。但在新的制度之下,那全利益当然是劳动者的,所以改革之后,生产能率一定比现在进步得多。只看布尔什维克采用泰劳(Taylor)的科学管理法就可想见了(参看列宁之 The Soviets at Work)。

　　但此外还有一种自由,这种自由只和少数个人有关,在人类进步上却也是一件重要的事情:那便是在社会组织中应该有拒绝加入任何职业的自由。譬如一个人有的喜欢传播新宗教,有的志在发明新科学,有的情愿创造新艺术,这些人当然没有相当的行会(基尔特)可入。那么社会要把他们当作游民或是流氓了。不论经济制度是怎样,凡是根本的革新,必须和社会意志反对的。为这等人想法,总得使自愿耐苦的人不至于受新制度束缚才好。例外的待遇也许是有点害处,但也可以很有益处(像图画这件事专门家觉得无价值)。于志在牺牲百折不回的人要是希望社会进步,特殊和例外待遇是应该绝对注重的。在我们英国若竟要采用社会主义,总得逐段的不板定的采用才好,这样比布尔什维克采用板定的式样使特殊和例外的分子都忍受苦痛总要好得多了。我们希望大陆的社会主义一旦稳固了,能够补救这种板定式的缺感。在这一点,我相信我们对于终极的结局有些重要的贡献。

资本主义在今日已不容于世界,我们文化的遗产,已不是资本制度所能保存的了。假如世界的社会主义能够不经长期的残酷的战斗便告成功,那一定能保全文化。反对社会主义进行的人,自己要负重大的责任。旧制度的保存,是不能相信的了;反对派费了许多气力,只不过使新制度失却许多价值罢了。我们赞成社会主义的人必须记着我们打败敌人却没有像打败自己那样容易;若是我们努力创造的新社会中,人类创造精神的自由,平常男女的生活自由不比以前的社会多些,那么就好像我们自己打败自己了。我虽然相信在我国不用暴烈的革命能得着些必要的强力,但我却不相信全然不用强力是可能的。强力是达终极目的之工具,应该和宣传相附而行。强力应该用了使人心归附,不应该用了使人民厌弃。而且无论何时无论何事都应该弄清楚用强力乃是暂时的,这目标在造成一个不需要强力的社会。只有由大希望心的鼓舞,由我们所求的较善的世界的实现,才可使我们的目的不在争斗中退化,才可得着胜利,不单是吾党的胜利,而且也是各种理想的胜利。自由主义,经济的公平,世界的协力合作,这些理想却是世界所需要的,只有社会主义能够做成。

(完)

(第八卷第三号,一九二〇年十一月一日)

游俄之感想

〔英国〕罗素　著　雁　冰　译

按此篇先登在伦敦出版的 Nation 周刊，连登四期；纽约 Nation 登载的名为 Soviet Russia – 1920，连登两期，共六章，章的先后和伦敦 Nation 不同。傅君译过第一二两章登在北京晨报，即是从伦敦 Nation 译的，我现在继续译的便是依着伦敦 Nation 所标次序，共三，四，五（第五国际地位章，纽约 Nation 列在市镇与乡村章之前，我未及见七月三十一号以后的伦敦 Nation，不知有没有此章，不过看全篇的意思，国际地位一章应在末，所以便移了一下）三章。另有一章"列宁，托洛斯基、高尔基，伦敦 Nation 不列游俄感想之内，另题，我看于全篇文义亦没有什么贯串，故把它放在最后。又纽约 Nation 第一章首尾尚有四五节，话都不重要，傅君原译依伦敦 Nation 无，现在也不替他加上去了。

雁冰记

（一）发端

我于五月十一日入苏维埃的俄罗斯境，于六月十六日出境。俄国当权只准我和英国劳动代表团同游，此种条件我自然很愿意听从，劳动代表团也惠然许多实践。我们从边界上到彼得格勒及以后的游历，都坐在很舒服的专车，车上写着种种关于各国"社会革命"和"无产阶级"的格言；我们到处被军队欢迎，军乐队奏着"国际大同"歌，市民脱帽致敬，军人举枪行礼；地方上的领袖演说，表示欢贺，而伴随我们的著名共产党员答之。上车的道上，有穿着闪亮的军服的壮伟巴什克尔 Bashkir 骑兵护卫。总而言之，事事都作得使我们觉着和英国太子出游一样。为我们布置了无数的仪典，如宴会、公共集会、阅兵，等等。

他们假定我们是来证明英国劳动界与俄国共产主义，利害休戚的共同，以此假定，遂为布尔什维克主义的宣传，极顶的尽力用我们。但是我们此来，是欲尽我们所能的求出俄国的情形和俄国政治的方法，这个照皇室巡狩的气派是不可能的。因此我们和他们遂发生了友情的争论，竟有时弄成了捉迷藏的把戏：他们告我们宴会或阅兵将要怎么样辉赫，我们却试去解说怎么样宁愿在街上安安静静地走一走。我因不是这个代表团的一分子，所以比我的同伴们自由些，不如他们那么必须去听心里早已晓得的那种宣传主义集会的演说。因此我便能用无常见的翻译者作翻译（多是英人或美人），去与在街头上草地间偶然相遇的人谈许多话，发现平常不涉政治的男女对于现制全体所生的感想。头五天我们是在彼得格勒过的。次在莫斯科住了十一天。在这期间天天和政府要人接触着，所以知道政府对于现制的见解，并无难处。两地的知识界人我也尽我所能的见过。我们都许有去见反对派政客的完全自由，我们自然要尽量行使这个自由。孟什维克派，各样的社会革命党，无政府党，我们都见过，见的时候我们并无布尔什维克派人在旁，他们起头虽有些顾虑，但这个念头息了，后便自由的谈论起来。

我和列宁谈了一点钟，实际上可算私谈，我曾遇到托洛斯基，但是同着别人。我在乡间和卡门诺夫谈了一夜。我还见过许多别的人，他们在国外虽不大著名，在他们政府里都很重要的。

我们在住莫斯科的时期将完的时候，全想到乡下看看，去与农民接触接触，因为农民是占俄国人口百分之八十五的。政府表示最大的厚意应合我们的想望，遂决定了行程要沿伏尔加河 Volga 而下，从年尼诺格洛 Nijut Novgorod 至沙拉托夫 Saratov，中间逗留了许多大的小的地方，和住民自由的谈话。我觉得这部分时间特别与人以教训，因为这一行对于农民，乡村先生，犹太小贩，和各色人等的生活及见解，所得知道的，初实不料能有这么多。不幸我的朋友爱兰（Clifford Allen 代表之一，属独立劳动党）生了病，我的时间许多用在伴他。但这却发生一个好结果，就是，因他病重不能离船，我却能在这船上直到阿斯多汗 Astrakhan。这不特更给我许多乡间的知识，而且使我认识了代理运输总长斯佛洛夫 Sverdlov，他正在这船上料理运煤油由巴库 Baku 沿伏尔加河上行的事，他又是我在俄罗斯遇见的最能干最仁慈的人之一。

（二）布尔什维克主义的理论

自从我经了苏维埃俄罗斯边界的红旗，在一片原始松林的铁网围络的中间，最先发现的事情的一件，就是布尔什维克实行派所持的理论，和我们国内一般进步的社会主义家间所流行的这个理论的翻本大不相同。此间（英）俄罗斯的朋友们想到无产阶级的专政"狄克推多"，以为不过是代议政府的一个新样子，在其中只有劳动者有投票权，其选举区域之划分，半依据职业为标准，不采用地方选举制。他们以为"无产阶级"就是"无产阶级","专政"却不尽是"专政"。此实恰是事实的反面。俄国共产党人讲到"专政"时,他是照这个字的字义用的,但说到无产阶级,他却有一种专门的意思。他所指实只是无产阶级中有"阶级的觉悟"那部分(即是共产党)。他把并不属于无产阶级而意见对的人,如列宁、提且林,等,也包括在内,而真正依工资生活,但意见不对的人,乃被摈除,乃被呼为有产阶级的跟随。真信共产党党义的人,很觉得私产是万恶的根源;相信之坚,竟至于对于无论何等方法,无论怎样严酷,但似于建设维持共产的国家是必要的,决不畏缩不敢采用。他的不自爱惜直与不爱惜别人一样。他一天做十六小时的工,礼拜六的半天休息也放弃了。凡社会上需要的工作,不管如何困难或危险,例如清理高尔哲(Koltchack)尼金(Denikin)所留下一堆一堆的受传染病而死的尸体,等等事件,他都投效去做。他虽有权位,虽有食粮的管理权在掌握中,他的生活是极刻苦的。他并不为个人的营求,只尽力于创造新社会的秩序。但是使他刻苦的动机也就使他刻薄,马克思说共产党主义是像命运一样前定的要出现的,这种议论,充满俄罗斯人的东方特性,遂造出了一种和摩诃末(Mahomet)的初世教徒的不无相同的心境。他们的人是被残酷的压迫的,而且竟不惜使用以前隶属俄皇的警察的法子,许多这种警察都仍然用来作他们的旧业。因为一切恶都是从私产来的,布尔什维克的政制当他征伐私产的时际所有恶点,一俟他成了功,是要自动的消灭的。

这种见解实狂热的信念之通常结果。对于英人,此实益坚其自一六八八年以来英人生活所依据的那种信仰,便是仁慈与容忍值过世界上一切的教义——固然,这种见解英国人并不把他应用于他种民族或被统治的种族。

我们看见一个很新奇的社会，自然要在历史上去找一个类似的时期。现在俄政府的不好方面，最近法国革命后之统治时 Directoire 好的方面，最近克林威尔的统治。诚信的共产党人（老分子的诚信已由多年受的逼罚而不改行证明），很像清教徒的军人，怀抱着严刻的政治，道德的目的。克林威尔对于巴力门（英国会）的处置，不谓不似列宁对于宪法会议的办法。他们两个都是从民主主义与宗教式的信仰之结合发轫，后乃迫于无奈，把民主主义牺牲于以武力的专政厉行的宗教。他们两个都勉力逼着国民为一种高度的道德及勤奋之生活，这种生活实非一般国民所能忍受。新近的俄罗斯生活，和清教徒时的英格兰一样，许多地方，是违人本能的。倘若布尔什维克到了失败了找失败的理由，也要和清教徒失败的理由一样：因为有一个地方人觉得喜乐安闲，比一切别的好处合在一起，都值得多。

俄国现状比与实际历史上的事物更相近的，便是与柏拉图的共和国类似。共产党正当书中的"保护者" Guardian；俄国的兵便是书中的兵；俄国现在这种家族改造的试验，差不多像柏拉图所提议的。我想所有世界上教授柏氏著述的人，都要否认布尔什维克，而个个布尔什维克，也要认柏氏为"有产党"。Bcnrgecis 但是，柏氏的共和国与现在好一流的布尔什维克人，所正在努力创造的制度，竟有极端的密合。

布尔什维克主义在内是贤人治的（就是少数专擅），对外是黩武的。凡一少壮的贤人政治国的好处坏处，俄国共产党人都有。他们一方[面]是勇敢的，富于精力的，能施令的，无时不预备着为国服务；但一方[面]，又是很专擅的，对于平民寻常的顾虑也没有；

就如对于雇用的人，常使之工作过度，又每非常不留意的驶行摩托车，危及街上人的生命。他们实际上是唯一有权力的人，结果遂享受无数的利益。他们大多数虽决不奢侈，但比别人实吃的好。只有在政治上有些重要的人，才能有摩托车或电话。铁路旅行之许可，在政府商肆中购物之许可（其价只有市价约略五十分之一），往戏园之许可。这一类的事，自然是有权力的人的朋友比常人容易得到。许多方面，共产党的生活比一般人民是较快活的。且最要的就是，他们的行动，不怎么受警察和非常委员团的监视。

共产党关于国际问题的理论是很简单的。以前马克思预言的革命，就是全世界废除资本主义的革命，这种革命，虽然在马氏的理论上推来，应该在美国开始，然现在已在俄国爆发了。在革命未动的国家，共产党的唯一职务是快使革命发生。现在共产党及资本主义的国家所订之种种协定，只能作为一时权宜之计，在哪一方面都不能算的真实和平。共产党以为不经流血的革命，无论在什么国，不能有真好的事情出现：英国劳动党虽然妄想和平的进化是可能的，但将来定要见到他们的错误。列宁曾告诉我，他希望看到英国有劳动政府，且愿意那些赞成劳动政府的人急起去做，但做法也只要把巴力门的无用，决绝的暴露于英工人之前。他以为除非无产阶级都有了武器，有产阶级都解除了武装，没有事能做得好。那些不注意鼓吹这一点，而另有举动的人，非为社会之蟊贼，即为被骗之愚人。

就我个人的见解，把上述的理论仔细称量之后，一方面虽然尽承认了他们所攻击有产阶级资本主义之恶迹；但一方面我又很反对他们这个革命论。第三国际会议（The Third International）乃专为促进阶级战争与革命而设的组织。我的反对，并非谓资本主义不若布尔什维克所说的那么坏,乃谓凡由战争得来的社会主义,不论是何式的,他的好处总要少些。因为战争——尤其是国内战争——的恶果,是必有而且很大的;而由战胜所得的好处却是一个疑问。拼命战争下去,文化的遗物光景是要失掉的了,而同时恨怨,疑虑,暴虐等等,却渐渐要变为人类关系上的常态。想打胜仗,必须要集中权力,而集中权力所生的恶结果,和资本集中所生的简直绝无差别。我不能赞成世界革命之运动,主要原因就是这一个。一国之内,若因革命而致生文化上的损失,还可以拿没有革命国文化之传播而补足之;要是世界一哄而卷入革命漩涡,文化可就得沉落一千年。但我虽不主张世界革命,我却不能不承认现在资本主义领袖国的政府正在尽全力促成世界革命。他们对着法、俄、印度,都滥用权力,(别国暂不提及)这种行为很可以使世界沦于堕落,而所生出的恶果也就是布尔什维克主义的仇人看见了怕的。

真共产党是彻头彻尾世界主义的。例如列宁,照我所能判断的,他关心于俄国的利益,并不比关心于别国的利益更切。俄国在现在固是社会革命的主人翁,因此对于世界是很有价值,但若俄罗斯与世界的革命之间须牺牲一个时,则列宁还是要牺牲俄罗斯的。这便是他们的正宗态度,他们的多数领袖是真这样。但是民族主义本是自然出乎本能的,因革命成功而有得色,虽在共产党的胸中民族思想也不免重复发长起来。因为波兰战争,布尔什维克已得到民族感情做后盾,于是他们(布尔什维克)在国内的地位已非常的强固。

我只于莫斯科歌院中见托洛斯基(Trotsky)一次。那时英国劳动代表正坐在当年俄皇御用的包厢内。杜民在对面房中和我们谈过之后,随去到我们所坐的包厢前,双挽着手站着,其时全场对着大欢呼。他就说了几句话，又短又锐，如军用语的简切，举手向大众说"为我们在前敌的勇敢伙伴三声欢呼"。于是大家立时三声欢呼，其应声而发就好比一九一四年秋天初开战时伦敦市民的样子。托氏与红军现在实已有很大的民族感情做他们的后盾。亚洲方面俄罗斯之重新征服，不免复活了所谓帝国主义的观念，虽然有许多人，我能指出他们是这样的，听到我这样说，要发怒否认，然终不能讳其实在。对于权力有了经历，不免要改变原来共产主义的理论；掌握一个大政府机关的人对于人生的观念很难得像他流亡时一样。假若布尔什维克仍继续着当权，他们的共产主义恐怕要渐渐褪色，并要渐渐地愈弄愈像一个别的亚洲政府——例如英国在印度的政府。

（三）共产主义与苏维埃制

赴俄之先，我臆想这次是去看一个新式代议政府的有趣的实验。凡对于布尔什维克主义有兴趣的人都晓得与那个自乡村会议起直至全俄苏维埃止的一串选举，这全俄苏维埃便是俄国人民委员（中央执行委员）的权力所托根的。这些制度都告诉我们：有一个新而完备得多而又多的制度可以决定及表示一般意志的，已经被人想出来了。我们曾希望研究的问题便是：在这一方面（决定及表示一般意志）看来，是否苏维埃制真能胜过议院主义。

这个研究，我们到底不曾办到，因为这苏维埃制仅剩一口气罢了。不论是在乡村，或是在市镇，竟没有一个自由选举制度可让共产党得多数。种种方法无非采用来备政府的候补人得胜利。第一，投票是用举手法的，因而只有出头露角的人才投反对政府的票,(即举手)。第二,没有一个不属于共产党的候补人能发印刷品,一切印刷工程都在国家手内。第三,他(反对政府者)不能开会演说,因为一切大会场都在国家手内。全国的报馆自然也都是官办的报纸,不许有独立的新闻日刊。虽然有这些阻障,孟什维克(Menshevik 少数党即与布党立于反对者)也能在莫斯科苏维埃一千五百名代表中占了四十名,这四十名是靠某,等几个工厂选出,彼处的选举竞争许用口舌。莫斯科苏维埃虽在名义上是莫斯科一地的至高政府,实则只不过是一群的选举人担任选出四十个执行委员罢了,四十个中又自选出"Presidium",就是那日日开会,握有一切权力的九个人。莫斯科苏维埃全体原定是一礼拜开会一次,但我们在莫斯科时,不曾看见他们开会。"Presidium"则相反,是天天开会的。从此可见政府欲实行干涉执行委员的选举以及"Presidium"的选举,当然是极容易。我们一定要记好,因为言论自由和出版自由是绝对地完全受禁,所以有效的反抗是不可能的。结果是莫斯科苏维埃的"Presidium"只包含了正统派共产党。

卡满南夫(Kamener)是莫斯科苏维埃的主席,他报告我们,说补选(Recall)是常有的事,在莫斯科地方平均每月有三十次。我问他补选根据什么主要理由,他举出四个来:饮酒,调赴前敌(这是自然不能执行职务了),选举人方面政策的改变,还有一个,不能在每两星期舆报告于选举人,这件事是苏维埃中一切会员都要做的。以我所见的俄人说,恐怕都要犯这么项的罪。这是显然的,所谓补选正给了政府一个干涉的机会,但是我亦不曾找出证据。

乡村用的方法又略有些不同。我们不能保险说乡村苏维埃会员都是共产党,因为据我所见,无论在哪个村中,照例是没有共产党的。但是当我在乡村时问他们怎样在 Volost(比村大一些的)代表，或是怎样在 Gubernia（比 Volost 大一些的）代表，我得的回答常是：他们简直不曾代表些。这句话我不曾证实真否，或者这是一句过当的话，但是有一句话是众口相同的，便是为果他们举出一个不是共产党的人做代表，这位代表便不能上火车，那就不能列席在 Volost 或在 Gubernia 苏维埃。我曾见 Saratov 地方的 Gubernia 苏维埃开会。议场中代表的座位特排列的使市镇劳工代表占优越的形势，而且在如此一个重要的农业中心地点，竟让农人代表的数目比之工人代表出惊的少。

全俄苏维埃在宪法上是最高机关了，人民委员是对他负责的，开会期却少，而且逐渐地变为形式的会议。现在他唯一的机能，据我所能发现的，是不用讨论即核准共产党所预先决定的事项（大概是关于对外政策），这些事项宪法上明定应归他决定的。

一切实权都在共产党手内，共产党的人数在 120,000,000 人口中占有 600,000 人。我从不曾偶然会见过一个共产党：我在街上或在乡间遇见的人，我和他们谈时，大都是说无党的。唯有几个农人的话不同，他们公然宣称自己是俄皇党。有一句话一定要说一说的，就是农人不喜欢布尔什维克的理由很不正当。据说——而且我所见的可以证明这句话很确实——农人的情形实在比从前好了些。我在乡时，不曾见有一个人——男人女人或是小孩——像是不曾吃饱。大地主是没有了，农人都得了好处。但是市镇和军队仍旧需要粮食供给，政府更无别物，只有用纸币来换农人的出产，农人拿了纸币很后悔。俄皇所发的卢布要比苏维埃发的贵上十倍，而且在乡间更为通用，这是实情。虽然这些旧币是非法的，然而钱囊里满藏着的人常公然在市场上夸耀。但因此推想到农人们希望俄皇复辟，我也不以为然，他们（农人）只是泥守惯习和不喜新奇罢了。他们从不曾听说封锁；多数人竟不大晓得本国和波兰正开战；因是他们也不懂为什么缘故政府不能拿他们所需要的布匹和农具给他们。他们既已拿到土地了，并不知道他们邻国的事情，他们就想望自己的村子独立，对于无论何种的政府命令都很讨厌。

共产党内当然也逃不了政治组织（Bnreanoracy）的常规分做好几派，虽然外界的压力一向是阻止他们分裂的。我看来似乎可分为三个阶级。第一是老革命党，他们的商标便是受过多年的苦刑。此班人大部占着最高的位子。牢狱和刺配已把他们做到坚强不屈，执著自信，和自己国家宁是不生接触了。他们都是诚实人，深信共产主义将改造出个世界来。他们自以为完全脱离感情作用了，实则他们是最易起感情作用，对于共产主义和他们首创的军队。他们不能觉悟到事实上他们所创的不是共产主义，也不觉这个共产主义为农人诅咒，农人只要自己的地，旁的都不要。他们若找见官吏中有腐败的和饮酒的，他们处罚一点不容情；但是他们建立的制度却很能引人到小小的腐败，他们自己的唯物论（Materialistic）总也要引他们相信在这样一个制度之下腐败是一定要蔓延的。

第二是占有极顶之下的政治地位的人，大都是后生新进，热心的布尔什维克，因为看见布尔什维克主义的物质的成功。和他们一起的一定还得算进警察，侦探，和暗探，这班人大都是从俄皇时代传下来的，他们就乘着只有破坏法律方能生活这事实的存在从中取利。这也是布尔什维克的一方面，举个例，就是非常委员会（Extraordinary Commission），这团体实际上是独立的，有它自己的军队，这军队喂养得比红军好。这团体有不经审判即以阴谋或活动于反动革命等等罪名收押任何男女的权力。已有千多个人被它枪毙，不经审判。现在虽然面子上他已经失却判人死刑的权力，实际上可不能说它完全失却。它有侦探在各处地方，没有人不见了心惴的。

　　第三类不是热心的共产主义者。他们是在布尔什维克政府固定后才归附的，他们有的是出于爱国心，有的是想借这机会来自由发展他们的理想不受传统思想的束缚。在这一班人中，也有像已成功的商人一般模样的人，这些人的能力很像美国自做托辣斯（今译作托拉斯）的有名人的能力，不过目的却不在金钱，而在成功与权力。我们可信布尔什维克已经成功地解决这个问题：把这一类的有能耐人编进政府，使服务公事，而不许他们得成大财主，像在资本家社会内所做的。这是布尔什维克除了战胜以外的大成功。由是我们可以猜想：如果许了俄国成就和局，一个可惊的工业发展就要做出来，使俄国成了北美合众国的敌手。布尔什维克一切目的都在工业；他们对于近世工业件件都爱，除却过度报酬资本家是不爱。他们所以要给劳工们以严厉的训练，即在使这班一向缺乏工业上习惯和诚实的人们得到一些工业上习惯和诚实，工业上习惯和诚实的缺乏便是阻止俄国成为一个工业国的唯一原因。

（四）市镇与乡村

　　劝导农人供给市镇粮食这问题是俄国和中欧共有份的，据传闻的话，俄国对于这问题比诸别国并不更少成功。这问题在苏维埃政府是吃紧在彼得格勒和莫斯科两城；其余的市镇都不很大，而且有一大半是位置在富有农产的县份的中心。在北方呢，即乡村地方的人民也要靠南方的粮食来供给，这原是确实的；但是北方人口也是很少。人又常说，供给彼得格勒和莫斯科以粮食这问题是一个运输问题，但据我看来，这话只是一半不错。铁道上用的机关车以及车辆等等交通工具诚然是严重地缺乏，尤缺乏修缮完善的机关车。可是莫斯科的四周都是很好的土地。据我坐摩托车周游莫斯科邻近地方这一天的所见，觉得母牛出的奶足以供给莫斯科全城的小儿，虽然我所见有这些牛的地方是儿童病院不是农场，却已有这许多牛了。出了重价，便无论何物都可在市场上买得。我坐俄国火车旅行，走的路着实不少，见有很多的好车辆。就这些理由，我觉得敢信那些说俄国运输问题影响及粮食困难这句话有点过甚其词。自然的，彼得格勒的粮食短缺更甚于莫斯科，其缘故运输问题也占有一大部，因为粮食大半是从莫斯科以南来的。在彼得格勒街上所见的人大部显然有不饱食的神气。在莫斯科就少见此等人了，但可说，虽不至挨饿，总不能饱食，这现象无疑是几于普遍的。

凡在市镇工作的人，受政府供给一定的低值的口粮。公文上虽说是政府有粮食的专卖权，口粮是足够维持生活的。其实呢，口粮是不足的，而且只占莫斯科的粮食供给的一部。据有些人的怨言，我可不知如何的确实，甚至说口粮颁发全无定期；又有些人说，隔日发一次。在这当儿（口粮未发），不论贫富，几乎人人要到市上买食物吃。市上的食物可就要比政府所定的价格大上五十倍左右，一磅重的牛油值到一个月的工钱。人民用尽种种方法以求可得额外的食物。有在额外时间之外专做工的。因为法律规定的工作时间虽只每日八小时，而这八小时工的工钱却不是能活命的工钱，所以无法可以阻止工人们于正当工作之外另寻工作。但是普通所用谋得额外食物的方法还是所谓"Speculation"这法子，就是"贩卖"。这是从前富有的人出卖衣服家具珠宝等物换取食物，买者从中赚了几个钱又卖给一个人，为此转辗贩卖，有时竟多至经过二十多人，方到了一个真买主的手里。这买主非富有的农人，便是很富的投机商人。或者，那些有亲戚在乡下的，他们就时常下乡探望，回镇时便带了一大袋面粉回来。私人带着粮食进莫斯科是法律所不许的，所以常在火车上搜查。但是带粮食的都是腐败狡猾的人，便往往能不被查出。市场上卖粮食也是犯法的，警吏时时要来查抄，但也是照例躲过一刻即算了事。所以，禁止私商的结果反使私商买卖大增，比资本主义的国家更甚。须待很久的日子才或者能办得更好些；又因为是犯法的，莫斯科的全体人民简直是常在警察威权之下，仰人鼻息。还有一层，现在是全靠从来富有的人的一点藏货，将来一旦这种藏货一尽（额外粮食便绝对不可得），全制度将立见崩坏，除非到了那时，工业已经再造好，立于不败的基础。

这种情形不无满意很明白的，但是从政府的立脚点看来，便不容易看见什么事是应该做的。都会的工业的人民大部分是在进行政府的工作和制造军需供给军队。这些是最要的功课，开支应在赋税项下支出的。如在农人身上收一笔适中的赋税，便很容易供给彼得格勒和莫斯科的粮食。不过农人们对于政府或战争是没有兴味的。俄国土地太大了，此一部受人侵掠，它一部简直觉不到；农人们又太欠缺知识，不能有什么民族的自觉，如英人法人或德人一般。农人不见得肯只为了民族的自卫，便情愿拿出他们出产物的一部分来，唯有为了他们所需要的东西——如布，农业器具等等，——（才能够他们情愿拿出来），这些东西，政府因为受了战争和封锁的亏，是供给不来的了。

当粮食短缺到极点的时候，政府曾强制农人平匀摊认输助粮食，红军曾很严厉地执行这法令。现在这方法是已经废弃了，但是农人仍不是情愿地卖他们的粮食来，这是当然的，他们也见得纸币不值钱，况且私商的价格又要比政府定的高得多。

粮食问题是布尔什维克受人一致反对的主要原因，可是我竟不知还有什么四面玲珑的政策可以采用。布尔什维克不为农人喜欢，因为嫌他们在乡下拿了这许多粮食去；他们又不为镇上人所喜，因为嫌他们拿来的这样少。农人所要的就是所谓自由交易——就是农产物不受（政府）支配。如果这个政策现采用了，市镇就要完全饿死，不单是挨饿忍苦罢了。那猜想农人们对于 Entente 条约含有敌意的，简直完全误会。七月十三日的《每日新闻》说的"既不是共产党又不是布尔什维克的俄国农人渐渐恨着各协约国了，而对于此邦（英国）尤甚"一段话，要不是说的不对实情，倒是很好的一段评论文章。俄国真正的农人决不会听人说过什么协约国或是英国，他不知道有封锁这一回事，他所知有的只是：他本来有六只牛，现在政府减少他只剩一只，把其余五只给更苦的农人了。此外又知政府用极低的价钱硬买他的米（除了他一家家族所需的米不买他），至于政府此种行动的理由不能使他生兴味，因为他的地平线是限于他自己一村之内的。说得广泛些，可说每一个村是一个独立的单体。政府只要能得粮食和需用的兵，便可两不相犯，随着这古老的乡村共产主义自己存在，那是异常的不和布尔什维克相像，而且是完全依在极原始的文化阶级的。

政府代表的是都会及工业人民的幸福，他好像是一个营盘扎在农人民族的中间，他们中间的关系，与其说是政府的，倒不如说是外交的或军事的。譬如在中欧的经济地位是利于国家而不利于市镇的。如果俄国行使民治主义，依大多数的意见而治国家，莫斯科和彼得格勒的人民只好饿死。因为是如此的，莫斯科和彼得格勒有了国中全部的内政权军事权应他们的需要，刚巧能够办到生活。俄国庞然巨观的一个大而强有力的帝国，外相是极好看的，但是中心是糟的不可言。那些产业很小的人，权力却很大；他们能够活着，也唯在他们有过度的权力。这个情形，根本上是因两个事实所致：一是因为人民的工业能率几乎全都放在战争身上了，一是因为农人不了解战争的重要，也不知有封锁这回事。

我们若拿布尔什维克所不可能免避不满意而困难的情形来责骂布尔什维克，这话是废话。他们这问题只要在下面的二个方法中取得一个便可解决（而且也唯有如此方能解决），这两个方法是：（一）停止战争与封锁。那就可以使他们能够拿货物供给农人来换粮食；（二）渐渐发展成一个独立的俄国工业。后一法恐是很慢的，而且也恐有许多困难，不过俄政府中的能干人相信这是可能的。如果竟不得和平，如果我们拒绝和平与通商，迫俄国上这个方法，我们将失却与俄联络友谊的唯一介绍了；这苏维埃国家将得借口以努力煽动各处的革命，我们反无言可以责他挑动革命了。但这是个大问题，最好是留在结论里讲罢。

（五）国际的地位

前面尝偶然说到布尔什维克派不满人意的地方。但是我们应得常常记好，这是全因为俄国的工业生活除却供给军队需要的工业而外，全都破坏了的缘故，也因为布尔什维克政府不得不尽力对付惨苦的国内外战争以及不绝的内乱恫吓的缘故。由于这等困难自然生出剥夺，限制自由等等事来。无论如何，我是很信只要一个方子就可以医治好俄国所受的一切罪，这一个方子便是和平与通商。和平与通商可以止却农人们的仇视心，可以使俄政府立刻弃却武力来依靠民意。政府的品性也会立刻就改变，现在正推行的工业征调便也成为不必要了，那些求有更自由的精神的人们也能够露脸说话不致被疑为帮助反动派或敌国了，粮食困难也就会没有，现在市镇上所用的专制制度也就随之没有了。

普通反对布尔什维克主义的人都说在俄国建立他种形式的政府是很容易的事，这句话我们必不可相信他。依我想来凡新近曾到俄国去观察一回的人个个相信现政府的基础是稳固的。如无列宁，或许经过内部的发展之后，便容容易易地变成一个滂拿伯式的军国专制政体。但是这个变换只是内部的变换——或许不是很大的变换——恐怕不大能够改变经济制度。以我所见的俄国人品性以及那些反对派而言，我竟因之很信俄国初无需强有力政府之必要，不用任何式的民治政体。布尔什维克他们自己宛然是西方急进社会主义联盟的代表，这一点是最受人严重批评的。依我的意见，他们并不成国际问题。但是若以一个民族政府，继彼得第一之后的，看他们，他们正干着必要的——虽不为人所喜的——功课。他们正尽其力之所能，引进美国的能率（Efficiency）到懒做而又未经训练的人民中。他们正预备用国家社会主义这方法去开发国中的天然富源，这话在俄国是常听到的。他们在军队中正淘汰不学的人。如果和平成功，他们更要处处大做其教育事业了。

但是如果我们继续拒绝和平与通商，我也不以为布尔什维克会干不下去。俄国将忍苦耐劳于来日，如过去数年一般。俄国人习于愁苦，西方民族没有一个及得来，他们能在我们所不能忍耐的情形下生活做工。其政府将一日甚一日的由仅仅的自卫政策而进于侵伐政策，Entente 条约逼迫德国解除武装并许波兰卷入不祥的战祸，实是完全把德国赤露出，让他受俄国的侵掠军队的和印刷品宣传的侵掠。亚洲也全部开着等布尔什维克的土耳其。前俄罗斯帝国的亚洲的一部几乎全都在布尔什维克很紧握的手掌中。火车直通到土耳其斯坦（Turkestan），照常的迅快，我曾见有从那边来的棉花装到 Volga 汽船上。印度和红军接触也不过是几年内的事。如果我们尚欲继续地反对布尔什维克，我不知道那一个政府能够止住他们在十年之内取了全个亚洲去。

现在俄国政府不是帝国主义为精神的政府，要和平，不要征伐。俄国是倦于战争竭于物品了。但是如果西方列强固执欲战，俄国政府的别一精神，那是已经见有端绪的，便欲变成极有势力。于征伐和降服二者之中挑一个，将只挑征伐来代替降服了。征服亚洲光景不是难事。可是我们完全糟了。大陆上有的，将是革命内乱和经济大变。所以，用武力压碎布尔什维克主义的政策总是又愚笨且不正的政策；这政策现在已成不可能，满储着不祥了。似乎好像我们的政府已经起始实觉着这危险；我们希望他的很真切，足够加强他的见解，去抵抗反对者。如果不然呀，此次大战便只算是将来大决裂的一个引线，比较起来，仅是前哨的小接触罢了。

相信布尔什维克者以及布尔什维克的助者对于这将来的事，自是很镇静不怕的，因为他们相信终结能建立共产制度，把世界现有的罪恶一齐扫光。这话我却不能相信。我对于共产主义是信仰的，但不能信仰那种集中大权于少数人手内的共产主义。依我意见看来，公平分配权力正和公平分配物质原料一般地重要。一切的经验都指出：可长托以大权的人是很少的。如果俄国赢得了和平，则自由而得人心的政府在战时被压的自由思想将复盛行，布尔什维克主义初期的劳工控制工业或者可以再见。但如继续战争，便不得不继续"迪克推多",那些统治者便迟早终必要用他们的特殊的政治地位获得特殊的经济地位。这事是已经有几分征兆;高位的共产主义者的生活,已比民众略为舒服安适了。不过就通体说来,俄政府委员得到这一些,安适也不为不公,他们比诸西欧列强政府诸公自然工作的时间也要长些,负担也要重得多。

虽然如此,也恐怕不是能长久的事。虽然现在在俄国握权的人大部是极热心的共产主义者,曾经表示愿为了他们的信仰牺牲一切。但此等人总有一天要让位给其他不甚热心忠于主义而甚能利用机会的人们,他们可就要和一般实行政治家一样,把地位当作实在利益般看待了。此辈如找得了兵队来济恶,便不难以一道命令,给统治者的贵族阶级以大薪俸和特别的私产。他们方在成功,那腐败和掠夺的机会也就继长增高地跟了来。这种的诱惑,我不信会能永久抵挡得住。

布尔什维克有完全的理论包括在第三国际说(The Third International)内。据说,共产主义可拿努力的少数人的(迪克推多制)的手段在各处建立起来,和俄国一样。这理论又补足一句道,当一切鼓吹主义的大兵器——尤以教育及印书馆为最大的——尚落在资本家手内的时候,要转移多数人心是不可能的。这一辩很是有力,能够切实指用和平手段以建立共产国家是极端的难事原是不错的。错却错在说的共产主义——任何稳固的或要得的形式的共产主义——能够以少数人的"迪克推多制"来建立,这一句话。在政治理论上说来,这是必须顾到所谓心理的动力(Psychological Dynamics),就是说人的目的与信仰的变换是由于外界情形的先变换来的。人既有了掌握权力的习惯,但觉得权力实在可喜舍不得放弃他,这是差不多人人如此的。如果握权者本就不得人心的,他还欲自己怂恿自己，以为他握权在于上实在是为公共幸福所必不可少的。然而问不他确是自己真不明白，或是假借这话来欺人，他一定要牢握这权柄，非到为武力逼迫放手是不肯放手的。共产主义的少数人（如俄国的）如果一旦得到了军事的迪克推多，虽然起意时是不想永握大权的，却终要走到这条路上，不肯放手了。设有几个能奋斗有能耐的人，有大帝国和大军队供他们玩弄，那么他们一定会找个借口说明他不得不大权独揽的缘故。而且权力最大的人，倘然是要钱的，往往又能有最多的财产。他们是迟早要出于此途的，那时，共产主义的可望的好处全都失掉了。

因为这些理由，并因温和主义的理由，我不能跟了布尔什维克的哲学走，也不能使我相信他们所说的放弃民治主义的缓慢方法，信任民众暴动。

俄国是个后进的国，还不配用平等合作的方法，这方法是西方诸国所求以代替政治上和工业上的专断权的。在俄国呢，布尔什维克的方法或者是多少免不了的；无论如何，我是不想就他们大体下批评。不过可说这种方法不是合宜于先进国的方法，如果我们的社会主义者要去看他们样，模仿他们，这可就是不必退化而退化了。如果我们的反动派人冒冒失失地迫得社会主义者去采用这种暴烈的方法，这就是不可恕的大错。我们所有一份的文化遗产和互让精神那是我们所引以为重亦是世界所引以为重的。俄国的生活往常本是可怖的残酷的，和我们的简直相差天渊，然大战之后，这种的恐怖和残酷竟有要变成普遍的样子。这是新来的危险。由于两方面的互让，我看英国有希望能免去这危险。但是我们且莫乐着，应知布尔什维克唱的浪漫喜剧不一定能收梢到底；他们既不是被人崇拜的天神，也不是受人驱逐的恶魔，他们只是勇敢有为的

"凡人",方用极大的智巧企图一桩几乎是不可能的事业。

(六)列宁　托洛斯基　高尔基

我到了莫斯科,立刻就见列宁,用英国话讲谈,列宁说英语说得很好。翻译是有一个的,不过难得用着他。列宁室内很简单,一张大书桌,墙上几幅地图,两架子书,还有一张安乐椅和二三张硬板椅,那是预备来客用的。显然可见列宁不喜奢华,甚至不喜安适。他很和气,显然是率真而全无一丝一毫排场的人。如果不认识他的人碰见了他,决不会想到他是握有大权的人,甚至决不会想到他是有一些名声的人。这样谦卑自下的人我从不曾碰到过。他很亲切地对来客看,他看时眨着一只眼,好像是眨了一只便可使他一只的透视力得到可惊地增加。他笑得很多。起初我尚觉得他的笑是出于好客和娱客的意思,但是渐渐儿我觉得他是狞笑。他是专断的,镇静的,不怕并独研不倦一个复合的理论。我觉得唯物的历史观是他的生命血。他在求知一个理论,并怒人误解或不赞成这理论时,好像一位大学教授,他的爱注释,也很像大学教授。我知道他蔑视许多人,他是个知识上的贵族。

我问他的第一个问题便是他承认英国经济情形和政治情形的特点到如何程度?我急要知道是否鼓吹暴力革命这件事是加入第三国际劳动党者所必不可少的,这一点因为别人还要正式问,所以我不直接提出这问题。他的答语不能使我满意。他认英国现在很少革命的机会,工人们尚不曾厌恶巴力门政治。但是他希望这结果(革命),或可从一个劳工内阁带出来。他想,如果亨特生君(Mr. Henderson)(英国劳工党首领)做了首相,一定不会做出什么重要的事来；于是已团结的劳工，他这样想并这样相信，就要转而革命了。据这理由，他愿他的助手在英国者，竭尽能力去弄得一个在巴力门的大多数。他不鼓吹不加入巴力门的竞争，但以为加入应抱一个目的，就是要使得巴力门成为显然可恶的东西。我们大半的人所见以为暴力革命在英国是不想望他来并且不一定来的理由，他不介意，而且在他看来，这不过是有产阶级人的成见罢了。我提起凡英国所可能的都不用流血得到这一句话，他听了时，他一句撇开，以为是妄想罢了。我又知道他全不知英国的心理见解。实在说罢，马克思主义的全体倾向都是违反心理的见解，因为马克思主义把一切政治上的事项都归到纯粹的物质原因上去。

其次我又问他，在涵有如此大多数农人的国家内建立共产主义，以他想来，是否稳固。他承认这是很难的事，又笑着讲强迫农人拿出粮食来换纸币去。他看得俄国纸币之不值钱像是一桩可笑的趣事。但是他说——那是不用怀疑是确实的——一到有货物可给予农人的时候，自然一切事都会自己平定起来。要办到这一层，他想在工业中应用电气，他说，这是俄国最需要的，但需十年工夫方可以办得完成。他很高兴地（那是他们大概相同的）讲到用泥炭以生电力的大计划。自然他也看到开放封锁是根本救济法；不过他不很以为开放封锁能彻底办到或立刻办到，除非别国内有了革命。他说，布尔什维克俄国和资本家的国家间的和平一定是常常不坚固的。列国为了厌倦及相互间的不和，Entente 得可引进和平，不过他觉得这和平只有短期的延长。我看出他对于和平及开放封锁这两件事的热心，不及我们这边热心多了，这是一切共产党领袖相同的。他相信，除非经过了世界的革命和资本主义的废除，没有一件有真价值的事可以得到。我觉得他看得和资本家的国家重新通商这一件事仅仅是价值无定的缓痛策略而已。

他说明农人中间富者与贫者的分界，政府鼓吹贫者去反抗富者，指导暴烈的行动，他说来很似津津有味的。他竟至说，加于农人方面的"迪克推多"或者要继续很久，因为农人们都求自由交易（按自由交易是指不由官买官卖）。他说，他从统计表（那是我很相信的）上晓得农人们在这两年来，吃的东西一天富足一天，这是他们从来不曾享受过的，"但是他们还欲反对我们"，他说这句话时略有些不愉快的神气。我问他如何回答批评家说的他（列宁）建立在农村的，不是共产主义却是"迪克推多"这一句话；他答道那个很不是实情，但他不说出实情是什么。

我最后问他，如果和资本主义的国家重新通商这件事办成功了，是否会造成资本家势力的中心而使共产主义更难保持？以我所见到的说，愈热心于主义的共产党都很怕和外边的世界有商业上的往来，因为这件事能引进邪说的浸润，使现存的共产制度几于不能存立。我要晓得他是否也有这个感觉。他说通商后自然要生出难处来，不过比诸战争总要好些。他说，两年之前，他和他的同事都不曾想到他们会在全世界的对敌中长命到现在。他以为这长命是由于资本主义的各民族互相妒忌和利益冲突，也靠着布尔什维克宣传的力量。他说，当布尔什维克拿传单（宣传革命的传单）来挡排炮的时候，德国人曾大笑他们，但是做出来的事情已经证明传单的力量要比排炮大得多。我不想他会承认劳动党和社会党曾在这件事里出过一分力。他好像不晓得英国劳工的态度确曾阻止对俄大战的可能，这态度实在是使政府不能不秘密做事，并且大声说谎否认的。

他说起 Lord North Oliffe 的攻击很快乐，他愿意送一个宣传布尔什维克的徽章给他。他又郑重说，掠夺的控诉也许能震骇有产阶级，但是无产阶级却收到了相反的效果。

　　我想，如果我遇见他时不晓得他是谁人，我决不致猜到他是一个大人物：他的太固执和狭义的正统派社会主义使我大吃一惊。据我的想象，他的勇力都是从他的诚实，勇敢，以及不可摇动的信仰出来——这是马克思福音的宗教般的信仰，代替了基督教殉道者天堂的期望，只除是更少些唯我观罢了。他不大爱自由，正和屈服在狄欧可里淫威之下而一旦得权便欲报仇的教徒一样。光景相信有一个包医百病的药方能把一切人类的病根统统治好的人，和爱自由是格格不相入的罢。如果真是如此的，我不得不反觉得西方的王权式的温和是可喜了。我到俄国时自信是共产党；但是既和这些无疑于共产主义的人接触了，我反加多了一千个疑团，不但怀疑共产主义，并怀疑到人们不惜忍受许多愁苦以坚求达到的一切信条。

　　托洛斯基（Trotsky），共产党不当他是和列宁同等的，他的知识和人才（虽然不是他的品性）对我所留的印象更多。不过我见他的次数很少，也许这印象是不中肯綮的。他这人，眼是尖利的，有军人的气概，开明的知识，和磁石一般能感动人的人才。他生得很俊秀，有美丽的卷发，妇人见了没有一个不爱的人。他不受人反对的时候，脾气也是很好的。我看他这人，（也许是我看错）好名甚于好权力——这是艺术家和名优所好的一种名。我不禁将他和拿破仑相比较。可是我并不含有要估量他信仰共产主义坚否的意思，他对于共产主义光景一定是很忠心很坚信的。

　　和这两个人大相反的便是高尔基，我在彼得格勒时和他见过一面。他卧在床，显然是心绪悲伤而且快要死了。他求我，以后对人说俄国时，不论说什么，总要注重说俄国人受了痛苦了。他是赞助现政府——如果我是俄人，我也欲如此做——并非因为俄政府一无错处，乃是因为若再换上一个一定更要不好。人都可以觉得他是爱俄国人民，很感于俄国现在苦况的难受，很觉得纯粹马克思派信仰之无谓。我觉得所见的俄人当中，他最可爱，最可表同情。我想多听他说些他的见解，但是他说话时很困难而且又咳嗽得利害，所以我也不便久留。我所见的知识阶级人——可怕地受着痛苦的一个阶级——都表示他们对于高尔基的谢意，因为高尔基为他们做了许多事。唯物的历史观到处应用，但对于文明的高等出产物也要留神些，才是个救济。布尔什维克说他们在艺术上出过大力，但是他们除开保存已有的艺术外，我不能发现他们做的事。我把这问题曾对一个布尔什维克说，他听了发怒道："我们没有时间顾到新艺术，也没有时间顾到新宗教。"俄国现在的空气不能培植艺术，这是免不得的，因为艺术是"无政府的"而又反抗秩序的。高尔基已把一人所能做的尽力做了，去保存俄国的知识和艺术之命脉。但是他是快要死了，或者俄国这命脉也快要死了罢。

听说罗素发表了这篇《游俄之感想》以后，受了各方面非常大的反响。守旧党大高兴，他大概很懊丧；英国首相鲁意乔治在下议院宣布对俄政策竟引他的话为据，他的懊丧可知。*Soviet Russia* 周刊上有一篇文章很挖苦他，我们打算译登下期本报。罗素也在七月二十四日的 *Nation* 内有一段附白如下："上星期六登出我的一篇文章的末句不意生出了一个误解，那就是俄国政府对于艺术不措意或竟有敌意。这不是如此说的。俄国政府善视艺术更甚于我国政府。我在那一句里提起的意思是说俄国人心理上的空气是很难长育艺术的,但我不曾说俄政府对于艺术家不好好看待。"

记者附识

(第八卷第二号,一九二〇年十月一日)

文学与现在的俄罗斯

〔俄国〕高尔基(Gorky) 著　郑振铎 译

本篇是登在本年六月四日及十一日两期 The Athenaeum 周刊上的。

高尔基 Maxim Gorky 新近在布尔什维克政府庇荫底下,组织了一个伟大的出版所,名"世界文学丛书社",刊行世界的文学名著。这篇文章就是这个"世界文学丛书社"第一次出版目录上的序言。高尔基的高尚的理想主义,没有别的地方比这个序讲得更详细,更明了的了。所以这篇文章也可以说是高尔基的思想的结晶。

这篇文章不仅是高尔基的重要的著作,也是现在的最紧重的,最伟大的出版宣言。使我们与俄国的文学关系,更增亲切。

这序中所说的要出版一千五百种的三百二十页的书,与三千乃至五千种的三十二—六十四页的小册子,我们相信这实是空前的最伟大的平民教育计划,不仅在俄罗斯没有过,即全部的文明世界里也没有这样的伟大的出版计划。

在俄罗斯革命方在建设的时期,即有这种大规模的出版计划出现,"俄罗斯的人民实有权利以为这种事业是值得起树立纪念碑的"。"他的仇敌所视为'引起人类的野蛮性的革命'"乃为这样伟大的文化活动,这是不得不使他的仇敌们吃惊并且闭口的。而我们则由此可以更了解布尔什维克，知道他们不是"文化的破坏者"，乃是"文化的拥护者，创造者"。——无论哪一个国家没有比他更具有拥护的热忱，与创造的力量的。

我译了这篇东西，我实为他所感动；我知道凡读这篇东西的人，也一定要受他的感动。

我很感谢张崧年先生，因为他借给我这两本的 The Athenaeum 使我得译这篇东西。

一九二〇，九，十三，郑振铎于北京

文学的深刻研究，或至少与他有很亲近的必要，是应该要讲的么？文学是世界的心，一切世界上的喜与忧，人类的幻梦与希望，他们的失望与愤怒，他们对于自然的美的尊敬，及他们对于宇宙的神秘的恐怖，多翱翔于其中。这个心因自己知识（Self-Knowledge）的干渴，激烈的，永久的颤动；好像在他里面的一切创造所谓复杂与智慧的最高解释的人格的自然的实质与势力，渴望去阐晰人生的意义与目的似的。

文学也可以说是世界的无所不见的眼，它的眼光透入于人类精神的最深处。书籍——这样简单，这样熟知的一件东西——是世界上伟大的，神秘的奇物之一。我们不认识的一个人，偶然说出一种不能懂得的话，在数百里以外，以一种我们所称为文字的符号或记号的各样联合，记在纸上面，我们看见它们时，我们异地之人，远隔于这书的创作者，就能够不可思议的知道所有文字、思想、感情及意像的意义；我们称赞这天然景色的描写，喜欢这些话音韵的优美，与这些文字之音乐的。我们被感动至于哭泣，愤怒，幻想，有时且对这斑驳的印过的纸页而笑，我们理会得那些接近于或远隔于我们的精神生活。书籍是，似乎是，人类在他的到达将来的快乐与势力的路上所创造的一切奇迹中，最复杂最有力的一个。

我们没有一种世界的文学（Universal Literature），因为现在还没有地球通用的文字，但是所有的文学的创作品，散文的或诗体的，却满注着同样的，一切人们所通有的感情，思想，及理想；同样的，人的对于精神自由的快乐的神圣的热望；同样的，人的生活痛苦的厌恶；同样的，他的更高的生活方式之可能的希望；也还满注着一些不能用文字或思想定义他，又难能以感觉理会得，而我们称为美（Beauty），能回复永久的，更光明的，更快乐的花在世界上，在我们自己的心里的神秘的东西。

无论国家，种族，个人的内部怎样的差异，也无论政府，宗教，风俗的外形怎样的不同，阶级间的冲突怎样的难以调和——在所有这些我们自多少世纪来所创造的差别上，却翱翔着普遍认识的悲剧性质的人生的黑暗，与吓迫的幽灵，及人类在世界上的孤寂的残酷的意义。

起于"生"的神秘，我们突进于"死"的神秘里。偕同我们的行星，我们进于神秘的空间中。我们称它为宇宙（Universe），但我们对于它还没有正确的概念，并且我们在它里面的孤寂，乃有这样一个暗讥的完全（Such an ironical Perfection），甚至于我们没有东西去比较它。

人类在宇宙间及在地球上的孤寂，只有少数的人是实在的承认它，多数的人都以为"是一个沙漠，咳！不是没有人民住的"——在地球上许多最使人苦恼的欲望与可能的冲突中间。但它的微弱的感觉却差不多如恶草似的遍植于每个人的本能里，并且它也常时囚禁那些好像是完全解脱于那普遍于所有年代，所有人民的杀人的思乡病的人的生命，使英国人 Byson，*Ecclesiates* 一书的著作者意人 Leopardi 及亚洲的大圣人老子同样的受苦痛。

这个从人生的不稳与人生的悲剧的蒙昧意义里所生出的烦闷，多少的普遍于有张开眼睛看着人生的勇气的每个人。要是将来有一个时候，人类能够战胜这个烦闷，使那种悲剧的与孤寂的观念自行阻止，那么，他们之所以能完成这个胜仗者，只有用精神创造的方法，只有由文学与科学的合力协作而已。

除了空气与光的包裹，我们地球的全部还为一个带着我们能力（Energy）的各样虹彩的放射的精神界（A Sphere of Spiritual Creativeness），所有神圣的美（Immortally Beautiful）的组合，熔铸，或成型，都出于此；最有力的思想，及我们的迷人的复杂的机械，惊人的庙宇，及贯穿大山岩石的隧道，书籍，图画，诗歌，及横跨大江，费数百万吨铁所造成，而这样奇怪的，轻便的悬在空中的桥梁——乃至人生所有庄严的及可爱的所有有力的与仁慈的诗歌，也都创造出于此。

人类的心灵与意志战胜他们里面的天然的与兽性的分子，从"未知"（Unknown）的铁墙上，击出永久的，更光明灿烂的希望的火星。以此，我们人类乃能以正当的快乐，讲述我们精神的伟大的功能的无定的意义，（Planetary Significance）这种伟大的功能，最辉煌的，最有力的表现在文学及科学的创作品上。

文学的大用就在深邃我们的意识，广大我们的生命的承认，给形式与我们的情感，而对我们说如下的话：所有的理想与行为，所有的精神的世界，都是由人类的血与脑筋创造出来的。他告诉我们说，中国人 Hen Toy 对于妇人爱情的苦闷的不满足，同西班牙人 Don Juan 是一样的；Abyssinia 人也唱同一的爱情乐的歌，如法兰西人所唱的；一个日本人的 Geisha 的爱情与 Manon Lescaut 的爱情，也是有同等的激力的。要之，男人们寻求妇人，即他的灵魂的他半的欲望所放出来的火焰，一切地方，一切年代都是同样的。

谋杀者之为人憎恨，在亚洲是与欧洲一样的，俄国的可怜虫 Plushkin 之使人怜悯是与法国的 Grandet 一样的；所有的国家里的伪善者 Tartubes 是一样的；无论什么地方里的愤世者 Misanthropes 都是一样的可悲的，而每一地方，每一个人也都是一样的为精神的武士（The Knight of the Spirit）Don Quixote 的可爱的幻象所喜悦的。要之，所有的人们，说所有的语言的，都常时讲到同样的事情，关于他们自己的，及关于他们的命运的，兽性的人们，无论什么地方都是一样的，其有无限的异点者，唯有智慧的世界而已。

优美的文学给我们以一切这些不可数的同点与无限的异点，这是我们很明白，很坚确的相信的。——文学是人生的颤动的镜子，能够反映出悲苦或愤怒 Dickens 的慈善的笑，或 Dostoevsky 的可怕的皱颜，反映出我们精神生活的一切的复杂，我们欲望的全体，平凡与愚笨的无底的淳静的池子，我们在命运前的勇敢与怯懦，爱情的勇气与嫌恶的强力，也反映出我们的诈伪的一切污秽，及谎言的许多羞耻，我们心中憎厌的停滞，及我们的无尽的苦楚，我们的搏动的希望，及神圣的幻梦——乃至一切使世界有生气，一切在人们心中颤跳的东西。文学以一个易感动的朋友的眼光，或以一个法官的严厉的视线，看着人们，同情于他，笑他，称赞他的勇敢，咒骂他的无用——文学超越在生命上面，与科学合力协作，为人类，把到达他们目的之完成的道路，到达他们所谓善的东西之发达的道路，照亮着。

有时，文学迷惑于科学的美丽的隔离（Beautiful Aloofness），竟为独断之见解所愚：于是，我们看见 Emile Zola 所谓人类不过是一个"肠胃"（"Belly"）用"可喜悦的粗糙物"（"With Charming Coareness"）所组成的话，我们也看见 Du Bois-Reymond 的冷酷的失望怎样的传染到如此伟大的一个艺术家如 Gustave Flaubert 的身上了。

文学之不能完全脱离于 Turgenev 所谓"时间的印象"是很明白的，这是天然的，"十分接近时代就是坏处"。并且时代的坏处可以说是更常的囚禁美的纯洁精神与我们对于他的"灵感与祈祷"的寻求；而这些灵感祈祷也是被时代的污秽的尘埃所隐蔽的。但是，正如 Edmond Goncourt 所说的，"美是稀有难得的"，而我们也常极确实的想到美与琐屑的习惯之物（insignificant habitual things）的缺乏——这些习惯的东西，就是，如退到过去的时候一样，使我们的后代得到所有的真正的，不褪色的，美的号志与性质的。古代希腊的朴素的生活，我们看来不以为善么？文艺复兴时代的流血，骚乱，创造的时期，及它的一切的"习惯"的残忍，不使我们狂喜么？我们现在所经过的社会变动的大时代之将引起我们后嗣的出神，崇敬，与创造品，也是可以决定的。

我们是不要忘掉，Balzac 的穷亲戚"Poor Relations"Gogol 的死灵 Dead Souls 乃至 The Pickwick Papers（译者按：这部书是 Dickens 的名著）等书，虽然他们完全是描写实际生活状况的书，但却含有最好的大学所不能备，平常的人即经过五十年的辛苦工作的生涯也不能知道这样真确，或这样清楚的伟大的，不可磨灭的教训在里面。

习惯不常是平凡的，因为人之消磨于他的虚空的鬼火（Hellfire of his vocation）里是习惯的，而这个自己消磨又常是美丽的，必要的，足以悬训于那些一生懦弱的气闷，而不能在摧毁人体而照耀他的精神的神秘的绚烂火花里燃着的人的。

人的差误,不常为文字及想像的艺术(Art of word and images)的特质,它包含更多的特质是它的超升人们于外形的存在之上。自由人们于卑下的现实的拘束以外,及使他自己觉得他不是奴隶,乃是环境的主人,生命的自由创造者的愿望,所以在这个意义上,文学是永久革命的。

以天才的伟大能力,而超越于一切现实的环境之上,满注着人道的精神,燃着他的由过度的爱恋而生出的憎恶心,优美的文学,散文及诗,乃是我们的伟大的辩护,而非我们的责备者。他知道没有事情是有罪的——虽然一切的事情都在于人类中,一切的事情都由于人类做出。生活的热烈的冲突,引起国家,阶级,个人间的仇视与嫉忌者,在文学上只算是一个旧的错误,他相信人们的高尚的意志能够,并且一定要摧灭所有这些的错误,所有这些妨碍精神的自由发展,使人们入于兽性的威权之下的东西。

当你密切的看着那显在文字与想像里的创造力的巨大川流时,你觉得,并且相信,这个川流的伟大的目的,就是永久的冲洗去所有的种族、国家、阶级间的隔阂,并且把人们相互竞争的重担取下,使他们直接地用他们所有的力量与自然界那些神秘的势力相竞争。这样说来,那么,那文字与想象的艺术似乎成了,将成了,人类全体的宗教了——这个宗教是吸收所有写在古代印度的圣经里Zend Avesta(译者按:这是波斯古代的经典)里,福音及可兰经(Koran)里的东西的。

以上的简陋肤浅的大概意思,就是"世界文学丛书"(World Literary)的一班工作者对于文学的态度——不损害于个人的偏于一个或其他的方面上——这个丛书的机关,是隶属于"平民教育委员会"(The Peope's Commissary for Instruction)之下的,它的目的就在刊行英,美,法,德,意,西班牙,葡萄牙,斯堪德那维亚(Scandinavia)(按:即北欧瑞典,挪威诸国),匈牙利等国的最著名的作家的著作。

由所附的目录上,可以看出那出版的公司,"世界文学丛书社",现在——它的工作的头一步——正由从十八世纪之末到我们的时代,即从法国大革命之始到俄国大革命的时期内各国所刊行的著作里选出许多书来。因此,俄罗斯的国民将有由欧洲的热烈的精神创造力,自一世纪有半来,所创造出来的所有诗与艺术之文的精华在其手中了。

把这些选出的作品,集在一起,将成一个依年代排列的宏伟的文学选本,使读者能够十分知道这些作品的创造,起源,及文学派别的兴废,诗文技术的发达,各国文学相互的影响,及历代文学进化的全部运动——自 Voltaire 到 Anatole France, 自 Richardson 到 Wells, 自 Goethe 到 Hauptmann, 等等。

这个丛书是为平民教育用的,欲使读者得以研究在这两个革命中间的文学创作品的历史。这些书都附以序言,作者传略,那曾生产几个派别或著作的时代的略史,并有一部以年相次的文学史及好些关于传记的注释。这个丛书想刊行这一类的书一千五百种以上,每种大略有三百二十页。

以后,"世界文学丛书"还想以中世纪的文学,俄国及其余斯拉夫国家的文学,以及东方的意象的思想与文学的创作品,印度、波斯、中国、日本及阿拉伯的优美的文学,贡献给俄罗斯的人民。

与这个丛书同时,还要刊行一种小册子的丛书,想要最普遍的散播于民间。这些小册子包含欧洲及美洲的文学中最超萃的东西，而附以传记、注释、社会学上的杂记等等。

因他决定入于欧、亚两洲人民精神联合的道路上，所以俄罗斯人民之读之者，一定要知道这些国家及种族的历史，社会生活及心理学的详细，他现在正渴想着同他们在一起，去造成社会生存的新形式。

文学是我们祖先的功业与错误，超越与失败的活泼的，意象的历史。有伟大的势力，以影响于思想的构成，以妨制本能的残酷，并以教育意志。而到了最后，还一定要完成他的重大的责任——就是那最坚固，最亲切的联合那些人民，用他们的痛苦与愿望的觉悟，用他们想望一个美丽自由的生活的快乐之共有的觉悟，的有力的责任。

这些小册子的目的，就在使读者从中完全得到欧、美人民生活的方法，以示他们的思想、情感、风俗的异同——预备叫俄罗斯的读者去得到世界的及人类知识。这种知识是这样的普遍的、活泼的、在艺术的文学表现出来，并且，由他，而言语不同的各民族乃能最容易的完成他们的互相了解。

文学著作的范围，在精神上是无国界的。于我们现代，人类皆同胞及世界的社会之思想显然的变成现实，变成必要时，我们是不得不尽力的。求世界同胞的有益思想的同化之以极大快度实现，并透入民众的心灵及意志的深处的了。

人的知识愈广，则人愈为完全，人对于他的同人的兴趣，愈锐敏，愈热切，则融合善的创造分子成一个联合势力的历程，完成得愈快。我们经过我们的横断的驿站而达到相互的了解，敬重，友爱的普遍的快乐也愈快——到达我们自己的光荣也愈快。

因欲使未受教育的人养成读书的兴趣，这些小册子的丛书，将包含有一种外面有兴趣的书籍,如情节复杂的故事,娱乐的、滑稽的故事,历史小说,冒险小说等。

这些小册子将依年代的次序刊行,所以即使平民的读者也能够很清楚的去追溯欧洲精神界发展的历程——自大革命到我们的悲惨的日子。这个丛书想刊行三千至五千种,每种包含三十二——六十四页。

以它的质量而论,这个伟大的出版计划,在欧洲实是空前的举动。

实现这个计划的荣誉,乃属于俄国革命的创造力——这个革命即他的仇敌所视为"引起人类的野蛮性者"。在它的活动的很早的时候,在难以叙述的状况底下,去起首做这样的一种负责任的,规模广大的教育事业,俄罗斯的人民实有权利以为这种事业是值得竖立纪念碑的。

在因人类为他们的肥胖之金钱的黄色魔鬼的热烈崇拜所发狂而招致的罪恶的,可咒诅的杀戮之后,在怨毒与厌恶的流血的骚乱之后,而把精神创作品的宽广的图画表现出来,没有东西是比它更合时宜的了。在野蛮的禽兽的喜乐的时候,令我们回想到所有那些年代所教训我们,智慧与天才所教训于世界的真正的人类的东西。

马克辛·高尔基(Maxim Gorky)

(第八卷第二号,一九二〇年十月一日)

能够造成的世界

（译自《到自由之路》第八章）
〔英国〕罗　素　著　李　季　译

在多数男子和妇女的日常生活中，恐惧心占据一大部分而希望心只居一小部分：他们总时常顾念他们的可以为别人夺去的财产，不甚想及他们的可以在自己的生活及和他们相接触之人的生活中创造出来的愉乐。

人的生活不是应当这样度过的。

有些人的生活对于自己，朋友和世界，都有益处，这种人是受了希望的鼓励和快乐的营养：他们的脑子里面，知道世间可以发生的事件，和这些事件实现的方法。在他们私人的关系上，他们是不惦念着怕失去世人对于他们的敬爱的，他们乃一心敬爱世人，酬报不待求而自来。在他们的工作上，他们是不为妒忌竞争者之念所扰的，他们所关心的只是应当做的实在事件。在政治上，他们不枉费时间和热情去拥护他们阶级或民族之不正当的特权，他们的志愿是在使全世界更加快乐，减少社会中的暴行和各对敌团体间因贪婪所起的冲突，使世界得遂自由生长（未被压制妨碍发达）的人日加增多。

在这种精神中过的生活——就是志在创造不志在占据的精神——是有一种根本上的快乐的,这种快乐是横逆的环境所不能完全打消的。这种生活方法便是《福音书》(*Gospels*)和世上各大教主所赞美奖劝的生活方法。凡曾经遇着他的人,都是不受制于恐惧心的专暴,因为他们生活中所最宝贵的东西,是不受制于外力的。如果人类都能不顾障碍和失意的事件,振起他们的勇气,洗刷他们的眼光,生活于这种方法之中,那么,就用不着从政治和经济的改革去着手世界的再造了:由个人道德的再造,凡改革上必须的事件,都会自动无阻的实现出来。但是耶稣的教义为世界所遵信,在虚名上虽有了好几世纪,然一般实行这种教义的人,和在君士坦丁(Constantine)以前的时代一样,仍受惩罚。经验已经证明,世界没有几个人能从一个游荡者的生活表面上的恶点里看到那种由诚信和创造的希望所生之精神上的快乐。如果要推翻恐惧心的宰制,就普通人民而论,单靠叫他们具一鼓勇气,对于患难存一种冷淡之心,是不够的;必须要除去恐惧的原因,使善良的生活不复为世俗所谓不成功的生活,并减少那种加于一般不知自卫者的损伤。

论我们所知道的世间生活里的恶点,大概可以把他分为三种。第一种起于物质上的性质:凡死亡,痛苦和使田地生出养生品的困难,都属此类。这种恶点今称之曰"物质上的恶"(Physical evils)。第二种起于受苦者性格上的缺点或他的自然嗜好;凡痴愚无知,无志意,和暴烈的脾气,都属此。这种恶点今叫做"性格上的恶"(evils of character)。第三种起于一人或一团体压制别人或别团体的权力;不仅公然的专暴属此,就是以强力或以过度的精神上的影响——如教育上可以有的——去干涉别人的自由发达,也属于此。这种恶点今叫做"权力上的恶"(evil of power)。一种社会制度的好坏，便可照他在这三种恶点上的关系去判断。

这三种恶点的界限并不能严格划分出来。纯粹物质上的恶本是一种极限，这种极限我们决不能相信已经达到：我们虽不能铲除死亡，我们固常能应用科学将死亡延迟，到后来，并可能使大多数的人都得高寿；我们虽不能完全防住痛苦，我们固能使人类都得康健的生活，因此把痛苦无阻的减少；我们虽不能不劳动，便使地球产出丰盛的收获，我们固须减少劳动的分量，改良劳动的境况，以至于使他不复是一种恶。性格上的恶常是病的样子的物质上的恶之结果，更常是权力上的恶之结果，因为专暴是使行他的人和受他的人（就大体而论）都堕落的。权力上的恶，是为有权力者性格上的恶，和无权力者物质上的恶——这种物质上的恶每成无权力的人的命运——所生的恐惧，愈加利害的。因有这些理由，故三种恶点实互相牵绕。但泛言之，我们固可把我们的患难分为一种起于物质界的一种大体由我们自己的缺点而起的，和一种因我们的受别人的支配而生的。

和这些恶点决斗的主要方法是：对于物质上的恶用科学；对于性格上的恶用教育（最广义的）和各种不含专制的冲动之自由发挥；对于权力上的恶则由把社会之政治和经济组织的改革，得使一个人干涉别人生活之事降至最低限度。我们今先讨论第三种恶，因为权力上的恶是社会主义和无政府主义特别力求补救的。他们对于财富不平均的抗议大半是以他们对于由财富所具的权力发生出来的恶点的见解为基础。寇尔已将这一点说得很好，他说：

我要斗，在近世社会中，我们应当指明，铲除的根本恶点是什么？对于这个问题是有两种答案的，我确信很多很想好的人会要答出那个错的来。他们应答"奴役"的时候,他们会答是贫穷,他们每天逢着巨富和赤贫,高红利和低工银,这些可耻的对照,他们痛心疾首的知道借公私慈善事业的方法去调剂贫富,使之平均,是无效的,他们遂会毫不迟疑答说,他们是赞助铲除贫穷的。

也好!也好!在这个问题上个个社会主义者都和他们一致。但是他们对于我的问题的答案也绝不得错差一点。

贫穷不过病象,奴役乃是实病。束缚与放纵达于极端,贫富不可免的也要随着达于极端。多数人并非因其贫而被奴,乃因其被奴而贫。但一班社会主义者乃太常常注目于贫民物质上的困苦,而不知道这种困苦是基于奴隶之精神上的堕落的。见《工业自治》的第一百十页和第一百十一页。

我以为凡有理性的人必相信现制度中权力上的恶实过大,于必须的,并相信可以用一种适当的社会主义将他们大大地减削,少数幸运的人现在诚能依赖租金或利息自由生活,他们如在别种制度之下,殆不能享有更大的自由。但是不仅大多数赤贫的人民,须为着赚钱过活做奴隶,就是各种佣工甚至于各种专业阶级(Professional classes)也须为着赚钱过活做奴隶。他们做工差不多都是十分着力的,他们简直没有娱乐和做别种事业的闲暇工夫。一般能于中年以后休养的人,又是索然无趣的,因为他们未曾学得闲暇的时候怎样消遣,而他们以前工作以外所有的兴趣,又不复存在了。但这些人已是非常幸运了。至于大多数人都须苦工到老年为止,常常存着怕穷的心理,稍微富足点的怕无力使子孙受教育,或无力供给子孙疾病时必需的医药,贫穷点的就时常不免于饥饿的祸患了。对于工作的管理,差不多所有做工的人都无发言的权利,当工作之时，他们不过是些机器，专完成主人的意志罢了。他们时常在种种不合意的条件之下实行做工，精神上方感受痛苦，而身体上复疲劳不堪。工作之唯一的动机是工银：说工作是一种乐趣，如美术家的工作一样，这种意见时常被人嘲笑，称为一种完全乌托邦的理想。

但是这些恶点大部分都不是不能免除的。如果能够使人类的文明分子只希求自己的幸福，而不存加人以痛苦的心思，如果能够使他们从事于与天下共享之建设的改革事业，而不出于妨碍别种阶级或国家进步之破坏的行动，那么，在三十年之内现在世界的全部制度定可完全改了。

从自由见地看起来，什么制度会是最好的呢？我们应愿意进步的势力往什么方向进行呢？

如暂时将所有别种思虑都丢开，单从这个见地去观察，我深信一种最好的制度一定是和克鲁泡特金所主张的制度相差不远，而由采取行会社会主义的主要原理，弄得更可实行的。因为不论什么论点都可以生出争论，我今姑不加议论，只把似乎最好的那种事业，组织说明出来。

教育应当是强迫的，直到十六岁为止，或更长一点。从此以后，是不是还应教育，当随学生自己的意思，如果愿意再受教育，尽可自由继续下去，至少至二十一岁。当教育期限已满之时，没有一个人当被强迫去做工，凡不愿意做工的人当得到一种仅够维持生活的生活费，并且当听其完全自由。但是社会上有偏袒做工的一种有力的舆论，也或者是很要得的，因此使喜欢懒惰的人在比较上不过最少数。使懒惰在经济上成为一种可能的事，一种大益处，就是，他会在使工作不是不可乐的上头，供给一个有力的动机；在大部分工作都不合人意的社会中，他的经济问题不能算是已经解决了。现在那些每年从投资收入（假定）一百镑的人，十个之中至少有九个愿意从事于有偿的工作，借以增加他们的收入，从这种事实看起来，我以为假定喜欢懒惰的人只居最少数，这种说法是合理的。

讲到大多数不喜欢懒惰的人，我以为一方面利用科学，一方面除去国内和国际竞争中大堆不生产的工作，我们可假定每人每天做工四点钟，就可使社会全体的生活十分舒服。一班有经验的雇主现在已经力言他们的佣工在六点钟的工作时间内所产的物品竟能够和在八点钟工作时间内所产的相等。在一个技术教育的程度比较现在更高的世界中，这种工作力增进的倾向将更迅速。对于普通一般人民将不和现在一样，仅教以一种艺术，或一种艺术中的一小部分，但将教以几种艺术，使得因气候和需要的变迁，随时改业。凡关于各种工业内部之事，将由他自理，就是各种分立的工厂对于只和厂内工人有关系的各问题，都将由他们自己决定。工厂的管理权，将不和现在一样，操在资本家的手中，但将操于被选举的代表之手中，恰和在政治界一样。凡生产者相异的团体间各种关系，将由行会议会决定，而关于社会中某一处居民的事件，将仍由国会决定，同时国会和行会议会间各种争端，将由这两种机关选派人数相等的代表，组织一个团体，共同解决。

凡报酬的法则，不是和现在一样，仅对于需要的和已经履行的工作，才给予报酬，将来凡愿意做工的人都能取得报酬。这种制度在好些薪水优厚的工作中已经采用：一个人据有某种位置，当没有多少事做的时候，他仍然保持这种位置。赋闲和失去生路的恐慌将不复和梦魇一样，时常来扰人了。所有愿意做工的人所得的报酬都是相等的，或是非常的技艺仍将取得非常的报酬，这桩事可听各行会自己去决定。一个乐剧唱演人所得的报酬如果不多于舞台上一个布景的人之报酬，他或愿意去当一个布景的人，一直到这种制度变更为止。既有这样的情形，更大的报酬一事，或将觉得是必要的。但是这种制度如果是由行会自由投票决定的，也总不会发生一种隐痛出来。

对于使工作适合人意的事无论如何尽力，据一般的推测，总有几种职业是大家所不乐为的。一般工人既不受穷困的压迫，去从事这种职业，就只能为更大的工银或更短的工作时间两桩事所诱动，去做此等事业。那时社会为想设法减少这种职业中不适合人意之点，会有一种强大的经济动机力。

在我们现在所想像的社会中，仍须有货币，或和货币相似的东西。无政府主义者自由平均分配工作全体产物的计划，不足以除去一种交换价值的标准之需要，因为各人的嗜好都不相同，一个人愿意取得某种物品当作他所应得的分子，而别人又愿意取得别一种货物当作他所应得的分子。到了分配奢侈品的时候，年老的太太们就不愿意取得雪茄烟当他们应得的分子；年少的男子们也不愿意取得叭儿犬（Lap‐day）当他们应得的分子。有了这种情形，知道多少支雪茄等于一只叭儿犬是必要的。一种极简单的方法就是和现在一样，付人以一种进项，并照着需要规定各物相关的价值，使相调剂。但是付出时如果用一种实在的现金，一人或将把这种东西储藏起来，历时既久，就变成资本家。要阻止这桩事的发生，最好付给一种证券，只于一定期限之内有效，例如从证券发出之日起，以一年为有效期限。这种方法能使一个人储蓄证券为过年节之用，但不能够永久存储。

无政府主义者的计划是，凡日常生活品和一切很容易产出的无论如何足可应需各种物品，都无需收价，自由给予一般要求这些物品的人，至于分量的多寡，也不加限制。现在要批评这种计划，议论是很长的。据我的意见，这种计划是否应当采用，纯粹是一个技术上的问题：采用这种计划对于必需品的生产，在事实上能够不浪费有用的劳力么？我没有法子回答这个问题，但我以为因生产方法继续改良，无政府主义者这种计划迟早将可以适用，当他可以适用的时候，固然就应当采用。

在家中做事的妇女，无论已嫁未嫁，将得到报酬，恰和他们在工业中做工一样。这种方法将使为人之妻的人在经济上得完全独立，这桩事是用别种方法所难成功的，因为有小孩子的妇女不应期其做家庭以外的工作。

小孩子的费用将不和现在一样，由父母担任。小孩子和成年人一样，都可取得他们所应得的必需品，他们的教育是不收费的。有些人或怕这种结果定使人口有一种不适当的增加，但我以为这样的恐惧是无理由的。参看本书第四章《工作和报酬》。又可参看《社会改造之原理》的第六章。在一班能力更大的儿童中，将不复和现在一样，因想得学校津贴而起竞争。任教育的人将不作他们从小便养成一种竞争的精神，也将不强迫他们使用脑力，用到一种不自然的程度，致使后半生精神疲敝，体质衰弱。教育的分类将远过于现在。此后当更加注意，使教育适合于性分不同的青年之需要。对于初学的青年学生，将努力奖励他们的创造，不复想把国家所好的许多信条和知识上的惯例去灌入他们脑筋中，国家好这些东西印入青年脑筋中的主因，就在这些东西能够帮助维持社会的现状。对于大部分的小孩子，或将觉得须有更多的乡村中的户外教育。至对于一般觉得学术或美术无趣味之年长的男女孩子,一种具有自由精神的技术教育,于启发他们心智上的活动,比较书本上的知识当更加有益,因为他们以为(无论如何不真)这种书本上的知识除掉用作达到试验的目的外,完全是没有用的。真正有用的教育是在能随儿童本能上兴味的趋势为转移,能供给他以他所要求的知识,不在供给他以一种干燥无味,而又和他的自然意志完全无关系的知识。

在我们的社会中,政府和法律将仍是存在的,不过二者的权力都将降至最小限度罢了。被禁止的行动将仍有的——例如暗杀之类。但是刑法中关于保护财产的部分差不多全体将成废物,而现在发生暗杀的种种动机有许多将不复出现。那些仍旧犯罪的人将不被视为坏人,将被视为一种不幸的人,他们将被关在一种治心病的病院中,直等到大家承认他们不复为一种危险为止。犯罪的行为,藉教育,自由,和铲除私有资本之力,能减至极少的数目。凡待遇一个犯罪的人,应用一种个人疗治法,除掉疯癫和心志薄弱的人外,此法大概可使一个人第一次的犯罪行为,就是他末次的犯罪行为,至对于疯癫和心志薄弱的人自然要有一种长期的拘留。

政府可以看做由两部分成立的:一部分是社会或其所承认的各种机关的各种决议;他部分是对于反对这种决议的人加以压力使之遵从。无政府主义者对于第一部分并不反对。而在一个平常的文明国家中,第二部分也可完全不表现出来。当一种新法律正在讨论时持反对论的人,到了这种法律通过之后,大概就将服从,因为在一个安定有秩序的社会中,抵抗法律多半是无效的。但是政府用武力的可能仍然存在,并就是使武力不必须的那种服从的理由(因有武力可行故不得不服从,既服从武力便又无用了)。如果像无政府主义者所心想的一样，政府无需使用武力，大多数人仍能够结合拢来，用武力欺凌少数人。他们的军队或警察的武力与政府武力唯一不同之点就是，他们以武力是有特别目的，并不是永久的和专业的。然此事的结果将使人人须练习战术，因恐训练纯熟的少数人将袭据国家权力，组织一种旧式寡头政治的国家。照这样看起来，无政府主义者的目的似乎不能够用他们所主张的方法实现出来。

如我们所见的不错，则阻止国内或国外人事中所出现的暴力，只有依赖一种能够宣布使用各种武力，并且能够压服各种武力的权力，不过这种权力也有限制。当自己行为不法之时，无力宣布使用各种武力。当对手方的武力是拥护自由，或抵抗强暴，得了舆论的赞助时，他也无力压服这种武力。这样的权力是存在一个地方里的，他就是所谓国家。但是在国际事务中，这种权力尚待创造。创造这种权力的困难非常之大，但是要把世界从隔若干时一发，发就必较前更惨烈的战争中拯救出来，不可不将这些困难设法除去。此次大战之后，国际联盟是否可以告成，是否能履行这种任务，现在尚不能预先言明。然不管此事的成败如何，在我们的乌托邦能够出现之前，一种防止战争的方法，是必须创造出来的。人类一旦相信世界是免掉战争而得安的，全部困难将都解决：那时解散各国海陆军队，另代以一种小小的国际武力以为防御各未开化的民族之用，这桩事将不复遇着很重大的阻力。一到这种时期，实际的和平就将确定了。

大多数人专政的政府是无政府主义者所指摘的，在实际上，这种政府实不免为他们大部分的反对论所言中。还有一桩更可反对的事，就是行政部对于关系全体人民幸福的事件所具的权力，如媾和及宣战之类。但这两桩事都是不能够骤然不要的。然有两种方法可以减少他们所弄出的损害：（一）大多数人专政的政府可用转落他的权力之法，去减少他的压迫，凡只和社会中一部分人有重要关系的问题，当由那一部分人议决，不由一个中央议院议决。因此一般人民不复被迫服从那些多半不知道事件内容与不和这种事件有直接利害关系的人仓促所通过的决议。内部事件的自决权不独应当给予各地方，并且应当给予各团体，如各工业或教会之类，因为这些团体有重要的公共利害关系，是和社会中他部分无关系的。（二）近世国家行政部所以得到很大的权力，大概是由于敏捷的决断之必要，而关于外交事件这种决断尤非常重要。如果战争的危险在实际上不复存在了，那么，较繁重但较少专制的方法一定可以实行，而立法部或可以恢复好些被行政部夺去的权力。用以上两个法子，政府对于人民自由的严厉干涉能够逐渐减少。有种干涉，甚至于有种未有保证和强暴的干涉之危险原是政府的本质，政府一日存在，这种干涉也一日不会消灭。但是非到人类横暴的倾向比现在减少了，政府一点子武力，似乎还是两种坏处中的较少那一个。然战争的危险一经告终了，我们可希望人类横暴的冲动，将渐次不大发现，当大大地减少那种使政府当局因压服反对者不惜流于任何种专制行动的个人权力之事，能够见诸实行，这种冲动将愈加减少了。虽政府的武力（除掉防御疯癫外）也成为无用的东西，这种世界的发展必是渐渐而然的。以作一种逐渐发达的历程，这个是十分可能的。当这种历程已经完成，我们便可望看见无政府主义的原则实行于公共事务的管理中。

我们已约略说明的政治和经济制度，对于性格上的恶，将发生一种如何的效果呢？我相信他的效果是非常有益的。

引导人类的思想离开使用武力一途,这桩事的进行因铲除资本主义的制度,将愈迅速,不过继承这种制度的要不是那种使官吏具有绝大权力的国家社会主义才成。现在资本家支配别人生命的权限比无论何人所应有的权限还大;他们的朋友在国内有权力;他们经济上的势力就是政治上势力的榜样。在一个男女享有经济自由世界中,将没有这样命令的习惯,因此,也将没有这样喜欢专制的心理。而一种比现在人性更柔和的性情将逐渐陶养出来。人类是由环境造成的,不是生下来就是这样或那样的。现在经济制度对于人性之恶影响,和要由共产制期望的极好的影响,实属主张改革最强固的理由。在我们所想象的世界中,经济上的恐慌和大部分经济上的希望,将一样地,不复存在,没有一个人将为贫穷的恐惧念头所烦扰,没有一个人将为发财的希望所驱策,而出于残忍的行动。在现在的生活中,社会阶级的分别关系非常重大,到了将来就没有这种分别了。凡不成功的专业家将不致在恐怖中生活,怕他的子孙要陷于苦境;一个渴想做工的人将不汲汲盼望他也轮到能为雇主。怀抱野心的青年,将须作别种幻想,不复再做使竞争者失败和劳动界堕落来成就自己发财事业的梦了。在这样的世界中,伏在人心中的梦魇之大部分将不复存在了;反之,人类的野心和好胜心所表现出来的形态,比较一个商业社会鼓励他们所表现出来的,将更加高尚。所有真正有益于人类的各种活动,不独对于少数气运好的人是公开的,对于一般有野心和能力的人都是公开的。凡科学,节省劳力的发明,以及各种技术上的进步,一定可希望远胜于现在,因为这些东西就是走向荣誉的道路,而在一般志在有所成就的青年中,荣誉将要代替金钱。至于美术在一个社会主义的社会之中是否能够发达,全靠所采的是一种什么样子的社会主义。如果国家或任何公共机关(不论什么机关)主张管理艺术，并且主张只对于他所认为造诣很深的人就予以特许权，此事的结果一定是不幸的。但是如果有一种真正的自由，允许每个愿意从事美术事业的人，宁甘牺牲一点快乐，去研究这种东西，那么希望心和不受经济的压迫这两点将使浪费才能之事，比在我们的现制度中要少得多，并且将使因生存竞争而压制冲动之事，也要少得多。

当多数人初等的需要已经满足之时，他们真正的快乐就在两桩事上面：他们工作和他们的人间关系。在我们所描写的世界中，工作是自由的，不至于过度的，凡进步迅速的，集合企业虽位置最低的单位也有创造的快乐的，这种企业的乐趣。有的一定充满于将来的工作中。在人间的关系利益将与在工作上恰恰是一样大的。唯一有价值的人间关系，是以彼此自由为根据的，既没有压制，也没有屈服，除掉爱情之外，没有互相维系之物，当内部的精神关系已经断绝之时，也没有经济上或习俗上的必要，去保持外表的形式。商业制度遗害于男女间的关系，是他所产出的最可恐怖的事件中之一种。卖淫的坏处是普通所承认的，但是据我看起来，这种坏处虽大，然经济上的情形及于婚姻的影响简直更加利害。婚姻上常常有一种买卖的暗示，以某种程度的物质上之愉快供养她为条件，获得一个妇人的暗示。婚姻关系除掉更难脱逃外，和卖淫行为常常是没有区别的。这些坏处全基础都在经济。经济使婚姻成为一种卖买的事件，在这上头爱情完全居于附属地位，没有爱情遂并不成解放的公认的理由。婚姻应当是男女彼此本能的自由的自发的结合，充满以幸福，而又不杂以一种近于敬畏的感情：婚姻应当具有那种彼此互相尊重的意思，足令稍微干涉自由之事，也是绝对不可能的，足令一方面违反他方面意志的强迫共通生活成为一种不可设想之极可迫的事件。这种婚姻不是订婚约的律师所想到的，也不是对于一种假装在一个法定丈夫的兽欲或昏暴中觉为庄严的法式，而予以"圣典"（Sacrament）名称的牧师所念及的。现在大多数男女所想念的婚姻并不照着一种自由的精神：现在的法律使干涉自由的意志，得一种尽量发挥的机会，男女因喜欢断绝彼此的自由，遂使各人都失去自己一部分的自由。而私有财产制的空气使婚姻更不容易发生一种优美的理想。

当经济上的奴役之恶遗传不复能铸造我们本能时，大家所怀想的人间关系将不和现在一样。夫妻亲子的关系将单由爱情结合：爱情断绝，便可认这种关系无复保存的价值。因为爱情是要自由的，凡男女在私人生活中，将不致有引导喜欢专制的心理的道路与刺激，但凡他们爱情上有创造性的东西，都将有更自由的发展之地。凡尊重被爱者心神之事将不和现在一样，不可多见：现今许多人爱他们的妻子和他们爱羊肉一般，只当作一件吃嚼糟蹋的东西。但是在一种具有尊重意味的爱情中，有一种快乐和带着专制意味的爱情中任何种快乐都迥然不相同，这种快乐不独使一个人的本能满足，并且使他的精神满足：本能和精神的一齐满足，是一种快乐的生涯所必需的，也真正是发扬男女最好的冲动之生活所必需的。

在我们所愿意看见的世界中，生活的快乐将比近世日常生活所演的悲剧中所有快乐多得多。就现时情状讲起来，大多数人一过了幼年时代，便有一种预先筹谋生活的思想挠着心头，为此低头不复能有一种心神泰然的欢乐，只有一种按时的强乐罢了。"变成小孩子一样"（to become as little children）这句箴言在好些方面对于许多人是有益的，但是和他相似的还有一句，就是"不要想及明朝的事"（take no thought for the morrow），在一个竞争的世界中，这种规则是不容易遵守的。凡科学家就是到了老年，常还具有几分小孩子似的天真烂漫的样子；他们因一心注意于抽象的思想，遂得和世俗分离，世人因尊重他们的事业遂供养他们，初不因他们不谙世故，加以欺凌。这种人是已作成，凡人类都应当能有的生活；但是在现今的情形中，因经济上的竞争遂使他们的生活方法为大多数人所不能企及。

末了，我们对于我们所设想的世界及于物质上的恶点的效果将怎样说呢？将来的疾病将比较现在少些么？将来一定分量的劳力所生产的物品将比现在多些么？或是将来的人口将超过生活必需品限度之上，和马尔萨斯（Malthus）为驳高德文（Godwin）的乐观主义所说的一样么？

我想这些问题的回答在结局上只靠扫除了经济竞争的刺激物之社会，在知识上努力的程度如何。在这种世界中人类将流于懒惰和冷淡么？他们将不复运用他们的思想么？那些运用思想的人将觉得遇着保守主义牢不可破的壁垒，比较现在挡着他们的壁垒还更难穿过？这些都是重要的问题，因为人类要制胜物质上的恶点，终久必须借助于科学。

我们前假定的别的许多条件如果能够实现，将来的疾病似乎定比现在要少些。一般人民将不复密集于陋巷之中；小孩子将得到充分的新鲜空气和野外运动；做工的时间将以适合卫生为止，必不和现在一样，一直做到精疲力竭。

讲到科学的进步，全靠新社会中知识上自由的程度如何而决定。如果各种科学都受国家的指导和监督，他不久将变成板滞的和死的东西。科学中根本上的进步将不能实现，因为当这种进步尚未实现之时，他的效果似乎可疑，好像不能补偿公家因他所耗的款项。关于监督科学上的权力将操于老年人的手中，尤其将操于一班科学上素著名誉之人的手中；这种人对于青年中那些不用表同意于他们的学说去诌媚他们的人，将抱一种仇视的意思。在一种官僚制的国家社会主义之下，恐怕科学将即刻归于停滞，不复进步，并且得一种中古式的对于权势的尊敬。

但是在一种较为自由的制度之下，在一种能使各种团体随意任用多少科学家，并且对于那些愿意研究一种完全未通行的新学问之人，肯许予以"游士的工钱"（Vagabond's wage）的制度之下，科学之发达，定为从来所未有，这样想法是很有理由的。参看本书第七章中讨论这种问题的议论。如果这个能办到，我相信对于我们的制度中物质上的可能，必定没有什么别的阻碍。

对于生产充足的品物，使大家能享物质上的安乐的，必须的工作时间的数目，这个问题一半是属于技术方面的，一半是属于组织方面的。我们可以大胆说，将来一定没有不生产的劳力，如制造军器，筹划国防，散布广告，制造富人的奢侈品，以及附着我们的竞争制度而起的别种无用物品之类。每个工业的行会对于他所发明的新物品或他所引用的新法子如果能够享有全部或一部的专利特权至若干年之久，则大家对于技术的进步，必竭力奖励，这是一定的。一个发现家或发明家的生涯是很有趣味的：就现在的情形而论，一般操这种生涯的人大概不起于经济上的动机，多由于他们的事业，富于趣味，而他们心中又存有一种享荣誉的希望；这种动机在将来必比现时更加发达，因为没有几个人会再被经济上的必要所遏制，不能从心所欲。在一个世界中，如果人类的本能不和现在一样横被阻遏，他们生活上的快活更大，他们的生气也因此更盛，那么，他们的才智一定更敏锐，更富于创造力，这是毫无疑义的。

现在还剩了一个人口问题要讨论的，自从马尔萨斯的时代以来，这个问题就是一般不表同意于一个更好的世界可能之人最后的护符。但是现在这个问题和百年以前大不相同了。在各文明国中，人口的出生率逐渐下降，这种趋势无论采一种什么经济制度，一定是会继续下去的，有了这种趋势，又加以战争的影响，则西欧的人口似乎不敢十分超过现在的等级以上，而美国人口的增加似乎只由于移民的关系。在热带地方之黑种人的人口或将继续增加，但是这桩事对于温带地力（方）的白种居民未必是一种很重大的恫吓。自然还有黄祸，但是在亚洲的各民族中，当人口问题开始变成重大问题的时候，人口的出生率也将逐渐下降。如果不是这样，也有别的方法来解决这个问题。无论如何，要慎重的把这桩事当作我们的希望之障碍物，实未免太武断。我的结论是，我们对于人口问题虽不能有一种确实的先见，然以人口可能的增加当作社会主义重大的阻力，实无妥当的理由。

我们所讨论的事件已经使我们相信构成社会主义和无政府主义的共产主义之特别教义的土地和资本共有制对于除去现今世界所受的恶，和创造各仁人君子所愿意实现的社会，是一种必要的步骤。但这种步骤虽是必要的，然单靠社会主义是决不够用的，社会主义有种种样子：那种以国家为雇主而使做工的人领受工银的社会主义，实含有专制和阻碍进步的危险，这种危险能力所及之处，甚至于使国家比现制度还要坏些。反之，无政府主义虽免去了国家社会主义的危险，他自己也有种种危险和困难，因此在一种相当的时期中，他就是见诸实行了，恐怕也难得长久。然这种主义是我们愿意极力趋近的一种理想，我们希望在一种久远的时期中，能够完全达到他的面前。工团主义也有无政府主义的许多缺点，他和无政府主义一样，现在都是不稳固的，因为他如得势，一定即刻自觉得一种中央政府是必要的。

我们所已主张的制度，是一种行会社会主义倾向无政府主义的程度或更较正式行会人所完全认可的为甚。一般政治家通常所忽略的事件——科学，美术，人间的关系，和生活的愉乐——是无政府主义所极力注重的，我们多少加入无政府主义的提议，如"游士的工银"之类，主要就是为这些事件的缘故。凡对于一种社会制度，至少应当以他在经济及政治以外的效果，和他在经济及政治以内的效果，同时并重，加以评判。假如社会主义一朝实现，大家重视，并且自觉的从事于非经济的事业，将只见为有益。

我们必要求的世界是一种世界，在这种世界中，人类创造的精神是活泼的，他们的生活是一种富于快乐和希望之进取的生活，而这种进取心是基于建设的冲动，不是基于保持自己所有物或袭据别人所有物的欲望。他必是一种世界在他里边，情感有自由动作之余地，爱情是除去喜欢揽权之本能的，而幸福和创造生活，予生活以知识上乐趣之种种的本能自由发达，是已经驱除了残暴和嫉妒之心的。这样的世界是可能的；只待人类愿意去创造，他就会出现。

这当儿我们所生存的世界是有别的目的的。但他定将消灭焚化于他自己热烈的欲火中！从他的灰烬里将生出一个富于新鲜希望，晨光满目的新而青年世界。

这种稿子本是吾友李懋猷所译，经吾对原文草草改了一过，所以与原译有些不一样。说明，以明责任。

张崧年。十月十七

（第八卷第三号，一九二〇年十一月一日）

到工团主义的路

〔英国〕哈列(J. H. Harley) 著　李　季　译

工团主义是在工联政府之下,由各工联的行动去实现一种幸福时代的方法,而他所根据的基本说,是为工界或第四阶级保持正义唯一的法子,在乎工界自己独立的和强迫的努力奋斗。

工团主义的界说既是如此,故他出现于世界文明之中,在比较上,只能在一种很后的时期。在人类史上早前好些时代中,我们对于一般耕作纺织者的生存状况,几乎毫无所知。不平等是原始社会中一个显著的特点。当石器时代之际,那些大猿一样的土豪,筋肉既强壮,爪牙又锐利,他们使用严刑酷法,统治一般弱小的同胞。到了后来,一班神秘的人物,和行妖术的人,藉保持各种可恐的仪式之力,造成一种鬼怪的特权。无论在什么地方,总是少数人为治人者,大多数人为被治者,故我们在精细考究工团主义之先,对于大多数被治者或第四阶级,知道公然联合,并且敢称他们的生命为自己的所有物这种进程中各时期的事实,必须略微懂得一点。

当人类初有历史的时候,第四阶级努力工作,劳苦终身,而他们的事业是湮没不彰的。他们做工时的工具极不完备。他们当被暴虐的监工人强迫去建筑一个国王的陵寝之时,多因此丧命,恰和朝生暮死的昆虫一样。古代东方各帝国劳动者的呼声间或也遗传下来，达于我们的耳边，下面的苦情话是从马斯波罗（Maspero）的书中抄下来的，这是三千年以前的事："我看见一个冶工正当着火炉之前做工。他的两手非常粗糙，好像鳄鱼的皮一样。在家内有一个织工，他的命运比一般妇女的命运还要更苦些。他的两膝和他的肚子成一水平线，他不能呼吸新鲜空气，如果他有一天没有做完曾经配定的工作，他就要受羁束，和湖中的荷梗一样。直立不能移动。他只有赂通一班狱卒，才能够希望重见天日。"一个人只要领略了这种活现的记述所描写的种种恐怖，便知道在那个时代要找出一条到工团主义的大路，简直是不可能的。在亚西里亚（Assyria）的商业帝国中，奴隶可私有一定分量的财产，并可和他们的主人交接，但是在别处地方，一般对敌的酋长互相雄长，互相侵伐，把第四阶级当做粪土，任意践踏，毫不顾惜。

在斯巴达（Sparta）国内，政府当局恐怕奴隶（Helots）的势力逐渐增加，将预先想像一种工团主义，故于一定的时期之中加以残杀。雅典（Athens）的民主主义久已成为许多严格的共和主义思想家之理想，然就是在此处地方，还是把多数人陷于奴隶的境遇。而使少数人享自由的幸福。柏拉图（Plato）曾默想一种理想的社会，但他以为人类不是自由的，和平等的，他以为人类好像是由各种不同的金属造成的——有些人是金子造成的，有些人是银子造成的，但还有些人是顶劣的金属造成的。西色罗（Cicero）做了好些如火如荼的演说词，可以传之后世，但是在罗马庞大的住宅里面，大多数居民生死于罪恶，拥挤，饥饿，和瘟疫之中，情状甚为可怜，西氏却不大提及。暴动和革命的纷乱——近世工团主义者于此将点头称许——是第四阶级使古代历史家知道他们的生存状况唯一的方法。斯巴达卡斯（Spartacus）译者按斯巴达卡斯原是诸列斯

（Thrace）人，因率队远征，被房，并被卖于罗马一个教角斗的人为奴。他力劝各奴隶起兵恢复自由；他们遂于耶稣纪元前七十三年在罗马发难。两年之间，屡败罗马军。后卒为罗马军所败，斯氏亦被杀。叛乱惹起布鲁达克（Plutarch）的批评，但是生在斯巴达卡斯以前而备受痛苦，不为人所知的角斗者（Gladiators）不知道有多少啊？当卢先（Lucian）将他的精神沮丧和秩序紊乱的群众带到斯提克斯（Styx）河之际，他看见众人都哭，无法制止，他只能使一个贫穷的补鞋匠非常安静。这个补鞋匠没有什么东西恐怕失掉。等到亚洛薄斯（Atropos）初次的号令一发，他就欢天喜地跳上来了。麦曲列（Mercury）向他表示一种意思，说他应当出一点眼泪，说几句悲悼的话（你要知道，这就是从俗），于是他就尽力说了几句悲哀的话如下："唉，我的皮条啊！我的旧鞋啊！可叹！可叹！我自早朝至晚上，将不致再没有食物充饥，我在整个的冬季中将不致再没有鞋穿，没有丰足的衣服遮蔽身体，当着严寒，牙齿乱战起来！唉，可怜啊！谁将承袭我的旧钻子和皮刀呢？"和古代这个补鞋匠一样的工人差不多不是与现在工团主义者一同体质的人。

耶稣教兴起和发达的时代，是第四阶级运动中一个可纪念的时代。帝斯曼（Deissmann）和别人的研究已经指出《新约全书》（*New Testament*）——除掉《希伯来》一章以外——是用人民的土话做成的，并且起首信仰这种新宗教的人直接出于贫民的社会中。我们在这部书最早的一封信中——第二次致撒萨罗尼亚人书——看见一句话，很足以表示一种工团主义的幸福时代——如果一个人不喜欢做工，他就不应当得食。这部书于世界末日的神话对于人民的权力，也有一种适当的说明。在耶稣纪元的早年各种协会，盛极一时，这是丝毫不错的。这桩事还须详细调查，不能以现在已经知道的为已足。当时一定有好些工人秘密会的存在,而这些会因和耶稣教结合,遂使后来的职工会(Craft guilds)和早前的工联(Trade Unions)之仪式,都带着宗教的性质。

耶稣教虽要求"应没有什么犹太(Jew)和希腊(Greece)之分,应没有什么束缚和自由之别",然这种新宗教却没有即刻摇动当时存在的奴隶制。当罗马帝国衰微的时候,在实际上唯一的大变迁就是,土地问题在经济史上成为一个主要的问题,而一班替战胜者耕种土地的奴隶——有时他们就是真正的土地所有人——从奴隶(slave)一变而为田奴(serf)。一般喜欢看司卞特(Scott)的小说之人,当记得他对于撒克逊田奴格慈(Gurth)之历史的叙述——格慈的皮制短衣,他的猪皮带绑着的草鞋,他的暴露出来的头颅,他的颈上戴着的铜圈,并刻有下面那些字:"格慈是俾阿威尔夫(Beowulph)之子,为罗截屋德(Rotherwood)的塞德里克(Cedric)之奴隶。"

在最近一班调查中古奴役的人中,有好些人对于讨论田奴的困苦,有一种逐渐减轻的倾向。凡田奴可以被主人卖给他人,但是主人却不大行使这种特权。田奴负有贡献物品的义务,并且在法律上有许多地方成为一种无能力的人,但是后来的风俗习惯却将此等义务和无能力之事加以严格的限制了。中古的田奴和古代大队的奴隶互相比较,便显出第四阶级的状况略微改良了,这是毋庸怀疑的。但是如果说中古的田奴自己能够开始为拯救自己的运动,那就未免言过其实了。他们在一处地方出生,就只能栖息于那处地方。他们负有供给主人所诛求的物品之义务,此等诛求无论如何严格为风俗习惯所限制,然若应用于每桩事上,便繁琐苛刻,使他们不堪其苦了。他们若派代表到封建主人那边去申诉待遇的不良,他们的主人就将那些替同胞诉苦之良民的手足砍断——当十世纪之末，这桩事真正发生于诺曼德（Normandy）——以为报复之计。法国的《如卢小说》（Romande Ron）中有一段有名的叙述，后来遂称为千年的马塞列国歌（The Marseillaise of the year 1000）。当日的田奴曾大声疾呼道，"把我们从繁琐的专制之下解放出来啊，我们也是人类，恰和我们的主人一样；我们也有四肢，恰和他们一样。我们受苦的限度，只能够和他们一样，我们也有一个心脏——我们的心脏是温和的，是真实的"。我们在此处看见一种精神，可以构成一种工团主义的运动，但是他没有工团主义所必须之结合的能力。

一直到了十四五世纪，我们才看见那些职工会，有一点倾于工团主义运动的趋势。当十四世纪的时候，一般短工或自由民（yeomen）起首组织团体借以拥护他们的权利。这种团体的组织指出在特别的工人阶级之中，有了一个裂口——这就是佣工或地位较高的工匠和普通工人之冲突。那些短工互相联合拢来，保护他们的特别利益，如工作时间和工价之类，他们因劳动问题遂从各方面和主人宣战。雇主所组织的团体和佣工所组织的团体互相争斗，这桩事在西欧蔓延很广，但是在德国所起的争斗比较在法国或英国所起的争斗，愈加显著。当十五世纪的时候，这种争斗真正是德国工业生活中主要的特点之一。英国的佣工团体经过一次争持完全独立之后，似乎是陷于雇主公会（Masters' guilds）的监督和管理之下了；换一句话来说，他们的团体变成旧职工会（old craft fraternities）之辅助的或联合的机关了。（见《大英百科全书》）

我们在第四阶级之中似乎发现——至少在德国是如此的——一种十五世纪工团主义运动的倾向。从那个时候起，在好些职工会的学徒中，即有一种组织，并具一种精神，到了十九世纪，这两种东西都达于成熟之期，遂有一种结果，这是显然无疑的。一班工人因为他们做长时间的工作，又因不得已而屈服于不堪忍耐的情形之中，遂激而生怒。一千五百三十九年，在里昂（Lyons）的印刷工人同盟罢工，那些学徒陈述他们的事件，词锋是很锐利的，语句是很有力量的。他们说，"我们的主人过了很快活的日子。他们躺在铺中，非常安逸，而瑞士，德意志，和意大利的学者又群集市中，讲演自己国内的风俗习惯。他们听得好些很有趣味的故事。他们听得好些外国奇怪的故事。但是我们呢，——我们对于这些好事情简直没有份啊！我们做奴隶，从早晨两点钟起，一直到晚上八九点钟才止，我们的主人现在是伟人，是富豪，所以不能来到工厂中，站在我们的旁边看一看这种情形。"

然在世界史上，这样的罢工要想成功，时机未免还没有成熟。在里昂地方，主人阶级和学徒阶级的界限隔离虽很远，然有一桩事情尚没有严格的限制。凡学徒仍然可希望变成一个工人。而一个前程有望的工人可向他的主人的女儿求婚，到了结婚之后，他的手中，就拿着一个宝贝了。此外，大家还须记着，当时不和现在一样，却没有民事执行官以严刻的手段，去助长法律的威风。也没有警察去执行当时各种势力的命令。当里昂的印刷工人同盟罢工之际，他们起初觉得他们能够和市中民事上的势力相对敌。他们攻打一班没有罢工的人，抵抗市长和他的巡查，而国中的军事执行官，当纷乱的初期，也没有干涉的意思。但是当他们几乎要饥死而仍然倾于抵抗的时候，法王的长吏遂决意把他的威风显出来。他强迫他们回去作工。禁止他们五个人以上集合开会，干涉各种独占和联合之事，并且限制他们携带武器及加横暴于没有罢工的人。既是如此，里昂印刷工人后来的景状比初时似乎定要更坏一点。

职工会运动的目的既在乎工团主义这一类的事情上,因此遂失败了。在第四阶级中,想要有一种强有力的结合,第一须有完全的结社自由;第二在主人和佣工之间须有一种固定的大界限;第三社会的现状须安宁,而公理须有战胜强权的希望;第四无产阶级的大聚合须集在纯粹工人所居的中心点;第五工人中间须有少数有学问和有思想力的人。这些条件在十五世纪和以后几世纪的职工会运动中,没有一条是完全备具的。这种运动和势将歼灭他的经济上之大势力宣战,虽没有什么效果,却也支持一时。在各大市镇里面,职工会一时成为工业中一种不可免的附带物。但是到了十六七世纪的时候,职工会运动的运命显然就要告终了。工业的新组织遂成为一桩不可免的事实了。"个人的自由"和"自由竞争"就是当时的格言。一个在工厂中的工人要想有一天能成为一个自由独立的人,便觉得毫无希望了。故十九世纪一经开幕,职工会的时代就过去了,而第四阶级遂不得不组织工联,这种机关虽含有好些旧职工会的特点,然和早前的活动完全相异的要点,加入的也很多。

十九世纪在一个大著作家卡乃尔（Thomas Carlyle）的眼中是一种革命的时代,卡氏是第一个发现这种时代之工团主义精神的人。各种旧障碍物一概除去了,各种旧禁令都为人所深恶痛绝,而向来的特权也成为过去的历史了。人类的衣服都剥去了,他如初生时一丝不挂,站在他的兄弟的面前,任其用电光似的睛眼注视。他当从事于新结合;他当寻找新的依赖物。他起初自然不能十分成功。"支付现金"就是"人类中唯一的义务",这并不是一种理想上的事情。这位有天才的苏格兰农夫卡乃尔听见机轮的轧声继续不止,便知道他的好几千亲友戚族都关在令人讨厌的工厂里面。他遂用他自己特别的语法问道，"你听见一个曼切斯特（Manchester）城在礼拜一早晨五点半钟就醒了么？他的几千工场的轰声和大西洋的怒潮一样啦，好几万线轴纺锤都在那里营营地叫啦。"他后来听了这种声音，心中就带厌了，他在少年的时候，反复诵读格特（Goethe）的《威特》（Werther）和协列（Schiller）的《强盗》（Robbers），借以鼓舞文学上的兴趣，以为他的革命的呼声之助。

我们曾经说过，一种有效力的工团主义运动须具有几种必要的条件，此时这些条件中已有实现的，而卡乃尔的著作更把他明白宣布出来了。工业革命使人民集合于新的人口集中点。普通知识的发达，遂使有思想力的工人互相结合，成为一种工人贵族。在雇主和佣工之间，界限很分明，佣工要想向主人的女儿求婚是不可能的，而他们且以单纯无变化和前途无希望的苦工终身。近世所称的国家此时正在创造之中，社会制度颇为复杂，而公理战胜强权的倾向也愈加显著了。当十九世纪的初期，工团主义运动所必须的条件有三种正在酝酿，而此时所需的是完全的结社自由，有了这种东西，第四阶级便可自由组织工联或工团，以为工界新运动的出发点。

一直到十九世纪已经过了二十年，这种结社的自由才大概实现。德国此时还是限制工人结社，法国的工联到了一千八百八十四年才得到一种保证自由的宪章。一千八百年的英国条例（The British Act of 1000）规定，无论何人，如果联合别人，要求增加工资，或减少工作的数量，或以别种方法挟持从事制造或经营商业的人，可以被控于治安判事之前，并可以被拘于普通监狱中，以不超过三个历月（Calendar month）为限，或是被放在改过院中做苦工，以两个历月为限。至一千八百二十五年，工界所受的压迫略微改正了一点，凡以"磋商和议决工价为唯一目的"的会议，只要那些和这种会议的方针不同的人，不加"干涉"或"阻碍"，都认为合法。这种改正案对于工联的前途，并不是一种很大的鼓励物，不过此时工联的概念至少也是可能的，而一般工界领袖都转而希望英国树一个将来真正无产阶级运动的模范。

一千八百四十二年，马克思（Marx）在伦敦（London）一个劳动会中演说，他说："雇主和工人间的对抵，在英国极为发达，故社会中这两种阶级激烈的战争在此处是万不能免的。这种冲突将在英国开始，到结局，民主主义将得到普遍的胜利。欧洲民主主义者的成功，就在英国民权主义者的胜利。"（见马克思和恩格斯的《共产党宣言》）当时代向前推移，就证明这种预言有须改正之处，但是马氏说这种话时的自信力，足以表示当时英国为新劳动运动中有希望的地点所达之限度。工联在别国内是一种秘密的结社，并且于办理时有种种神秘的仪式和信条。这种机关在英国可以于政府和大群的国民前公然出现。故马克思和恩格斯（Engels）于一千八百四十七年草《共产党宣言》（The Communist Manifesto）之际，特于书中指出那种夹着许多中等阶级奸徒的秘密结社之时代，已经过去了。将来工界可以自由组织工联，不受丝毫限制。《共产党宣言》说："工界除掉自己身上的锁链子外，没有丝毫损失；但是他们所得的就非常之多啦。"如果英国没有一个先例，做这种宣言的人决不能显出这样洋洋自得的兴致。

到工团主义的路现在是开通了；但就是在第一章中也必须声明一下，十九世纪后半期的劳动运动并不完全向着工团主义的方向走。大概说起来，工界的"活动"有三种主要的方法——第一是政治的方法；第二是协作的方法；第三是工团主义的方法。我们起初如果略微分清了这三种方法,读到本书的后面,将愈加明白了。

在劳动界活动所表现的各种动作中,大概政治运动在公众的眼前,极为显著。这种运动除掉在英国外从没有直接依赖工联的组织,他虽是由一种"阶级战争"的观念而成立的,然他对于中等阶级的人之加入,却不拒绝。但无论在何处,这种运动也是基于集产主义的经济学说,这种学说为比人恺撒(Caesar de Paepe)于一千八百六十年以后的几年输入国际工人协会,并且有一种进步,因为大家都更懂得近世国家的重要和政治上的影响。工团主义于传播时大都直接反对政治的劳动运动。他赞成国民的直接运动,不赞成近世民主主义的代议政府。他喜欢使用暴力,没有讨论和争议的忍耐性,这种性质是近世政治思潮中的特点。他不是主张集产的,因为他把国家当做一副政治的机器,更疑国家只顾别种阶级的利益,不管工界的利益。工团主义的战争是一种坚持到底的战争,因为没有一种国家一样的最高权力,能够在两敌之间,担任裁判。工团主义政府的单位是工联,而工联除掉拒绝雇主以外,听一般工人自由加入。工团主义的眼界是以国际为止境的,因为工联的组织是普遍的,远过于一个特别国家的疆界或政治范围之上,在政治的和工团主义的大劳动队伍中,似乎有无数复杂不同之点;然在实际上,这都可以说是起于一桩很大的和显著的事实,就是,集产主义所依靠的是特别的国家,而工团主义所依靠的是普遍的工联。

就工团主义和协作运动加以区别,不是一桩容易的事体。协作者和工团主义者一样,定要将工业——生产的和分配的工业——归工界联合会管理,而每一个工团主义的理论家以为在社会革命的初期,当大大地借助于协作者。然到了后来,据工团主义者的意见,凡现在的协作社会所做的事体,工联将来都能够做;所以他就判断协作在本质上是一种过渡的和有止境的运动。协作没有工团主义之战斗的或强迫的精神。协作所遇之工业革命中对抗的势力,没有达到工团主义所遇的那种程度;工团主义的理论家对待主张协作者的态度,虽不像他们嘲笑社会主义的大政治首领一样,然他们却以为他和他们自己特别运动的领袖相比较,只占得一个次等的地位。

(第八卷第五号,一九二一年一月一日)

少年的悲哀

〔日本〕国木田独步　著　　周作人　译

"少年的欢喜倘是诗,少年的悲哀也是诗。宿在自然的心里的欢喜若是可歌的,那在自然的心里低语的悲哀也是可歌的了。

"总之我现在想将我少年时候的悲哀之一,讲给诸君听听。"……一个男子这样的说。

"我从八岁起到十五岁止,养在叔父的家里;其时我的父母都在东京居住。

"叔父的家是那地方的一个大家,有许多山林田地,家里的男女佣人,平常也总有七八人。

"我的父母使我在乡村里过了我的少年时代,我不得不感谢他们的好意。倘若我八岁的时候同父母一起住在东京,我今天的情形恐怕很要不同了罢。无论如何,我的知识即使比现在或者更要进步,但我的心却未必能从一卷威志威斯(Wordsworth),享受高远清新的诗思罢。

"我在山野间随意奔走,过了七年的幸福的日子。叔父的家在小山的脚下,近郊多是树林,有河有泉有池,而且相距不很远便是濑户内海(Setonaikai,即日本内海)的湾港。山野,树林,溪泉,河海,都于我没有一点不自由的地方。

"我记得这是十二岁的时候。有一天,一个名叫德二郎(Tokujiro)的佣人来约我,说今夜带你往有趣的地方去玩,去不去呢?

"'什么地方呢?'我问。

"'你不必问什么地方。无论哪里,都有什么要紧呢?阿德带你去的地方,没有不有趣的。'德二郎微笑着说。

"这德二郎在那时大约二十五岁,是一个倔强的少年。原是孤儿,从十一二岁的时候起,便在我叔父的家里做事。颜色浅黑,容貌整齐,喝了酒必定唱歌,便是不喝也唱着歌劳动,兴致总是很好。不但他的样子常是高兴,便是他的心事也很正直;叔父常说在孤儿里是很难得的,本地的人也没有一个不佩服他的。

"'但是对叔父和叔母,须得秘密才好呢。'德二郎说了,便唱着歌爬上后山去了。

"这正是盛夏中间,月色鲜明的一夜。我跟在德二郎的后面,来到田间,沿着稻香馥郁的田塍走去,走上河边的堤上。堤比别处原要更高一级,所以上了这堤,便可以望见广漠的田野的一面。这虽然还是黄昏时候,高寒明净的月光,漫盖山野;田野尽头冒着薄霭,如在梦里;树林含烟,仿佛浮着一般;低的河柳叶尖的积露,珠子一样的发光。小河的末尾便是湾港了,正满涨着晚潮。用船板拼合了驾着的桥,这时候看去忽然觉得很低,便因为水面高了的缘故;河柳也一半浸在水里了。

"堤上虽有微风,河里却毫没有波纹,水面像镜子一般,映出澄清的天空的影。德二郎下了堤,解开系在桥下的小船的绳索,一脚跳下去;本来静着的水面,这时候忽然起了波纹了。

"'哥儿,快点快点!'德二郎催着我,便驾起橹来。我急忙也跳下船去,不一刻这小船已向着湾港的方面溜下去了。

"渐渐的同湾港相近，河身也渐渐的广阔起来；月将他的清光浸在河面，两边的堤愈走愈远，回顾上流，已经被薄霭遮掩，我们的船早已进了湾港了。

"在这时候横渡这湖一般广阔的湾港的，只有我们这一只小船。德二郎在今夜，不像平常的高声，只用了小声唱着歌，静静的摇橹。退潮的时候差不多像沼泽一样的湾港，现在因为高潮与月光，完全变了模样，在我看去也觉得不是平常见惯的那泥臭的湾港了。南方山影，阴暗的倒映在水里；东北两面的平野上，月光苍茫，更辨不出哪里是水陆的界线；我们的小船，正向着西方前进。

"西方是湾港的入口，水狭而深，岸促而高；在这里下锚的船数目虽然不多，形状大抵是西洋式帆船，所装的货物是此地出产的食盐；此外本地的做朝鲜贸易的人所有的船舶，也颇不少，也还有往来内海的客船。两岸的人家，高高低低，居山临水，约有好几百户。

"从湾港的内部望出去，舷灯高高的点着，几乎疑是星光；灯影低低的映着，又像是金蛇；寂寞的山色，浮在月影里，看去真同绘画一般。

"小船渐渐前进，这小港里的各种声音也愈加听得清楚了。我现在虽然不能将这港的光景详细说明，但是那夜的情形还是历历的在我眼前，可以说个大略：这是夏夜的月明的一晚，船里的人都走到甲板上，家里的人走出门外来，临海的窗户也都开了，灯火在风中微漾，水面平滑如油，有吹笛的，有唱歌的，又有夹着三弦的音的喧笑的声音从临水的妓楼起来，很是快乐热闹的样子；但包住这一幅繁华的画图的寂寞的月色，山影与水光，我却也不能忘记。

"在帆船的影底下钻过去，德二郎便将小船在一处阴暗的石级面前停住了。

"'请上来罢!'德二郎对我说。他只在堤下说了一句'请下船罢',以后在船里不曾开过口,所以我毫不知道他为什么带我到这里来;但我也就依着他的话,出了小船。

"德二郎系了船索,也跨上石级,尽向前面走去,我也不作一声,只跟在后面走。石级宽不到三尺,两旁都是高的墙壁。我们走完了石级,似乎到了人家的一个院子里了。院子的角里放着太平水桶,四面用板壁围着;一面的板壁上边,露出繁茂的树顶,似乎是一株香团树。月光印在地上,寂然无人。德二郎暂时立定,仿佛静听模样,随即走近右边的板壁,向里推去;原来这里是一个小门,那扇黑门便一声不响的张开了。门里面就是一座楼梯。门开的时候便听得有脚步声悄悄的下那楼梯来,'德爷么?'一个年青的女人窥探着说。

"'等了好久了罢?'德二郎对女人说,又回顾着我道,'哥儿也带了来了。'

"'哥儿请上来罢!你也快点上来,在这里耽搁是不行的。'女人催着德二郎,他便走上楼梯去,只对我说了一句,

"'哥儿,这里暗呢。'他同女人已经上了楼,我没法也只得跟着爬上暗而且狭,又颇峻急的楼梯去。

"原来这家也是妓楼之一,现在女人引导我们进去的屋子是临海的一室,凭栏望去,不但港内的情形,就是湾港的内部,田野的尽头,以及西边的海岸,都能看见。但是这间屋里,铺着的六张席子已经古旧,看去不像是一间华丽的屋子。

"'哥儿,请这里坐。'女人将垫子掷在栏杆底下,又拿了香橙与各种果子点心劝我吃。打开间壁的门,那边预备着酒菜;女人便搬了过来,同德二郎对面坐下。

"德二郎现出平常没有的懊恼的样子,将女人所酾的一杯酒一口喝干了,注视着伊问道,

"'终于决定在几时了?'

"这女人大约十九或二十岁的模样,脸色苍白,仿佛一点没有力气,我看了几乎疑心伊是病人。伊屈指数着说:

"'明天,后天,大后天;决定在大后天了。但是,我到了此刻,又有点迷惑起来了。'说着垂了头,偷偷地用袖角揩眼;德二郎在这时候独自酾酒,尽量地喝下去。

"'到了此刻,岂不是没有法子了么?'

"'这虽是如此,——但想起来觉得倒不如死了,却要好得多呢。'

"'哈哈哈,……哥儿,这个姐儿说死了好,你看怎样办呢?——喂,喂,前回所约的哥儿现在带来了,你不好好的看么?'

"'我从先便看着呢。心想这长的真像,正佩服着哩。'女人说了,含笑向我注视。

"'像谁呢?'我急忙询问说。

"'像我的兄弟,……说哥儿和我的兄弟相像,虽然是唐突的事,你请看这个。'伊从衣带中间取出一张照片给我看。

"'哥儿,这个姐儿将照片给我看,我说这同家里的哥儿一般无二,伊托我一定带来要看一看,所以我今晚带了哥儿到这里来的;你非要教伊好好的款待不可呢。'德二郎说着话,还只是尽量喝酒。女人挨到我的近旁来,很和气的微笑着说,

"'那自然要好好的款待;哥儿你要吃什么呢?'

"'什么都不要。'我说着,转过脸去。

"'那么,坐船去罢,和我坐船去罢。呃,这样好罢?'伊起身出

去,我便也跟着下了楼梯,德二郎却只是带笑望着我们。

"走下前回的石级,伊先将我放在船里,解了船索,随后飒的跳下船来,很轻便的摇起橹来了。我那时虽然还是儿童,看了伊的举动,也不禁觉得惊异。

"离了河岸,回头仰视楼上,只见德二郎靠着栏杆,向下眺望;里面点着灯,外面又受了月光,所以他的姿势很分明的可以看出。

"'小心!怕危险呢。'德二郎从楼上说。

"'不要紧!'伊从下边答应。'立刻就回来的,请你等一会罢。'

我们的船暂时在六七只大船小船的中间,曲曲折折的行了一刻,便出到广阔的河面。月光愈加清寒,几乎是秋夜模样;女人停了橹,坐在我的旁边,又仰视月光和四周的景色,对我说道,

"'哥儿,你几岁?'

"'十二。'

"'我的兄弟的照片,也是十二岁的时候照的;现在是十六……是的,虽然十六岁了,但是十二岁的时候分别之后,便不曾会见过;所以到了此刻还觉得他是哥儿一般模样呢。'伊注视着我的脸,忽然伊流下泪来,在月光底下显得伊的颜色更加苍白了。

"'死了么?'

"'不,倘若死了,倒也就断念了;分别以后,还不知道他的下落与情况呢。两亲早已死别,只剩了姊弟两人,正是互相靠傍着过活,现在却又分散了,连生死还不明白。而且我不久也要被人带到朝鲜去了,恐怕在这一生中已经不能再会了。'伊的眼泪沿着面庞流了下来,伊也并不揩抹,只望着我的脸低声啜泣。

"我向着河岸眺望,不作一声,听伊这番说话。人家的灯火映

在水里,闪闪的摇曳着。缓缓地响着橹声,太传马船开驶过去,船上的男子用了清亮的声音唱着船歌。我在这时候,觉得在我幼稚的心里感着说不出的悲哀。

"忽然有人操着小船,飞奔而来的,却正是德二郎。

"'我拿了酒来了!'德二郎在一二丈以外大声地说。

"'好呵!我正同哥儿讲我兄弟的事,哭着呢。'伊正说着,德二郎的小船已经到了。

"'哈哈哈,我也正想大概是这样罢,所以拿了酒来了。喝酒罢,喝酒罢!我给你唱歌!'德二郎似乎已经醉了。女人拿了德二郎给伊的一只大酒杯,注了满杯的酒,一口气喝下去。

"'再一杯!'这回是德二郎替伊斟满了;伊拿来又一口喝干,呼的将酒气对着月光喷去。

"'这就好了。现在我唱歌给你们听罢。'

"'不,德爷。我想尽量的哭一场。在这里没有人看着,也没有人听见,请让我哭罢。请让我尽量的哭罢!'

"'哈哈哈……那么,你便哭罢。我同哥儿两人看就是了。'德二郎对着我笑。

"女人俯伏着,哭泣起来。但是也不便发出大声,所以只见伊背上抽搐,很是痛苦的模样。这时候德二郎忽然变成一副庄重的相貌,看着伊的这情形,随后突然回过脸去,对着山看,也不作一声。过了一刻,我说道:

"'阿德,回去罢!'

"这时候女人连忙抬起头来,说道:

"'对不起,哥儿看着我哭,真无聊了。……我因为哥儿来了,仿佛已经得同兄弟会见过了的样子。哥儿,也请你健康,快点长大起来,成为伟大的人。'伊用了悲切的声音说。'德爷,时候太迟了,恐怕家里对不起,你早点带了哥儿回去罢。我现今哭过了,昨天以来的那种心里的闷气都已消散了。'

"伊跟了我们的船,送了三四町,后来被德二郎阻止,方才将橹停住;两只小船便渐渐的离远了。小船将要分开的时候,女人对我反复着说,

"'请你不要忘记了我!'

"以后过了十七年,直到现在,我还清清楚楚的记着当夜的情景,想忘记也忘记不得。那可怜的女人的容貌,至今还映出在我的眼前。这一夜里,淡霞似的包着我的心的一片悲哀,跟着年岁逐渐的浓厚起来;即在此刻回想起那时的心情,也感着一种不可堪的,深而且静的,无可如何的悲哀的情绪。

"以后德二郎因了我的叔父的帮助,成为像样的农夫,如今已经是两个小孩的父亲了。

"那个漂流的女人,转到朝鲜去之后,又漂泊在什么地方,过那不幸的生活;还是已经辞了这人世,到静肃的'死'的国土去了呢:在我固然不能知道,便是德二郎也似乎不曾知道了。"

国木田独步(Kunikida Doppo 1871—1908)是日本自然派小说家的先驱,他的杰作《独步集》在一九〇四年出版,但当时社会上没有人理会他,等到田山花袋等出来,树起自然主义的旗帜,这才渐渐有人知道他的价值,但是他已经患肺病,不久死了。《独步集》里的《正直者》(*Shojikimono*)与《女难》(*Nyonan*)等几篇,那种严肃的性欲描写为以前的小说所未有,的确可以算是自然派的旷野上的喊声;但他的兴味并不限于这一方面,他的意见也并非从左拉

（Zola）一派来的；他的思想很受威志威斯（Wordsworth）的影响，他的艺术是以都尔盖涅夫（Turgenev）为师的，所以他的派别很难断定，说是写实派固然确当，说是理想派也无所不可。现在所译的《少年的悲哀》（*Shonen no Kanashimi*）也是《独少集》里的一篇，颇可以看出他的特色。漂流之女的命运，原来很是明显；那高兴的少年的农夫，在他高歌大笑的中间，也隐藏着多少悲哀的痕迹。"他描写那些回避公开的不幸，他特别是服从命运的人们的作者。他描画沉默的悲哀之内面的生活，——便是说不幸者的静生活。"我想起丹麦勃阑兑思（Brandes）博士批评都尔盖涅夫的话，觉得独步虽然不能完全承受，却也不愧为都尔盖涅夫的真的弟子了。

一九二〇年十二月十日记

（第八卷第五号，一九二一年一月一日）

社会主义国家与劳动组合

〔日本〕山川均　著　周佛海　译

一　　劳农俄国的劳动组合

俄国的政权,由一九一七年十月的第二革命,完全归于劳动者和农民的委员会,于是苏维埃政府遂确立了;政府是极努力完成劳动组合的组织的,所以次年一九一八年一月,组合员有了二百五十万,再于一九一九年二月,有了三百五十万,一九二〇年四月的第三回全俄劳动组合大会的时候,遂到四百万人了,据全俄劳动组合的代表罗卓士起的声明,则该年八月时,已达到五百二十万人,这些组合,都是网罗从事于一种产业的一切劳动者的大产业组合,一九二〇年时,共有三十一个,由该年四月八日第三回全俄劳动组合大会的决议,遂减其数而为二十五。

这些组合,若就工业劳动者说,则先以大小工场为单位,而属于同一种类的产业的工场委员会,则组织以大小地方为单位的支部组合,这些属于同一产业的支部组合则相合而形成普及全国的全俄劳动组合,照这样组织成的二十五个全俄产业组合,更由全俄劳动组合大会而为全劳动阶级的集中,由大会选举全俄中央委员会,从大会到大会之间,则以这个中央委员会为全俄劳动组合的最高机关,组合的组织和构造,等到后节再说明,不过这里要说一下的,就是为劳农政治原则的"民主的集中"组织。也表现于劳动组合的组织上面,因为俄国的劳动组合,一方面虽行组织的集中,然而同时它的集中,不是从上面的官僚主义而行,乃是从下面的民主而行的。

第一回的全俄劳动组合大会,是在一九一八年开的,当时代表二百五十万左右的组合员,第二回大会,是在次年一八一九年六月十六开的,有代表三百四十二万人的八百七十九名议员参加该会,一九二〇年四月十六日所开的第三回大会里面,则有代表北至姆尔满斯克南至巴克地方的四百万组合员的一千六百名议员列席,波兰、芬兰、里斯亚里亚,没有派议员来列席,但是如巴克地方,当时是归英军占领着的,还排除英军的监视,竟列席这个大会。

二 "劳动宫"与组合运动的代表人物

旧莫斯科的贵族会馆,现在成为全俄劳动组合本部而叫做劳动宫,这个会馆的大厅堂,以前每于俄皇访莫斯科时,都为大宴会的会场,平素则为莫斯科贵族的夜总会和跳舞所,现在则成为劳动者的集会场所了,无论是可以容三四千人的全俄中央委员会,或全俄组合大会,或莫斯科劳动组合评议会,以及其余关于劳动组合的一切集会,都是在这里开,壁上的旧装饰都取掉了,而以表示社会主义共和国徽章和各劳动组合徽章的石膏细工来装饰,以前挂着拿破仑战役时代俄国将军像的地方,现在则挂着马克思和列宁的半身像。

全俄中央执行委员会的委员长杜姆斯起,乃是头发还黑的三十八岁的青年;他乃是石版工人,于一九零四年才投身于劳动运动,不久就被处十年徒刑,充到西伯利亚去了,戴着铁索劳动了四年,以后二三年间,则取掉了铁索,这个时候就逢着赦免归国了。

副委员长罗卓士起,稍为大得一点,他于一九零四年初下狱,第二年(一九〇五年)被处终身徒刑,充到伊尔库茨克去了,到伊尔库茨克的第二天,就逃脱跑往巴黎去了;在那里起初做运转手,后来做新闻记者和消费组合等,前后共劳动了八年,后于一九一七年回了俄国。

莫斯科劳动组合评议员会的委员长麦尔里羌斯起,也是今年才三十一岁的青年,初被逮捕时,是在一九〇四年,当时才十五岁,他设法逃脱,参加一九〇五年的禾特莎暴动,再被逮捕,但是再逃走了,此后又被捕,受了终身惩役的宣判,解到西伯利亚;但是到西伯利亚不久,又逃走了,改了姓名,出席于尼古拉地方社会革命党大会,遂又被捕了,监禁了十八个月之后,遂被处八年的惩役,又解到西伯利亚,但是又逃走了。跑到乌拉尔地方,后来因为发行秘密定期刊行物,又受了终身惩役的宣判,再解到西伯利亚来了,这一回遂完全逃脱,跑到美国去了,起始暂担任俄文的日刊新闻《新世界》的事务,后来遂为机械工而生活,在美国住的整个时期内,他是属于少数派的世界主义派的,一九一七年归俄后,不久遂为共产党党员了,这三个人,现在在俄国劳动组合运动里面,占着很重要的位置,就他们的人品、才干、阅历说,也是革命的劳动阶级的代表人物,此外在俄国劳动组合的中心活动的人物,大概都有这一种的阅历。

三　劳动组合的职分的变化

我们若看一看俄国的劳动组合，就可发现它和别国的劳动组合之间，机能和职分上有非常的差异，就是现在各国的劳动组合，是以对于资本阶级而战斗为主要目的的劳动者的阶级的组织，而俄国的劳动组合，已不是为战斗的机关，而有着劳动组合的另一职分——为新生产组织的基础的职分了。

劳动组合的职分，随着革命进行而起的这个变化，明白地表现于俄国组合劳动者的意识上面，一九一八年一月，莫斯科全俄劳动组合第一回大会的决议，特就这一点说道："把权力从有产阶级移归劳动者和农民的十月革命，对于一切劳动团体，尤以产业劳动组合，是造出完全的新状况的，在这个新状况下面，劳动者的产业团体，已不能当做劳动者因为卖自己给雇主而战争的前卫队了；像以前一样的买劳力的雇主，现在已不存在了，所以聚集罢工基金和组织同盟罢工等事，对于组合，已是不必要的了。"然则劳动组合在这个新状况下面的职分，究竟是什么？上述的决议答道："组合现在要把全力转向经济改造的方面"，该决议就资本制度之下的组合和现在的组合的职分差异说明道："俄国现在产业的劳动组合，是从事于一产业的一切劳动者的永久的团体组织，而为无产阶级独裁组织的第一基础……就是现在的产业劳动组合，把它的主力转向经济组织的领导，而参加劳动者以再建社会于共产主义的基础之上及废止社会的阶级为目的之一切努力，协力进行，这个协力，是以下述的形式而进行的：

（一）一般协力在共产主义的基础上面，组织生产；

（二）复兴因战争和国内的危机而破坏的生产力；

（三）配置和算定全国的劳动；

（四）组织都市和地方之间的交换；

（五）实行义务的劳动；

（六）帮助政府，以谋食物的供给；

（七）帮助解决燃料缺乏的危机和其余的种种难问题；

（八）给赤卫军的编制以一般的助力；

（九）拥护劳动者的经济的利害，同时和个人主义的倾向战，且和因为没有知识，还把现在无产阶级的国家当做往时的雇主一样看的一部劳动者的浅见战。

照这样就和该决议所指摘的一样，"劳动组合之间正在发生的某种作用，就是变这些组合而为社会主义国家的部门（department），同时为劳动组合的组合员一事，乃是属于该部门的产业的一切劳动者对于国家的义务。"

第三国际共产党的委员长琦诺维埃夫注释这个全俄组合大会的决议道："全俄劳动组合大会这样的确信，乃是基于事实的、产业的劳动组合，渐渐占得为国家的诸部门的性质和职分，这些组合，或动员它的组合员，或集中劳动者于某都会，或把劳动者从一地移往别地，或票决工银问题，更由它的代表而左右国民经济最高委员会的行动；它乃是当做国家的一部门而活动的……"一九一九年六月的第二回全俄劳动组合大会的决议，更把上述的决议确定了，他道：

……俄国的无产阶级，于资本制度崩坏之后，负担了建设新社会主义的俄国的任务，他们于还在斗争和征服的时候，已渐渐转向建设的事业,就是转向掌握全国的经济管理的一切机关,由此而巩固无产阶级独立产权的建设事业。

为劳动组合所组织了的无产阶级,成为社会主义的革命的前卫队,组合乃是革命的基础,但是这个组合,现在立在要解决最纠纷的问题的地位来了。就是组合现在担任一切经济事务的管理了……

我们在第一回大会上,不过只能说产业的管理和整理罢了,然而在第二回大会上,我们可以列举已由劳动阶级自己的努力,在产业的领域内所行的组织的结果……

第二回劳动组合大会,于九天的会期中,解决了俄国劳动组合运动的各根本问题,更精密地定明了无产阶级国家内的劳动组合的位置,更具体地确定了行政上的各机关(尤以劳动人民委员)和劳动组合的相互关系。

此外如劳动时间及工银的规定,劳动对于危险的保护,社会的劳动保险,生产的编制,劳动者的工场管理等问题,都以过去一年间的经验为基础而解决了。

俄国劳动组合,突入了无产阶级活动的新时期,组合已向着实际上的问题,实行采用了的决议和原则,就种种方面的事业,都取唯一的方向而前进,这就是更为切适地协力以树立无产阶级俄国的势力。

为全俄劳动组合中央委员会的一人,去年秋天代表俄国组合访问德国组合的罗卓士起,当时和《赤族报》的记者会见时,也说了这样的话:

劳动组合的职分，于十月革命以后，明明变化了，它已不是对于有产阶级和他的国家的斗争机关了，为什么事？因为这两件东西现在都已消灭，俄国的国家，已成为劳动者的国家了，所以劳动组合，现在有着性质完全不同的任务，例如决定劳动报酬的金额和效率，也就是其中之一，劳动人民委员对于这件事，只有登录组合的决定的权能，劳动组合像这样在生产的管理和指挥的上面行着极重要的任务，现在俄国，无论公共生活上的什么机能，没有不属于劳动组合的势力下的……

罗卓士起在伯林劳动者的集会上所作的演说，内中也道："劳动组合从对于资本主义的斗争组织发展起来，现在成为经济改造的机关了……劳动组合乃是无产阶级独裁的经济上的机关……"

这样的劳动组合的职分变化，在它对于同盟罢工的观念上，表现得很好，在资本制度之下，同盟罢工是主张为劳动者自己防卫的权利，破坏罢工是看做对于劳动阶级的最大反逆，但是现在俄国，反把同盟罢工看做对于劳动阶级的反逆，罢工和怠工，都是拥护资本家的学者和专门技术家拿来当做反抗劳农政治的武器而用的，这些事现在固然已是很少有的，但是至少同盟罢工对于属于一些劳动组合的筋肉劳动者和头脑劳动者，乃是反逆的意思，同时又成为完全无用的东西，为什么原因？因为决定一切劳动条件的，乃是劳动组合它自己，不待说就和该议决文中所说的一样，劳动组合里面，也有因为要求增加工银，而拿着对于资本家——雇主的态度来对苏维埃政府而进行了罢工的，例如伏尔加河上的船坞劳动组合，就是一例，但是这不过是因为一部分劳动者忘却组合的职分上已起了大变化，或者是因为社会革命党等反革命派把组合利用做政争的武器罢了,俄国劳动组合,无论就事实上,或多数劳动者的意识上,现在已失了为反抗旧经济组织而战斗的武器性质,而成为新经济组织的一部分了。

四　　为生产组织和政治组织的基础的组合

劳动组合,在俄国的生产组织里面,究竟是怎样重大的要素？我们看一看第二回全俄组合大会关于"产业的编制和组合的参与"的决议,就可知道它的大体的原则:

因为要于生产、经营及分配的计划而谋统一,所以有把现在委给种种部门(例如枪炮部、海军部、军事部及其余各部)的一切生产单位集中于一个中心的必要。(第三项)

主要部门和主要中心的干部,须在与此相当的全俄产业协会,或全俄劳动组合评议会及国民经济最高委员会委员的了解之下,以劳动组合的代表来组织。(第四项)

代表劳动组合而入行政上及管理上的诸机关的一切代表,须各对于其组合负责,并于每一定期间,报告他的行动。(第五项)

因为要于组合和国有工场管理部之间保着有机的联络,组合至少要每月开一次以上该事业管理部的会议以讨论议决重要的实际问题。(第六项)

因为要把经营及管理(产业的)的机关变为社会主义的建设事业所必要的无产阶级机关,并且要于这些事业上取得进步的多数劳动者的协力,所以有拿无产阶级的分子充满一切管理及经营的机关的必要,因此要以在中央及地方的劳动组合团体里面活动着

且负有责任的劳动者为这些机关的办事员。（第七项）

劳动组合以在必要的方向指导产业生活为任务，因此组合取和生产的根本要素的劳动相关联的行动，所以劳动组合中央诸团体的决定事项，只要是关于工银率、劳动的监督、工场的内部整理、生产的标准、以及劳动规律等问题，都有强制力。（第八项）

组合现在……立在生产的编制者的地位上了，所以组合当这个危机，要保护为生产阶级的无产者以对抗困惫和堕落，并要防御无产阶级的核心，以妨社会的分解作用和无产阶级为别阶级所吸收。（第九项）

供给工场以必需的生产物，（主要为食料品）乃是第一要紧的事，这个问题若不得满足的解决，增加劳动生产力和增进劳动规律等事，是不可能的，所以使劳动组合尽力切实地关于食料生产和分配的事业，乃是很必要的事。（第十项）

就和这个议决所表示的一样，俄国劳动组合，一方面当做组合而行动，同时别一方面又由它的代表构成政府各机关，经过这些机关而行动，代表无产阶级国家的权力的苏维埃的选举，乃是以劳动组合为基础的一事，暂置不论，就是在可称为全俄苏维埃中央执行委员会专任委员的人民委员（政府）各机关里面，劳动组合的代表，都是重要的要素，劳动组合的代表，不单是在和劳动者有直接关系的劳动人民委员会、国民经济最高委员会、以及地方委员会等机关里面，为有力的要素，并且直到和生产组织隔得很远的赤军编制，只要是无产阶级国家机关里面，没有一处没有劳动组合的代表活动着的，现在俄国的政治组织，就是所谓无产阶级独裁的组织，再说一句，就是因为要对于反对阶级而强制无产阶级的意志的组织，就这个范围里面，俄国的政治组织，也是"以人支配人的"，和资本主义国家的政治机关，本质上没有什么不同，但是同时俄国的政治机关，和资本制度下的政治机关比较起来，则纯粹可以看做"以人支配物"的职分，大大地扩张了，这个职分，渐渐扩大，渐渐加重，最后一定要把"以人支配人"的职分吸收馨尽，所以俄国的现状，还在过渡时期，这个过渡的性质，并且表现于政治机关的本质上，劳动组合，就这两方面，为国家机关的重要要素和基础，换句话说，就是：现在俄国的劳动组合，一方面为无产阶级独裁组织的重要要素，同时又为经济组织的重要要素和基础。

一九一九年九月，彼特罗格拉劳动组合评议员命劳动统计部行了加盟组合的职员的登录，其结果登录了的组合职员，共有五百六十四名，其中的十分之七点五，为组合的干部职员，这个十分之七点五的干部职员里面，继续一年以上而为干部职员的，只有十分之一点五四，其余的十分之八点四六，乃是一年以下，平均起来看，留在组合干部内的，平均六个月为百分之六，组合干部，像这样换得快的，是因为当做组合干部而得了相当的经验的人，都接续入政治上和经济上的机关去而为劳动组合的代表了，干部变动的结果，一方面固然有种损失，因为使组合事务总要有些停滞；然而别方面又有种利益，就是有为的新人物，不绝地从组合员内面出来，而做组合干部，以获得运用无产阶级国家的种种机关所必要的经验和训练，它的结果，就是不绝地送新鲜血液给组合的干部，以防其硬化，就是防所谓组合的官僚主义化，若看一看这些组合职员现在所活动的种类，俄国劳动组合的职分上所起的大变化，就要更为明了，调查的结果，把它分类如下：

担任组合的组织编制的，三四点七（百分率）

工银的决定和取缔，九点四

劳动争议的裁决，八点一

教育事业，七点六

劳动的分配和配置，〇点九

其余各种事业，一四点〇

上述的是组合内的事业，至于组合办事员之中，直接在组合内活动的，有三百四十三人，其余的则代表组合在政府和公共机关里面活动，组合的办事员的十分之四点七，就政府的职务，其中也有同时兼两三个职务的，以上是一九一九年九月组合的办事员登录时的统计，以后政府的经济的活动，范围越扩越广，组合也越多包容一些劳动者，所以上述的倾向，一定更为显著。

俄国劳动组合，照这样为国家机关的重要构成分子，至于劳动人民委员的组织，只就它和劳动者的生活有直接的关系一点说，也可以说是彻头彻尾以劳动组合为基础而形成的，劳动人民委员会的委员长，虽是由全俄苏维埃中央执行委员会选举的，其实是由全俄组合中央委员会选举，苏维埃执行委员会不过是批准一下罢了，就是现在的劳动人民委员秀米特，也是从劳动组合选举来的，劳动人民委员会，除委员长外，是由九名委员所组织的，这个九名之中的五名，从全俄组合执行委员会选出，其余四名，则归人民委员评议会内阁会议选任；但是对于这个选任，全俄组合中央委员会于必要时可以唱异议。

照这样在为决定劳动条件的最高机关的劳动人民委员会里面，劳动组合的代表者，决定地占着多数，至关于劳动条件的一切法律，先由全俄劳动组合中央委员会议决，次经劳动人民委员批准，然后才当做法律而发布，全俄组合中央委员会之下，有由工场委员会所选举的几多专任委员会：有些决定工银率，有些决定劳动者的配置，有些担任疾病及别的保险，有些担任劳动者的教育，有些担任关于劳动者娱乐的设施，这些委员会的调查和立案，经过全俄中央委员会的议决，则成为法律案，由劳动人民委员的批准，则成为法律。

劳动人民委员，虽然很像资本主义的国家内的劳动大臣，但是他的职分，则很有不同：于有着劳动交易所、工场监督官、劳动保险等职分以外，又兼别国现在是属于议会的职分，同时又行现在属于劳动组合的一些职分。劳动人民委员和劳动组合的关系，是有很重要的意义的，所以第二回全俄组合大会通过秀米特所起草的下述的决议，以区明两者的关系：

……劳动人民委员，是为劳农政府的一机关，现在它的里面，是组织的工业劳动阶级行着主要的任务，劳动委员乃是使用实施劳动阶级的经济政策和为此目的而施行法律规则的政府的机关和权力的手段。

所以因为防止劳动阶级的经济政策出于二途而不统一，劳动人民委员有采用组合的最高机关——劳动组合大会——的一切重要决定而以之为法律，和承认一切与劳动及生产的条件有关系且有强制的性质的细则，先要以多数通过全俄劳动组合中央委员会的必要。

大会十分承认全俄劳动组合中央委员会和劳动人民委员会的协力及行动的统一，这个协力，要以中央机关（全俄劳动组合中央委员和劳动人民委员）之间所行的关系为基础。

五　　劳动组合与工场管理

工场委员，在十月革命以前就存在的，但是这个制度的职分也随革命变化了，第二回全俄组合大会的决议道："劳动者的管理，以前是劳动团体对于雇主等因和无产阶级争经济的主权而行的怠业及经济破坏的最有力的革命武器，但是这个制度，现在成为使劳动阶级直接参加生产的组织编制的东西了。"

第二回大会关于"劳动者管理"的决议，确立了工场委员制的根本原则，该决议先说明工场委员而行劳动者管理的目的道："……劳动阶级对于全国经济生活的支配，还没有完成，隐藏着的斗争，还在经济生活的新形态里面出现，这个就以为劳动阶级管理担任生产经营的诸机关的行动一事为必要。"

工场委员的职分，照这样第一就为无产阶级独裁的基础，但是它的职分的内容和实质，渐渐受了变化。

因为在这样从资本制度到社会主义制度的过渡状态下，劳动者的管理，是以无产阶级经济的独裁为目的的革命的武器，所以要把这个独裁权，在生产过程里面，发展为确立巩固的实际制度。（第四项）

但是这个制度里面，还有一个重要职分。

劳动者的管理，也和直接参加产业的编制及经营上的事一样，要解决给渐次的准备与劳动阶级的大众的一种问题。（第六项）

但是工场委员的职分,自然有一定的界限,由工场委员而行的劳动者的管理,要和生产力的维持及增进一致,所以大会的决议,把工场委员的职分,只限于工场经营的监督,就是工场委员,不是指挥工场的经营的,乃是监察工场的经营的。

劳动者管理的问题,须只限于监督各工场内的事业的进行,及实际上监察各个工场及全产业部分的经营上的行动,就是劳动者的管理,要依据这个管理,不是在工场经营之先,乃是在工场经营之后而进行的一定的顺序而实施。(第五项)

大会的决议,以上述的原则为基础,命令管理委员会,须由(一)属于该工场的产业的劳动组合的代表,(二)从该工场的从业劳动者总会选出的委员(不过要组合的承认)而组织;又命由劳动组合的执行委员所选出的代表的任期,务必要长;从一般从业员之间直接选出的委员的任期,务必要短,以"使多数劳动者得产业的编制上及经营上的训练,确立向着全部劳动者参加产业的编制和经营的一般的参与制度向前进的道路";更命照这样选出的工场委员,无论对于该工场内的从业劳动者总会,或该产业的劳动组合管理部,都要一样负责,设若滥用委托的权力或玩忽其义务的时候,委员须附以严重的处罚。

大会更命须与指挥劳动者管理的诸机关的权能给全俄组合中央委员会,又因为这个目的,全俄委员会须组织由组合的代表而成的劳动者管理的最高机关。

此后俄国由工场委员而行的产业管理,资本家的新闻屡次说它已废止了的,但是一九二〇年二月十三日以全俄组合中央委员长杜姆斯起的名,公布这些全是虚报。

由组合大会的决议而表示的劳动者管理规则,可以同样地适用于国有工场和私人经营的工场,但是对于国有工场,别设了施行规则,而对于私人经营的工场,则规定适用一九一七年十一月十四日的工场管理的布告。

六　　劳动组合与国民经济最高委员会

现在俄国内的大工场,十分之九已成为国有,这些国有工场,依据一九一八年三月所制定的《国有产业管理规则》而经营,据这个规则,则国有事业中央管理部,在各工场选任技术主任和管理主任,纯粹关于生产技术的事,则技术主任握着全权,但是对于他的决定,工场管理委员可以上诉于中央管理部。

又除掉关于生产技术的事项以外的一切管理,则由在管理主任之下而设的管理经济委员会执行,但是就关于生产技术的事务,则这个委员会只能给予助言,管理经济委员会,由(一)从业劳动者的代表,(二)下级事务员的代表,(三)技术员和担任商业事务的上级事务员的代表,(四)管理主任,(五)劳动组合地方评议会(各种劳动组合选出的委员会)的代表,(六)属于该工场的产业劳动组合的代表,(七)国民经济地方委员会的代表,(八)有着利害关系的地方的劳动者消费组合的代表,(九)该地方的农民委员会而组织的,而全委员里面,可以以劳动者和下级事务员的代表占半数。

统辖全俄国有工业的管理的最高机关,乃是在国民经济最高委员会之下组织的国有产业中央管理部,在这个中央管理部里面,劳动者直接地,间接地(经过劳动组合)被二重代表,就是中央管理部,它的三分之一,一是由该产业的劳动者乃事务员;三分之一,二是由无产阶级的政治上及经济上的机关和团体(公共经济最高委员会,全俄劳动组合委员会,全俄劳动者消费组合委员会,全俄苏维埃执行委员会)的代表;其余的三分之一,三则由学术上的团体技术及商业上的上级事务员,民主的全俄团体(各种全俄大会的执行委员会、给养组合、农民委员会等)的代表而组织的。

又还没有变为国有的工场,已由一九一七年十一月的《劳动者产业管理法》把产业管理权给予从业劳动者的全体,工场委员,就是行这个管理权的机关。

同时又以重要都市,州及工业地域为单位,各设由(一)劳动组合的代表,(二)各种工场内的工场委员会的代表,(三)劳动者消费组合的代表而成的地方管理委员会,工场主若不服工场委员的决定的时候,可于三日以内上诉于地方管理委员会,地方管理委员会的上面,更有全俄劳动者产业管理委员会,而为产业管理的最高机关全俄委员会,是由(一)全俄苏维埃执行委员会的代表五名,(二)全俄劳动组合委员会的代表五名,全俄劳动者消费组合执行委员会的代表二名,(三)全俄工场委员会的代表五名,(四)全俄农业组合的代表二名,(五)各全国的劳动组合的代表(组合员十万以内一名,十万以上二名,彼特罗格拉劳动组合评议会三名)而成的。

俄国经济上的最高机关,是由一九一七年十二月的布告所定的国民经济最高委员会,它的职分,是统一、调整和集中一切经济上的机关和行动,这个委员会,就现在的状态说,虽然是从属于人民委员会之下的,但是就它的职分的重要性,反足以和人民委员会并立,就是人民委员,是无产阶级国家的最高政治机关,而国民经济最高委员会，则为社会主义的新社会的最高经济机关。前者代表政治上的过渡时期，后者则为影响将来生产组织的重要机关，但是组织这个最高经济机关的，还是劳动组合，布告的第五条里面规定道："国民经济最高委员会，由（一）据一九一九年十一月十四的布告所定的全俄劳动者管理委员会，（二）各人民委员的代表，（三）特别有才能的人物而组织"，第三种的委员，只有发言权，不加入议决，又国民经济最高委员会之下，各地方各有国民经济地方委员会，而行带有地方的性质的同一职分，它的组织，是准最高委员会的组织的。

七　　组合的组织和构造

由以上所述，我们可以知道俄国劳动组合，它的机能和职分，完全和资本制度之下的劳动组合的不同，俄国劳动组合已不是以各个工场和各个地方的特定资本家和雇主为敌的劳动者的战斗机关，乃是在应怎样给养社会全体的唯一计划之下而行动的新生产组织它自身，所以组合的构造，不待说也是顺应着这个一般的目的的。

俄国劳动组合照这样不是各有别的目的的许多团体，乃是只有一个目的，因为遂行一个计划的生产组织，所以它的构造，当然也要应着这个，是单一的组织。

这个单一劳动组合的最高机关，和前面说过的一样，就是全俄劳动组合大会，（不能正式组织大会的时候，就是全俄劳动组合会议）从大会到大会之间，就是由大会选出的全俄劳动组合中央委员会为最高机关，全俄大会（及全俄会议）和全俄中央委员会的决定，对于加盟的组合,及其组合员,都一样地有强制力,加盟组合若反对这个决定的时候,即由"无产阶级的家族"除它的名。

组织全俄劳动组合的二十五个全俄产业组合,各有为它的最高机关的中央执行委员会,这个中央执行委员会的决定,只要不和全俄劳动组合(大会、会议、全俄中央执行委员会等)的决定相反,则对于各该产业组合的支部和其组合员,都有强制力。

全俄产业组合,照这样产业别地组织全劳动阶级,全俄劳动组合同盟,更把这样纵断地组织了的劳动者,横断地——换句话说就是全劳动阶级地——组织了,这个纵断的组织——产业的组合——从稍小的纵断的组织成立的,就是它的单位,乃是各工场俄国的组合,是纯粹产业的组合,包括属于同一产业的一切从业者,所以就要是以各工场为其最小单位或最小支部,不由产业的基础,只是地方地或全国地团结的组合,不能加盟入全俄劳动组合中央委员会,就和纵断地组织劳动阶级的全俄产业组合,是由各工场这种小纵断的组织成的一样,为横断的阶级组织的全俄劳动组合同盟,也是由较小的横断的阶级组织而成的,这就是各地方的劳动组合评议会。都市则有由各种产业组合的代表而成的劳动组合地方评议会,就是地方评议会,乃是准全俄劳动组合中央委员会组织的,乃是各地方的缩圈,各地方的劳动者的全阶级的组织。

照这样一方面有二十五种全俄产业组合,别方面各地方又有劳动组合地方评议会,但是两者的决定相反的时候,前者的决定,不因后者的决定而归无效,地方的各组合,有从前者的决定的义务。

但是为劳动组合运动的指导机关的,乃是地方评议会。为什么呢?这是因为地方评议会,是把在一定的地域内经济的和产业的组织了劳动者，再进而组织了的全阶级的代表机关，但是同时地方评议会，不待说是应遵守全俄大会（及会议）和全俄中央委员会的决定，并且加盟于地方评议会的各产业组合的支部，也有服从该产业的全俄大会及中央执行委员会的决定的义务，地方评议会的决定，若和全俄组合同盟的一般政策相反的时候，则各产业组合的支部，就没有服从它的义务。总而言之：地方评议会的职分，是在适当地组织该地方的组合，使各组合和全俄组合同盟的一般政策一致，并且监督缴纳会费，帮助组合的活动。

各产业组合的全俄执行委员会和各地方支部之间，又全俄劳动组合中央委员会和各地方评议会之间，都不承认例如以县或州为单位的中间的组织的，乃是俄国的组合组织的特色之一。第二回全俄大会的决议，以这样的地方中间组织为"中心和周围之间的无用的传达机关，只是无益地用费精力和费用"而明白地排斥之，不认这个中间组织一事的利害得失，姑置不论，而不认它的理由，总是为"集中组合的行动，坚固中心各机关和地方团体之间的结束"。

会费虽是由各组合自定，但是第二回全俄大会规定工银百分之一为标准额，又（一）会费的半额，拿来做征收它的支部组合的基本金，剩下的半额，则为组合所属的全俄产业组合执行委员会的基本金；（二）各支部更从这个半额里面，交百分之十给地方评议员会；（三）支部组合若更分为小地方支部时，后者则照前者所定的预算而行动；（四）没有全俄产业组合的地方组合，则缴其会费的百分之十给地方评议会，又经地方评议会，再交百分之十给全俄劳动组合中央委员会；（五）无故而不缴三个月的会费的，就认为退出者，再加入时，须缴滞纳的会费和入会金。

入会金分几种:(一)一个人加入组合的时候,则缴一天的工银的半额;(二)全俄产业组合加入全俄组合同盟的时候,则缴该产业组合征收的入会金的百分之十;(三)北方支部组合加入地方评议会的时候,也是缴该组合征收的入会金的百分之十;(四)没有全俄产业组合的地方组合,加入地方评议会的时候,也缴该组合征收的入会金的百分之十,但是内中的一项,要交给全俄组合中央委员会;(五)组合员(或个人或一工场和团体地)从一组合移到别的组合时,则不要会金。

照这样俄国的劳动组合组织,就是由全俄大会和全俄中央委员会代表的全俄劳动组合同盟,为其基础的单位的。就是工场委员会或事务劳动者组合,工场的事务员和技术员,是属于一般劳动者的组合的,此外还有单是头脑劳动者的组合,"组合"这种名称,只有加入全俄劳动组合同盟,且经中央委员会的承认和公布的团体,才有专用它的权利,其余经济上的团体,要和它区别起来而用"协会"这种名称。

俄国劳动组合的特征,就是它的组织的纯一;从构成它的基础团体起,到中心的各机关止,从脚底起,到顶上止,都是一贯而期望组织的纯一的,又组合的管理机关,执行机关等名称,也是一定的。由第二回全俄组合大会的决议,定各机关的称呼如下:

一、全俄组合大会的执行机关,叫做"全俄劳动组合中央委员会"。

二、各产业全俄组合大会的最高机关,为"劳动组合中央委员会",它的执行机关则为"劳动组合中央委员会执行委员"。

三、各产业全俄组合的州支部及省支部的最高机关为"全俄劳动组合州(省)支部管理部"。

四、由省支部而组织的组合地方评议会为"——省劳动组合评议会"。

五、县及小都市的组合地方评议会为"——县劳动组合事务局""——镇劳动组合事务局"（但是在大都会则叫评议会，例如莫斯科劳动组合评议会）。

八　　全俄组合大会和中央委员会

俄国劳动组合的最高执行机关——全俄劳动组合中央委员的组织怎样？它是用下述的方法选的：

一、由全俄劳动组合大会选举的九名委员；

二、由各产业全俄组合以下述的比例选举的代表：每组合有三万至五万组合员的，则选一名；三万人以下的组合，虽派代表一人，但只参加会议，而不参加票决；但是三万人以下的组合，可以联合几个而派代表，这个时候代表就有票决权。

照这样选出的中央委员里面，由大会选出的九名，则为中央委员会的执行委员，执行委员虽然是每次大会改选一次，但是就是在任期中组合也可以解任其一部或全部，不过这个时候，要求解任的组合的组合员，非占加入全俄劳动组合同盟的组合员全体的半数以上不可。执行委员的解任或辞任的时候，虽然应由临时大会改选，但是临时大会不能开的时候，则可由中央委员会以委员全数的三分之二以上的同意而定后任者，中央委员又可以以全员的三分之二以上的同意而解任执行委员，但是无论组合解任或中央委员会解任，都只限于临时大会不能开的时候，全俄中央委员会，至少一月开一次。

全俄中央委员，至少一年召集大会一次，第二回全俄组合大会的决议，决定大会所代表的组合的资格道：

派遣代表赴劳动组合大会的权利，只限于依据无产阶级的国际的阶级斗争主义而行动及加入劳动组合地方评议会照规纳缴会费的组合，出席大会的代表，由下述的比例选出。

一、组合员（都是纳会费的组合员）三千名以下的地方的组合，代表一名；五千名以上的地方的组合，每五千名一名；五千名未满的则弃掉；

二、全俄的组合各一名，但组合员一万以上的时候则二名；

三、彼得格勒及莫斯科各三名；

四、组合员三千以下的地方组合，可以联合起来派代议士，以上是正式的代议员，参加大会的票决，但是下列的代表，只能参与讨论，而没有票决权：

1. 各社会党的中央机关的代表，劳农苏维埃全俄中央委员会的代表，全俄中央委员会及大会自己招待的个人或团体的代表；

2. 全俄中央苏维埃的全员。

正式大会不能开的时候，则开协议会，已如上述；全俄劳动组合会议，是由组合地方评议会的全员和组合省评议会的代表组织的，又在大会只有讨论权的全俄组合的代表，在会议则有票决权。

以上是据以全俄组合中央委员长杜姆斯起的报告为基础而提出一九一九年七月在莫斯科开的第二回全俄劳动组合大会的二种决议，和通过该大会的全俄组合中央委员会的细则，以及根据这议决于一九一九年十一月制定的全俄组合委员会加盟的规则等而说明俄国组合组织的大体的,该大会并且明白地方表示组合组织的根本原则。

据这个决议,则劳动组合有下列的性质:(1)不问属于某生产部门的劳动者和别的使用人的职分怎样,而把它们结束为一团体;(2)财政的集中;(3)组合的事务,以民主的集中的原则为基础;(4)劳动条件和工银率,对于各种类的劳动,在一个中心机关决定;(5)从基底到顶上,都组织于一样的原则上面;(6)各部行为专门的补助机关的任务;(7)对于组合外部,代表依产业而组织的劳动者和别的使用人。

大会又把可以加入组合的劳动者,只限于"某产业的劳动者和别的使用人,或直接从事于生产过程或只帮助它的常职的劳动者"。但是虽不是从事于直接生产,而在帮助生产者的一切补助部门里面工作的人,以及一切一时的助手,都可以为该产业的组合员,据这个定义则可以包容于组合的劳动者的范围,非常地广,筋肉劳动者,和别的技术者及事务员,不待说都是一样认为劳动者。这个原则,虽在第三回劳动组合协议会,才被采用,由最初全俄劳动组合,方被确认,但是在一般劳动者和技术员及事务员为政治上和经济上的偏见所隔离的时候,不待说是不能实现的,但是第二回大会的时候,形势遂大变,第二回大会的决议道,"——劳动者和别的使用人之间的种种对立,已由一年间的无产阶级被独裁,大为抹杀了;组合是帮助除去劳动者间的一切对立的,所以现在不得不认为把在一工场、一产业和一机关里面工作的一切工银劳动者团结于一个组合的事,是必要的。"但是在劳动者的雇佣和工银增减的权限都握于一个人的手上的这样的工场和机关里面,固然是不能使它的当局者加入组合的,关于包容知识阶级和别的纯无产阶级于组合内的必要,大会的决议特别道,"现在当无产阶级独裁的过渡时代,为完全的阶级消灭而活动着的全俄组合运动,想把一切劳动者结束为集中的、产业的组合,以在经济地组织了无产阶级的感化之下置准无产阶级的分子,使他们也加入阶级斗争,为社会主义的改造,所以全俄组合运动,以为在完全服从无产阶级的规则及劳动组合运动的重要中心机关的规则的条件之下,使政府的职员和社会的勤劳者等还没有组织的新要素,加入全俄劳动组合一事,是必要的",俄国的组合,虽然是这样极包容的,但是同时又禁止独立手工者和小店主加入组合,它的理由,是因为恐怕这些分子要使个人的生产和小本家的产业的保守的经济思想侵入,致经济地组织了的一般无产阶级崩坏,而在组合组织还没有完全发达的现在,把这些分子包容入组合,实在是有一些危险。

又结合几种类似的产业部门的组合,可以在组合内分部门,又可以因为决定关于各产业部门的事务而开各该产业部门的大会,但是它的决定,设若和组合全体大会的决议或全俄的组合机关的决议相反的时候,自然归于无效;又这些部门,不能别有独立的会计或征收特别的会费,又禁止无论在什么形式之下,为要是单一的组合的实质的各部门的联合团体。总之:俄国劳动组合的组织的原则,乃是结束全劳动阶级而为一生产组织,做一句话说,就是"民主的集中"。就是因为这个而依据统一的计划,以划一全劳动组合的构造,所以为一产业组合的一员的,同时也当然就是全俄劳动组合的一员,就是从一组合移到别组合时,不须什么入会金,可以得和旧组合员同样的权利等规定,就是表现这个原则的一端的,最后不可看过的,就是由无产阶级独裁而行的社会主义的实现和承认以此为目的的革命的阶级斗争二事,为许各组合加盟入全国团体及地方团体的条件。

俄国劳动组合的组织和构造,大体就如上述的,但是也还是在形成的途上的,所以后来一定有了许多变化,然而即使有了多少变化,我们也可从上面的记述,预想它的变化的方向。

九　　劳动组合与共产党

研究俄国劳动组合的时候,不能轻轻看过的,就是组合和共产党的关系,据一九一九年九月彼得格勒劳动组合评议会劳动统计部的调查,则当时该评议会所属组合的办事员五百六十四名之中,现加入政党的,有百分之五十七,其中的百分之三十六,于十一月第二次革命后才加入政党,所以它的多数,都是共产党员,又列席于第二回全俄组合大会,正式有票决权的代表,有七百四十八名,单只有发言权的,有一百三十一名,其中共产党员,就占了全数之半。

然而组合的中心分子,不限定都是共产党员,现第二回全俄组合大会的决议道,"不管政治上,宗教上的信条怎样,而结束劳动者",但是同时这个大会的决议又道,"俄国劳动组合的全运动,是取国际的阶级斗争的态度,断然排斥中立的思想的,所以组合以为承认由无产阶级独裁而实现社会主义为目的之革命的阶级斗争为加入全俄团体和地方团体的必要条件","由无产阶级的独裁而实现社会主义",乃是共产党的根本思想,以承认这个根本思想为加入全俄组合的条件,则无论组合员的多数加入共产党与否,都不得不说俄国的劳动组合运动,是被共产主义的精神所指导的。

第三国际共产党的委员长季诺维叶夫论劳动组合和共产党的

关系，排斥从来各国社会民主党所主张起来的组合和社会党的"平等权利"一说，而主张共产须当做无产阶级的前卫，常以他的精神来指导组合运动，他道：

现在产业的劳动组合，不限定是从属于共产党之下的，一切劳动者，不问男女，不问他的政党和信条怎样，都可以加入组合，就是不是属于共产党的劳动者，也有加入产业的组合的完全的权利，但是在产业的组合内部活动的共产主义者，不能因此就忘却非共产党的组合员，是有保守的倾向的一事实，在产业的组合内部的共产主义者和它的团体，不可不公然地宣传共产主义……

近代产业的组合，为着伟大的活动，它们很快使共产党及苏维埃的社会主义战争容易了，但是同时这个过渡时期的产业组合的行动，有一暗黑面……

季诺维叶夫他举出伏尔加船坞劳动组合支部只固执职业上的利害而对于苏维埃政府罢工的事实，而为这个"暗黑面"的一例，以排斥他们的"职业组合的狭隘"，并且非难所谓产业组合万能主义堕落为劳动阶级的贵族制度，以为要除这个弊害，共产主义的精神非常指导组合运动不可而论道：

各产业组合里面，不可不各有具备巩固的组织和规律的共产主义者的一团，以和全俄劳动组合中央委员会里面的共产主义者的一团共宣传同一经济政策……各产业组合内的共产主义者的一团，不外为该地方的共产党支部的核心，照这样一方面共产党的地方委员会，完全支配该市邑的产业组合的支部，别一方面共产党的中央委员会则由其优势支配全俄组合委员会……

共产党的委员会，和产业组合内的共产主义者的团体相提携，照这样共产党指导劳动组合运动的建设的方面……

这一节就是在共产主义者之间，也有多少异议，因为季诺维埃夫太高调组合运动须弃职业组合的狭隘，离开地方主义的偏执，而经常由共产主义的精神指导，所以要避免以为组合只是共产党的从属机关，完全失掉自主的行动和存在的误解，去年十月英国共产党协议会里面，有由上述的见解而主张请求中止发行季诺维叶夫的小册子的，但是若把他的论文精密地看一看，他的主张并不是不认为生产者的组织的组合有独立的意义，他所论的，不是新社会内的组合的职分，乃是论资本主义的心理，还显著地浸润于劳动阶级之间的过渡时期的组合运动，应向着那一方面前进的，又我们不可忘记他所以主张组合非由共产党的精神指导不可的，乃是特别在这个过渡时期的组合运动的"建设方面"——怎样建设新社会的方面。

季诺维叶夫他又直率道："我党是信劳动组合是不可缺的"，不过他所信为建设社会主义的社会所不可缺的组合，并不是为资本主义的心理所束缚，为职业主义和地方主义所浸润的现有的组合运动，乃是立于阶级的自觉上的劳动组合，所以据他的意见则"在无产阶级革命的时期内，劳动组合，要像社会民主党分裂了的一样，也要分裂"，照这样从旧组合运动分裂出来的真有阶级自觉的部分，据季诺维叶夫的意见，则真正是全劳动阶级的前卫队，可指导全劳动组合运动的，他说"这个指导，决不可带指挥命令的性质"的，就是说明所谓这个"指导"的性质，是怎样的。列宁也于一九二

社会主义国家与劳动组合 455

〇年四月第四回全俄组合大会的演说里面道：

这几年间，像劳农俄国这样开大会开得多的国家，什么地方都没有，无论那个国家，没有像这样充满民主主义的精神的，所以苏维埃的决定，有着人家想象不到的权威……

现在必要的东西，就是有机的结合，这就不可有一人所命的规律，又不可只有一个人的责任，这就是已不可有独裁了，劳动组合的总人数，有三百多万，其中的六十万人为共产主义者，他们须为其余的组合员的先导者，我们为最后的胜利，不可不排斥团体和职业上的利害……

但是我们所研究的，不是季诺维叶夫的组合论，和列宁的组合论，乃是俄国劳动组合的实际上的事实。

法国工团主义者，怕俄国劳动组合，在共产党和苏维埃的权力之下，完全失掉他的自主的行动和性质，又恐怕加入莫斯科国际共产党就是要变为法国的组合，为莫斯科的共产党所指挥，所以亲自视察了俄国组合运动回来的社会党加西安，在他的社会党与组合的一文中解他们的疑惧道：

……法国人都以为莫斯科欲以第三国际共产党为手段而指挥命令全世界的劳动组合，大大地来反对……

然则我们在俄国，看了些什么回来？在法国，是官权窘迫官吏的组合，压迫劳动组合，每日把他们带到有产阶级的法庭来，以解散威胁劳动总同盟，做一句话说，就是资本的伪善的独裁，加于一切组合团体之上，但是在俄国组合乃是真实的主人。各工场的管理部，在组合的守护之下而行动，各职业的劳动条件，则由他们决定，他们决定工银和赏与底额，他们有选任劳动大臣的权利，他们的代表，在管理全国的生产和分配的国民经济委员会里面，占着多数，无论就工业，就运输机关，就一切生产物的分配，从社会构造的基底到顶上，一切机关里面，都是要求劳动组合的经验和劳动者的实际的观念的。俄国劳动组合，在运用苏维埃共和国的一切机关里面，直接地、有效地被代表着，占着重要的地位，事实上他们是指挥俄国的新组织的，什么劳动组合的屈从和从属，都是无谓的妄言，他们乃是真实的主人。不过他们之所以得到占这个有力的地位，乃是社会革命的结果，确是事实，他们知道从来残酷地绞取他们的有产阶级，决定地败北的，乃是靠着社会党的行动的。法国劳动团体的历史，和俄国的不同，斗争状况，不是一样，这是不待说的……但是事实证明这个……就是俄国社会主义家，不给劳动组合以从属的卑贱地位，而给他们以第一的地位，最高的地位！

十　　国际劳动组合运动的新阵势

研究俄国劳动组合，势必不得不言及以俄国的组合运动为中坚的国际劳动组合委员会。

金属工、矿夫、纤条工、运输劳动者、油漆匠、制帽工、木工、建筑工、裁缝、皮匠之间，在欧战以前，已就组织了国际的组合，不过这些组合，都是以职业上狭隘的目的为主的，并且它的组织，也不过只是通信机关，就把这些国际的组合送在一边，各国劳动组合运动的多数，都已加入国际社会党事务局（第二国际社会党），到了一九〇二年才组织国际劳动组合书记局,和第二国际社会党并立。

国际劳动组合书记局,以勒银为委员长,置本部于德国,开了几次大会;但是这个大会,不过只为各国组合代表的意见交换机关,差不多没有见什么有力的国际行动,欧洲战争一爆发,这个国际劳动组合运动,也和第二国际社会党一样,暴露出自己的无力,同时成为事实上解体的形式,几次经大会所决议的国际主义完全忘记,勒银、究俄、亚卜尔通、康巴氏等所率领的德、法、英、美的组合都成了资本主义的战争的有力机械,战争告终时,列国的战争社会主义者等,在柏林开了国际协议会,使第二国际社会党的残骸复活了,同时集于旧国际书记局的残骸的各国的组合领袖等,也在柏林开协议会,组织了国际劳动组合联合。国际劳动组合联合,在安斯特尔坦开第二回大会,现置本部于该市,国际社会党协议会,是继承破产了的第二国际社会党的,而安斯特尔坦的国际组合联合,可以看做是继承破产了的旧国际书记局的,国际劳动组合联合是一方面和第二国际社会党相策应,一方面和国际联盟的劳动事务局相提携,为勒银、究俄、亚卜尔通、康巴氏等所率领的而代表各国组合运动的右翼和中央的,革命的组合主义者,和叫第二国际社会党一样,也叫这个国际的联合为黄色的。

俄国共产党,纠合各国社会党的革命的分子,在莫斯科组织第三国际共产党,以和这个黄色的国际社会党相对立,对于国际劳动组合联合,起了两种议论,就是应该从内部赤化它,或从外部破坏了它?第三国际共产党的第一次大会,议决须取第二说,遂由第三国际共产党执行委员会发起,各国劳动组合的代表,于一九二〇年六月十六日在莫斯科的劳动宫开了协议会,这个协议会,是以第三国际社会党的委员长季诺维叶夫为议长,英国则派运输劳动者联合委员罗伯·威连和劳动组合大会议会委员巴伯舍尔列席；意大利方面，则有代表意大利劳动总同盟的达拉哥纳和皮安起以及金属工、农业组合等代表列席，俄国方面，则有全俄组合中央委员会的罗卓夫斯起、杜姆斯起和莫斯科劳动组合委员会的麦尔里羌斯起等列席。该协议会前后讨论了一月，遂议决下述的宣言，赤色劳动组合国际协会，遂由此成立。

由第三国际共产党执行委员会召集而会合并且署了名的俄国、意大利、西班牙、法国、保加利亚、捷克斯洛伐克和佐尔加等国的劳动组合的代表，像下述的一样忖度：

万国劳动阶级的地位，因为当做帝国主义的战争的结果，而完全废止劳动的榨取及确立共产制度，实行更为明白、更为有力的阶级斗争的必要。

这个斗争，须由一切劳动者的——不是职业的团体，乃是由产业的团体——较为紧密的组织，在国际的规模上面实行劳动时间短缩、工银增加、劳动条件的管理等所谓社会的改良，在某种状况下面，虽是缓和阶级斗争的，但是没有解决社会问题它本身的力量。

但是大多数交战国内，劳动组合——中立的或非政治的组合——的大部分，在可怕的数年战争中，成为帝国主义的资本主义的奴隶，阻害劳动者的究极的解放，劳动阶级，非把一切劳动组合结束为一个有力的阶级的团结不可，这个阶级的团体，又非和奉共产主义的无产阶级的国际政治团体密切地提携着行动不可，照这样劳动阶级的团体，可以为社会革命的终局的胜利及全世界苏维埃共和国的树立而充分伸张它的力量。

所有阶级，因为要粉碎被榨取者的解放运动，无论怎样的努力，都是不惜的。

所以对于有产阶级的这个独裁非拿着无产阶级的独裁来对抗不可，这个方法，是过渡的方法，然而又是确乎不可动的方法，是粉碎榨取者的抵抗，确立无产阶级支配的效果的唯一方法。

单以安斯特尔坦国际劳动组合联合的纲领和战术，不能致上述那样的原则的胜利和确保万国无产者以胜利。

所以我们议决如下：

（一）进步的革命分子，排斥从现存的组合脱离的一种战术，反之，这些革命分子，非把以种种手段，帮助帝国主义的战争，和有产阶级协力，并且参与伪国际同盟的行动，现在还从事资本主义的帝国主义的灰色主义者驱逐出组合外不可。

（二）在各国劳动组合内实行共产主义的宣传，在一切团体的内部组织共产主义的革命的团体，以宣传使他们容受我们的纲领。

（三）组织战斗的国际委员会以改造劳动组合运动的组织，这个委员会，就当做"国际劳动组合委员会"，和第三国际共产党一致行动，加入这个委员会的一切劳动组合，都要派代表来委员会，由国际劳动组合委员会派一名代表赴第三国际共产党的执行委员会，同样后者也派一名代表到前者来。

这个协议会，决定于一九二一年一月一日在莫斯科开第一回国际会议，就是由这个会议，正式地成立劳动组合国际联盟，这个国际组合团体，已包含七国，代表九百万劳动者，就是俄、意大利、西班牙、法国、捷克斯洛伐克、保加利亚、佐尔加七国；英国的代表，把全权委给俄国和意大利的代表而归国去了，所以英国的三十万运输劳动者，当然也要算在该国际劳动组合团体的势力内的，设若把埃斯特里亚、挪威、芬兰的劳动组合，德国、奥国、波兰、加拿大、美国、爱尔兰的革命的组合运动也算来，则该团体的实力，竟可说是代表一千万的组合劳动者的。

　　这个新劳动组合的国际的组织，和从来的不同的，就是它并不只是为通报机关、联络机关，更不只当做单纯的意见交换机关，而通过杂多异已分子都能同意的同乘马车的议决的机关，乃是为国际的阶级斗争的实际焦点、实际中心、依具体的一定的行动方法而结束的一点。

　　"俄国的全劳动组合运动，是立在国际的阶级斗争的地位上的……"一句话，就是第二回全俄大会的决议所明言，以表示组合组织的一般原则的，设若以为俄国组合的组织和构造，是筑于这个一般原则的上面的，那么，我们得见这样赤色劳动组合国际团体的组织的，就不得不说是当然的结论。

一九二一年六月一日

（第九卷第二号，一九二一年六月一日）

结群性与奴隶性

〔英国〕戈尔敦 著 周建人 译

我拟在这一篇文章里讨论一件下等的德性以及知识缺乏上的奇异而且显然反常的事,这性质是属于天成,并非全由习得,只要一考察动物界的类例与这种性质养成的状况,便可以知道了。这便是人类中的奴隶性;除却领袖的人之外,在平常人的本性中,都极显著。我们的民族中大多数的人都有不敢独断独行的自然倾向;他们以人民之声为神明之声,虽然他们明知道这类声音,是出自类于无人的乌合之众的;他们又甘心为传统、威权以及习俗的奴隶。与这道德的瑕疵相对的知识的缺乏,从他们的缺乏自由与创造的思想,而常常愿意承受威权的意志去束缚其判断可以察看出来。我将证明人间的奴隶性,是结群性的直接的结果。至于结群性则又是当初原始野蛮时代及以后开化时代两方面的景况之下所造成的结果。我的论据是:凡好结群的走兽,非常缺乏自恃的性质。而这种动物的生活状况实有使它们自恃性必须缺乏的必要,因此自然选择的法则,便使它们结群性与相连带的奴隶性渐次发展起来。人类的远祖,生活在相同的景况之下,而且还有几种人间社会特有的原因,相沿至今,向着这方向进行,将在往昔的生活状况之下有所必须的结群性与奴隶性遗传下来,但在今日的文明之下，则这种性质反成为害多而利少了。

　　我在早年，幸而能够得到关于几种结群动物的密切的知识。当我的长期的旅行的时候，经过北非洲的许多沙漠，知道骆驼有急切求伴的性质，是使我惊叹不已的一件事实。我又曾耳闻并且从书籍上，得详细的知道了骆马（Llama）的尤其显著的结群性；但合群动物的心理中，我所研究最深的，则为南非洲西部荒野中的牛。我所以举出野牛者，因为驯养的牛，本性已有不同；例如英国的牛，便远不及南非洲西部的牛的乐于结群，倘用作我的论说的引证，也便减了价值了。今我所说的牛，是产在达玛拉司（Damaras）的野牛，其祖先从来没有服过霸勒。它们在白昼时，徘徊旷野上，牧人远远地望着，到夜便呼号驱进圈中，正如一群受惊的野兽，被猎人赶到陷坑里去。它们的惊慌的程度是如此之大，所以要捕捉它们，更无别的方法，除了将全群赶在一处，用捕兽的轮索套住了要捕的兽的腿，巧妙的将它摔倒在地面上。我和它们密切地住在一处，计一年有余，这些雌雄的牛的性质既然如上所述，则公牛（译者按：指种牛）也必如此无疑了。

　　我约有一百只驯养的牛，以供挽车，负荷以及骑坐之用。我的探险旅行，几乎全坐在牛背上，其余的牛跟在旁边，或者随同劳作，或随同闲步；又有些不全驯的牛，则作为一个行走的庖厨。到夜间，不及设立栅栏来关住它们时，我便睡在它们的队伍中间，察看它们怎样愿意的利用这炬火与人的接近，是很有趣味的。它们知道现在有了对于肉食兽的防护了，这些猛兽的叫声，时远时近，不断地打破这寂静。研究这些特别牛类的性质的机会，在我并不虚度。我很有闲暇工夫来思索这种性质，而且这种动物的性习，也很能够引动我的好奇心。我知道它们的性习愈深，便愈觉它们的心理复杂而有研究的价值。但我现在所说者,只是它们的盲目的结群性,这种结群性与平常所谓社会的欲望显然不同。在这牛类中,并无这种交际欲望;所以它们并不彼此相亲,只有轻蔑憎恶的表情尤多于宽恕与亲爱。群居本可以去无聊,但它们并不觉得无聊,因为它们惯吃粗食与反刍的习性,使它们成为鲁钝了。群居本可使生活更充满而且更有变化,但它们并不如猴类一般爱群,因为它们身在群中,而仍然各自分离;猴类则有聚众游戏、攀援、打斗、相爱以及吱吱地谈论。但牛类虽然对于同类不甚有感情与兴趣,却不能暂时离群。倘用计略或强力将其分离,它便显出精神上的十分苦恼;它定必竭了全力要回到群中去;倘得归去,它便突入牛群的中心,将密群的慰藉,来浴它的全身。牛类的这因为分离而生恐怖的性质,便是牧人得到便利处,它尽可以安然休息在阴暗或浓雾中间,只要有时一瞥见有一只牛在那里,便知是全群俱安的了。然而这也是牛车队中旅客的不便处,它觉得在牛群中所处的地位,正如一群客气的客人里的主人,它想请它们从客厅到食堂去,然而没有一个肯上前先行,彼此都退后,让给在旁的人。旅客想得一牛能为群的先导,实在十分困难,因为野生的牛,处在这样的超群而且孤独的地位,天生的极不适宜,虽然平常照例有一个童子牵先,或驱使它们前进。所以,一只"前牛"(Fore-ox),便是有非常的独立性的了。

驯养野牛的人留心察看,见它们里有自恃性的,敢于离群或在先头吃草,便将它拿来养成前牛。其余的只可以供平常骑乘或宰杀了。倘若生而能为前牛的实在太少,则不叫它做通常的事,往往使它任独特的工作。更有例外的好牛,在达玛拉司数千的牛中,有时也能一见。牛可以骑坐,虽然还不如骑马的自在,——这样的成绩我从来没有听到，——不过能够离去其群罢了；但倘是骑术高强的人，则能径从牛群的中央，一直骑了跑出。至于相对的一方面的情形，我虽然未曾博收例证，然而我从回忆上知道平常的牛的自恃性的缺乏，大抵正与平常的前牛的自恃性的超过相等。我还记得有几只牛具有特别的求心性，它们一受惊吓，便急急奔入群的中心，比别的牛尤其狂暴；我毫不疑心，凡由一平均数得来的差数的公式，也可以应用于牛类的独立性质上，正如人家所设想一般。我们由此所得的结论是，达玛拉司的牛类中，真有创意与独立性，可以不靠帮助，冒着每日的危险舒服的度日的牛，实在不多。它们根本上是奴隶性的，除却跟着群中的一只有自恃力的牛而行之外，再没有别的方法。没有牛敢于有违拗群众的作为，它承认它们的公共的决断是束缚住它的良心的权威。

不依赖自己而信托别个的性质，这正是强迫兽类必须聚众，结群而生活的条件；而且处于有巨大食肉兽的地方，要望生活安全，则密切的结群而居更加紧要。一只单独吃草的牛，并没有几日可以生存，倘非在土人的能力以上的极小心严密地保护之下。达玛拉司的牛主，常以二百多只牛，托付一对半饿的少年去管领，他们两人则在打磕（瞌）睡或掘食草根中度日。牛主明知道其实无法可以保全牛群，使不受狮子的侵袭，所以他们即便任其自然；至于盗贼，他们也知道纵使尽力多设看管的人，也决不足抵抗它们；所以只要派遣两人，倘遇盗贼，他们尽够奔回家来警告全部落的男子，便可结队追踪被掠的财物。因此牛只能自己结群以拒野兽；倘没有自己的警卫，它们必不免为野兽所残害，这事当初一见实在不容易明白估量它们的价值。我们先一设想一只牛的危险怎样，随后对于上面的话便容易明白了。当一牛独在的时候，它不但太无保护,且又最易被袭。蹲着的狮子也害怕那大胆向它攻来的牛类。牛或羚羊的角很能使跳扑的猛兽的掌上或胸部受一难看的创伤,正如太激烈的拳师遇着他的对手的回打一样。所以如有母牛在路旁产犊,一时被商队委弃了,从不被狮子所攫食。这种事是屡有的,而且常常得以带回野帐中来;由它的足迹,可以证明那母牛曾经抵御野兽的攻击,只因它防护仔儿如此切心不怠,所以没有肉食野兽能够乘隙近前了。这种精神激昂的情形,自然是在常情之外。平时牛的生活,白昼常将头埋在草丛中,外边情形如何,它不看见也嗅不到。更多的时间,则静静咀嚼食物,当这时候,它们大概不很机警。但这种动物,若就全群而言,却常常很机警;几乎每一刻中总有几只的眼睛,耳朵与鼻子审察四方近状,一牛的惊叫,便是它的全队伙伴的警报了。这样集合的生活,每一个体便是有知觉力的大网中的一线,铺张在极广大的地面之上;各个都成为常常醒着的能力的所有者,有眼可以了望四方,有耳与鼻可以考察极大面积中的空气;而且它们又是兽类容易偷偷的出入的各要害的占领者。生活在群中的各个体的保护的感觉非常大,只须耗费极小量的警醒,便可以得到极大量的平安。我们倘使一个惯于结群生活的动物独居,便是去掉了它的保护的感觉,它即觉身在危难中间,四面俱有危险,除了它正在注视的一面之外。它知道灾难或者容易从后面到来,所以它的眼光没有宁息而且忧虑,不绝的环视周围;它的举动仓卒而且急促,它成了极端的恐怖的俘虏了。这实在毋庸疑惑,牛类因为处于多有猛兽的地方,所以密集的生活,最适于它们的安全;因为安适,所以顺着自然选择的公律,结群性与其后的奴隶性的发达,于这些牛类也便非常有益。又从这自然的条律,可以看出这种本性发达的程度,正与它们的安全最相适合。倘它们结群性更进一点,则在达玛拉司草地上吃草的时候,将挤在一处,以致彼此相妨;倘稍差一点,它们又将散得太远,不便于防御野兽了。

　　我现在更当特别考究何以平均上的差数如此,在五十只牛中只有一只是有独立性的,可以为良好的前牛。何以并非五中之一,又非五百中之一呢?这缘故,便的确因为自然选择使它们在每一个大小适中的牛群中,只生这一个首领,将多余的芟除了。一群的大小,则视适宜于地理上及各种境遇上的情形而定;这不宜于过大,否则分散的水洼——它们大半年中的饮水场——要不足了;在牧场方面也有同样的妨碍。群又不宜于过小,否则比较的不安全了;如仅有五只兽类的群,比起二十只的群来,一个潜行的猎者即易于近前,二十只的群又比百数只的群较易近。我们知道,那自己分离而吃草的牛与带领全群的牛,都被教练牛畜的人所取,认为具有自立的性质,可以当群的首领。这种单独吃草的牛实在比真的牛群首领还要被赏,它们敢于独自行动,所以它的独立性是无疑的了。而且群的首领并没有狮子的危险,因其左右及后面,都有随从的牛给它守护;但那些单独吃草的牛,群中多余的有自恃力的动物,却有一侧与后面空虚,所以被狮子所食的便正是它们。我们若放眼一看这种情形,便可以断定说,野兽常在群旁删剪歧枝,使群队成为一个极密集的团体,一团体中只有一个善被拥护的首领。所以牛群中独立性的发育,都被野兽的影响所压倒,在它自然的标准以下,这其实只要回过去一看那祖先数代未尝遇到这种危险的牛群里,自恃性比较的更为发达,便很明显了。

　　以上所说的牛类与野兽的关系,大约只须略加修正,便可以应用在野蛮民族与其邻族的关系上。我以为有几处地方,实在十分相像。例如多数野蛮人如此不亲善而且阴闷,似乎除了互相倚靠之外,更没有别种合群的目的了。

我们若一考察与我所讲的和牛类同地居住的土人,我们便知他们聚集为许多部落,总是互相争战。我们见各部落中,极小的部落不多,极大的也不多,这便因为过大或过小的部落都不安定。一个极小的部落,必容易被强邻所灭亡,杀却,或被驱使为奴隶。一个极大的部落则因运用不灵而破裂,因为依了物之本性,他必是中央集权不稳固,或缺少食物,或两者都有。所以野蛮民族不能不分散生活,因为一方里的地面只能供给少数的猎者,或牧人的生活;在别一方面,酋长若不时时与他的部下相接触,统治必不能久,但他的部属散布的地面既然广大,要时时相接触便在地理上有所不能了。所以自然选择的律,不得不惩罚那些野蛮民族,那其中产生有自恃性的个体太多了,致使一个大小适中的部族,失了盲目的结群性。他却又惩罚那无用的民族,他们不能产生这样的人与其余的人数比例相宜,足以维持并不过大的部落的存在。我们不可因此设想,以为结群性在一切野蛮生活中,都是一样的重要;但据我所见,从考查我们先祖的部族争战的习性的证据,我以为这可以应用在我们欧罗巴族的远祖,正与现今可以应用在非洲大部分的黑色民族上,丝毫无二的。

在人类的部落与国家中的元首有一种异常的权力,较之动物群中的首领所有的力尤为强大。在一群兽类中,遇有一兽被首领所憎嫌,为首领的兽便攻击它,于是两相争闹,余兽只作旁观罢了。但若在人类,遇有一人为元首所恶,则他不但被首领所攻击,而且还被那一班他的执行官吏以极大的压力。这反叛的人便须抵挡一群训练的群力:有侦探立刻能报知他的举动,有地方官能差遣一小队的兵卒，将他牵来审问；早经造好了牢狱可以监禁他，文官挥了法律的权没收他一切的所有，执法官吏预备拷打或杀戮他。人民所受的这种暴力，无论在粗暴的野蛮民族的酋长之下，或在半开化的东方国的专制政治之下，或在现在的虽然较为修饰而仍旧严苛的政府之下，在芟除人族中独立性的发展上，必定有一种很可怕的影响。试想奥地利，那波尔，以至于拿破仑第三治下的法国。一八七零年间，据报章所载（十月十七日的《日日新闻》），依在条垒黎宫（Tuileries）寻出的记载上说，从一八五一年十二月二日起，法国有二万六千六百四十二人，因政治犯罪被捕，其中一万四千一百一十八人已受徒刑流刑或禁在监狱中。

我在《遗传的天才》(Hereditary Genius)中已曾说起，近代宗教迫害在民族的自然的性格上有很大的影响，这里可以不必多说了；但现在要讲从有史时期起以至今日，接续的毁灭人类里有自恃性的，因此也就是高贵的民族的许多确实的势力，在这张表上，也不可不将所说的宗教一面的力加进里面去。

我以为从这等长久接续的情况之下发展起来的这种盲目性，已经渗入了我们的种族里面，足为我们享受自由的障碍，这些自由在近代文明组织里，本来是我们可以得到的。一个真有智慧的国民，当由一种比从单纯的结群本能而来的更为强固的力所结合。凡一国民不必是一群奴隶的乱众，因为恐慌而互相揪着，大多数缺乏自恃力，只求别人的引导；他应由许多有强大的自恃力的人所合成，因了无数的关系而互相联结，成为一个强的紧张的而有弹力的团体。

在个人各有判断力的国民中，其团体的动作性，应当有一种恒久性质。这是同一民族里的大多数的各人的主宰性的表现，自然当能一致。国民性之所以轻躁者,原因在于人群中的多数人都没有独立的判断,只是跟着别人,忽此忽彼,一任有势力的新闻记者,雄辩家以及感情家等暂时得到指挥他们的机会的人们的驱使。

我们现在的自然的性质,使我们不能达到各人都能清醒的自己判断的理想的标准,所以我们国人,不论在道德以及知识方面,只有奴隶性在一切革新的政策计划上,是一件公认的事实了。

这种污染,本起源于我们种族的原始的野蛮状态,其后又受后代的影响,留传至今,必须先行除去,我们的后代才能站起,得到知识社会里的自由会员的地位:我又加说一句,现代的最适于自恃的本性的窠,只有在由移民建立而且维持的联邦中才能寻到。

服从自有其传奇的一方面,在奴隶献身的去报答主人最微的心愿与最小的快慰,在忠顺臣民的报答其君主;但这种献身的行为,不能视为合理的自己牺牲,这不过是对于人所应负的义务——各人应该善用他的判断,各应依了自己以为最好的而行的义务——的弃绝罢了。信托权威是儿童与弱女子以及病人衰弱者的一种特质,但在昌盛而果决的社会里正在五十上下的中年的人民中间,是不适宜的了。生在自由的国土的人,觉得父权统治的空气非常压迫。在各人都有公共负责的观念,并且知道一切的成功都凭着自己正确的判断与努力的时候,充实而诚实的政治的与个人的生活自然实现。但在专制之下,这种生活固不可得,却有两种东西作为替代,便是等候主人指挥的懒惰的依赖性,与那败坏道德的信念,以为得个人的进益的最好的方法是由于请求与恩惠。

这一篇原名《牲畜与人的结群性》,在一八七二年发表,已经是五十年前的事了。一八六三年《人类才能与其发达的研究》(*In-*

quiries into Human Facults and Its Development）出版，收在里面，改题今名，现在据《各人的丛书》中一九一一年再版本译出。

戈尔登（Francis Galton）是善种学的创始者，关于他的学说，我曾做过一篇文章，发表在今年的《东方杂志》上，现在也不再说了。

一九二一年八月三十一日记

（第九卷第五号，一九二一年九月一日）

俄国的新经济政策

〔俄国〕布哈林　演讲　雁　冰　译

（以下乃布哈林的演讲,当一九二一年六月八日的第三国际世界大会在莫斯科开会时所讲）

要明白我们现在所采用的新政策,必须知道他和去年春天我们所经过的经济的和社会的生死关期的连带关系。

俄国革命的经验指出我们从前的革命程序观念完全是痴人说梦。从前即使是最正派的马克思主义者也以为无产阶级只消抓住政权便可充分管理生产机关了——当然的先要除去那些高一级的有产阶级。但是经验告诉我们,简直不是这样的。每个革命包含一次复杂的社会改组。而一个无产阶级的革命所包含的社会的改组,比从前过去的中产阶级的革命所包含的,更要复杂得多。一个无产阶级的革命不但需要人民去抓得政府而改组之,并且要去抓得整个社会的生产机关而改组之。在实际上,后者尤为重要之事。

现在我们且看在资本主义的国家里,这生产机关的性质是怎样的？第一,我们先看见一个资本主义的阶级制,一级压一级的制度——最高的是富有的资本家;其次是亲理各项事务的经理;又次是专门人才;又次是熟练的技手和机器手,这一级和上一级是差得很厉害的；又次即是底基了，便是普通的劳动者。当你开始要去改组这个社会，你可就扰乱了他们各级中间的平衡了，你把他们中间的联带关系割断了。劳工们开始用罢工用暴动来攻击政府。兵士们尚服从他们长官的时候，军队革命不能起来。劳工们尚服从他们的工头和雇主的时候，工业革命亦不能起来。但是一旦你把他们各级中间那些联带关系一割断，革命自然能起了，生产事业却也就停止了进行，如果劳工们罢工，或是派人守起街堡垒来，工作也就停止了，如果熟练的工程师和科学专门人才怠工起来，出产就缩少了。

守旧的社会主义者像考斯基（Kautsky）与巴尔（Bauer）之流，每说，同时不间断生产，同时起革命；他们这些话简直是废话。这犹之说兵士要反抗他们的长官而同时又要服从长官。有革命即不能不暂时阻滞生产，若要生产事业照常过去，便没有革命。你要一个革命，不能不付些代价呵！你不能不拿出一些代价就安然转换到较高式的生活。我们应该不怕我们的物质繁华暂时的有些破绽呵。你不打破鸡蛋，怎样做成蛋糕呵。

我们大家都知道，如果社会中别的阶级的反抗力愈强，则我们的革命的代价，便必须愈高；而且我们又都明白知道，第一个实行无产阶级革命的国家，其所出的代价必定最高。在我们俄国，阶级战争不但是内国的，还有对外的战争。当内国政变发展成为战争以抵抗国外的强有力的政府的时候，革命的代价真是不可数计了。我们的可怕的贫乏，其主要原因不外乎此。我们不得不把我们那一些枯竭的物力的四分之三都用在供养红卫军。我们不得不如此的原因，除了疯子，没有一个人不知道的呵。

人类要生活，缺不了面包。面包问题是革命时最难解决的问题。在那种危机时期所必不可免的经济的紊乱，也把城市和乡村的联络割断了。当无产阶级在城市奋斗时，城市里的工作全然停顿，城市和乡村的关系也就中止了。大地主和富农人觉得团积操纵是行不去了。农民组合就此破裂。城市出产品和乡村出产品停止交换了。记账交易制被打得粉碎，非用现钱不可了。城市既然不肯和乡村通融，乡村当然也不肯和城市通融了。城市居民和乡村居民间有无相通的办法便也全然消灭了。

因为城里人即使是在革命时候也是不能不生活的，所以我们必须筹划出特别方法来喂他们。第一，聚积在城市里的先必把来用完。第二，我们能用强迫手段从农人手里拿出米粮来。第三，农民对于无产阶级的同情，也帮助了我们，因为农民知道无产阶级的政府是保护他们反抗他们从前的地主以及其他的掠夺者，他们应得报答的。

当我们尚在锄削内乱并且抵抗国外的反动派与他苦战的时候，上面所述三者中的最后一个，在农民中施行重要的作用。当我们用强迫手段时，我们还是根据在这感情上，每个马克思主义者知道：我们的反对派说的什么农民是布尔什维克派的仇敌，我们的权力全恃枪尖来维持，等等的话，全是废话。如果真照反对派的说法，便是俄皇的根深蒂固的政府也要维持不下的。我们用武力，因为我们背后有农民的信仰做后盾，农民信仰再没有第二个政府能保护他们不受大地主的伤害。我们已把俄国大田地的百分之八十二给予农民，而且农民们亦不是愚子，肯把到手的东西放弃。他们很聪明的计称到将来的生活会要好些，只要手里得的田地不被收回去；因为将来他们的收入是稳定的了。就因为这些缘故，他们原谅我们的不得已办法，而且也正因为这些缘故，我们给他们个例外，在我们的经济社会内（就是说允许农民私有田地），在我们脚下，我们的根据是坚牢的。

资本家的政府已经从经验中知道了：有几种在平时万万不能见诸施行的经济管理法，到战争时是可以强迫施行的。我们当时的情形正和这个一样。俄国的一切阶级，造那些小有产阶级也在内，都觉得当战争时候是不论怎样的牺牲是只得牺牲的。我们应用"狄克推多"的方法，可以依靠这种感情。

但是战争完了以后，对于我们的设施而起的反对是一定不免的呵。他的最初的表现是在抗拒我们的管理制度，和农民中间的无政府的暴动。从经济学上讲来，这是很明显的，若我们取尽了农人的生产盈余，他们增加生产的动机便没有了。剩下来的唯一的动机便是：他们深信必须扶助那些都市的劳动者，好让他们来帮着使他们不再落于大地主之手。等到那些武装的仇敌都被我们打倒了以后，连这个动机就也变成很微弱了。我们立刻看出来，田地渐渐荒废了。这个，固然一部分是由于我们抽调农民入军队的缘故，一部分也是由于牲畜和器械渐渐缺乏的缘故，但农民的不复愿意耕种也是一个原因。因此我们现在就逢着一个农业上的危机，快要发生饥馑之灾了。

这是自然的趋势：农产一匮乏，城市生产也衰颓了。有人说，我们的工厂和制造场多半是毁坏到不堪设想，这不是真的。在许多炼钢的和制造金属品的大工厂里面，我们还有看上好的机器但是最大的问题却是如何去使得城中的人有得粮食吃。我们的工人都枵腹做工，城市和乡村之间的生产和制造又周转不灵。

这种经济状况发生了种种社会的结果。我们的工厂既然停顿，工人就四散觅食去了。例如，他们在制造金属品的工厂里留着，但是为他们自己制造了每天要用的小金属品。由是他们便不像个无产者的样子。他们方才晓得他们已经有了营业的自由，于是得到了小有产阶级的许多心理状态。于是我们便有了无产者变为小有产者，而且具备有产者的种种坏脾气的事情发现了。一般无产者不绝的向乡村间散去，而去经营小规模的独立工业了。社会混乱的程度愈甚，这种无产阶级的堕落愈快。

无产者的阶级势力本是这样的被我们的经济状况弄成衰弱，加之在战争中间他们里面的精英渐次丧失，这倾向就加倍的利害起来了。我们的大小军队都是由参差不齐的农民，加以共产党员和非党员的在上指导而成的。我们有许多最好的无产阶级指导者，在他们同伴的"工厂手"的中间，享着最高度的尊敬和信仰的人，都这样丧失了，我们的损失极大。并且我们不得不派出许多最好的人到乡间和别处去推行政府的事业。你在农业国的地面上组织一个无产阶级的狄克推多制度，你必须像走棋一样地把你的人员派在全国，像在棋盘上一样的巡转，方可以指导农民做事。所以，你立刻就会明白，无产阶级在工厂中的力气是削弱到如何的程度了。那边只剩了些最没用的分子。劳动阶级分崩的现象因此而入于我们眼帘之下。那便是目前最大的危机。

农民未尝不受苦，但是他们的苦却不及无产阶级所受者之甚。从经济的立脚点，却不是政治的立脚点，看来，他们已经比人民中任何别个阶级，得了更多的利益。物质生活上，农民是比无产阶级好些，虽然那后者是执着政府的大权。农民们都觉得他们是比从前不论何时更强有力了。此外我们还曾目睹过几种次一等的结果。农民在军队里学了不少政治的知识。他们从战场上回来的时候，已经换了一个人似的不同了。他们的知识，他们的阶级意识，都有进步，他们的脑筋也灵活了许多。这时候，他们已经很懂得政治了。他们对自己说："我们是这国中真有权力的人呵。我们不愿再被人当作家庭中间的小儿子看待。我们不是不愿意喂养那些工人，可是我们是长子呀，我们先得要求我们的权利呢。"

农民们一旦脱除了战争的束缚，立刻就提出要求了。他们喜欢做小本生意。他们是恢复自由买卖制的先锋队，是实行政府管理制和生产品社会化的仇人。他们的需要是大家都知道的，而且在西伯利亚、泰晤勃夫（Tambov）等处，他们已起暴动，来反对我们。那边的情形，并不像外国报纸上登载说的那么样坏，但是扰乱恐不能终免。

他们发明了一句政争的口号，表示他们的经济政策的大纲。他们宣言："赞成布尔什维克，但是反对共产党！"这句话初看是不通的。但是其中自有理由。当十月革命时，和在十月革命之前，我们一党屡次忠告农民："杀你们的地主，拿他们的田地。"以此布尔什维克党得了好人之名。布党把一切都给了农民，并不要回一些。然而近年来，我们一党却变为不给农民一些东西而向他们要回各种东西。所以农民们都诅骂共产党，说他们要了许多东西去，回报都没有。

他们第二句口号是："赞成无党派的苏维埃，反对党派的专政。"既然共产党中尚有不明白为什么一个阶级只能给领袖人去支配管理，难怪农民不能懂得这个了。

同样的观念也被刚才我所说的那些堕落而成小有产阶级的无产阶级保存着。有好多次，五金工人为求自由做买卖而向共产党宣战，说赞成阶级专政，却不赞成政党专政。

这样，无产阶级与农民中间的平衡是被扰乱了，而危及无产阶级专政制的全体的情形也起来了。当克朗思泰(Kronstadt)暴动的时候,这危机正高到极度。我们后来找得了文书,证明帝制派的阴谋家也参加在这一次暴动里工作。但是这克朗斯泰暴动同时纯然又是小有产阶级反对产业社会化的叛乱。

俄国的水手大半是农家子,而且他们有许多是从乌克兰来的。乌克兰的小有产阶级气味比中部俄罗斯要厉害许多。乌克兰的农民像德国农人,不像俄国农人。他们恨俄皇,但是他们于共产主义是没用的。那时我们的水手告假在家,他们自然染了家里人的思想。这就是那次暴动的起因。

你们知道我们的动作很敏捷。我们派了三分之一的同志去抵抗乱党。我们丧失了许多人,但是到底把乱事镇定。虽则如此,我们的胜利尚未把那个问题解决。我们不得不修改我们的党纲。如果那时德国革命已经成功,我们便可从德国运进无产阶级人来,实行外科手术的补创法了。但是德国未曾革命,我们只得自来修补。有一件事是无条件的。我们必须保护我们的"迪克推多制",不问出何等的代价。事情是明明白白的:如果我们不对农民让步一些,我们难免要蹈匈牙利的覆辙。虽然事实上,数年之后,也许我们仍能握得政权;但是当我们得这机会以前,有产阶级也会试手来做改组的事。一个国家的经济改组是困难而重大的事,谁也不能预先见到究竟会不会出乱子。

我们一天把着政权的舵,我们便能驶着它向右向左。舵儿离了我们的手,我们所取的路径便可以不必谈起了。所以我们抱定这个信条:不可一刻离开舵;经济的让步是必须多少就让多少,政治上可一点不放松。我们的反对党都在想:我们起初在经济上让步,过些时,政治上也要让步了。但是我们却实在是因为要免去政治上的让步，才做经济上的让步。凡类似于协同政府的东西，哪怕像允许农人以与工人同等政权之类，我们都不喜欢。

我们所有过的让步从不损害我们的狄克推多制的阶级性质的一丝一毫。一个工厂主对他的工人让了步，并不见得厂主就变了工人。

我们在这些让步中所含的社会的和政治的目的，是要使得那些小有产阶级的群众变成温和，变成中立者。从我已经对你们说过的话中，他们晓得，我们的主要的经济困难是缺乏那种鼓励人们去生产的动机。把某种的税则代替了摊派制度以后，我们已经创造出一个动机来了。一般农民现在知道，若是他生产得多，他必须拿出得多，但是同时，就是他可以私有得更多。我们从经验中知道这是他们计算利益的方法。自从我们决定了这个新章以来，被耕治的土地增加了。它已经达到一九一六年，甚或至于一九一五年时的状况了。

政治也从此得了太平。农民的反叛差不多消弭尽了，连在乌克兰都是这样。马克诺的许多军队（Mochno's Bands）都遭散了。

当然的，这种对于小有产阶级的让步，要防人误会。有些人或者要反对，说，照这样，资本是又要渐渐地累积起来，而自变成工业的资本了。一九一八年春天布兰斯德，列托夫斯克的条约初成以后，德国资本主义一涌而前，几乎将我们一口吞了下去，不是"前车之鉴"吗？然而这个，却全然要看时势如何再定的。我们的意思是：目前我们刚刚缺乏的是粮食和太平的农事；没有这个，我们要站不住了。劳动者自己也要起来反叛他们自己的政府，假如他们得不到东西吃。但是有我们在此掌权，资本主义若要复活，恐非短时间所能办到的吧！一切大的制造业建筑和煤矿，和铁路，都在我们手里。农民要变成资本家，也须得整个的历史时期来让他们变，这才行呵。我们想象着，以为这种资本主义是会在暗中慢慢地发达的，但是主要的财源却在我们手里呢。我们要粮食来复活我们的工厂。这一步做到了以后，我们就有力量去进行我们其余的计划了。无产阶级可以免涣散而成为小的独立生产者，我们可以从国外招进人工来。我们可以应用技术上的新改良，把全俄国通起电流来。做到了那一步，我们再来对付那些小有产阶级就绰绰乎有余裕了。农民居然受了我们的电光和电力的供给，他实际上就成为政府的一分子，他的经济独立的情感能成什么事。

假如资本主义的发展竟比我们的工业改良更快，那么单就我们讲，是糟了。但是我们希望它不会这样，我们希望我们的希望能实现，而我们路中的经济的障碍能这样的被扫开去。

（根据 Living Age 四〇二四号英译文译出）

（第九卷第六号，一九二二年七月一日）

殖民地及半殖民地职工运动问题之题要

陈独秀 译

洛若夫斯基所论，仅为总括的原则，即有实际运动的方法，亦偏于欧美，而未及东方。世界职工运动，凡属共产派的，尚有赤色职工国际总其成。上篇本只是洛若夫斯基以赤色职工国际委员长之资格，对于共产国际第四次大会之报告。一九二二年十一月间，共产国际开大会时，赤色职工国际同时亦开第二次大会于莫斯科，关于各国特别问题，多有讨论。其内容本非洛若夫斯基那篇报告所能包括净尽——仅得知其总体的状况及大致的概念而已。兹因中国处于半殖民地之地位，特取赤色职工国际第二次世界大会所议决的"殖民地及半殖民地职工运动问题之题要"译之，以见共产派对于职工运动中之"东方问题"的方针及其念。

殖民地及半殖民地职工运动问题之题要
一、殖民地及半殖民地是现代帝国主义制度所不可少的部分，若无殖民地及半殖民（地），则帝国主义必不能存在。

A. 殖民地常为其"宗主国"（metropolis）国家收入之直接渊源，宗主国常以租税制度、国家专卖制度吸取此等收入。

B. 帝国主义的资产阶级利用殖民地土人之军队，以巩固其在殖民地之统治权,甚至于以之巩固殖民地以外的统治权(如英国之在印度、波斯;法国之在非洲、德国)。

C.殖民地是宗主国恶劣贱售的工业品之大市场。

D.殖民地是宗主国"余资"之发泄地(如铁路、海港、电站、电车、殖民银行等)。

E.殖民地是宗主国之工业原料及燃料之渊源,此层于今日尤关重要,原料之争夺,已成各国帝国主义政治变迁之重要原因之一。

二、殖民地及半殖民地受政治的及经济的种种掠夺。政治方面,则军事权、立法权及行政权皆集中于少数大地主大资本家及"政府"人员之手。此等大地主大资本家,来自侵略国者居多。经济方面,则利用立法、行政、关卡、税则以及其他方法妨碍殖民地之工业发展。不仅以此种方法妨碍殖民地之工业发展而已,即其已有之工业亦往往濒于灭亡。帝国主义实是故意设法令向日原有制造品及输出品之殖民地,变成纯粹的农业国,至于仅能输出原料品,推销其宗主国之制造品(如印度)。且帝国主义的资产阶级,欲任意剥削,必且对于殖民地之劳动群众,行其愚民政策,故不仅物质方面而已,即智识方面,亦见其掠夺行为,断绝殖民地社会上的文化上的发展。

三、殖民地既能助资产阶级增加宗主国之富力,因亦大有影响于宗主国内之劳动运动。殖民地之劳动报酬,恒远不及其宗主国,况殖民地工业既不发达,手工业的技术,万不能敌宗主国所输入之贱售的工业品,因而日益破产,加以宗主国所行种种政策,令农民日见贫困,丧失其土地,故殖民地上常有过剩的劳动力。此等劳动者一般之生活程度既甚恶,工会组织又非常薄弱,因此不论何等条件下无不忍受，但求得自卖其劳动力，所得报酬几至不能维持生活。于是资本家乃能取得"超越的利润"远过其在宗主国内所能得者。当宗主国工业隆盛之际，需求劳动力，尤其需要高等的熟练工人，资本家于是以其在殖民地及半殖民地所得之厚利，略分余润于宗主国内之高级工人。于是造成所谓"劳工贵族"其地位既优越于工资微少的劳工群众，自然与之分离。劳工阶级中既分出此特权阶级，宗主国内劳工运动之组织，当即因之而分裂破坏。此等"劳工贵族"，遂成帝国主义之机械。欧美高级工人之所以沉溺于改良主义者，其主因正在于此。改良派能笼络此种国家内之高级工人，绝非偶然无因而至。正缘殖民地上剥削而来之厚利，于其国经济生活中确占重要地位也（如英国、美国、荷兰、日本及战前之德国）。至于白种工人之在殖民地上者，道德亦甚堕落。因其工资与本地工人不同，生活程度亦异，两者每每互相仇视，互相竞争。本地工人罢工时，白种工人从而破坏，反助资本家，在高丽之日本工人亦然。

四、至欧战而殖民地及半殖民地之经济政治地位大有变更。战期中列强对殖民地及半殖民地之输入减少，列强对于殖民地反有军事上财政上之依赖。各帝国主义国家之间竞争异常激烈，凡此一切皆令殖民地及半殖民地之资本家取得自由发展之机会，渐离各宗主国之帝国主义者之荫庇。于是殖民地及半殖民地（如印度、埃及、中国）发现急遽的工业化，因此殖民地上欧美式的企业中发生许多工业的无产阶级，群众咸集中于工业都市。此新生的无产阶级，即时涌出广大运动，弥漫东方全部。

五、然殖民地及半殖民地之幼稚的劳工运动颇有特点：

A.已组织的工人人数虽多，然在无产阶级全体比例上，究属少数。

B. 最近发生者亦有较巩固之工会组织，然多有仅因罢工而生之工会，随罢工风潮之息静而灭者。

C. 工会组织又常带有"行会性质""团体主义""省界主义""地方主义"（如中国），除罢工之时外，少能表现阶级的意识。

D. 反对帝国主义的民族运动遍于东方各国，因而殖民地及半殖民地上幼稚的劳工运动每每为资产阶级及其领袖之势力所支配。资产阶级因此运动之有利于己，故欲利用此群众，甚至于工会之首领往往为资产阶级的"社会事业家"，且有资本家者。

此等特点，乃因殖民地及半殖民地之工业，在封建的宗法的制度之下，又当高利的商业资本流通之冲，急遽发展所致，虽各地有种种形式上的不同，而实为一切殖民地及半殖民地上之工会所同具的性质。

殖民地及半殖民地同受帝国主义之束缚，因而有民族运动。本地之资产阶级遂能利用人种观念、民族观念、门第观念以及种种传说迷信，凡为农民式的无悟觉的无产阶级群众所不能详辨者，皆足为鼓动之助。资产阶级往往假名独立解放运动，以图诱惑劳苦群众之阶级的社会运动，令成为简单的资产阶级的民族运动，虽然，资产阶级即于其所谓"民族运动"，亦未必忠实耳。

六、故殖民地及半殖民地之职工运动问题，应有下列的策略：

A. 根据阶级斗争的原理组织依产业而联合的工会，当完全脱离资产阶级之势力，务以保护无产阶级之阶级的利益为目的。欲达此目的，在大多国家内尚需力争工会立法及集会结社之自由权。

B. 当实行有系统的不折不挠、继续不断的奋斗，以求殖民地本地工人与来自宗主国之白种工人，劳动条件相平等（工资、工时及一般待遇)。

C.同时,当竭力消灭殖民地本地工人与白种工人间之民族的仇视心,此种仇视心实有利于资本家,为阻滞殖民地及半殖民地劳工运动发展之主要原因。

新生的殖民地资本家,本甚乐于煽动增长此种仇视心,其利用之也,有两种目的:一、令劳动阶级内部分裂;二、号召大多数群众以从事于资产阶级式的民族独立运动。

D.然仍必努力参加反对帝国主义的运动,此种运动于殖民地及半殖民地上,自然必有民族解放运动之性质。帝国主义既以吸所厚利于殖民地为共同目标,则殖民(地)及半殖民地之工人阶级必先破坏帝国主义之统治,方能得较优之劳动条件。故参加一般的民族运动时,劳工运动当能于此反对帝国主义的战线上,取得最先进的完全独立的地位。同时即可暴露大小资产阶级及其政党(如中国之国民党、印度之甘地派、荷属南洋群岛之回教社、土耳其之"平民军"等)之虚伪的骑墙态度,指明其轻视农民问题。吾人正应努力于农民群众革命的斗争中,取得指导者之地位,若无农民革命,则殖民地及半殖(民)地之民族解放,必不可能也。

E.殖民地及半殖民地之职工运动尤有特别职任,即(农场工人)之极大的群众组织。农民乃东方诸国(如高丽、波斯、土耳其)人民中之最大部分,至于手艺学徒,亦须令脱离家长式的行业制度,加入无产阶级之斗争。

七、凡此一切问题,不仅在殖民地上非常重要,即在全世界劳工运动中亦复如是!赤色职工国际必当扶助此殖民地及半殖民地之幼稚的职工运动。

A.凡革命的职工联合会,有殖民地的各国之职工联合会中少数的革命派,已加入赤色职工国际者,皆当特设机关,与其殖民地之职工运动相联络。日本、美国与其殖民地及半殖民地高丽、中国、远东相接近,于此工作中尤有重任。太平洋一切问题之解决,将由此诸国劳工运动发展之程度而定。

B. 根据各国及各殖民地实际境况,定具体行动的计划。赤色的职工国际决议于下次世界大会时,同时召集一全球殖民地及半殖民地之革命的职工会议,即日着手筹备。

C. 于此殖民地职工会议之前,为建立东方与西方之间及东方诸国之间革命的职工运动中更密切的关系起见,必须先在各重要港口设立"港口办事处"。港口之选定及设立"港口办事处"之切实办法,由此次运输工人特别会议讨论之,赤色职工国际亦当特派代表参加。

(季刊第一期,一九二三年六月十五日)

列宁论

腊狄客（Karl Radek） 著　张秋人 译

列宁之生长而成今日之"列宁"，正和小孩子长成大人一样。有一次，他看见我，适我正在浏览他方才出版的一九〇三年所做的文集，他笑着说："读一读我们从前是怎样的笨伯，倒也很有趣的！"但我并不要在这里把列宁十岁二十岁或三十岁时的脑筋和他主席共产党中央执行委员会各种会议或人民委员会会议时的脑筋相比较。这里，并不是把列宁当一个首领的问题，不过把他当一个平常的人罢了。亚克谢勒罗德（Axelrod）——少数党的祖宗之一，切心刺骨地恨列宁，他和我的辩驳之中，有一次说到列宁第一次如何到外国去，他如何同他散步和洗浴。他曾想借此使我信服多数主义之有害，尤其是列宁。他说："在那时，我曾觉得这里有一个人，他将来会做俄罗斯革命的首领。他不仅是一个学识丰富的马克思主义者，学识丰富的马克思主义者多着呢。而且他知道他要做什么和怎样地去做。他熟悉俄罗斯的国情。"亚克谢勒罗德是一个恶劣的政治家，因为他不懂国情。他只能在自己的研究室中推求理论，他一生的缺憾就是：在俄罗斯没有劳动运动的时候，他想出议论，以为应该有这样的劳动运动发生；若劳动发生适与他的议论不同，他就要老羞成怒了，现在，他还是向着这个不服从的小孩大发其怒呢。但是，人们往往批评别人，而所批评的，正是他们自己的缺点，所以亚克谢勒罗德说及列宁自以为聪明过人的地方，正是列宁所以能做首领的特点。

不知劳动阶级的历史，而做劳动阶级的首领，是一种不可能的事。劳动运动的首领，必须知道劳动运动的历史。若没有这种知识，便不配做首领。譬如近世的大将，他若不知将略的历史，他决不能以最少的兵力得胜的。将略的历史并不是一部如何能打胜仗的方法书，因为情形一经叙述过，彼本身并不能重演一番的。不过大将专心研究，烂熟胸中，能使他在战场上运用自如，并且他能看出那只凭经验不研学理的将军所不能看出的危险和可能罢了。劳动运动的历史并不告诉我们应做什么，不过使我们能够把我们的现状和劳工阶级所已经过的阵势相比较罢了。因此，在各种危急的时候，我们能认清我们的道路，看出将要临到的危险。

但是，我们若不彻底明白资本主义的历史及其在一切经济的和政治的现象中的作用，我们便不能知道劳动运动的历史。列宁很知道资本主义的历史，只有几个马克思派学者能赶到他。他不仅明白书上的字，且能想出从来没有人想出的马克思的理论。我们且拿他在我们与职工联合运动冲突的时候的小册子来做个比方，在那书中，他称蒲哈陵（Bukharin）为工团主义者，折衷派，而且说他在许多别的事情上是罪魁。这本争辩的小册子也略略地说明互辩律（Dialectics）和折衷说（Eclectics）之不同。所发的议论虽不引用任何唯物史观的材料，但所说到的唯物史观，却多于比这小册子更大的书的全本。列宁独特地领会和想出唯物史观的理论，以至无人能及他的，因为他研究唯物史观所见到的事物，与当时激动马克思创立理论的事物是一样的。

列宁之投身于运动，具有革命的意志（Will to Revolution），且他的研究马克思主义、资本主义之进化以及社会主义之进化，皆立足于革命的意义上。朴列哈诺夫（Plekhanov）也是一个革命家，但他不具有革命的意志。他虽是一个俄罗斯革命的重要教师，但他只能教革命的方式，而不能教革命的方法。列宁之所以由理论家而变为政治家，全在于这一点。

〔注〕原文谓朴列哈诺夫只能教"革命的代数"而不能教"革命的数学"——意思是说朴氏只能说明抽象的方程式，而不能求得具体的答数。

列宁把马克思主义与普通劳工阶级的战略相化合。他能具体地运用马克思主义于有关俄罗斯劳工阶级的运命的战略。我们可以说：列宁在军官学校里不仅研究克老史活兹（Clausewitz）、毛奇（Moltke）等，而且同时也研究将来俄罗斯无产阶级战争的区域。这种研究，在俄罗斯找不出另外的人。列宁的奇才，全在于此：就是能够以全身的精力，服务于他所任的事业上。

我必须趁着机会辩明，当多数主义发轫的时候，何以像卢森堡女士（Rosa Luxemburg）这样聪明的人，也不能明白列宁的主张的正确。我现在且大略说一说：卢森堡不十分明白俄罗斯无产阶级的战争状况，那是和西欧无产阶级的战争状况有经济上与政治上的不同的。因此，伊于一九〇四年倾向于少数主义了。我们依历史说起来，少数主义是小资产阶级智识者的政策，能使无产阶级的根基多与小资产阶级发生密切关系。依方法论说起来，少数主义是一种转输西欧的劳动运动到俄罗斯的舶来货。若我们读一读亚克谢勒罗德或马尔托夫（Martov）关于劳动阶级发展的独立论，他们以为劳工阶级"不得不练习站立在自己的脚上"。这种论调，凡生长在西欧劳动运动中的任何人听着，无不惊异赞赏。我很记得，当第一次革命的时候，我得读着俄罗斯社会民主党的辩论文，若我不十分熟悉俄罗斯的实情，决不会否认这种根本的真理。他们这种伟大的计划并不缺少什么，可惜没有实行战略的预先应备品。到了今天，历史已给我们证明，少数主义者关于"劳动运动的独立"所发的言论，简直是俄罗斯的劳动运动有附属于俄罗斯资产阶级之必要的废话。

今天我们试翻开共产党章程（Party statutes）上的著名的第一节上的争论来读一读，便觉得有趣味。因为这一节，曾使社会民主党分为多数派与少数派。在那时，列宁要求只把秘密组织的分子视为党员，这桩事，大显他自立一派的样子。但究竟的争点是什么呢？是列宁想决定劳工党的政策，以免除某种知识者的混乱观念。在第一次革命之先，凡对于政府不满意的医生或律师偶然地读一读马克思，便自命为社会民主党人，究其实，不过一个自由主义者罢了。甚至于他们曾进一个秘密组织，甚至于他们曾毁弃小资产阶级式的生活，而历史仍然告诉我们：有许多知识者还存留自由主义于他们的心灵中。但是党章之限制："只愿属于秘密组织的人加入，要人人愿受秘密组织之危险"，已经可以减削资产阶级在劳工当中之优势的危险，并使革命的红光从劳动阶级发出，而射进党的组织里，虽然里面还有许多智识分子，也不要紧了。然而要能坚持这层意见，要能为这缘故而不惜分裂工党，则必须如列宁一样地根据俄罗斯的实情，而做有力的俄罗斯马克思主义者和俄罗斯革命家。若是许多好的马克思主义者在一九〇三和一九〇四年还不明白这一点，那么，当亚克谢勒罗德开始把那反抗俄罗斯资产阶级的无产者的阶级斗争与有名的田地运动（Agrarian campaign）混合起来的时候，就应该明白了。这件事就是：工人列席自由派的宴会，有二种用意：一、可以知道知道资产阶级；二、可以充满着怨恨而反对资本阶级。人人都知道他们除了这宴会上，从来没有见过劳动阶级。再，资本家可在这里得点教训，会觉悟到促进全国的共同利益的必要。

　　列宁之知道俄罗斯实情的方法又有一个特点，他与他们那些伸出手来讨那领导俄罗斯无产阶级的权势的人不同。他不仅知道俄罗斯的实情，而且非常明白。凡在党的历史变迁的时候，尤其在我们握得政权的时候，一千五百万人民的运命系于党的议决案上，我往往惊骇列宁之储有英国人所说的常识。譬如现在我们谈论一个人，而我们相信这一世纪必不再有像他一样的人，他的常识何值我们称赏？不过至于政治家而有常识，那就伟大了。当列宁要决定一个重要问题的时候，他不想到抽象的历史情况，也不想到地租、剩余价值、专制主义或自由主义。他想到德维里（Tver）省之沙伯格维支（Sobakevitch）、建逊（Gessen）、塞达尔（Sydor）、浦帝老甫（Pútilov）的工人、街上的巡察，他也想到那"乡下人"（Mujik）塞达尔和工人奥纳甫立埃（Onufria）的成效。他以为凡此种种，都是革命的柱石。

　　我永久不能忘记在白莱斯德（Brest Litovsk）和会之前与列宁的谈话。凡我们所提出来反对白莱斯德和议的理由，都受他驳回，好像弹豆到墙壁上，受其反动而弹回一样。他用最简单的理由：战争不是一些好革命家的党便可指挥的，因为他们已经尽力控制自己的资产阶级的咽喉，所以不能与德国的资产阶级停止交易。"乡下人必定要进行战争。"我当时说了这一句话。列宁就问我说："难道你不看见乡下人投票反对战争吗？"我说："他何时并且如何投票反对的呢?""他用他的脚投票的,因为他从战线上逃去了。"列宁就是这样地解决这件事。我们不能同德国帝国主义妥协,列宁知道这一点与别人一样。不过列宁赞成白莱斯德和议,为的是要休息一下子——但是他主张和议时,并不在群众面前把接踵而来的苦难隐藏片刻。这件事的确无异于立即颠覆俄罗斯的革命。可是却能给我们一个希望之影,可以喘一时之气。若这休息只有几个月,那就当时确是一紧要关头。因为"乡下人"必定要先接受那革命所赐予的土地;必定要他觉着土地有重新失去的危险,他才知有保护彼的必要。

我们再举当我在波兰战争中败退,磋商和议于里嘉（Riga）的时候来做个例。在那时,我要到外国去,未起程之先,去访列宁,因为要同他说一说我们对于职工联合会之关系所起的各种不同的意见。正如白莱斯德和议时一样,那略赞省（Riazan）的农民（乡下人）在他的测度中是战争中之重要人物,列宁便根据农民心理决定和议。所以当内争一变而为重建经济的问题的时候,他也同样地把自己站在一个朴素的工人的地位上,因为没有这位朴素的工人,就没有重建经济的可能。但是他如何问自己呢?党的会议上讨论职工联合会在经济事业中所应做的职务,工团主义者与折衷派都有不同的意见。但是列宁所看见的,是被宰割的工人,忍受着无人过问和不能形容的痛苦,现在却要来重定经济事业。重建经济是一桩非常重要的事,我们不得不汇集我们的一切力量,并且我们有权可以请求劳动阶级参与这种工作,凡此种种,于他毫无异议。不过有一个问题:我们应该怎样开始做此工作,我们应该怎样把几千好同志从他们已经习惯于军事指挥的陆军中撤回,送他们到工厂里去呢?采用这样的策略,必不济事的。所以列宁说:"他们必须休息,因为他们疲乏了。"这是列宁的重要理由。他看见在他面前真的俄罗斯工人,如他在一九二一年之冬季时一样,他知道那样可能,那样不可能。

马克思在他的《经济学的批评》的绪言中说:历史只能处置彼自己所能成就的工作。换言之,凡深察历史在某定期所能成就的事业,而且不为决意只为可能而战的人,就是历史的工具。列宁之所以成为伟大,在乎当实际情形变化之时,不会被任何预定的公式所蒙蔽,当公式稍有不合实际情形的时候,他有立刻弃彼于深山大海之勇敢。在我们未握政权以先,我们既是革命的国际主义者,所以有"平民间的和平!反对政府间的和平"的口号。但后来我们突然地跑上劳农政府地位,而四面围着的平民都还没有推翻他们的资本家政府。有许多同志都问:"我们如何能同德皇霍亨差伦(Hohenzollern)的政府议和?"列宁带玩笑似的回答说:"你们简直不如鸡。一只鸡不敢走出粉笔所画的圆圈一步。但是鸡可以说'这圆圈是别人画的'以自解。至于我们的公式,是我们自己的手画的。你们现在只见公式,而不见实际情形。我们之所以要有'平民解决和平'的公式,用意在乎唤醒民众反对军阀和资本家政府。现在你们却要我们走到颠覆的路上去,反让资本家政府假我们革命的公式的名义而得胜。"

列宁之所以伟大,在乎找准实际的目标,在这实际中,他找着一匹强有力的骏马,彼会驮他到他的目标里去,而且他很相信彼。他永不空想。不仅如此。他的天才还有一种特性:他决定一个某目标之后,他还要从实际上找寻达到目标的工具。他不以决定了目标而知足,他还要具体地想出一切用以达到目标的不可少的东西。他不仅想出作战的方法,而同时想出作战的全部组织。我们的"组织家"——他们只是组织家——往往讥笑列宁当一个组织家。凡看见列宁在家里在人民议会里或委员会里如何工作的人，也许想：再也找不出比他更不如的组织家了。因为他不仅没有书记官替他预备材料，并且到如今他还不会学会述给速记生默写的方法，而自己定睛望着速记生所写的笔，好像乡下人第一次看见汽车一样。但是我们全党中只有一人能够明白数十年内关于改革我们官僚主义制度的重要观念，若我们不要农民怨恨劳农政府，此种改革是必不可免的。我们都明白官僚主义制度，而且带着悦人耳目的口气在半官式的机关报上说："苏维埃制的小缺点"，我们都大声反对同志斯脱克拉夫（Steklov，《新闻报》的总主笔）所称为专闹笑话的事务国（The scandalous state of affairs）。不过我们党的首领中，谁问过自己：新经济政策已创立了无产者与农民之同盟的新基础，我们如何阻止官僚主义恶习不破坏这种同盟呢？仅有俄罗斯无产阶级的大政治家，虽然因每天的工作而患病，总是想到国家的组织的重要问题，预先做出数十年斗争的计划。我在这里所说不过是一个约略的草稿，详细情形，可以得之于年来所经过的事实。但是我们越对于这约略的草稿留意，越明白地看出列宁是一个伟大的政治家与伟大的政治组织家合而为一的人物。

这一切何以都会联合在他身上，只有上帝知道（请斯德凡诺夫Stefanov同志与反对宗教委员会原谅我说这一句话）。历史自有彼自己的机器去蒸馏白兰地酒，没有特别的侦探能侦查出来。譬如德国的资产阶级没有统一德国的力量，历史就在某处或一小田庄上放他的机器做起工来，得着上帝或魔鬼的帮助，造出一个俾士麦克（Bismarck）来，他就成功了统一的工作。若我们读他第一次的报告，一步步地跟着他的政策，我们不得不问问自己：一个地主如何能了解全欧的实情。

凡我们想党的历史、革命的历史和列宁的时候,亦有像上述的同样的思想发生。十五年以来,我们看见这个人战胜难题上之任何障碍,以反对最近二十五年来所发明的任何主义(Ism),自尾巴主义(Khvostism)以至经验的批评主义(Empiric cretism)。列宁以为凡这样的主义往往与真正仇敌联为一气,存在于别些阶级或劳动阶级之中,不过无论在什么地方,总是存在于实情中。这些主义都是用以知道实情的工具,他把这实情的全部吸收进去,加以研究,思索,直至最后的结果发现为止,并且显明他自己是一个最懂俄罗斯的实情的人。从明白实情的革命家渡到政治家,历史再不能给我们第二个例了。这样的大理论家、政治家、组织家的特性的结合,使列宁做成一个俄罗斯革命的首领。他自己想使我们相信人需要绝对的真理,不过在易卜生(Ibsen)的个性主义的表示中,这种真理并算不得真罢了。真理对于许多人是死的,甚至对于许多阶级是死的。若资产阶级领悟真理本身,且透彻真理,则他们早已败了。因为当那历史的真理告诉他们:他们不仅该定死罪,并且他们的尸体应该投于阴沟的时候,谁还敢去战?资产阶级不知他们自己的运命。但是革命的阶级必须真理,因为真理就是明白实情。若不知道真理,就不能明白实情。我们做成一部分实情,就是劳动阶级、共产党。若我们能鉴别我们的力量和弱点,那么我们就能鉴别保险最后胜利的方法了。列宁以真理告诉无产阶级,并且只是真理,虽然失意,也不顾的。(所谓"苦的真理"也是要说——译者)。当工人们听他演说的时候,他们知道在他的演说中没有一句空话。他帮助我们以实情去告知我们自己。有一次,我同一个将死于肺痨病的多数派工人住在达华斯(Davos)。在那时,正在辩论自定国籍的权利，而我们波兰的共产党人反对列宁的意见。我所说的同志读完我的反对列宁的论文之后，说："你所写的，我完全信服，不过无论何时我反对列宁，到事过之后，往往总是我错的。"这是领袖党的职员们所想的，列宁之所以在党中有声望，也是这个缘故，但工人们并不如此想。他们很相信列宁，因为他曾有数千次的不错，若他偶然有一次错，或他所指导的事错误了，他立即公开地承认说"我们已经错误了，所以我们败的，这种错误应该怎样怎样地补救"。许多人曾经问他何以这样地公开地承认错误。我不知道列宁何以如此的，不过这种行为的结果是显而易见的。觉悟的工人决不至于因一小过失而不信他的救主的。当列宁承认他的错误的时候，他一点也不隐瞒，他引工人到他自己的思想的实验室里去，他使工人参与决定最后的议案，工人们看出他是个首领，代表他们的实验室——阶级斗争的结晶。一个本身需要绝对的真理的大阶级，必用全心去爱一个首领，这首领是爱真理和说实话的。有这样的一个首领，工人才能负担任何的真理，甚至最难的。人们相信他们自己，只在他们一点事情不隐瞒的时候。凡关于他们自己的事，他们都知道，甚至最不幸的可能，然而他们觉得可以说：不拘何事……列宁帮助劳动阶级知道一切有害于他本身生存的分子，使他在最后能说："朕，无产阶级，是将来的现实生活之主宰和创造者。"这是列宁的伟大之又一点。

我们的党不仅负有地球上六分之一的运命的责任，而同时也是世界无产阶级胜利之主要柱石，所以在这个党的二十五周年纪念日，俄罗斯共产党人和各国的无产阶级革命家都充满着以下的愿望：愿这个"摩西"（Moses）——他曾经把奴隶们从被囚的地方领出来———定会和我们同到"应许地"（Promised land）！

（此篇乃腊狄客为俄共产党二十五年周年纪念所作）

（季刊第二期，一九二三年十二月二十日）